ODES HISTORIQUES
N CLASSE DE SECONDE

Invasions
barbares

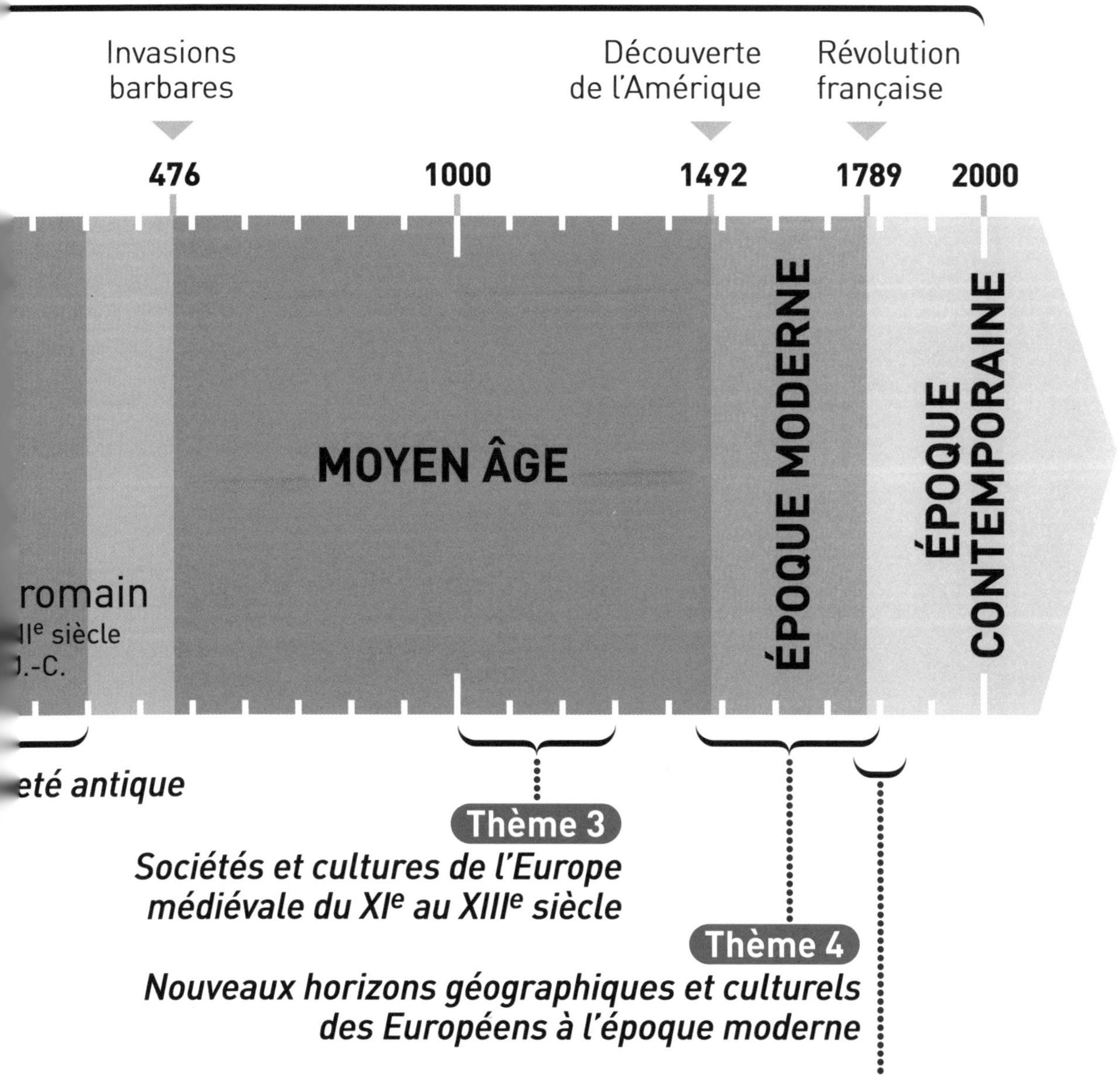

Découverte
de l'Amérique

Révolution
française

476   **1000**   **1492**   **1789**   **2000**

romain
IIe siècle
J.-C.

MOYEN ÂGE

ÉPOQUE MODERNE

ÉPOQUE CONTEMPORAINE

eté antique

Thème 3

*Sociétés et cultures de l'Europe
médiévale du XIe au XIIIe siècle*

Thème 4

*Nouveaux horizons géographiques et culturels
des Européens à l'époque moderne*

Thème 5

*Révolutions, libertés, nations,
à l'aube de l'époque contemporaine*

Histoire
2de

SOUS LA DIRECTION DE

Marielle Chevallier
Centre National de Documentation Pédagogique

Xavier Lapray
Professeur au lycée Paul Éluard
à Saint-Denis (93)

Guillaume Bourel
Professeur en classes préparatoires
au lycée Fénelon à Paris (75)

David El Kenz
Maître de conférences en histoire moderne
à l'université de Bourgogne (Dijon)

Jean Hubac
Académie de Rouen

Éric Limousin
Maître de conférences en histoire médiévale
à l'université de Bretagne-Sud

Alain Rauwel
PRAG en histoire médiévale
à l'université de Bourgogne (Dijon)

Sylvain Venayre
Professeur d'histoire contemporaine
à l'université de Grenoble-Alpes

Laurent-Henri Vignaud
PRAG en histoire moderne
à l'université de Bourgogne (Dijon)

Programme Bulletin officiel n° 4 du 29 avril 2010

Les Européens dans l'histoire du monde

THÈME INTRODUCTIF   **Les Européens dans le peuplement de la Terre**   (4 h)

QUESTION OBLIGATOIRE	MISE EN ŒUVRE	DANS LE MANUEL
La place des populations de l'Europe dans le peuplement de la Terre	• Les populations de l'Europe dans les grandes phases de la croissance de la population mondiale et du peuplement de la Terre, de l'Antiquité au XIXe siècle.	**CHAPITRE 1**
	• L'émigration d'Européens vers d'autres continents, au cours du XIXe siècle : une étude au choix d'une émigration de ce type.	▸ *Dossier* sur l'émigration irlandaise p. 22 ▸ *Dossier* sur l'émigration italienne p. 26

THÈME 2   **L'invention de la citoyenneté dans le monde antique**   (7 - 8 h)

QUESTION OBLIGATOIRE	MISE EN ŒUVRE	DANS LE MANUEL
Citoyenneté et démocratie à Athènes (V^e-IVe siècle av. J.-C.)	• La participation du citoyen aux institutions et à la vie de la cité : fondement de la démocratie athénienne. • La démocratie vue et discutée par les Athéniens.	**CHAPITRE 2** ▸ *Dossiers* sur la cité et les pouvoirs à Athènes p. 42 à 48 ▸ *Dossiers* sur Périclès p. 52 et l'Ecclésia p. 54
Citoyenneté et empire à Rome (Ier-IIIe siècle)	• L'extension de la citoyenneté à la Gaule romaine : les tables claudiennes. • L'extension de la citoyenneté à l'ensemble de l'Empire : l'édit de Caracalla.	**CHAPITRE 3** ▸ *Dossier* sur les Tables claudiennes p. 68 ▸ *Dossiers* sur l'intégration des notables gaulois p. 74 et sur la romanisation p. 78

THÈME 3   **Sociétés et cultures de l'Europe médiévale du XIe au XIIIe siècle**   (8 - 9 h)

QUESTION OBLIGATOIRE	MISE EN ŒUVRE	DANS LE MANUEL
La chrétienté médiévale	• La question traite de la place fondamentale de la chrétienté dans l'Europe médiévale en prenant appui sur deux études : – un élément de patrimoine religieux au choix (église, cathédrale, abbaye, œuvre d'art...), replacé dans son contexte historique ; – un exemple au choix pour éclairer les dimensions de la christianisation en Europe (évangélisation, intégration, exclusion, répression...).	**CHAPITRE 4** ▸ *Dossiers* Histoire des arts sur le tympan de Conques p. 94 et la cathédrale de Laon p. 104 ▸ *Dossier* sur les luttes d'une Église conquérante p. 102

On traite une question au choix parmi les deux suivantes :	MISE EN ŒUVRE	DANS LE MANUEL
Sociétés et cultures rurales	• La vie des communautés paysannes (travail de la terre, sociabilités...). • La féodalité (réalités, imaginaire et symbolique).	**CHAPITRE 5** ▸ *Dossier* sur les communautés villageoises p. 120 ▸ *Dossiers* sur le développement des châteaux p. 124 et sur la société féodale p. 126
Sociétés et cultures urbaines	• L'essor urbain. • Étude de deux villes en Europe, choisies dans deux aires culturelles différentes.	**CHAPITRE 6** ▸ *Dossiers* sur Sienne p. 142, sur Tolède p. 148 et sur Paris p. 150

© Hatier, Paris 2014, ISBN 978-2-218-96197-7

THÈME 4   Nouveaux horizons géographiques et culturels des Européens à l'époque moderne (10 - 11 h)

QUESTION OBLIGATOIRE	MISE EN ŒUVRE	DANS LE MANUEL
L'élargissement du monde (XVe-XVIe siècle)	• La question traite des contacts des Européens avec d'autres mondes et de l'élargissement de leurs horizons géographiques en prenant appui sur une étude obligatoire : – de Constantinople à Istanbul : un lieu de contacts entre différentes cultures et religions (chrétiennes, musulmane, juive) ; sur une étude choisie parmi les deux suivantes : – un navigateur européen et ses voyages de découverte ; – un grand port européen ; et sur une autre étude choisie parmi les deux suivantes : – une cité précolombienne confrontée à la conquête et à la colonisation européenne ; – Pékin : une cité interdite ?	**CHAPITRE 7** ▸ *Dossiers* sur Istanbul p. 166 et sur Sainte-Sophie p. 168 ▸ *Dossier* sur Magellan p. 178 ▸ *Dossier* sur Lisbonne p. 176 ▸ *Dossier* sur Tenochtitlan p. 182 ▸ *Dossier* sur Pékin p. 172
On traite une question au choix parmi les deux suivantes :	MISE EN ŒUVRE	DANS LE MANUEL
Les hommes de la Renaissance (XVe-XVIe siècle)	• Une étude obligatoire : – un réformateur et son rôle dans l'essor du protestantisme ; et une étude choisie parmi les deux suivantes : – un éditeur et son rôle dans la diffusion de l'Humanisme ; – un artiste de la Renaissance dans la société de son temps.	**CHAPITRE 8** ▸ *Dossier* sur Luther p. 204 ▸ *Dossier* sur Robert Estienne p. 196 ▸ *Dossier* Histoire des arts sur Piero della Francesca p. 200
L'essor d'un nouvel esprit scientifique et technique (XVIe-XVIIIe siècle)	• Deux études choisies parmi les trois suivantes : – un savant du XVIe ou du XVIIe siècle et son œuvre ; – les modalités de diffusion des sciences au XVIIIe siècle ; – l'invention de la machine à vapeur : une révolution technologique.	**CHAPITRE 9** ▸ *Dossier* sur le procès contre Galilée p. 220 ▸ *Dossier* Histoire des arts sur le rhinocéros de Dürer p. 218 et *Dossier* sur les femmes savantes au XVIIIe siècle p. 224 ▸ *Cours 3* sur la révolution de la vapeur p. 228

THÈME 5   Révolutions, libertés, nations, à l'aube de l'époque contemporaine (15 - 16 h)

QUESTION OBLIGATOIRE	MISE EN ŒUVRE	DANS LE MANUEL
La Révolution française : l'affirmation d'un nouvel univers politique	• La question traite de la montée des idées de liberté avant la Révolution française, de son déclenchement et des expériences politiques qui l'ont marquées jusqu'au début de l'Empire. • On met l'accent sur quelques journées révolutionnaires significatives, le rôle d'acteurs, individuels et collectifs, les bouleversements politiques, économiques, sociaux et religieux essentiels.	**CHAPITRE 10** ▸ *Dossiers* sur les modèles anglais et américain p. 242 et sur l'esprit des Lumières p. 248 **CHAPITRE 11** – Le 10 août 1792 p. 264 – Les chefs révolutionnaires et la Terreur p. 270 – David et la mort de Marat p. 272 – La prise du pouvoir par Napoléon Bonaparte met-elle fin à la Révolution ? p. 276 – L'Église et la Révolution p. 278
Libertés et nations en France et en Europe dans la première moitié du XIXe siècle	• Un mouvement libéral et national en Europe dans la première moitié du XIXe siècle. • 1848 : révolutions politiques, révolutions sociales, en France et en Europe. • Les abolitions de la traite et de l'esclavage et leur application.	**CHAPITRE 12** ▸ *Dossier* sur Mazzini et le mouvement nationaliste italien p. 300 ▸ *Dossier* sur 1848 p. 302 ▸ *Dossier* sur l'abolition de la traite et de l'esclavage p. 294

Sommaire

Dans votre manuel interactif des ressources multimédias complémentaires

Carte interactive

Quizz

Doc. interactif

Résumé sonore

Lien Internet

Histoire des Arts

Quizz et Résumés sonores disponibles aussi sur www.histoire-hatier.com

Capacités et méthodes

A Maîtriser des repères chronologiques

• Nommer et périodiser les continuités et ruptures chronologiques

Les historiens français définissent quatre grandes périodes historiques :

- l'Antiquité ;
- le Moyen Âge ;
- l'époque moderne ;
- l'époque contemporaine.

Les frises chronologiques du manuel sont des repères essentiels pour nommer et périodiser les continuités et ruptures chronologiques.

• Situer et caractériser une date dans un contexte chronologique

Pour situer et caractériser une date, il est important de préciser la nature de l'événement et ses acteurs.

EXEMPLE : La prise de la Bastille du 14 juillet 1789 ne marque pas le début de la Révolution (elle a commencé avant) et n'a pas de conséquences immédiates. Mais la prise de la Bastille est un événement important symboliquement car c'est la première manifestation du peuple comme acteur de la Révolution.

• Situer un événement dans le temps court et le temps long

Un événement a souvent plusieurs significations suivant qu'on le situe dans le temps long ou le temps court.

EXEMPLE : Sur le temps long, l'année 1789 se situe à la fin de l'époque moderne car elle marque la fin de la monarchie absolue symbolisée par la prise la de Bastille (14 juillet), associée dans les esprits au pouvoir arbitraire du roi.
Sur le temps court, l'année 1789 est une étape dans la Révolution : après la proclamation de l'Assemblée nationale, le peuple se révolte et oblige l'Assemblée à abolir les privilèges le 4 août, idée inscrite dans la Déclaration des droits de l'homme du 26 août.

• Mettre en relation des faits ou événements de natures, de périodes différentes

Il faut souvent resituer un événement ou un courant de pensée dans une tradition plus ancienne.

EXEMPLE : Tout au long de leur histoire, les Européens se sont référés aux Anciens (Antiquité grecque et romaine), tant dans le domaine de l'art que de la philosophie, des sciences et de la politique. *L'École d'Athènes* (1511, p. 195), que le peintre Raphaël réalise pour les appartements du pape Jules II au Vatican, représente une Académie « rêvée » qui réunit des philosophes et des savants de l'Antiquité et du Moyen Âge, auxquels il associe les artistes de son cercle. Le décor s'inspire des thermes romains.

• Confronter des situations historiques

Les événements semblent parfois se répéter en histoire. Mais ils n'ont pas du tout le même sens car les contextes sont différents. Un processus historique comme une révolution peut recouvrir des réalités diverses.

EXEMPLE : Les révolutions politiques qu'a connues l'Europe entre le XVIIe et le XIXe siècles se déroulent selon des modalités diverses et s'étendent sur des périodes variées. Leurs conséquences sont différentes. La Glorieuse Révolution anglaise (1688-1689), pacifique, débouche, après le renversement du roi Jacques II, sur l'instauration d'une monarchie parlementaire. La Révolution française (1789-1799) est une rupture brutale et violente qui met fin au système politique et social préexistant. La révolution de 1848 à Paris se déroule sur quelques jours (22-24 février) et entraîne le remplacement de la monarchie de Juillet par la IIe République qui ne dure que trois ans.

B Maîtriser des repères spatiaux

• Repérer un lieu ou un espace sur des cartes

On repère un lieu en utilisant un vocabulaire géographique, les points cardinaux (nord, sud, est, ouest) ou la nomenclature géographique (nom de continent, région, pays, mer...). En histoire, il faut ensuite le situer dans son contexte politique, économique voire religieux et culturel.

• Mettre en relation des faits ou événements de nature, de période, de localisation spatiale différentes

Les cartes historiques ne sont pas uniquement des outils de repérage. Elles permettent aussi, grâce à l'utilisation de figurés spécifiques, de raconter l'histoire.

C Identifier des documents

Les documents se groupent en deux catégories : textes, images et documents chiffrés (statistiques et cartes).

L'identification du document s'appuie sur plusieurs éléments : nature, source, auteur, date, conditions de production.

LA NATURE : *de quel type de document s'agit-il ?*

TEXTE		
Documents officiels	**Documents à caractère public**	**Documents à caractère privé**
• Discours • Loi, décret, édit	• Article de presse • Essai (politique, philosophique, économique, historique, scientifique, etc.) • Dictionnaire, encyclopédie • Œuvre littéraire (roman, pièce de théâtre, récit, mémoires, etc.)	• Correspondance privée • Inventaire

IMAGE		
Images officielles	**Images à caractère public**	**Images à caractère privé**
• Portrait officiel (peinture, buste, photographie, etc.) • Affiche politique (propagande, publicité électorale, etc.) • Monnaie	• Peinture, fresque, gravure, manuscrit enluminé, dessin, etc. • Sculpture • Bâtiment (église, temple, palais, etc.) • Objet (vase, relief, reliquaire, etc.) • Carte • Affiche (propagande, publicité, etc.) • Caricature	• Portrait de famille (peinture, photographie, etc.)

La nature détermine le **statut** du document, son **usage** et le **public** visé.

LA SOURCE

De quoi (journal, œuvre, organisme, etc.) le document est-il tiré ?
Il peut s'agir d'une source publique : presse, œuvre, organisme, etc.
Il peut s'agir d'une source privée qui aurait été rendue publique :
correspondance privée publiée, journal intime, etc.

L'AUTEUR

S'il est nommé et connu, une rapide présentation permet de mettre en valeur ce qui, dans sa biographie, aide à comprendre le document et à en évaluer la portée.

LA DATE ET LE CONTEXTE

Quand et dans quelles circonstances le document a-t-il été rédigé ?
En quoi ces circonstances influencent-elles la teneur du document ?

D Faire des recherches sur Internet

Internet met à disposition une mine d'informations. Il faut savoir utiliser de manière critique les moteurs de recherche et les ressources en ligne. Il est important d'identifier la nature du site pour vérifier sa fiabilité. Les sites institutionnels, ceux de l'État (.gouv.fr), des musées ou des universités peuvent être considérés comme des sites de référence et donc être utilisés pour faire des recherches, des exposés ou des révisions.

Les Européens dans le peuple

Lithographie d'Elizabeth Walker (1800-1876), d'après W. Alsworth,
The Emigrants, 1850. National Library of Australia, Canberra.

Chapitre 1

La place des populations de l'Europe dans le peuplement de la Terre
(de l'Antiquité au XIXe siècle)

Ancien foyer de peuplement, l'Europe connaît au XIXe siècle une transformation de sa démographie, à l'origine d'une redistribution du peuplement mondial.

L'ancien régime démographique : des crises de mortalité récurrentes

Enluminure extraite d'un manuscrit flamand de *La Légende dorée*, de Jacques de Voragine, XVe siècle. Bibliothèque municipale, Mâcon.

Le nouveau régime démographique : croissance de la population et migrations de masse

Immigrants italiens arrivant à Ellis Island, New York, vers 1900.

Sommaire

▶ **Quelle est la place de l'Europe dans les grands foyers de peuplement du monde ?**

▶ **Quels progrès ont permis la croissance démographique en Europe à partir du milieu du XVIIIe siècle ?**

▶ **Pourquoi l'Europe est-elle une terre d'émigration au XIXe siècle ?**

L'Europe dans le peuplement de la Terre

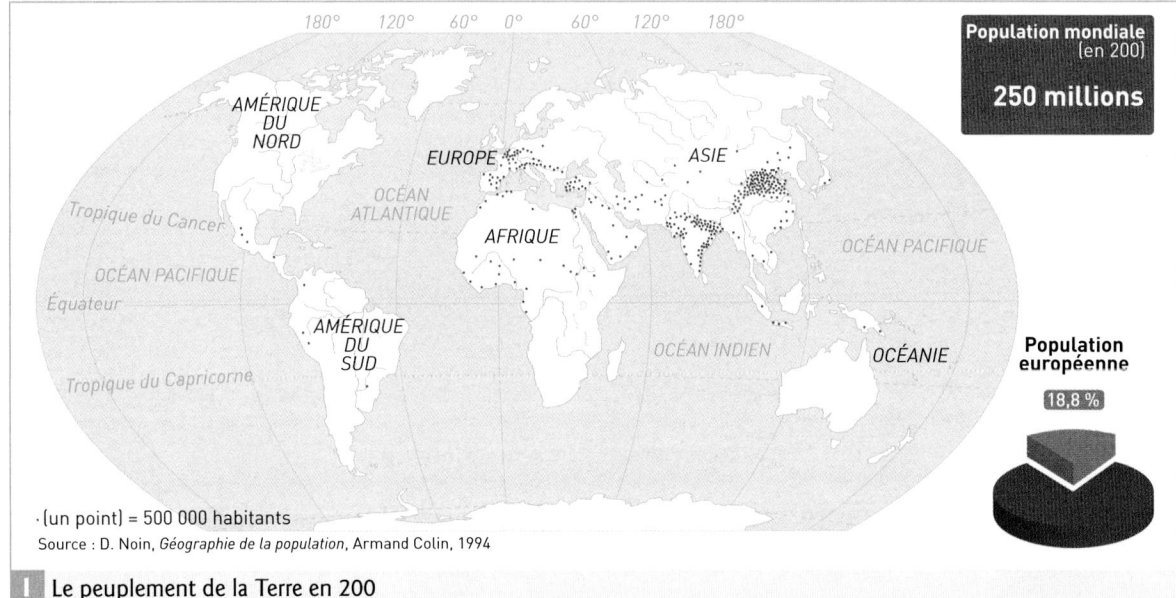

Population mondiale (en 200)

250 millions

Population européenne
18,8 %

· (un point) = 500 000 habitants

Source : D. Noin, *Géographie de la population*, Armand Colin, 1994

1 Le peuplement de la Terre en 200

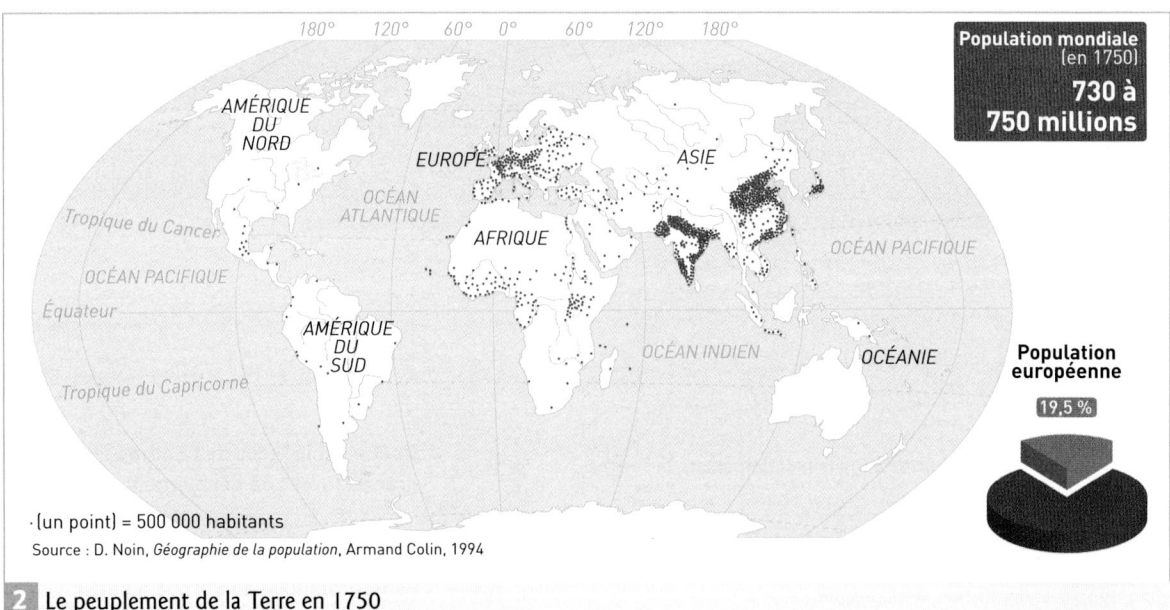

Population mondiale (en 1750)

730 à 750 millions

Population européenne
19,5 %

· (un point) = 500 000 habitants

Source : D. Noin, *Géographie de la population*, Armand Colin, 1994

2 Le peuplement de la Terre en 1750

QUESTIONS

1. **Doc. 1 à 3** Où et quand se forment les premières grandes concentrations humaines ?
Existent-elles encore en 1914 ? Pourquoi ?
2. **Doc. 1 à 3** Quels continents sont quasiment vides d'hommes en 200 ? Le sont-ils encore en 1914 ? Pourquoi ?
3. Quels sont les flux migratoires les plus importants (doc. 4) ?
4. Quel est le principal pays d'accueil des émigrants européens (doc. 4) ?
5. **Doc. 1 à 4** Quelle est la place des populations de l'Europe dans le peuplement de la Terre depuis l'Antiquité ?

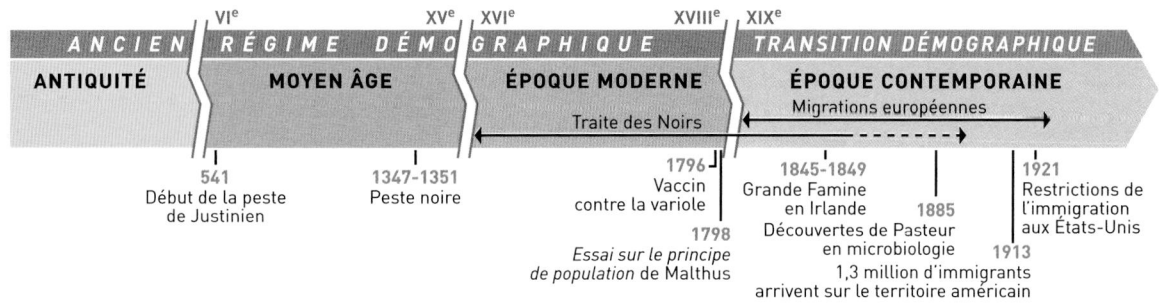

ANCIEN RÉGIME DÉMOGRAPHIQUE | TRANSITION DÉMOGRAPHIQUE

VIᵉ | XVᵉ | XVIᵉ | XVIIIᵉ | XIXᵉ

ANTIQUITÉ | MOYEN ÂGE | ÉPOQUE MODERNE | ÉPOQUE CONTEMPORAINE

Migrations européennes

Traite des Noirs

541
Début de la peste
de Justinien

1347-1351
Peste noire

1796
Vaccin
contre la variole

1798
*Essai sur le principe
de population* de Malthus

1845-1849
Grande Famine
en Irlande

1885
Découvertes de Pasteur
en microbiologie

1,3 million d'immigrants
arrivent sur le territoire américain

1921
Restrictions de
l'immigration
aux États-Unis

1913

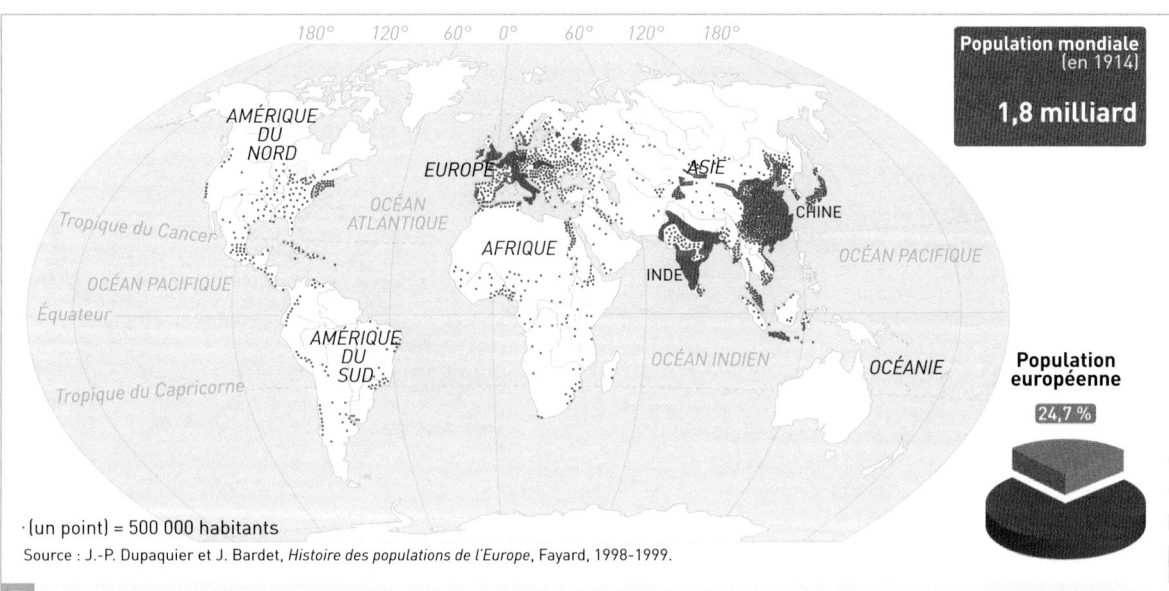

3 Le peuplement de la Terre en 1914

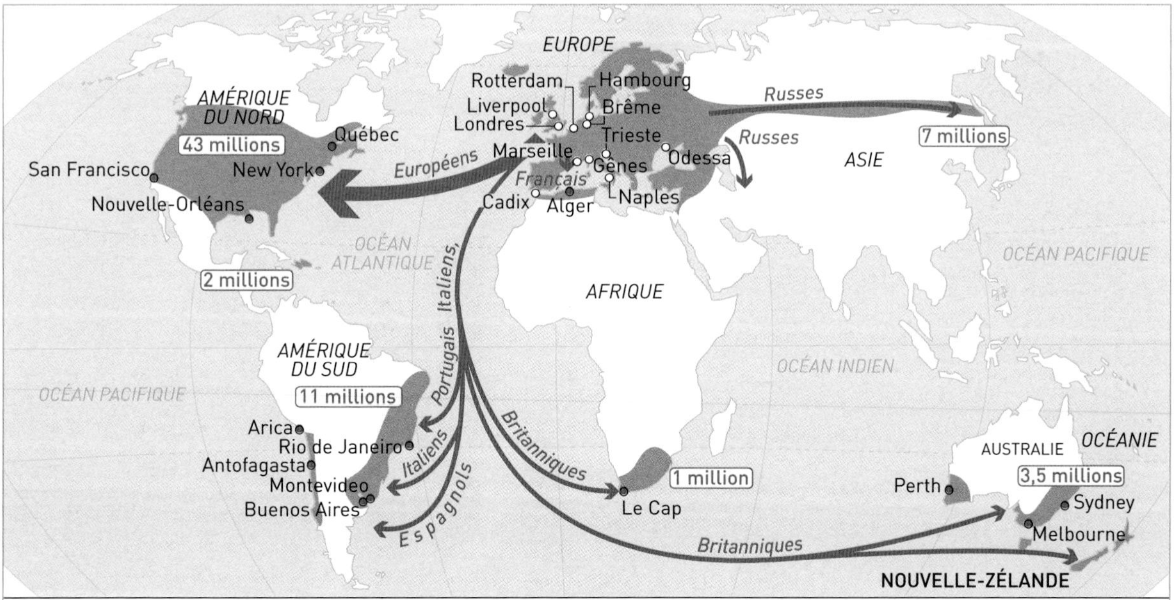

4 L'émigration européenne dans le monde au XIXᵉ siècle

Les épidémies en Europe

Jusqu'au XIXᵉ siècle, de grandes crises
de mortalité frappent régulièrement l'Europe.
Si les guerres et les famines peuvent
en expliquer certaines, ce sont les épidémies
qui jouent un rôle majeur. À partir du XVIIIᵉ siècle,
on observe une atténuation de ces pandémies
contre lesquelles les hommes luttent
plus efficacement.

REPÈRES

▶ XVIIᵉ : en France, la peste tue 3 millions de personnes
et la variole 7 millions (sur 20 millions d'habitants).

▶ XVIIIᵉ : la variole est le premier facteur de mortalité
en France : elle tue 1/10ᵉ de la population.

▶ XIXᵉ : les épidémies de choléra font moins
de 500 000 morts (sur 31 à 35 millions de Français).

? *À quelles épidémies la population
européenne doit-elle faire face
jusqu'au milieu du XIXᵉ siècle ?*

A La peste

La **peste** est une maladie infectieuse transmise
par la puce des rongeurs. Quand tous les rats
sont morts de l'infection, la puce s'attaque à
l'homme. Au XIVᵉ siècle, la Peste noire provoqua
la mort de 20 à 40 % de la population européenne.

▶ Quels itinéraires la peste suit-elle ?

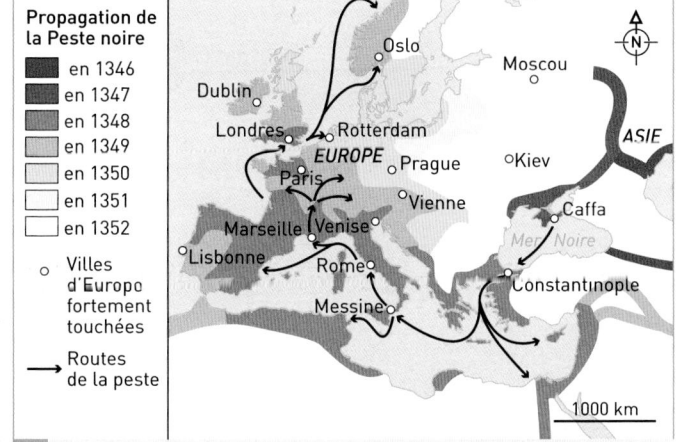

Propagation de la Peste noire
- en 1346
- en 1347
- en 1348
- en 1349
- en 1350
- en 1351
- en 1352

o Villes d'Europe fortement touchées

→ Routes de la peste

1000 km

1 La diffusion de la Peste noire en Europe (1347-1352)

2 Les ravages de la peste

Détail de *La Peste* de G. Zumbo (1680-1700). Cire colorée. Musée della Specola, Florence.

▶ Qui est touché par le fléau ? Comment l'artiste transmet-il le sentiment d'horreur
des contemporains face aux épidémies de peste ?

B La variole

3 Décès dus à la variole par classe d'âges en France à la fin du XVIIIᵉ siècle

0-2 ans	66,8 %
3-4 ans	15,4 %
5-9 ans	8,6 %
10-19 ans	5,5 %
20 et plus	3,7 %

Source : Pierre Darmon, *La Variole, les nobles et les princes*, éd. Complexe, 1989.

La **variole** est une maladie virale éruptive très contagieuse qui se transmet par contact d'homme à homme.

▶ Quelle classe d'âge est la plus touchée par la variole ? Que peut-on en déduire des conséquences démographiques de cette maladie ?

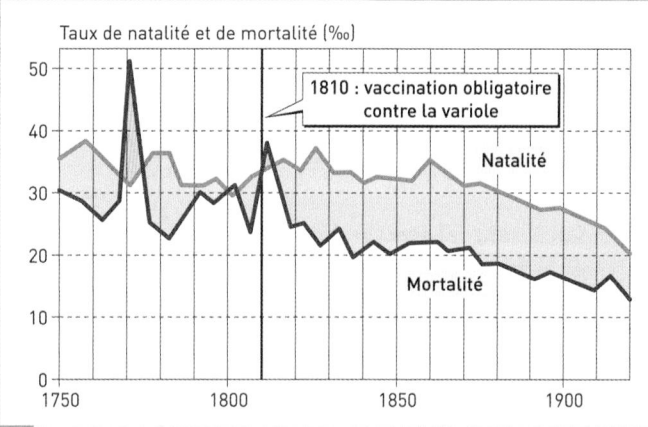

4 Les effets de la vaccination contre la variole en Suède (1810)

▶ Que permet la diffusion de la vaccination en Suède à partir de 1810 ?

C Le choléra

5 La propagation du choléra

Death Dispensary, gravure anglaise, 1830.

Le **choléra** est une infection diarrhéique aiguë provoquée par l'ingestion d'aliments ou d'eau contaminés par le bacille *vibrio cholerae*.
La forme majeure peut causer la mort dans plus de la moitié des cas.

▶ Comment le choléra se diffuse-t-il ?

6 La lutte contre le choléra

« Sachons regarder le fléau en face, avec les yeux de la science, et, comme toutes les autres maladies, nous le vaincrons. Car c'est une chose bizarre, et qui devrait faire cesser ces paniques folles, c'est qu'en somme – même à Toulon et à Marseille, foyer de l'épidémie –, le nombre des décès est moins considérable qu'aux époques où il n'y a aucune maladie épidémique. Allons donc, populations ouvrières, calmez-vous, et prenez le Manuel Raspail. Appliquez immédiatement ces mesures préventives : dès que le fléau […] se déclare dans un pays, on doit soir et matin allumer de grands feux […] ; la flamme dévore les insectes qu'elle attire et décompose les miasmes en gaz inoffensifs. On fait évaporer dans les maisons du vinaigre camphré. On porte sur soi un flacon de sel de Mindérérus[1] ou d'alcool camphré[2], que l'on flaire de temps en temps. On mange une nourriture aillacée et épicée. On reste sobre dans ses habitudes ; on évite les assommoirs, les brasseries, les boissons glacées et les excès de tous genres. […]

N'oublions pas qu'il y a plus de cinquante années, […] F.-V. Raspail a démontré que le choléra, le typhus, la fièvre jaune, etc. ne sont dus qu'à des miasmes ou causes animées, que l'on désigne actuellement sous le nom de microbes – pour faire de la science nouvelle. Or, les moyens qui ont réussi en 1834, 1849, 1854 et 1864 doivent réussir encore. […] On voit donc que le choléra n'est pas plus terrible que tant d'autres épidémies, comme la variole, par exemple […]. On l'a vu plus haut, le meilleur moyen c'est la propreté et l'assainissement des rues et des maisons. »

Le Choléra, manuel de prévention rédigé par Louis Combet,
médecin et conseiller municipal de Lyon en 1884. ■

1. Solution d'acétate d'ammonium anciennement utilisé en médecine.
2. Substance aromatique utilisée notamment contre les maladies infectieuses

1. Le choléra est-il perçu avec la même terreur que les épidémies précédentes par le docteur Louis Combet ?
2. Montrez que ce manuel témoigne de la persistance de conceptions anciennes mais aussi d'idées nouvelles en matière scientifique.

DÉCRIRE UNE SITUATION HISTORIQUE

Rédigez un paragraphe décrivant l'impact des épidémies sur la démographie européenne du Moyen Âge au XIXᵉ siècle.

La transition démographique

À partir du milieu du XVIIIᵉ siècle, les transformations économiques et sociales s'accompagnent en Europe d'une baisse de la mortalité puis de la natalité.

? *Quels sont les facteurs et les modalités de la transition démographique en Europe ?*

DÉFINITIONS

▶ **Taux de natalité**
Le nombre de naissances en un an pour 1 000 habitants.

▶ **Taux de mortalité**
Le nombre de décès en un an pour 1 000 habitants.

▶ **Taux d'accroissement naturel**
La différence entre le taux de natalité et le taux de mortalité exprimée en pourcentage.

A Qu'est-ce que la transition démographique ?

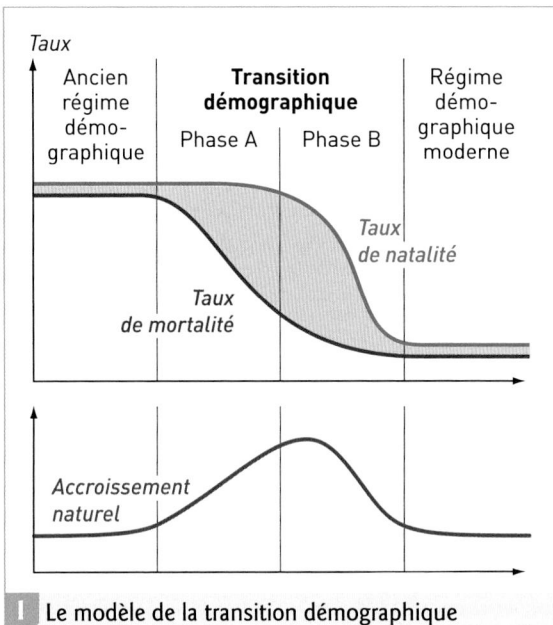

1 Le modèle de la transition démographique

2 Taux de natalité et de mortalité en France et en Angleterre-Galles 1750-1920

Source : J. Vallin, *La Population française*, coll. « Repères », La Découverte, 1994.

1. Décrivez l'évolution des courbes de natalité et de mortalité en France entre 1750 et le début du XXᵉ siècle.
2. Calculez le taux d'accroissement naturel en 1750, 1850 et 1900. Que constatez-vous ?
3. Durant la même période, comment a évolué le taux d'accroissement naturel en Angleterre ? Pourquoi ?

3 La dépopulation, une question politique

« Au commencement de la Révolution, la population de la France était de 25 millions ; elle dépasse à peine, aujourd'hui, 38 millions. Le fait brutal, indéniable, qu'elle a cessé de s'accroître ou qu'elle ne s'accroît que dans des proportions extrêmement faibles, alors que dans d'autres pays voisins, cet accroissement est de beaucoup plus considérable, ce fait ne nous met-il pas dans un état manifeste d'infériorité ? [...] Pendant la même période, la population de la Grande-Bretagne s'est élevée de 12 à 40 millions d'habitants et, en même temps que l'on constate cet énorme accroissement, on est bien obligé de reconnaître que l'Angleterre, au commencement du XXᵉ siècle, a conquis, avec le prestige et la toute-puissance sur mer, la prédominance de la situation économique du monde. [...]

Pouvons-nous nous résigner [...] à n'occuper que le 5ᵉ ou 6ᵉ rang parmi les nations européennes ? La décadence... n'est-ce pas là le sort réservé aux grandes nations qui se confinent trop longtemps dans un étroit égoïsme ? »

Edme Piot, sénateur de la Côte-d'Or, *La Question de la dépopulation en France : le mal, ses causes, ses remèdes*, Paris, 1900. ■

1. Quel constat l'auteur dresse-t-il de l'évolution comparée des populations française et britannique ?
2. Comment l'expliquer ?
3. Quelles en sont les conséquences d'après l'auteur ?

B Les facteurs de la transition démographique

4 L'essor de la production agricole

Années	Production de céréales en France (en millions de quintaux)				
	Froment	Seigle	Orge	Avoine	Total
1701-1710	23,1	23,13	40,8	40,8	87
1751-1760	–	–	–	–	75 (estimation)
1771-1780	51	51	44,2	44,2	95
1781-1790	26,5	36,8	22	27,5	113

Source : Jean-Louis Jadouille et Jean Georges (dir.), *Construire l'histoire*, t. II, *L'affirmation de l'Occident (XIe-XVIIIe siècle)*, Namur, Didier Hatier, 2006, p. 197.

1. Évaluez la progression des productions de céréales entre le début et la fin du XVIIIe siècle en France.
2. Quels liens pouvez-vous établir avec l'évolution de la population ?

5 La vaccination

Le docteur Edward Jenner pratiquant le premier vaccin contre la variole en 1796, peinture de Gaston Melingue, Académie de médecine, Paris.

La vaccine, « variole des vaches », sans conséquence mortelle pour l'homme, fut inoculée à un jeune paysan par le médecin britannique Edward Jenner, ce qui l'immunisa contre la forme humaine et mortelle de la maladie.

▶ Pourquoi la découverte de Jenner est-elle une véritable révolution médicale ?

6 L'assainissement des villes

Chantier de raccordement aux égouts sur le boulevard de Strasbourg à Paris, photographie, vers 1860.

▶ Pourquoi l'installation des égouts permet-elle de lutter contre les épidémies (aidez-vous en confrontant cette illustration au doc. 5 p. 7) ?

DÉCRIRE UN PHÉNOMÈNE HISTORIQUE

À l'aide de l'étude des documents, décrivez les causes et les modalités de la transition démographique.

7 L'hygiène individuelle

Publicité anglaise pour le savon pour enfants Pears, 1893.

1. Décrivez l'image : quelle place y tient l'enfant ?
2. Que révèle cette publicité des progrès réalisés en matière d'hygiène à la fin du XIXe siècle ?

L'évolution de la population européenne

Quelle est l'originalité de l'Europe dans l'histoire démographique du monde ?

1 L'Europe, un foyer de peuplement ancien

● **L'Europe dans le peuplement de la Terre.** Il y a deux millions d'années, les premiers hommes quittent leur foyer originel d'Afrique de l'Est pour gagner d'autres continents, l'Europe et peut-être l'Asie. Mais c'est vraisemblablement entre – 100 000 et – 20 000 que l'*Homo sapiens* se répand progressivement sur toute la planète.

● **L'un des trois grands foyers de population.** À partir de l'époque néolithique, avec le développement de l'agriculture se constituent trois grands foyers de population sur les bordures de l'Eurasie : en Chine, en Inde et en Europe. Ces premières grandes concentrations humaines se caractérisent donc par leur ancienneté mais aussi par leur permanence.

2 L'ancien régime démographique en Europe

● **Une natalité et une mortalité élevées.** Jusqu'au xviiie siècle, la démographie européenne est marquée par une mortalité élevée (entre 30 et 50 ‰), du fait d'une très forte mortalité infantile (entre 200 et 250 ‰). L'espérance de vie ne dépasse pas 40 ans **doc. 4**. Des crises démographiques surviennent périodiquement : famines, guerres et surtout épidémies **doc. 2**. Celles-ci peuvent rester locales ou bien s'étendre à toute une région voire à l'ensemble du continent. Aussi, le renouvellement des générations ne peut s'opérer qu'avec le maintien d'une fécondité élevée (de 4,5 à 5,5 enfants par femme).

● **Une augmentation irrégulière mais continue de la population.** Du xie au xiiie siècle, la population européenne croît fortement, passant de 25 à 56 millions. On ignore si cette augmentation est la cause ou la conséquence de l'essor économique que connaît alors le continent. La croissance est interrompue par la Peste noire des xive et xve siècles. Il faut plus d'un siècle pour que la population récupère son niveau d'avant peste et reprenne alors son essor, lequel s'accélère brusquement à partir de 1750 **doc. 1**.

3 L'Europe initie la transition démographique

● **L'antériorité de la baisse de la mortalité.** La transition démographique se traduit par une baisse importante de la mortalité alors que la natalité reste élevée, entraînant un fort accroissement naturel : entre 1800 et 1900, la population européenne double. Les causes de la diminution de la mortalité sont débattues : progrès de l'agriculture, amélioration des conditions matérielles, de l'hygiène et de la médecine, changement climatique. Ces facteurs ont joué selon des combinaisons variables en fonction des pays et des périodes. La transition épidémiologique est favorisée par les découvertes médicales : vaccin contre la variole par Jenner (1796), découverte de l'origine microbienne des maladies infectieuses par Pasteur (1880). Pour lutter contre le risque d'épidémies, les États mettent en place des mesures de protection.

● **Une baisse de la natalité plus tardive.** La fécondité s'ajuste progressivement aux nouvelles conditions. Cela s'explique par des facteurs matériels mais aussi par un changement de mentalité : valorisation de l'enfant, moindre emprise des Églises. La baisse de la natalité fait entrer le continent dans un régime démographique moderne, caractérisé par une natalité et une mortalité basses et donc un faible accroissement naturel.

● **Une transition démographique précoce en France et en Angleterre.** En France, la baisse de la fécondité a empêché tout accroissement notable de la population, alors que l'Angleterre a bénéficié pendant près de 200 ans d'un excédent important de la natalité sur la mortalité. Face à cette croissance démographique, la théorie malthusienne qui prône le contrôle des naissances pour éviter le risque de surpopulation, connaît un certain succès **doc. 3**. En France, au contraire, on s'inquiète du risque de dépopulation.

■ **En 1914, l'Europe regroupe le quart de la population mondiale, voire près d'un tiers si l'on prend en compte la population d'origine européenne installée sur d'autres continents. Ce maximum historique correspond à l'apogée de la puissance européenne.**

LOUIS PASTEUR

(1822-1895)

Scientifique français, fondateur de la microbiologie. Après la découverte du vaccin contre la rage en 1885, il énonce le principe de la vaccination préventive.

DÉFINITIONS

Démographie
Étude de la population, de ses mouvements et des facteurs agissant sur son évolution.

Transition démographique
Passage d'un régime démographique ancien (natalité et mortalité fortes) à un régime nouveau (natalité et mortalité faibles). Au cours de ce passage, la population augmente fortement.

Théorie malthusienne
Du nom du pasteur britannique Thomas Malthus (1766-1834), qui énonce la première théorie sur la population selon laquelle, pour diminuer la pression démographique sur les ressources d'un territoire, il faut limiter les naissances par l'abstinence ou le prolongement du célibat.

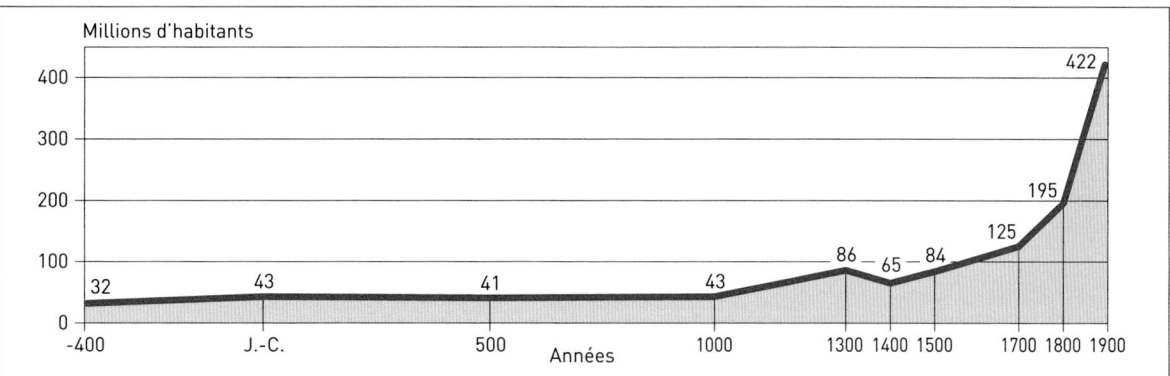

1 Évolution de la population européenne depuis l'Antiquité

1. Quelle évolution a connue la population européenne depuis l'Antiquité ?
2. Peut-on distinguer des phases ?

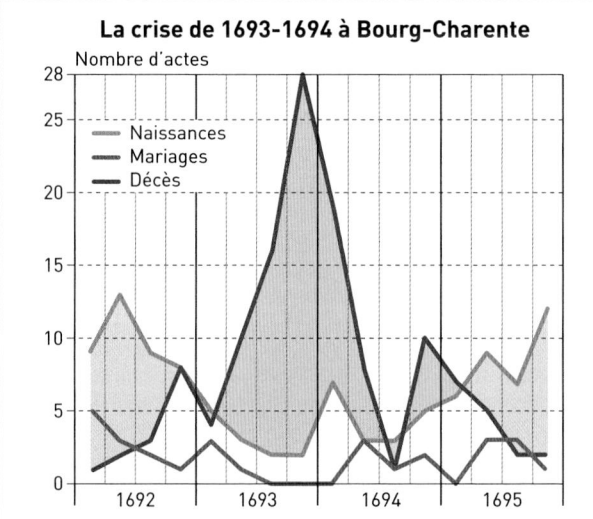

2 Natalité et mortalité au XVIIᵉ siècle : l'exemple de Bourg-Charente

1. Décrivez l'évolution de la natalité et de la mortalité à Bourg-Charente entre 1692 et 1695.
2. Qu'est-ce qu'un pic de mortalité ?
3. À quel moment de l'année se situe-t-il ? Pourquoi ?

3 La théorie de la population de Malthus

« Le bonheur universel doit résulter du bonheur des individus en particulier ; il doit commencer avec lui. Il n'y a pas même besoin d'une coopération : chaque pas mène au but. Quiconque fera son devoir en recevra la récompense, quel que soit le nombre de ceux qui s'y dérobent. Ce devoir est à la portée de la plus faible intelligence. Il se réduit à ne pas mettre au monde des enfants si l'on n'est pas en état de les nourrir. L'évidence de ce précepte ne peut manquer de frapper lorsqu'on l'a débarrassé de l'obscurité dans lequel le plongent les divers systèmes de bienfaisance publics et privés, et chacun sentira l'obligation qu'il lui impose. Si un homme ne peut nourrir ses enfants, il faut donc qu'ils meurent de faim. Et s'il se marie malgré la perspective de ne pas pouvoir nourrir les fruits de son union, il est coupable des maux que sa conduite attire sur lui, sur sa femme et sur ses enfants. Il est évidemment de son intérêt (et il importe à son bonheur) de retarder son établissement jusqu'à ce qu'à force de travail et d'économie il soit en état de pourvoir aux besoins de sa famille. Or il est évident qu'en attendant cette époque il ne peut satisfaire ses passions sans violer la loi de Dieu et sans s'exposer au danger de faire tort à lui-même ou à son prochain. Ainsi, des considérations tirées de son propre intérêt et de son propre bonheur lui imposent l'obligation stricte de la contrainte morale. »

Thomas R. Malthus, pasteur et économiste britannique (1766-1834), *Essai sur le principe de population*, 1798. ■

1. Pourquoi, d'après Malthus, l'accroissement de la population peut-il constituer un obstacle au progrès de la société ?
2. Que préconise-t-il ?

4 La descendance d'une famille de la Beauce au XVIIIᵉ siècle

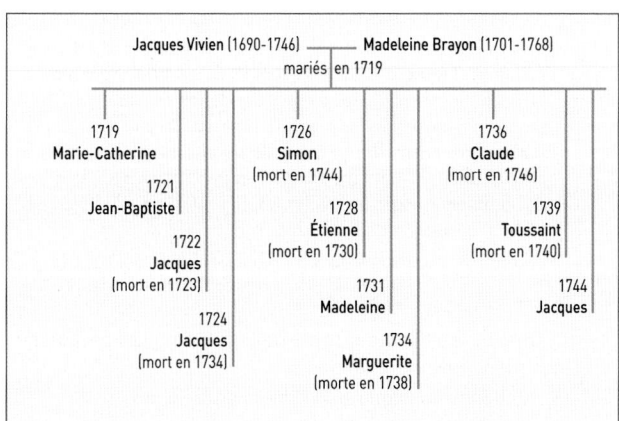

1. Combien de temps a duré l'union des deux époux ? Combien d'enfants en sont nés ?
2. Quelle est la fréquence des naissances ?
3. Combien d'enfants ont survécu ?
4. Que nous apprend ce document sur la mortalité infantile et juvénile sous l'Ancien Régime ?

Quitter l'Irlande

Monde plein au début du XIXe siècle, l'Irlande connaît, entre 1846 et 1855, une crise démographique sans précédent qui accélère un phénomène migratoire initié dès le début du XIXe siècle.

? Comment expliquer la forte émigration irlandaise au XIXe siècle ?

REPÈRES

▶ Fin XVIe siècle : introduction de la pomme de terre dans l'île.

▶ 1800 : Acte d'Union qui réunit le royaume d'Irlande et le royaume de Grande-Bretagne.

▶ 1845-1849 : Grande Famine.

▶ 1845-1870 : 3 millions d'Irlandais s'exilent.

▶ 1847 : l'*Irish Poor Law* met les indigents irlandais à la charge des contribuables et des propriétaires.

▶ 1900 : un tiers de la population de New York est irlandaise

A L'Irlande au début du XIXe siècle, un monde plein

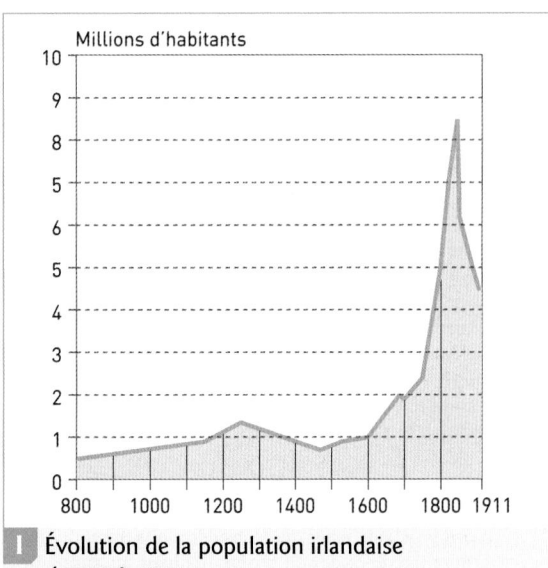

1 Évolution de la population irlandaise de 800 à 1911

▶ Décrivez l'évolution de la population irlandaise : quelles irrégularités constatez-vous ?

3 Taille des exploitations au milieu du XIXe siècle

Fermes	Superficie
300 000	< 2 ha
250 000	2 à 6 ha
80 000	6 à 12 ha
50 000	> 22 ha

Source : Léonce de Lavergne, *Essai sur l'économie rurale de l'Angleterre, de l'Écosse et de l'Irlande*, Paris, 1854.

1. Qu'est-ce qui caractérise la taille des exploitations agricoles en Irlande au XIXe siècle ?

2. **Doc. 2 et 3** Quel lien peut-on établir avec la pauvreté des paysans irlandais décrite dans le doc. 2 ?

2 L'Irlande vue de France au milieu du XIXe siècle

« Malgré ses dons naturels, la misère du peuple irlandais est depuis longtemps proverbiale. […] les campagnes ont un air navrant de pauvreté qui gagne les faubourgs des grandes cités. […] Le produit brut agricole, du moins avant 1847, atteignait à peine la moitié du produit brut anglais à surface égale, et la condition de la population rurale était pire encore que ne semble l'indiquer cette différence dans les produits. […]

Autrefois l'Irlande était beaucoup moins peuplée : on n'y comptait en 1750 que 2 millions d'âmes, et en 1800 que 4, au lieu des 8 millions de 1846. L'île tout entière ne formait alors qu'un immense pâturage, ce qui est évidemment sa destination naturelle et la meilleure manière d'en tirer parti. Quand cette population surabondante s'est développée, une culture qui en a été en même temps la cause et l'effet, celle des pommes de terre, s'est étendue parallèlement, et a absorbé tous les soins, tous les travaux, tous les fumiers. De toutes les cultures connues, la pomme de terre est celle qui peut fournir, surtout en Irlande, la plus grande quantité de nourriture humaine sur une surface donnée de terrain. […] [En Irlande], la pomme de terre avait couvert le tiers du sol cultivé, et menaçait de s'étendre encore ; elle formait à elle seule les trois quarts de la nourriture des campagnes, l'autre quart était formé par un aliment non moins inférieur, l'avoine. […]

Tant qu'on obtenait ces deux produits avec quelque abondance, le peuple des petits tenanciers vivait mal mais il vivait, et malheureusement il multipliait. Quand la récolte venait à manquer ou seulement à décroître, la disette les décimait. Comme en même temps ils ne pouvaient payer la rente, le propriétaire ordonnait de les évincer […]. Les tenanciers dépossédés, n'ayant plus aucun moyen d'existence, devenaient des vagabonds nocturnes ; leurs enfants et leurs femmes demandaient l'aumône ; et comme la taxe des pauvres n'existait pas […], il n'y avait pas de bornes à cette progression de la misère et du crime. »

Léonce de Lavergne, *Essai sur l'économie rurale de l'Angleterre, de l'Écosse et de l'Irlande*, Paris, 1854. ■

1. Quel constat l'auteur fait-il de l'évolution démographique de l'Irlande avant la famine ?

2. Quelle impression ressort de la description des conditions de vie des paysans ?

B La Grande Famine (1846-1849) et ses conséquences

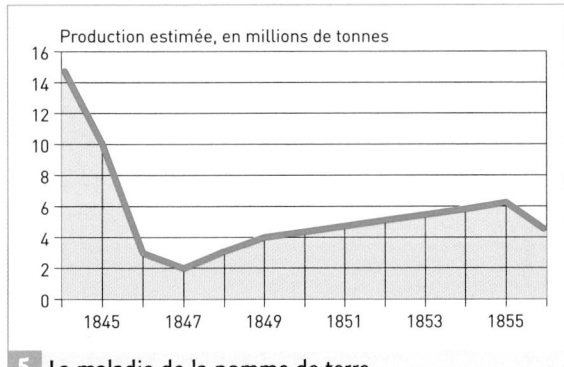

4 L'expulsion des terres

Frederick Goodall, *An Irish Eviction* (1850). Leicester Arts & Museums.

Durant la Grande Famine, un grand nombre de paysans, incapables de payer leur loyer, sont expulsés de leur terre par les propriétaires.

1. **Doc. 2 et 5** Pourquoi les expulsions de tenanciers augmentent-elles en période de disette ?

2. Comment le peintre témoigne-t-il du désarroi de cette famille de paysans ?

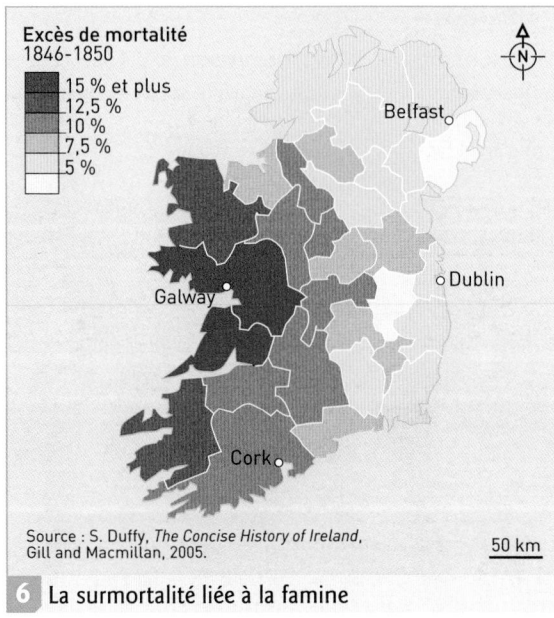

Source : S. Duffy, *The Concise History of Ireland*, Gill and Macmillan, 2005.

5 La maladie de la pomme de terre

En 1845, un parasite, le mildiou, provoque une forte chute de la production de pomme de terre.

▶ Quelles sont les conséquences de la maladie de la pomme de terre ?

6 La surmortalité liée à la famine

▶ Quel est l'impact de la famine sur la population ? Quelles sont les régions les plus touchées ?

C Nouveau monde, nouvelle vie

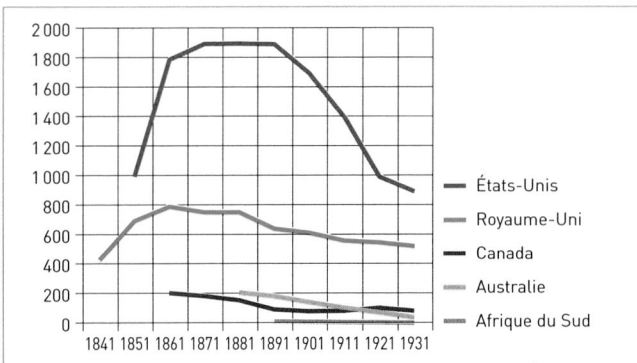

7 Les destinations des émigrés irlandais (en milliers)

1. Quand débute l'émigration irlandaise ? Quand culmine-t-elle ?
2. Quelles sont les destinations privilégiées par les migrants ? Comment l'expliquer ?

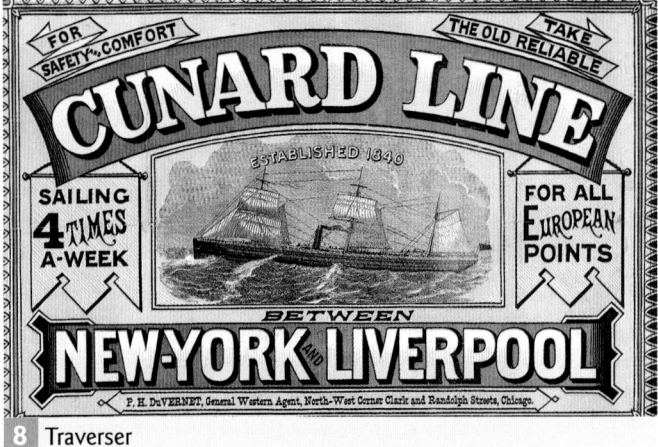

8 Traverser

Affiche de la compagnie maritime transatlantique Cunard Line, 1875.

1. Quelles qualités sont mises en avant sur l'affiche pour convaincre les voyageurs d'utiliser la Cunard Line ?
2. Sur quel type de navire se fait le voyage ?

9 Une installation difficile

L'Angleterre veut faciliter l'immigration des Irlandais pauvres vers ses colonies d'Amérique du Nord. Dans cette logique, le baron Gore Booth, après avoir expulsé les fermiers de ses terres de Lissidale, parraine leur traversée vers Saint John, au Nouveau-Brunswick, colonie forestière, dont le bois sert à la construction des navires de la flotte britannique.

« Saint John, Nouveau Brunswick, 13 octobre 1847

Chers père et mère

[…] Grâce à Dieu, je suis en bonne santé depuis que je suis arrivé ici et j'ai plein de travail. Excusez-moi de ne pas avoir écrit avant, c'est une négligence de ma part. Je suis très heureux que vous ne soyez pas venus. Beaucoup sont arrivés du pays et sont morts par douzaines […].

Catherine McGovan de Gurthnahowle est morte de la fièvre ainsi que Paddy McGowan de Drynahon, la fille de Paddy Clanceys, la femme de Biddy Frank McSharey, Paddy McGowan de Gurthnahowle est couché avec de la fièvre. Molly McGowan sait que Denis O'Donnell et sa femme vont bien […]. Margaret est partie à Boston la veille de notre débarquement. Il n'y a pas encore eu de nouvelles d'elle. Dites-moi comment sont les temps à la maison et comment évoluent les prix et si les récoltes sont bonnes. N'essayez pas de venir cette saison car il y a déjà tant de migrants ici et la fièvre touche toutes les maisons. C'est un bon endroit pour les jeunes gens mais il y en a assez jusqu'au prochain été. […] Venez l'été prochain. Les gens dorment dehors sur les rives et beaucoup meurent tous les jours. Faites savoir à Paddey Connoley que son fils et sa fille sont en bonne santé. J'ai l'intention d'aller aux États-Unis au printemps si je ne change pas d'avis.

Votre fils

Ference McGowan »

Archives provinciales du Nouveau Brunswick (www.archives.gnb.ca). ▪

1. À quelles difficultés sont confrontés les Irlandais arrivés au Nouveau-Brunswick ?
2. Que craint Ference McGowan ?
3. Qu'espère-t-il dans l'avenir ?

10 L'immigration féminine

Arrivée d'immigrantes irlandaises au Canada, octobre 1911.

1. Qui émigre ?
2. **Doc. 9 et 10** Quel type d'activités les migrants peuvent-ils occuper au Canada ?

11 Un immeuble de New York peuplé d'Irlandais

« *The tenement question, inside and out* », caricature de Joseph Keppler sur les conditions de vie des immigrants irlandais dans les immeubles du quartier du *Lower East Side* à New York. *Puck Magazine*, 5 mars 1879.

1. Présentez le document en vous aidant de la p. 28.

2. Où se situe la scène ?

3. Que révèle-t-elle des conditions de vie des migrants irlandais à New York : dans quel type d'immeuble sont-ils logés ? Quelles sont les conditions de confort ?

4. Comment se maintient la sociabilité entre Irlandais ?

5. Quelles sont les conséquences de telles conditions d'existence sur la santé des habitants d'après le dessinateur ?

Patrick Kennedy
(1819/1823 Irlande –
1858 Boston)
Fermier irlandais émigré
aux États-Unis en 1849.
5 enfants.

Thomas Fitzgerald
(1830 Irlande -1885 Boston)
Émigre aux États-Unis
vers 1840-1850 avec son frère
et son oncle. Naturalisé en 1855.
Manœuvre. 12 enfants.

Patrick II Kennedy
(1858-1929)
Homme d'affaires (docker puis
propriétaire d'une taverne et d'une
entreprise de spiritueux). Membre
du Parti démocrate. Représentant puis
sénateur de l'État du Massachusetts.
Battu au poste de maire de Boston.
1907 : voyage en Irlande
sur la trace de son ancêtre.

John Francis Fitzgerald
(1863-1950)
Employé du bureau
des douanes. Membre
du Parti démocrate.
Représentant
du Massachusetts,
sénateur de son État,
premier maire irlandais
de Boston.

(Patrick) Joseph Kennedy
(1888 -1969)
Diplômé d'Harvard. Homme d'affaires
(bateaux, banque, cinéma, bourse)
il s'enrichit durant la prohibition.
Démocrate, soutien du président Roosevelt,
ambassadeur des États-Unis à Londres.

**Rose
Elizabeth
Fitzgerald**
(1890-1995)

9 enfants.

John Fitzgerald Kennedy
(1917-1963)
Études à Harvard, soldat durant la Seconde
Guerre mondiale. Premier Président
catholique des États-Unis (1960-1963)

12 Les Kennedy, une famille d'origine irlandaise

1. Quelles ont été les étapes de l'ascension sociale des Kennedy et des Fitzgerald aux États-Unis ?

2. En combien de générations l'intégration s'est-elle faite ?

COMPRENDRE UNE SITUATION HISTORIQUE

Complétez le tableau ci-dessous à partir des informations tirées de l'ensemble documentaire.

L'émigration irlandaise		
Causes :	Modalités :	Conséquences :

Les Italiens dans le monde

À la fin du XIXe siècle, l'Italie, récemment unifiée, est un pays largement rural. La pauvreté pousse des millions d'Italiens à s'expatrier. Les désillusions sont souvent cruelles. Pour faire face aux difficultés et au rejet dont ils sont parfois victimes, les migrants constituent des communautés unies et solidaires.

REPÈRES

▶ 1901 : création à l'étranger par le gouvernement italien de bureaux de protection, de renseignement et de recherche de travail pour les migrants.

▶ 1905 : la moitié de la population de São Paulo (Brésil) est italienne.

▶ 6 décembre 1907 : accident minier à Monongah (Virginie-Occidentale) qui fait 956 victimes dont 500 italiennes.

? *Comment s'organise l'immigration italienne dans les pays d'accueil ?*

1 L'émigration italienne entre 1886 et 1914

Source : Istituto nazionale di statistica, Rome.

1. À quelle période l'émigration italienne atteint-elle son apogée ?
2. Quelle part de cette émigration se dirige vers le continent américain entre 1886 et 1914 ?

Date	Total	Dont destinations transocéaniques	
		(en nombre absolu)	(en pourcentage)
1886-1890	221 669	131 005	59 %
1891-1895	256 510	147 443	57 %
1896-1900	310 434	161 901	52 %
1901-1904	510 012	–	–
1905-1907	739 661	458 303	62 %
1908	486 674	228 573	47 %
1909-1913	679 152	404 942	60 %
1914	459 152	233 214	51 %

2 Les conditions de l'émigration vers le Brésil

« Le Brésil qui reçut en 1888 [...] 104 353 émigrants italiens, et en 1891, après la loi établissant l'immigration aux frais de l'État, 116 537, n'exerce plus [...] cet attrait. La crise [...] du café entraînant la ruine de nombreux *fazendeiros* et la misère de beaucoup de travailleurs lésés, exploités, parfois maltraités, décida l'Italie à interdire l'émigration au Brésil "gratuite", c'est-à-dire aux frais de l'Italie (mars 1902). L'émigration libre, d'ailleurs beaucoup plus faible, s'en détourna aussi : de l'énorme courant italien, il ne dériva plus [...] que quelques milliers d'émigrants, dont l'arrivée était plus que compensée par les départs (en 1904 encore, 16 667 partants contre 10 957 arrivants).

Cependant le Brésil, immense, riche, très faiblement peuplé, ayant besoin de main-d'œuvre et de colons, offre un champ et un avenir illimités à une émigration pauvre, ignorante, arriérée [...]. Les projets, à l'ordre du jour en Italie, de colonisation par de grandes sociétés achetant et distribuant des terres, comme ont fait les Allemands pour plusieurs de leurs colonies brésiliennes, trouveraient là une plus facile application. [...] La colonie italienne du Brésil, en diminution depuis 1902, est de nouveau en progrès. [...]

La Banque de Naples, chargée officiellement des services pécuniaires des émigrants, a reçu en 1904, 3 658 328 francs envoyés par eux en Italie. Le commerce de l'Italie avec le Brésil a fait des progrès notables. Ce sont encore des raisons pour que l'Italie, comme le Brésil, se préoccupent, la crise atténuée, de favoriser une colonisation véritable, à laquelle l'un et l'autre ont un intérêt évident. »

Jacques Rambaud, « L'émigration italienne au Brésil d'après les rapports italiens récents », *Annales de Géographie*. 1907, t. 16, n°87. pp. 270-274. ∎

1. Comment et pourquoi le gouvernement italien soutient-il l'immigration ?
2. L'immigration est-elle forcément définitive ?
3. Quels avantages le pays d'origine tire-t-il de cette immigration ?

3 « Atelier de misère » dans un appartement à New York

Photographie de Lewis W. Hine, janvier 1905.

1. Décrivez la photographie.
2. Que révèle-t-elle des conditions d'existence des migrants italiens à New York ?

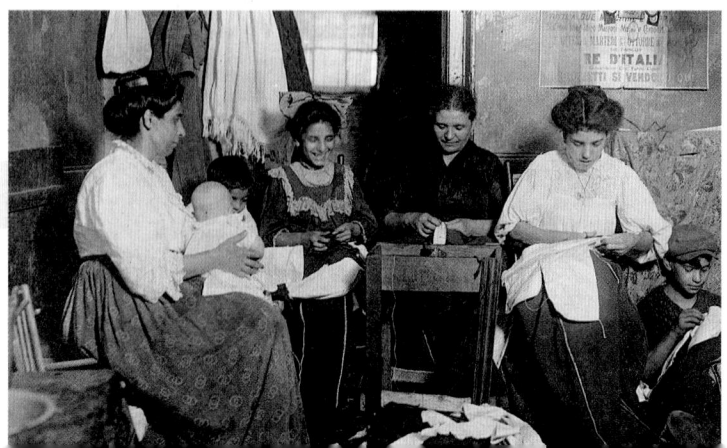

4 La perception des immigrants italiens par les autorités américaines

« Normalement, ils sont de petite taille et de peau sombre. Ils n'aiment pas l'eau ; nombre d'entre eux puent aussi parce qu'ils mettent les mêmes vêtements durant des semaines. Ils construisent des baraques en bois et aluminium dans les banlieues des villes où ils vivent, regroupés entre eux. Quand ils arrivent à se rapprocher du centre-ville, ils payent le prix fort pour la location d'appartements délabrés. Au début, ils arrivent à deux pour louer une chambre avec cuisine. Après quelques jours, ils sont quatre, six ou dix. Ils parlent des langues incompréhensibles.

Nombre d'enfants sont utilisés pour demander l'aumône, et souvent devant les églises des femmes habillées en noir et des hommes âgés implorent pitié […]. Ils font beaucoup d'enfants qu'ils peinent à nourrir et ils sont très unis entre eux.

On dit qu'ils pratiquent régulièrement le vol et, s'ils sont contrariés, deviennent violents. Nos femmes les évitent, non seulement parce qu'ils sont peu attrayants et sauvages, mais parce qu'ils violent normalement les femmes qui sortent du travail et traversent des rue isolées. Nos responsables politiques ont trop ouvert les portes de nos frontières mais, et surtout, n'ont pas su séparer ceux qui entrent dans notre pays pour travailler de ceux qui veulent vivre d'expédients ou de vraies activités criminelles.

Nous proposons, alors, de privilégier l'arrivée de Vénitiens et Lombards, retardés mentalement et ignorants, mais plus que d'autres disposés à travailler. Dans le but de tenir unies leurs familles, ils acceptent les habitations que les Américains refusent et ne font pas d'histoire sur les salaires qu'on leur donne. Les autres, ceux qui viennent du sud d'Italie, nous vous invitons à contrôler leurs papiers et à les rapatrier en masse, car notre sûreté doit être la première préoccupation. »

Rapport du Bureau de l'immigration
au Congrès américain, octobre 1912. ■

1. Dans le tableau ci-dessous, classez les caractéristiques du migrant italien d'après le rapport :

caractères négatifs	caractères positifs

2. Pourquoi peut-on dire de ce texte qu'il véhicule tous les préjugés attachés à la figure du migrant ?

6 *Little Italy* à New York

« Les Italiens sont groupés à New York dans deux quartiers qu'ils occupent exclusivement et dont l'un, fort pittoresque, a reçu le nom de *Little Italy*. Ils ont au suprême degré l'esprit de clan. Il suffit de traverser une rue et l'on se trouve brusquement jeté au milieu d'eux. On n'entend plus parler qu'italien. Dans les cours des maisons, d'une fenêtre à l'autre, le linge sèche sur des cordes, tout comme à Gênes ou à Naples. Les boutiques portent des inscriptions italiennes, et presque tout y vient d'Italie. Ils ont leurs églises, leurs journaux, leur théâtre, leurs banques, et forment là une cité dans une autre cité ; chaque province occupe une zone déterminée, et les Napolitains ne sont pas mélangés aux Calabrais ou aux Siciliens. La jeune Italienne n'épouse presque jamais un Américain et ne quitte pas le quartier de ses compatriotes qui font bonne veille, et se montrent très jaloux de l'étranger qui approche d'elle, tant l'esprit de caste est développé chez eux. »

Lucien Delpon de Vissec (journaliste et écrivain français),
« Le Socialisme en Amérique. Essai de critique sociale »,
Revue bleue, t. 19, 1903. ■

5 Le « perchoir à bandits » à Little Italy

Bandits' Roost, photographie de Jacob A. Riis, 1888.

Le quartier pauvre et malfamé de *Five Points* à New York a donné son nom au *Five Points Gang*, une organisation criminelle créée dans les années 1890 par Paolo Antonio Vaccarelli, dit Paul Kelly, un ancien boxeur né en Sicile. Le gang recruta dans les années 1920 Frankie Yale, Johnny Torrio et Al Capone.

1. Décrivez la photographie.

2. Que veut montrer le photographe Jacob Riis ?

3. **Doc. 4 à 6** Pourquoi la communauté italienne inquiète-t-elle ?

◀ **1.** Comment la communauté italienne préserve-t-elle sa cohésion ?

2. Justifiez l'expression « *Little Italy* ».

EXPLOITER DES INFORMATIONS

À partir des informations relevées dans les documents, expliquez ce qu'est une diaspora.

La caricature s'empare de la figure du migrant

La caricature s'inspire de l'art des grotesques en peinture et de la satire en littérature. Son importance grandit avec la libéralisation de la presse et les progrès techniques qui permettent la diffusion des médias de masse. Aux États-Unis, les journaux satiriques comme *Puck* ou *Judge* popularisent cet art de la critique politique et sociale. *Judge* est créé en 1881 par des journalistes et des dessinateurs transfuges de *Puck*. La Une présente une caricature en pleine page. Dans les années 1890, le magazine tire à 85 000 exemplaires. Son prix modique, 10 cents, lui permet de toucher un large public.

Face aux inquiétudes qui s'expriment dans certains milieux devant l'afflux massif d'immigrants sur le sol américain, les caricaturistes n'hésitent pas à mettre en scène les débats virulents qui se font jour à propos de la politique migratoire de l'État américain. Les nativistes prônent par exemple une limitation des entrées et une discrimination en faveur des natifs (*natives*).

1 Arrivée d'émigrants juifs à New York en 1892.

(Illustration de Staniland pour le *Soleil du Dimanche*.)

Dans le premier tiers du XIXe siècle, grâce à l'invention de la lithographie, l'édition et la presse multiplient les livres et les journaux illustrés.

VOCABULAIRE DES ARTS

Caricature (de l'italien *caricare* « charger »)
Déformation délibérée de la réalité, par des procédés d'exagération et de schématisation, pour produire un sens figuré, le plus souvent critique.

Lithographie (du grec *lithos* « pierre »)
Dessin tracé sur un support en pierre et imprimé.

QUESTIONS

Décrire

1. Quel est le lieu représenté ?
2. Distinguez et décrivez les différents plans de l'image.
3. Que symbolise chacun des éléments suivants :
La statue : …   La foule aux pieds de la statue : …
Les bateaux : …   Le bâtiment à l'arrière-plan : …
Le personnage en haut-de-forme : …

Interpréter

4. Qu'est-ce qui montre qu'il ne s'agit pas d'une représentation réaliste : dans quelle attitude la statue est-elle représentée ? Comment les immigrants atteignent-ils l'île ? Les proportions entre les différents éléments du dessin sont-elles respectées ?

5. En vous aidant du doc. 1, montrez comment Frederick Victor Gillam s'appuie sur une imagerie largement diffusée pour la détourner.
6. À quoi la statue de la liberté est-elle associée dans l'esprit des Américains et dans celui des migrants ?
7. Quelle relation s'établit entre le texte et le dessin : à qui s'adresse la statue ? Que reproche-t-elle à M. Windom ?
8. Quel est l'effet recherché par le caricaturiste ? À quel courant politique peut-il être rattaché ?
9. Pourquoi la caricature peut-elle avoir plus de force qu'un discours politique ?

2 « Le dépotoir désigné des immigrants »

La statue de la Liberté : *« Monsieur Windom, si vous comptez faire de cet endroit un tas d'ordures, je rentre en France. »*

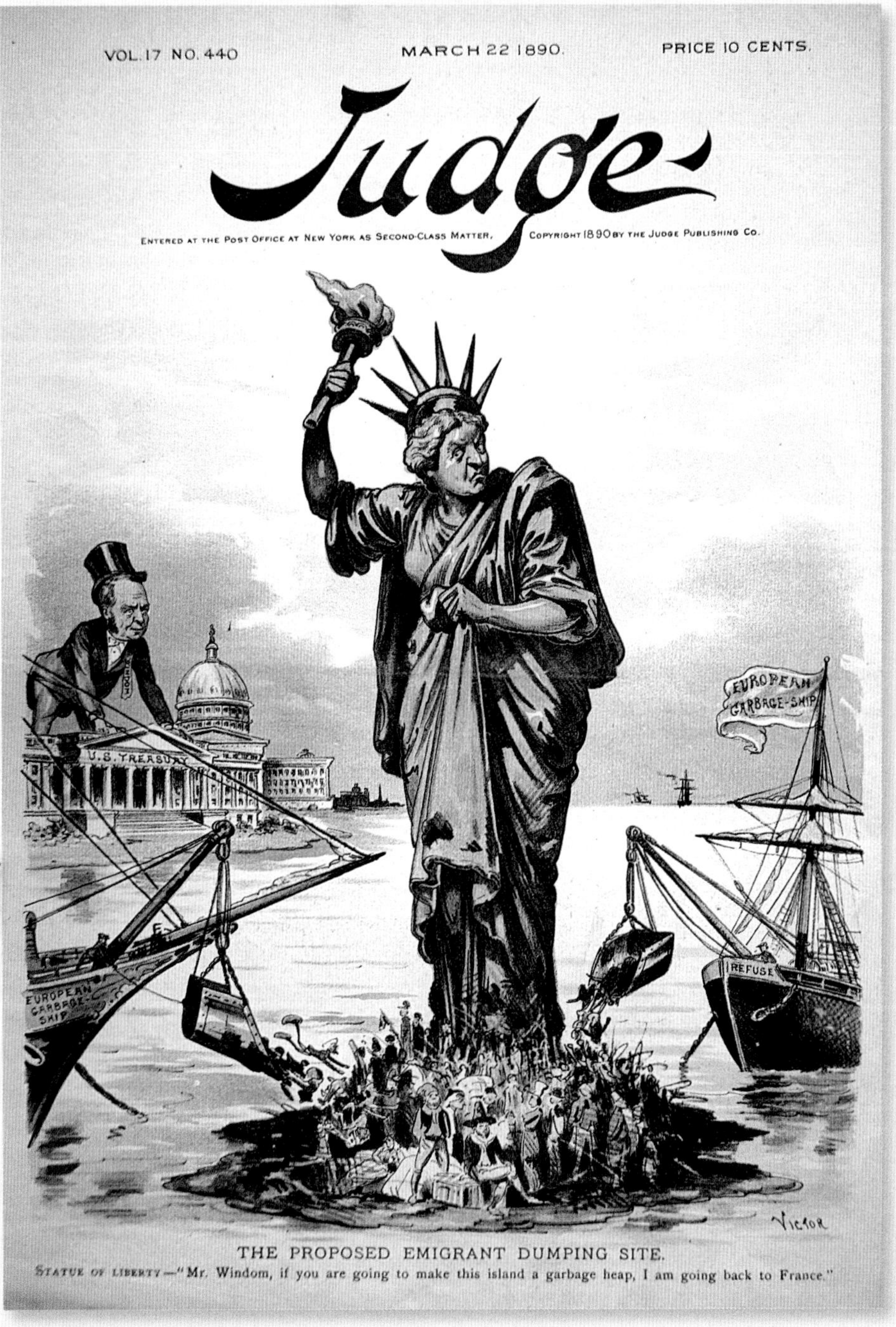
VOL. 17 NO. 440
MARCH 22 1890.
PRICE 10 CENTS.
Judge
ENTERED AT THE POST OFFICE AT NEW YORK AS SECOND-CLASS MATTER.
COPYRIGHT 1890 BY THE JUDGE PUBLISHING CO.
U.S. TREASURY
EUROPEAN GARBAGE-SHIP
EUROPEAN GARBAGE-SHIP
REFUSE
VICTOR
THE PROPOSED EMIGRANT DUMPING SITE.
STATUE OF LIBERTY—"Mr. Windom, if you are going to make this island a garbage heap, I am going back to France."

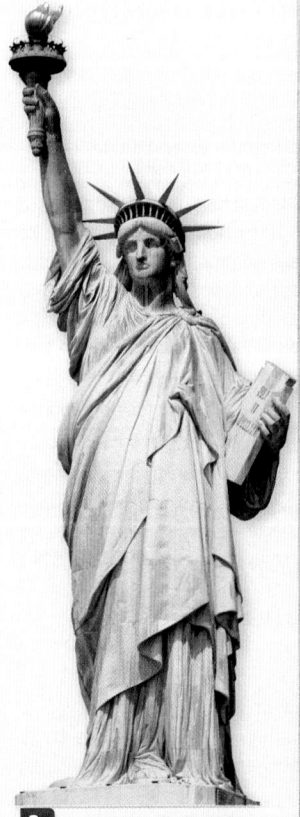

3 La statue de la Liberté

Fiche d'identité de l'œuvre

Auteur : Frederick Victor Gillam.

Nature : caricature.

Source : magazine *Judge*.

Date : mars 1890.

Contexte : l'État fédéral s'apprête à faire d'Ellis Island, petite île située à côté de la statue de la Liberté, la porte d'entrée des États-Unis pour les immigrants en provenance d'Europe.

À savoir : la statue de la Liberté (ou *La Liberté illuminant le monde*) est la première vision que les immigrants venus d'Europe ont de l'Amérique. Construite en France par le sculpteur Auguste Bartholdi, elle représente, selon son auteur, « un personnage féminin drapé, avec un bras levé, portant une torche, alors que l'autre tient une tablette gravée, et avec un diadème sur la tête ». Elle est offerte par le peuple français pour célébrer le centenaire de la Déclaration d'indépendance américaine et inaugurée le 28 octobre 1886. Installée sur Liberty Island, dans le port de New York, elle est tournée vers le continent européen.

L'Europe au XIXᵉ siècle, un continent d'émigration

Quelles sont les modalités de l'émigration européenne au XIXᵉ siècle ?

1 Des départs massifs

● **Un mouvement de masse.** Entre 1815 et 1914, plus de 60 millions de personnes quittent l'Europe. Ces migrations internationales constituent le premier âge de la mondialisation migratoire.

● **Une chronologie et une géographie différenciées.** Les premiers migrants sont au départ originaires d'Europe du Nord : Britanniques, notamment Irlandais, mais aussi Allemands et Scandinaves. À partir des années 1880, les émigrants d'Europe de l'Est et du Sud, notamment les Italiens, deviennent majoritaires. Ce mouvement se poursuit et s'amplifie jusqu'au début du XXᵉ siècle, avant de se tarir dans les années 1910-1920.

● **Une destination privilégiée : les** pays neufs. Le continent nord-américain accueille les deux tiers des migrants européens mais l'Argentine, le Brésil, l'Afrique du Sud et l'Australie constituent aussi des destinations privilégiées.

2 Des motivations multiples

● **Des migrations liées aux mutations économiques et démographiques en Europe.** La mécanisation des campagnes, en libérant des bras, a entraîné un afflux massif de ruraux vers les villes (exode rural). Cependant, les nouveaux emplois industriels ne suffisent pas à occuper une population en forte augmentation du fait de la transition démographique. Ce sont donc des populations jeunes, exclues du développement économique, qui émigrent. En Irlande, à la suite de la « Grande Famine », 3 millions d'Irlandais s'exilent entre 1846 et 1855. Les femmes représentent une part importante des flux d'immigrants **doc. 1** : 40 % des entrées aux États-Unis avant 1914. Elles sont employées dans l'industrie textile, fortement consommatrice de main-d'œuvre, ou dans les travaux domestiques.

● **Des motivations politiques.** À la fin du XIXᵉ siècle, les juifs d'Europe de l'Est fuient en masse les pogroms. En 1914, New York est devenue la plus grande ville juive du monde **doc. 2**.

● **De véritables politiques migratoires.** Les pays de départ, en finançant certains voyages, se déchargent du poids des populations les plus démunies **doc. 3**. Les pays d'accueil favorisent l'installation des nouveaux venus. Mais au début du XXᵉ siècle, les politiques migratoires deviennent plus sélectives. Aux États-Unis, les premiers quotas sont établis en 1921 **doc. 4**.

3 Les formes de l'émigration européenne au XIXᵉ siècle

● **L'épreuve du voyage.** Les conditions de voyage, notamment la traversée des océans, sont difficiles. À partir des années 1860, la navigation à vapeur se généralise, les tarifs baissent et la durée du voyage diminue (il faut plus d'un mois pour traverser l'Atlantique au milieu du XIXᵉ siècle, une semaine après 1900).

● **Une installation souvent difficile.** Déracinés, les immigrés miséreux s'entassent dans les ghettos des grandes villes portuaires, se regroupant par quartier en fonction de leur région d'origine – New York abrite des quartiers irlandais (*Five Points*) et italien (*Little Italy*). Les migrants doivent faire face à des réactions de xénophobie et leur espoir d'une vie meilleure est souvent déçu, d'où un taux de retour parfois important.

● **Des diasporas solidaires.** L'intégration des nouveaux immigrés se fait néanmoins grâce aux réseaux créés par les communautés déjà installées. L'attachement à la langue maternelle, aux traditions religieuses et culturelles du pays d'origine est un trait commun à ces communautés où les solidarités sont fortes. Les générations suivantes bénéficient d'une amélioration notable de leur statut. Nombreux sont les exemples de réussite de familles d'origine européenne.

■ **Les migrations européennes, qui comptent parmi les plus importantes de l'histoire, sont à l'origine de la formation du quatrième grand foyer de peuplement mondial, en Amérique du Nord. En favorisant la diffusion de la culture européenne sur tout le globe, ces migrations ont en outre contribué à l'européanisation du monde.**

L'IMMIGRANT

« Je suis venu en Amérique parce qu'on m'avait dit que les rues étaient goudronnées d'or. Après mon arrivée j'ai découvert trois choses : d'abord, que les rues ne sont pas goudronnées d'or ; ensuite, que les rues ne sont même pas goudronnées ; enfin, qu'on m'a chargé de les goudronner. »

Un émigré italien
à la fin du XIXᵉ siècle.

DÉFINITIONS

Émigration
Le fait de quitter son pays pour s'installer durablement dans un autre.

Immigration
L'entrée et l'installation dans un pays de personnes étrangères.

Mondialisation migratoire
Massification des migrations internationales qui s'étendent à l'échelle de la planète.

Pays neufs
Pays de peuplement récent et ayant connu un fort développement économique au XIXᵉ siècle : États-Unis, Canada, Brésil, Argentine, Australie, Nouvelle-Zélande...

Diaspora
Dispersion d'une communauté à travers le monde.

1 L'appel des pays neufs

Affiche de la compagnie maritime White Star Line, 1920.

2 Les États-Unis, refuge des juifs opprimés

Partition d'une marche funèbre à la mémoire des juifs victimes de pogroms en Russie et jouée lors de la marche du 5 décembre 1905, à New York.

▶ En quoi cette image illustre-t-elle la mise en place d'une culture originale au sein des communautés immigrantes ?

3 L'impact de l'émigration sur les pays d'origine

« Que les contrées nouvelles et peu peuplées retirent des avantages considérables du courant d'immigration qui s'y porte, c'est ce que personne n'a songé à contester, mais que la mère patrie, d'où l'émigration provient, en retire également un avantage, c'est ce qui, de tout temps a prêté à discussion. Ces forces humaines, qui quittent le Vieux Monde pour aller dans ces contrées lointaines […] ne sont-elles pas perdues pour la terre où les avaient placées la nature, et leur éloignement n'enlève-t-il pas à la société qu'elles abandonnent une partie de sa vigueur ? Ou bien, au contraire, est-ce que ces existences humaines, qui ne trouvaient pas dans le Vieux Monde l'emploi de leurs aptitudes naturelles, qui surchargeaient inutilement le marché du travail, qui subsistaient parfois aux dépens de la société où les avait jetées le hasard de la naissance, ne délivrent pas par leur départ la métropole d'un poids accablant […] ne facilitent pas les progrès futurs ? »

P. Leroy-Beaulieu, *De la Colonisation chez les peuples modernes*, 1874. ■

1. Selon l'auteur, quels avantages le pays d'accueil retire-t-il de l'afflux d'immigrants ?

2. Quels peuvent en être les avantages pour le pays de départ ? et les inconvénients ?

4 Les premiers quotas aux États-Unis

Caricature parue à l'occasion de la loi sur l'immigration de 1921 instaurant des quotas par pays pour réduire l'immigration aux États-Unis.

Exercices et MÉTHODES

① Comprendre un sujet de composition

▶ Sujet : L'émigration des Européens : causes, modalités, conséquences.

MÉTHODE

Analyser les termes du sujet

Pour comprendre l'intitulé d'un sujet ou d'une consigne et en délimiter les contours, il faut :

▶ **Chercher la définition des termes**

Le départ d'un pays/d'un continent de résidence en vue d'une installation dans un pays/continent d'accueil.
Combien d'individus cela concerne-t-il ?

Le terme amène à dresser la liste des raisons qui expliquent un événement.
Pourquoi quitter l'Europe ?
Quelles populations sont concernées par ces migrations ?

L'émigration des Européens : causes, modalités, conséquences

Le terme implique de s'intéresser aux implications d'un événement ou d'un fait.

À partir de la deuxième moitié du XIXᵉ siècle, des populations originaires de plusieurs pays d'Europe quittent le continent en masse.
Quels sont les pays d'émigration ?

Le terme désigne les conditions dans lesquelles s'opèrent les migrations.
Comment voyage-t-on ? Qui finance les voyages ?
Quelles sont les destinations des migrants ?
Où et comment sont-ils accueillis ?

Quels effets produisent ces migrations sur les pays d'accueil ? sur les pays de départ ?
Comment se fait l'intégration ?
Les départs sont-ils toujours définitifs ?

▶ **Définir l'espace géographique concerné**

Le sujet implique de s'intéresser aux Européens qui quittent l'Europe, quelle que soit leur destination.
Y a-t-il une limite géographique au sujet ?

▶ **Préciser le cadre chronologique**

Le sujet ne le précise pas, il faut donc le déduire : il englobe les bornes chronologiques du chapitre
Quand commencent les grandes migrations européennes ?
Jusqu'à quand s'étend l'étude de l'émigration des Européens dans le chapitre ?

EXERCICE D'APPLICATION

En vous appuyant sur la méthode ci-dessus, analysez le sujet suivant :

▶ Sujet : **Quelles sont les caractéristiques et les conséquences de la transition démographique que connaît l'Europe au XIXᵉ siècle ?**

❷ Comprendre et analyser une caricature

▶ Après avoir présenté le document, vous montrerez comment il illustre le thème de l'accueil des migrants aux États-Unis au xixe siècle.

L'arrivée des immigrants européens aux États-Unis

Caricature extraite de *Judge*, 17 septembre 1892. Légende : *They come arm in arm* : « Ils arrivent bras dessus bras dessous. » *American seaports must close their gates to all three* : « Les ports américains doivent leur fermer la porte à tous les trois. »

MÉTHODE

1. Identifier et présenter un document

L'identification doit comporter les éléments suivants : nature, source, auteur, thème, date et contexte.

▶ **Nature :** Il s'agit ici d'une caricature (cf. p. 28).

– Quelle est la visée de ce type de document ? Que cherche-t-il à susciter ? Pour quel public ?

▶ **Source :** Le journal américain *Judge*.

▶ **Auteur :** Il signe sous le nom de Victor.

▶ **Thème :** Elle évoque l'arrivée des immigrants aux États-Unis.

▶ **Date et contexte :** Elle paraît en septembre 1892.

– À cette date, quelle place occupent les États-Unis dans les destinations privilégiées par les émigrants européens ?

EXERCICE 1

Rédigez la présentation du document en vous appuyant sur les réponses aux questions.

2. Prélever des informations, comprendre la portée d'une caricature

EXERCICE 2 Complétez le tableau suivant :

Prélever les éléments de la caricature	Expliquer leur signification	Comprendre la portée critique de la caricature
1 L'Oncle Sam (*Uncle Sam*) observant le débarquement d'un groupe de migrants.	Personnification des États-Unis (*Uncle **S**am* = US = United States).	
2 Sur la porte : « Fermé aux émigrants atteints du choléra. »	Que symbolisent le mur et la porte ?	
3	Dans quel *accoutrement* arrivent les immigrants ?	Quelle impression suscitent les migrants ?
4	Qui amènent-ils avec eux ?	
5 L'Europe		

3. Relier l'image à la légende

La légende se veut-elle comique ? Quelle information donne-t-elle sur le point de vue défendu par le caricaturiste ?

❸ Comprendre et analyser une affiche

▶ En vous aidant de la méthode p. 32 :
  - Présentez le document.
  - Que montre-t-il de la politique des pays neufs pour favoriser l'installation des migrants européens ?

La Californie, corne d'abondance du monde

Traduction de l'affiche

De l'espace pour des millions d'immigrants

43 795 000 acres (1 acre : environ 4 000 m²) de terres gouvernementales non-occupées

Chemin de fer et terres privées pour un million de fermiers

Un climat bon pour la santé et le bien-être sans cyclone ni blizzard

Affiche américaine, vers 1870.

❹ Exercice TICE : l'histoire de l'immigration

www.

Le Musée de l'histoire de l'immigration (Paris)

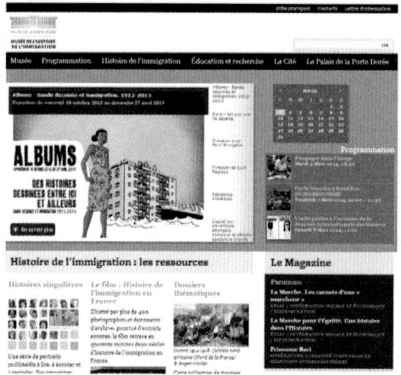

Le site du Musée de l'histoire de l'immigration (**www.histoire-immigration.fr**) propose plusieurs dossiers concernant l'histoire de l'immigration en France et dans le monde.

Dans l'onglet consacré aux expositions temporaires, un dossier porte sur des photographies de migrants arrivés à Ellis Island et photographiés par Augustus Frederick Sherman : portraits d'Ellis Island.

1. Écoutez le témoignage de Zelda Toumarkine Schulter et reconstituez l'histoire de l'immigration juive aux États-Unis.

2. Qui est Augustus F. Sherman ? Choisissez une de ses photographies et commentez-la.

MÉMO ET RÉVISIONS

À retenir

ANCIEN RÉGIME DÉMOGRAPHIQUE

▶ **Définition** : régime démographique que connaît l'Europe de l'Antiquité jusqu'au XVIIIe siècle

▶ **Caractéristiques** :
– natalité et mortalité élevées

– pics de mortalité → trois fléaux principaux (épidémies, guerres, famines) suivis de fortes reprises de la natalité qui compensent les pertes

– régime qui assure une croissance lente mais certaine de la population

TRANSITION DÉMOGRAPHIQUE

▶ **Définition** : passage de l'ancien au nouveau régime démographique qui se traduit par un accroissement important de la population

▶ **Mécanisme** : la mortalité chute alors que la natalité reste élevée pendant une à trois générations

▶ **Période** : XIXe siècle en Europe (gagne le reste du monde au XXe siècle)

▶ **Géographie** :
→ touche d'abord l'Europe du Nord (notamment l'Angleterre dès la fin du XVIIIe siècle)

→ puis gagne l'Europe centrale et l'Europe du Sud dans la seconde moitié du XIXe siècle

▶ **Conséquences** : un brusque accroissement de la population européenne

L'ÉMIGRATION EUROPÉENNE AU XIXe SIÈCLE

▶ **Chiffres** : 60 millions de personnes quittent l'Europe pour s'installer sur d'autres continents de 1815 à 1914

▶ **D'où partent-ils ?** d'abord d'Europe du Nord (Britanniques notamment) puis d'Europe du Sud et de l'Est (seconde partie du siècle)

▶ **Où vont-ils ?**
→ en Amérique du Nord (les 2/3) ;
→ en Amérique du Sud,
→ en Afrique du Sud et en Asie

▶ **Pourquoi partent-ils ?**
✓ fuir la famine (Irlandais),
✓ persécutions (Juifs),
✓ trouver un travail (transition démographique et révolution industrielle),
✓ espoir d'une vie meilleure

▶ **Conséquences** :
– émigration qui forme l'ossature des pays neufs (ÉU, Australie, etc.)
– constitution d'un 4e foyer de peuplement
– contribue à l'européanisation du monde

Schéma explicatif

Les migrations européennes au XIXe siècle

Transition démographique ← Révolution agricole

Révolution industrielle

Forte croissance de la population → Surpopulation

Révolution des transports

Politique migratoire des gouvernements

Persécutions politiques et religieuses → **MIGRATIONS EUROPÉENNES**

Opportunités offertes par :
• la mise en valeur des immenses territoires des pays neufs
• l'essor économique des États-Unis
• la mise en place des colonies européennes en Afrique et en Asie

▶ Faire une fiche de révision

Réalisez vos fiches de révision sur les thèmes suivants :

• La place démographique de l'Europe dans le monde

• La démographie irlandaise au XIXe siècle

Pensez à définir les mots-clés et à illustrer d'exemples les différentes parties de vos fiches.

L'invention de la citoyenneté

La Maison Carrée de Nîmes (Gard), temple dédié à Auguste
bâti au Ier siècle apr. J.-C.

Chapitre 2
Citoyenneté et démocratie à Athènes
aux vᵉ et ivᵉ siècles av. J.-C.

*Le citoyen athénien est un soldat qui défend sa cité
et exerce ses droits politiques. En effet, au vᵉ siècle av. J.-C.,
les Athéniens élaborent des principes et des pratiques
de gouvernement impliquant la participation des citoyens
à toutes les décisions : c'est la démocratie.*

Des citoyens soldats...

Hoplites au combat, le joueur de flûte donne la cadence. Vase de Chigi (détail), entre 650 et 625 avant J.-C. Musée de la Villa Giulia, Rome.

...acteurs de la démocratie

Amphore panathénaïque à figures rouges représentant un juge (détail), vers 490-480 av. J.-C. Musée du Louvre, Paris.

Sommaire

▶ **Qu'est-ce qu'être citoyen à Athènes ?**

▶ **Quels débats traversent la communauté des citoyens ?**

Athènes et le monde grec (Ve siècle av. J.-C.)

Territoire d'Athènes

Territoire de Sparte

Empire perse

Ligue de Délos
(478 av. J.-C.),
alliance militaire dominée par Athènes

Ligue du Péloponnèse
(478 av. J.-C.),
alliance militaire dominée par Sparte

Autres cités

Autres alliés d'Athènes

1 Le monde grec au Ve siècle av. J.-C

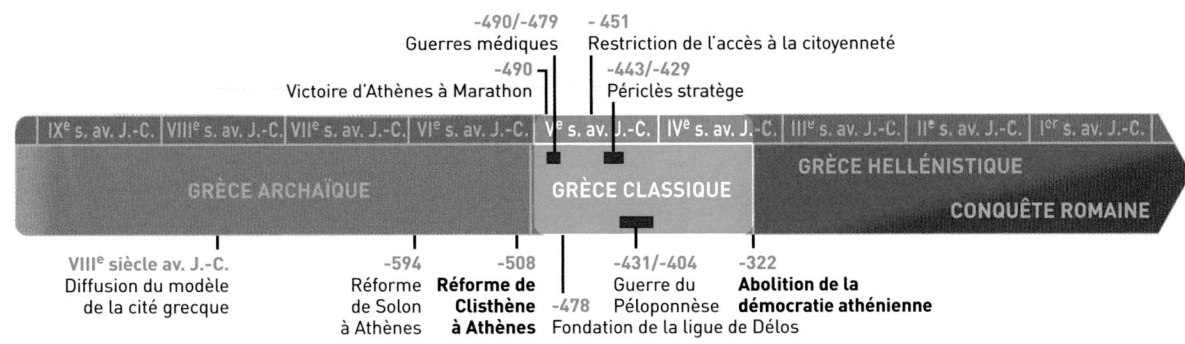

-490/-479
Guerres médiques

-451
Restriction de l'accès à la citoyenneté

-490
Victoire d'Athènes à Marathon

-443/-429
Périclès stratège

| IXᵉ s. av. J.-C. | VIIIᵉ s. av. J.-C. | VIIᵉ s. av. J.-C. | VIᵉ s. av. J.-C. | Vᵉ s. av. J.-C. | IVᵉ s. av. J.-C. | IIIᵉ s. av. J.-C. | IIᵉ s. av. J.-C. | Iᵉʳ s. av. J.-C. |

GRÈCE ARCHAÏQUE

GRÈCE CLASSIQUE

GRÈCE HELLÉNISTIQUE

CONQUÊTE ROMAINE

VIIIᵉ siècle av. J.-C.
Diffusion du modèle de la cité grecque

-594
Réforme de Solon à Athènes

-508
Réforme de Clisthène à Athènes

-478
Fondation de la ligue de Délos

-431/-404
Guerre du Péloponnèse

-322
Abolition de la démocratie athénienne

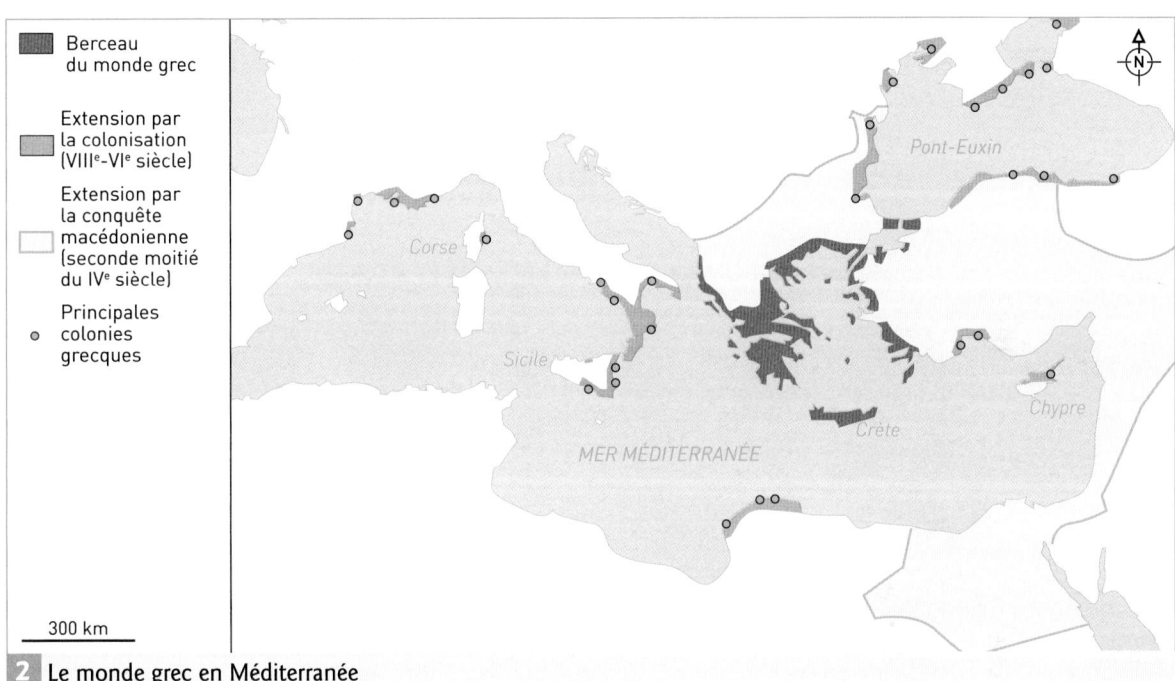

Berceau du monde grec

Extension par la colonisation (VIIIᵉ-VIᵉ siècle)

Extension par la conquête macédonienne (seconde moitié du IVᵉ siècle)

Principales colonies grecques

300 km

2 Le monde grec en Méditerranée

Pont-Euxin

Corse

Sicile

Crète

Chypre

MER MÉDITERRANÉE

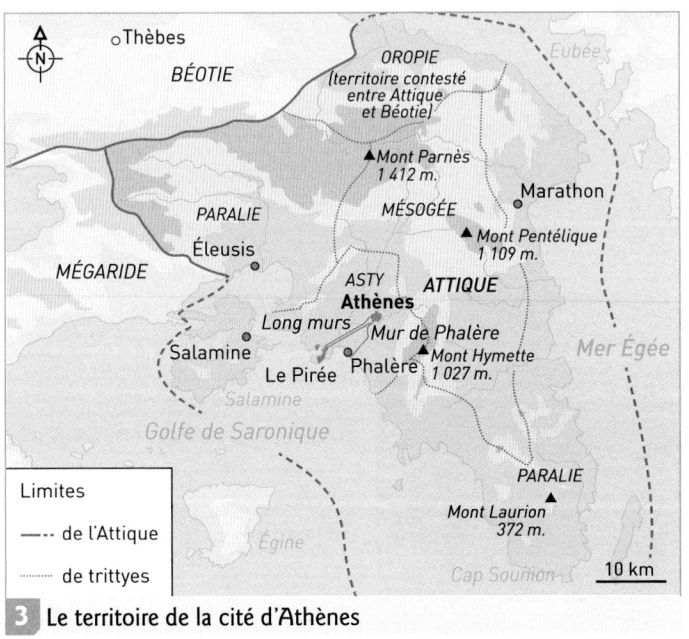

Thèbes

BÉOTIE

OROPIE
(territoire contesté entre Attique et Béotie)

Eubée

▲ Mont Parnès
1 412 m.

MÉSOGÉE

Marathon

PARALIE

Éleusis

▲ Mont Pentélique
1 109 m.

MÉGARIDE

ASTY

ATTIQUE

Athènes

Long murs

Mur de Phalère

Salamine

Le Pirée

Phalère

▲ Mont Hymette
1 027 m.

Mer Égée

Salamine

Golfe de Saronique

PARALIE

Mont Laurion
372 m.

Égine

Cap Sounion

10 km

Limites

—·— de l'Attique

········ de trittyes

3 Le territoire de la cité d'Athènes

QUESTIONS

1. Comment est organisé le monde grec au Vᵉ siècle av. J.-C. (doc. 1) ?

2. Comment se manifeste la puissance athénienne au Vᵉ siècle (doc. 1) ?

3. Jusqu'où s'étend la colonisation grecque en Méditerranée (doc. 2) ?

4. Quelle est la particularité du territoire de la cité d'Athènes (doc. 3) ? Évaluez sa superficie.

Qu'est-ce qu'une cité grecque ?

Le monde grec des Vᵉ et IVᵉ siècles av. J.-C. est organisé en une multitude de cités (*polis*, pluriel : *poleis*). Les origines de cette organisation poliade restent obscures et les historiens ne parviennent pas à en préciser la datation. Mais c'est au VIᵉ siècle av. J.-C. que le phénomène semble se fixer.

DÉFINITIONS

▸ **Citoyen**
Membre de droit d'une cité qui, à ce titre, participe à la vie collective de celle-ci.

▸ **Métèque**
Résidant permanent à Athènes, originaire d'une autre cité. Il n'est donc pas citoyen.

▸ **Divinité poliade**
Dieu ou déesse principal(e) d'une cité. Elle est associée par les mythes à la fondation de la cité et en est la protectrice.

▸ *Asty*
La ville centre d'une cité grecque.

▸ *Chora*
Le territoire rural de la cité grecque.

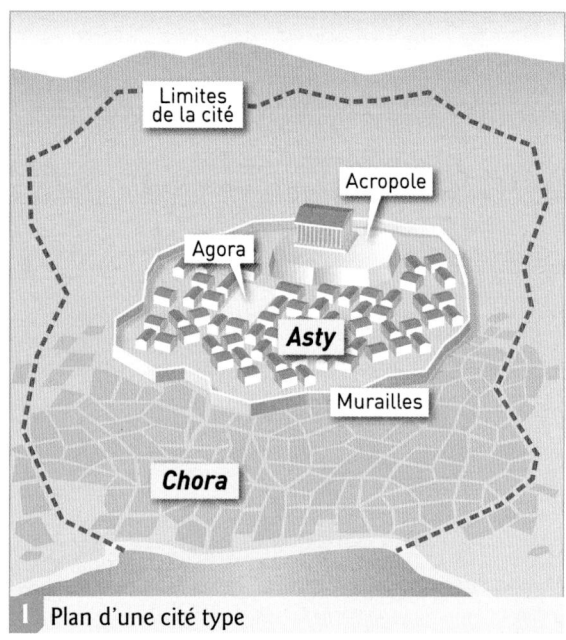

1 Plan d'une cité type

▸ Quels sont les éléments constitutifs du territoire d'une cité ?

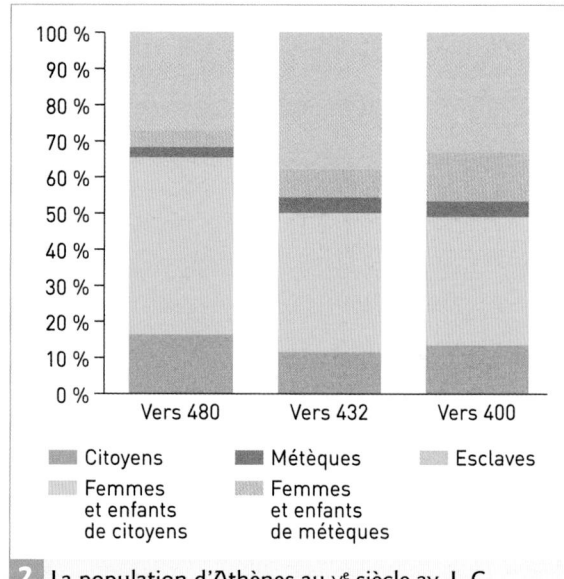

2 La population d'Athènes au Vᵉ siècle av. J.-C.

1. Comment est composée la population d'Athènes ?
2. Qui est citoyen ?

3 L'Agora à Athènes

Reconstitution de l'Agora vers 400 av. J.-C., aquarelle de Peter Connolly.

L'Agora est la place située au centre d'Athènes, où se croisent les principales voies de la ville.

▸ Quelle est la principale fonction de l'Agora ?

4 L'Acropole

La forteresse qui se dresse dans la ville d'Athènes a été aménagée en sanctuaire. Plusieurs temples y ont été édifiés, dont le Parthénon dédié à Athéna.

1. **Doc. 4 et 5** Où se situe le principal temple dédié à Athéna ?

2. **Doc. 4 et 5** Pourquoi avoir édifié le Parthénon et réalisé une statue si imposante et précieuse pour la déesse Athéna ?

3. **Doc. 4 et 5** Quel rôle joue-t-elle pour l'ensemble des habitants d'Athènes ?

5 Athéna, déesse poliade

Reconstitution par Benoît Loviot en 1879-1881 de la statue chryséléphantine (en or et en ivoire) d'Athéna. Haute de 12 mètres, elle a été réalisée par le sculpteur Phidias au milieu du vᵉ siècle av. J.-C. pour prendre place dans le Parthénon.

SYNTHÉTISER DES INFORMATIONS

Quels sont les trois éléments clés qui définissent une cité ?

Une communauté de citoyens

La cité est d'abord une communauté d'hommes qui participent à la vie politique et à la défense de la cité. À Athènes, un ensemble de critères définissent l'appartenance à la citoyenneté et des procédures assurent une stricte égalité entre les citoyens.

? *Comment la cohésion et l'égalité des citoyens sont-elles assurées à Athènes ?*

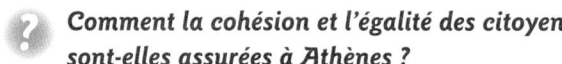

DÉFINITIONS

▶ **Dème**
Regroupement de base de la population de la cité d'Athènes, synonyme de commune.

▶ **Tribu**
Regroupement des citoyens d'Athènes. Elles sont au nombre de dix, chacune portant le nom d'un héros fondateur d'Athènes.

▶ **Trittye**
Circonscription du territoire d'Athènes : elles sont trente, dix réparties sur la côte, dix dans la ville d'Athènes, dix dans l'intérieur.

1 La réforme de Clisthène de 508 av. J.-C.

« Une fois à la tête de la masse, trois ans après la chute des tyrans [...] la première des mesures [de Clisthène] fut de répartir tous les citoyens en dix tribus au lieu de quatre. Il voulait en réaliser le brassage pour les faire participer en plus grand nombre au pouvoir. [...] Ensuite, le Conseil reçut cinq cents membres au lieu de quatre cents à raison de cinquante par tribu ; autrefois, il y en avait cent. [...] Il partagea aussi le pays en dèmes dont il fit trente groupes, dix de la ville et de sa banlieue, dix des régions de la côte, dix de l'intérieur. Il les appela trittyes et, par tirage au sort, en attribua trois à chaque tribu afin que chacune comprît une portion de toutes les contrées. Il rendit concitoyens les uns des autres les habitants de chacun des dèmes, voulant éviter que l'habitude de s'appeler par le nom de son père ne fît reconnaître les nouveaux citoyens. On devait porter le nom de son dème. C'est pourquoi les Athéniens se désignent par leurs dèmes. »

Aristote (384-322 av. J.-C.), *Constitution d'Athènes*, XX-XXI, trad. Claude Mossé, © Les Belles Lettres, Paris, 1999. ▪

1. Quel est le but de la réforme de Clisthène ?
2. Comment les membres du Conseil sont-ils tirés au sort ?
3. Comment s'emboîtent les trois ensembles auxquels appartient un citoyen athénien ?

2 Les critères d'appartenance à la citoyenneté au IVe siècle av. J.-C.

Plaidoyer de Démosthène pour la défense d'un Athénien rayé de la liste des citoyens et faisant appel de cette décision.
« Je suis donc bien Athénien par ma mère comme par mon père : vous le savez tous maintenant, par les témoignages que vous venez d'entendre, d'une part ; et, de l'autre, par ceux qui concernaient mon père tout à l'heure. Il me reste à vous parler de moi ; un mot suffit, je pense, et il tranche tout : né de deux Athéniens, ayant hérité du bien et du *génos* de mon père, je suis citoyen. Néanmoins, je produirai toutes les preuves que de droit : je ferai attester que j'ai été introduit dans ma phratrie ; que j'ai été inscrit sur la liste des démotes ; que ceux-ci m'ont eux-mêmes proposé à l'élection pour participer avec les citoyens les mieux nés au tirage au sort du sacerdoce d'Héraclès ; que j'ai exercé des magistratures après avoir subi l'examen. »

Démosthène (384-322 av. J.-C.), *Contre Euboulidès*, 46. ▪

1. Comment prouver son statut de citoyen ?
2. Qu'est-ce que cela révèle sur le contenu de la citoyenneté athénienne ?

3 Une trière et son équipage

Galère de combat à voile et à rame. Bas-relief appelé « relief Lennmand », Ve siècle av. J.-C. Musée de l'Acropole, Athènes.

Les citoyens athéniens sont classés en quatre classes censitaires selon leur niveau de revenus. Cela entraîne une répartition dans des corps d'armée différents car l'équipement est à la charge du soldat.

4 Hoplites et cavaliers

Amphore attique à figures noires, vers 550 av. J.-C. Musée du Louvre, Paris.

1. **Doc. 3 et 4** Décrivez l'équipement des soldats.
2. À quelles classes censitaires peuvent-ils appartenir ?

5 Le serment des éphèbes

Entre 18 et 20 ans, les jeunes Athéniens, futurs défenseurs de la cité, reçoivent une formation militaire et civique faite d'entraînements sportifs au gymnase et de séjours aux frontières. L'éphébie conditionne l'accès à la citoyenneté.

« Je ne déshonorerai pas les armes sacrées que je porte. Je n'abandonnerai pas mon camarade au combat. Je lutterai pour la défense de la religion et de l'État et je transmettrai à mes cadets une patrie non point diminuée mais plus grande et plus puissante dans toute la mesure de mes forces et avec l'aide de tous. J'obéirai aux magistrats, aux lois établies, à celles qui seront instituées. Si quelqu'un veut les renverser, je m'y opposerai de toutes mes forces et avec l'aide de tous. Je vénérerai les cultes de mes pères. Je prends à témoin de ce serment les divinités Aglauros, Hestia, Enyo, Enyalios, Arès et Athéna Aréia, Zeus, Thallô, Auxô, Hégémonè, Héraklès, les bornes de la patrie, les blés, les orges, les vignes, les oliviers, les figuiers. »

Stèle provenant du nord de l'Attique, gravée dans la seconde moitié du ıve siècle av. J.-C. mais reproduisant un serment plus ancien. ▪

1. Quels sont les devoirs des éphèbes à Athènes ?
2. Montrez que la défense de la cité est inséparable de la défense de la démocratie.

COMPRENDRE UNE NOTION

Complétez le tableau pour définir la citoyenneté athénienne.

Qui est citoyen à Athènes ?	
Quels sont les droits des citoyens ?	
Quels sont leurs devoirs ?	

6 Les Athéniens enterrent les soldats morts à la guerre

« Les Athéniens, selon l'usage traditionnel chez eux, firent des funérailles officielles aux premiers morts de la guerre. Voici comment ils procédèrent. Les ossements des défunts sont exposés, deux jours à l'avance, sous une tente que l'on a dressée ; et chacun apporte, à son gré, des offrandes à qui le concerne. Puis au moment du convoi, des cercueils de cyprès sont transportés en char, à raison d'un par tribu : les ossements y sont groupés, chaque tribut à part […]. On confie alors les restes au monument public qui est situé dans le plus beau faubourg de la ville et où l'on ensevelit toujours les victimes de la guerre […]. Une fois que la terre a recouvert les morts, un homme choisi par la cité, qui passe pour n'être pas sans distinction intellectuelle et jouit d'une estime éminente, prononce en leur honneur un éloge approprié. »

Thucydide (460-400 av. J.-C.), *Histoire de la guerre du Péloponnèse*, II, 34, trad. J. de Romilly, © Les Belles Lettres, Paris, 1990. ▪

1. Décrivez le déroulement des funérailles.
2. Quel est le sens de cette cérémonie ?

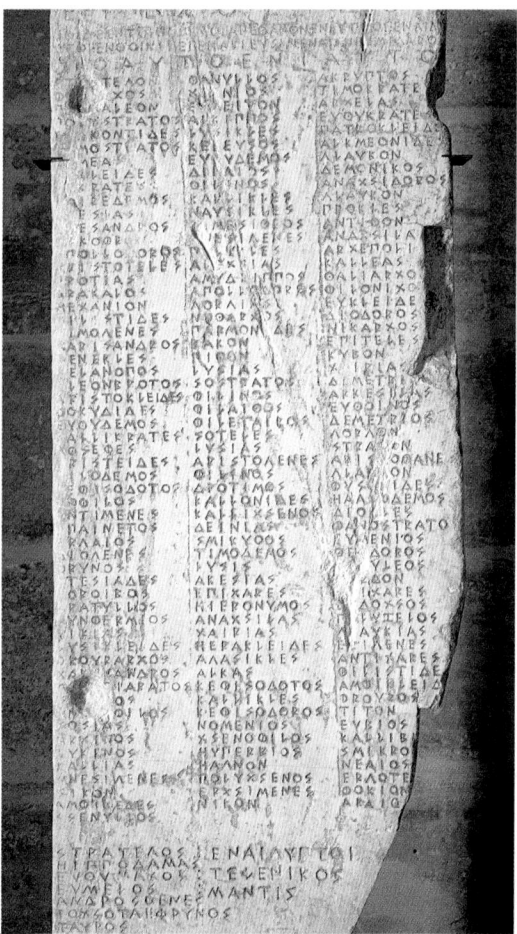

7 Commémorer les citoyens morts

Inscription des noms des morts de la tribu Érechtéis pour l'année 459-458 av. J.-C. Musée du Louvre, Paris.

1. Pourquoi avoir fait graver les noms des morts d'une même tribu dans la pierre ?
2. Sur quoi repose la cohésion entre les citoyens ?

Les actes de la démocratie

À Athènes, chaque citoyen a pour vocation de participer aux affaires de la cité et a le droit d'exercer une des magistratures, en principe collégiales, annuelles et non renouvelables. À leur sortie de charge, les magistrats rendent des comptes à l'Ecclésia. Le fonctionnement des institutions permet, en principe, un égal accès des citoyens aux instances de décision.

 Comment fonctionne la démocratie athénienne ?

DÉFINITIONS

▶ **Boulê**
Conseil composé de 500 membres (bouleutes) chargés de préparer les lois et les séances de l'Assemblée (Ecclésia).

▶ **Ecclésia**
Assemblée de tous les citoyens.

▶ **Héliée**
Tribunal composé de 6 000 juges tirés au sort pour l'année.

▶ **Stratège**
Magistrat élu pour un an par l'Ecclésia. Ils sont dix et sont en charge de la diplomatie et de la guerre.

▶ **Archonte**
Magistrat tiré au sort pour un an. Ils sont dix et s'occupent principalement des affaires religieuses et judiciaires.

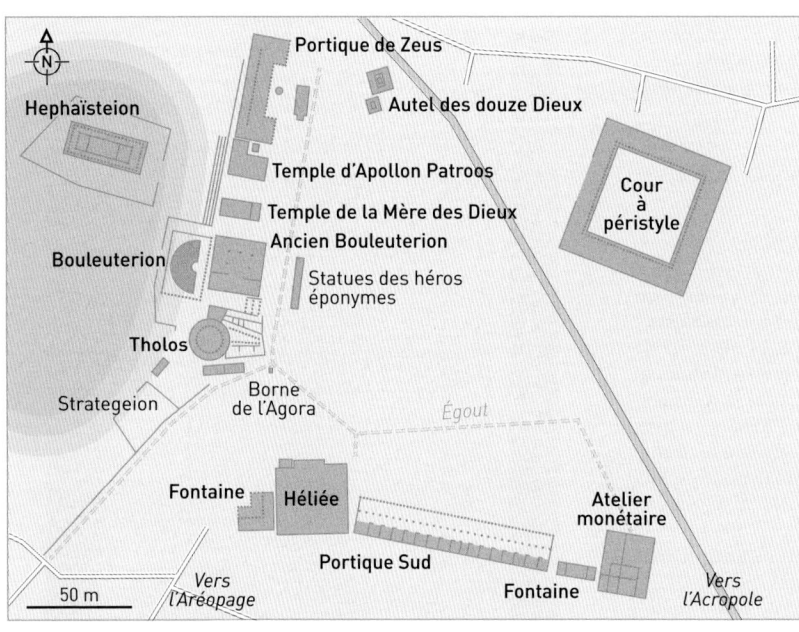

1 Les lieux de la démocratie : l'Agora d'Athènes

Au début du Vᵉ siècle av. J.-C., l'Ecclésia se réunit sur l'Agora. C'est sur cette place qu'on affiche les lois votées par l'assemblée des citoyens.

▶ Que montre l'organisation du centre d'Athènes du fonctionnement de la démocratie ?

2 Les rapports de la Boulê et de l'Ecclésia

« Le Conseil est désigné par le sort et compte cinq cents membres, cinquante par tribu. Chaque tribu exerce la prytanie à son tour, dans l'ordre fixé par le sort : les quatre premières pendant trente-six jours, les six autres pendant trente-cinq, car l'année athénienne est l'année lunaire. Les prytanes [...] sont chargés de convoquer le Conseil et l'Assemblée du peuple : le Conseil tous les jours, sauf les jours fériés, et l'Assemblée du peuple quatre fois par prytanie.

Dans un ordre du jour qu'ils affichent, ils règlent les délibérations du Conseil, marquant pour chaque jour de séance les affaires qui seront traitées. Ils dressent aussi l'ordre du jour des séances de l'Assemblée du peuple. La première est la séance régulière : on y confirme les fonctionnaires, si leur administration est approuvée ; on s'y occupe de l'approvisionnement et de la défense du pays ; tout citoyen peut y déposer des accusations de haute trahison [...]. Les prytanes mettent de plus aux voix la question de savoir si l'on appliquera l'ostracisme [bannissement] ou non, et font voter sur les demandes de sentence préjudicielle déposées [...] contre ceux qui n'auraient pas tenu des engagements pris envers le peuple. La seconde séance est consacrée aux suppliques. Il suffit de se présenter en suppliant pour avoir le droit d'entretenir le peuple de toute affaire, publique ou privée. Les deux autres sont consacrées au reste des affaires. Les lois veulent que dans chacune on traite de trois affaires relatives à la religion, de trois affaires concernant l'État, et de trois affaires concernant les hérauts ou les ambassadeurs. [...] C'est devant les prytanes que se présentent tout d'abord les hérauts et les ambassadeurs, et c'est à eux que les envoyés remettent les lettres dont ils sont porteurs. »

Aristote (384-322 av. J.-C.), *Constitution d'Athènes*, trad. B. Haussoullier, 1891. ▪

▶ Relevez et classez les domaines de compétence de la Boulê.

3 Les magistrats

Tirage au sort des magistrats de la cité d'Athènes, sous le regard de la déesse Athéna, vase athénien, vers 480 av. J.-C. Kunsthistorisches Museum, Vienne.

1. Comment sont désignés certains des magistrats de la cité ?

2. Que garantit ce mode de désignation ?

3. Qu'est censée assurer la présence de la déesse Athéna ?

4 La procédure du vote au tribunal

Coupe attique à figures rouges, vers 480 av. J.-C. Musée des Beaux Arts, Dijon.

1. Quelle est la mission des héliastes ?

2. **Doc. 4 et 6** Comment se déroule le vote à l'Héliée ?

1. Pourquoi les héliastes doivent-ils prêter serment à leur entrée en fonction ?

2. Regroupez les différents engagements de l'héliaste en plusieurs catégories.

5 Le serment des héliastes

Les 6 000 juges, ou héliastes, sont tirés au sort chaque année et répartis dans les différents tribunaux de la cité.

« Je voterai conformément aux lois et aux décrets du peuple athénien et de la Boulê des Cinq Cents. Je ne donnerai ma voix ni à un tyran ni à l'oligarchie.

Si quelqu'un renverse la démocratie athénienne, ou fait une proposition ou soumet un décret dans ce sens, je ne le suivrai pas. [...]

Je ne rappellerai ni les exilés ni les condamnés à mort.

Je ne chasserai pas ceux qui habitent ce pays conformément aux lois et aux décrets du peuple athénien et de la Boulê. [...]

Je ne donnerai pas le droit d'exercer la magistrature pour laquelle il aura été désigné à quelqu'un qui n'aura pas rendu ses comptes d'une autre magistrature. [...]

Je ne confierai pas deux fois la même magistrature au même homme, ni deux magistratures à un seul citoyen pour la même année. »

Démosthène (384-322 av. J.-C.), *Contre Timocratès, 148-149*, cité par Claude Mossé, *Les Institutions grecques*, Armand Colin, 1996. ■

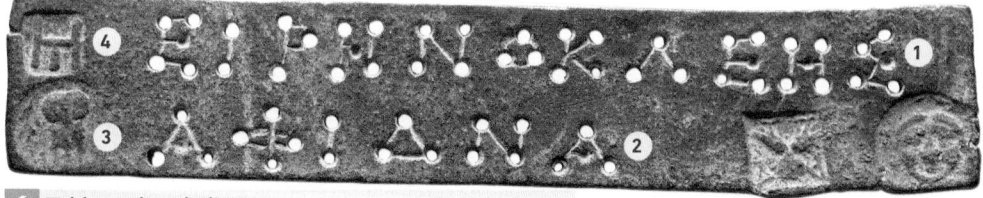

6 Tablette d'un héliaste

Tablette de bronze. Musée du Louvre, Paris.

Chaque juge reçoit une tablette pour siéger au tribunal.

1 « Eirènokléès », nom du juge. **2** « Aphidna », nom de son dème d'origine. **3** Chouette, emblème d'Athènes. **4** Lettre H indiquant la section du tribunal à laquelle appartient le juge.

EXPLIQUER UNE NOTION

À partir du fonctionnement des institutions athéniennes, expliquez ce qu'est une démocratie directe.

La céramique athénienne raconte la vie du citoyen

Dans les sociétés antiques, la céramique est d'un usage courant et quotidien : transport des liquides, pots, coupes, vases à parfums. Fabriqués en argile, les vases de formes très diverses présentent une riche iconographie : peintures mythologiques, scènes de la vie quotidienne (banquets, éphébie). Le décor joue sur les couleurs noire et rouge obtenues grâce à la cuisson de l'argile.

C'est au VIIe siècle av. J.-C. qu'est inventé à Corinthe le style des céramiques à figures noires. Mais, à partir du milieu du VIe siècle av. J.-C., la céramique athénienne, produite dans le quartier du Céramique, domine par sa qualité. Inventé à Athènes, le décor à figures rouges permet une plus grande précision du dessin et connaît un large succès dans tout le monde grec.

VOCABULAIRE DES ARTS

Céramique à figures noires et rouges
Soit des motifs sont peints en noir sur le fond naturel de l'argile, soit les figures et motifs sont réservés et restent rouges sur le fond du vase noir tandis que les détails sont peints.
Amphore
Vase de stockage et de transport.
Stamnos
Vase utilisé pour mélanger le vin.

I — Les étapes de la fabrication des céramiques

1 Le tournage
Plaquette montrant un potier à son tour, produite à Corinthe, v. 625-600 av. J.-C. Musée du Louvre, Paris.

2 La cuisson
Plaquette à figures noires : un homme monte sur le four céramique avec une échelle, v. 575-550 av. J.-C. Antikensammlung, Berlin.

QUESTIONS

Décrire

1. Quelle est la fonction de ces céramiques ? Décrivez leur forme générale (doc. 2 et 3).
2. Comment sont-elles produites (doc. 1) ?
3. Comment est composé le décor (doc. 2 et 3) ?
4. Décrivez la scène sur chaque vase. Quels en sont les protagonistes ? À quoi sont-ils reconnaissables ?
5. Comment le mouvement est-il rendu ?
6. Quels éléments iconographiques communs présentent les deux vases ? Comment l'expliquer ?
7. Quelles différences de style pouvez-vous relever entre les plaquettes corinthiennes et les vases athéniens (doc. 1, 2 et 3) ?

Interpréter

8. Que traduit la diversité des attitudes des différents personnages ?
9. Montrez qu'il s'agit à la fois d'une scène familière et d'un moment important de la vie du citoyen.
10. Quelle place y tient la religion ?
11. Montrez comment la céramique témoigne de la vie quotidienne du citoyen et de ses pratiques.

2 Le départ pour la guerre : un serviteur apporte le foie d'un animal sacrifié

Amphore à figures noires, 520 av. J.-C. Musée de Boulogne-sur-Mer.

3 Départ du guerrier : scène de libation

Stamnos à figures rouges, vers 490-480 av. J.-C. Musée du Louvre, Paris.

Être citoyen dans la démocratie athénienne

1 Tous les Athéniens ne sont pas citoyens

● **Être citoyen.** Le citoyen athénien dispose des droits civiques : il est tout d'abord protégé par la loi. Il peut ensuite participer à l'assemblée du peuple et exercer une magistrature **doc. 1**. Il doit défendre la cité soit comme cavalier, pour les plus riches, soit comme fantassin, pour les petits paysans propriétaires, soit comme rameur, pour les plus pauvres. Il doit enfin participer à la vie religieuse de sa cité **doc. 3**.

● **Les critères d'appartenance à la citoyenneté.** Seuls sont citoyens les hommes adultes de plus de 18 ans, nés d'un père athénien. À partir de la réforme de Périclès, en 451 av. J.-C., il faut de plus avoir une mère athénienne. Les femmes sont considérées comme mineures juridiquement et placées sous l'autorité de leur père puis de leur mari. Elles n'ont aucun droit politique, mais elles transmettent la citoyenneté. Elles appartiennent donc à la communauté civique. Leur place dans les cérémonies religieuses l'atteste **doc. 5**.

● **Les non-citoyens.** Sont exclus de la citoyenneté les étrangers et les esclaves. Les métèques résidant à Athènes doivent s'acquitter d'une taxe de séjour et un citoyen athénien doit leur servir de garant. La citoyenneté athénienne peut toutefois exceptionnellement leur être accordée pour services rendus à la cité. Les esclaves, souvent des non-Grecs, prisonniers de guerre ou enlevés par des trafiquants, sont une marchandise dont leur maître dispose.

2 Les citoyens participent de façon égale à la vie politique

● **L'instauration de l'isonomie au VIe siècle av. J.-C.** Jusqu'au VIe siècle av. J.-C., le pouvoir était aux mains de riches familles aristocratiques. Depuis la réforme de Solon (549 av. J.-C.), les lois sont écrites, ce qui protège le citoyen de toute décision arbitraire. En 508-507 av. J.-C., Clisthène mêle les citoyens d'origines géographiques différentes au sein de dix tribus. Or c'est dans le cadre de la tribu que les citoyens votent. Ce brassage permet de briser l'influence locale des familles aristocratiques.

● **La réforme du Ve siècle av. J.-C.** L'égale participation de tous les citoyens au pouvoir s'approfondit au cours du Ve siècle av. J.-C. La désignation par tirage au sort de la plupart des magistrats assure l'égalité. Vers 450 av. J.-C., Périclès établit le *misthos*, une indemnité perçue par les citoyens siégeant dans les tribunaux **doc. 4**. Cette mesure s'étend à la fin du Ve siècle av. J.-C. aux séances de l'assemblée et à certaines magistratures, afin de permettre aux plus pauvres de participer davantage à la vie politique.

3 Athènes est une démocratie directe

● **Le rôle central de l'Ecclésia.** La guerre, les traités et toutes les lois préparées par la Boulê sont votés par l'assemblée du peuple. Chaque citoyen peut y prendre la parole selon des règles strictes pour garantir l'équité. Le rôle de l'Ecclésia s'accroît aux Ve et IVe siècles av. J.-C. **doc. 2**.

● **Protéger la démocratie.** Les Athéniens cherchent à se prémunir de tout pouvoir personnel. Pratiquement toutes les magistratures sont collégiales et renouvelées chaque année. L'ostracisme permet de bannir un magistrat qui acquiert une influence jugée dangereuse pour la démocratie. L'Aréopage, qui réunit les anciens magistrats, voit ses pouvoirs réduits : il ne juge plus que les crimes de sang.

■ **Si le nombre des citoyens effectifs est restreint à Athènes, leur participation à la vie de la cité est étendue.**

CLISTHÈNE

(v. 570- v. 507 av. J.-C.)

Magistrat à Athènes qui s'oppose à la tyrannie des Pisistratides, il est à l'origine d'une réforme qui pose les bases de l'isonomie : il répartit les citoyens en dèmes, trytties et tribus. Les 10 tribus élisent les 500 membres du Conseil de la Boulê qui fait les lois.

DÉFINITIONS

Magistrat
Personne qui exerce une part de l'autorité dans les différents domaines du gouvernement de la cité (justice, défense, finances…), pour un an en général ; il peut être élu ou, plus souvent, tiré au sort.

Cité
Petit État autonome, avec un territoire structuré autour d'une ville et doté d'une organisation politique et sociale qui lui est propre.

Communauté civique
Elle est composée de citoyens, des futurs citoyens (enfants) et de celles qui transmettent la citoyenneté (filles de citoyens).

Esclave
Statut juridique d'une personne qui ne s'appartient pas, mais est la propriété d'un autre.

Isonomie
Principe en vigueur dans nombre de cités grecques qui garantit la participation de tous les citoyens à la vie politique.

Démocratie
Régime politique où le pouvoir est détenu par le peuple, qui participe aux décisions par le vote des lois et l'élection des magistrats.

I Qu'est-ce qu'être citoyen ?

« Le citoyen est nécessairement différent suivant chaque constitution (*politeia*). C'est pourquoi le citoyen dont nous avons parlé existe surtout dans une démocratie ; dans les autres régimes on peut le trouver, mais pas nécessairement. [...]
La nature du citoyen ressort ainsi clairement de ces précisions ; quiconque a la possibilité de participer au pouvoir délibératif et judiciaire, nous disons qu'il est citoyen de cette cité, et nous appelons cité la collectivité des citoyens ayant la jouissance de ce droit, et en nombre suffisant pour assurer à la cité, si l'on peut dire, une pleine indépendance. Mais selon l'usage courant, un citoyen se définit comme l'enfant né de parents tous deux citoyens et non d'un seul, son père ou sa mère ; d'autres exigent davantage et remontent jusqu'à la seconde ou troisième génération ou même plus haut. »

Aristote (384-322 av. J.-C.), *La Politique*, III, 2, 1275 a-1275 b, trad. J. Tricot, © Librairie Philosophique J. Vrin, Paris, 1970. ∎

1. Comment Aristote définit-il la cité ?
2. Quelle est la définition du citoyen pour Aristote ?
3. Quelles sont les conditions pour être citoyen ?

3 Les charges pesant sur les citoyens riches

« Je sais que l'État te charge d'élever des chevaux[1], d'être chorège[2], gymnasiarque[3], prostate[4], et si la guerre éclate, je sais qu'on te chargera en plus de l'équipement d'une trière[5] et qu'on te demandera des contributions si fortes que tu auras de la peine à y suffire. Et si on te trouve insuffisant dans quelqu'une de ces prestations, je sais que les Athéniens te puniront avec la même rigueur que s'ils te prenaient à voler leurs biens. »

Xénophon (vers 430-vers 355 av. J.-C.), *L'Économique*, vers 380 av. J.-C. ∎

1. Pour la cavalerie en cas de guerre.
2. Financer un chœur pour une représentation théâtrale.
3. Prendre en charge les frais d'entraînement des athlètes.
4. Représentant les intérêts d'Athènes dans une autre cité.
5. Bateau de guerre construit par l'État. Le triérarque fournit l'équipement, assure l'entretien et paye l'équipage.

1. Pourquoi les charges pesant sur certains citoyens sont-elles si importantes ?
2. Quelle conception de la démocratie ressort du système décrit par le texte ?

4 L'instauration du *misthos* par Périclès

« C'est ainsi que Périclès établit le salaire des juges. On lui a reproché cette mesure comme funeste : dans la suite, en effet, les premiers venus mirent plus d'empressement à se présenter aux urnes que les modérés. Alors s'introduisit la corruption dont Anytos donna le premier l'exemple après sa stratégie de Pylos : accusé d'avoir perdu Pylos, il se fit acquitter en corrompant le tribunal. »

Aristote (384-322 av. J.-C.), *Constitution d'Athènes*, XXVII, 3, trad. B. Haussoullier, 1891. ∎

1. Peut-on vraiment parler de salaire s'agissant des juges ?
2. Quels sont les effets négatifs décrits par le texte ?
3. Quels peuvent être les effets positifs d'une telle mesure ?

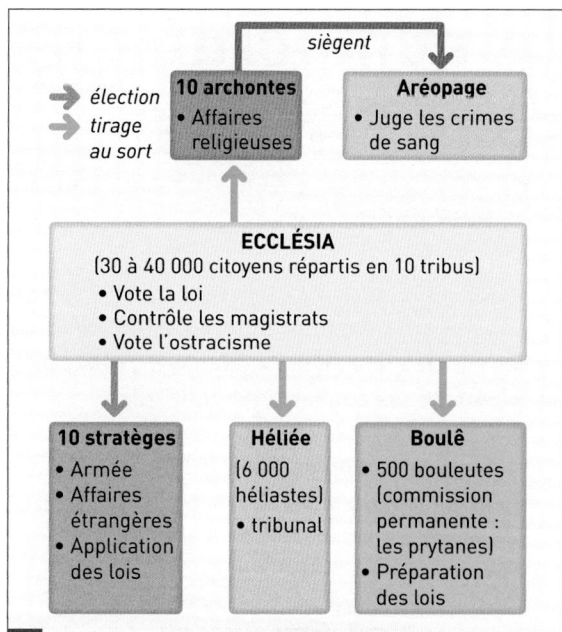

2 Le fonctionnement de la démocratie

5 Les femmes au sein de la communauté civique

Les ergastines, fragment de la frise des Panathénées, école de Phidias, 440-435 av. J.-C. Musée du Louvre, Paris.

Lors de la fête des Panathénées, de jeunes Athéniennes ayant tissé le péplos pour la statue d'Athéna sont présentes dans le cortège.

La démocratie athénienne sous Périclès

Le Ve siècle athénien est souvent appelé « le siècle de Périclès ». En effet, ce dernier domine la vie politique athénienne pendant près de 20 ans. Il lance un programme de grands travaux et mène la guerre contre Sparte. S'il suscite l'admiration de ses concitoyens, il est également l'objet de vives critiques de la part de ses concurrents politiques.

> **DÉFINITIONS**
>
> ▶ **Ostracisme**
> Vote par lequel l'Ecclésia peut bannir pour dix ans un homme politique qui menace la démocratie.

? En quoi l'action de Périclès s'inscrit-elle dans l'histoire de la démocratie athénienne ?

1 La vie de Périclès

Périclès représenté avec le casque de stratège.
Copie romaine en marbre d'un buste réalisé en 440 av. J.-C.

vers 495 av. J.-C. Périclès naît dans une famille de l'aristocratie athénienne.

461 av. J.-C. Il prend la tête du « parti démocratique » et fait voter l'ostracisme de son opposant Cimon.

454 av. J.-C. Il crée le *misthos*, indemnité versée à tout citoyen tiré au sort pour siéger à l'Héliée.

451 av. J.-C. Sur proposition de Périclès, l'Ecclésia vote un décret restreignant l'accès à la citoyenneté aux enfants de deux parents athéniens.

448 av. J.-C. Il est élu stratège pour la première fois.

442 av. J.-C. Ostracisme de son opposant Thucydide.

443-429 av. J.-C. Il est réélu tous les ans stratège.

431 av. J.-C. Début de la guerre du Péloponnèse qui oppose la ligue de Délos, menée par Athènes, à Sparte et ses alliés.

429 av. J.-C. Périclès meurt de la peste.

1. Quelles réformes importantes Périclès fait-il voter ?
2. Quelle fonction occupe-t-il ?

2 Périclès défend la démocratie athénienne

« Notre constitution politique n'a rien à envier aux lois qui régissent nos voisins ; loin d'imiter les autres, nous donnons l'exemple à suivre. Du fait que l'État, chez nous, est administré dans l'intérêt de la masse et non d'une minorité, notre régime a pris le nom de démocratie. En ce qui concerne les différends particuliers, l'égalité est assurée à tous par les lois ; mais en ce qui concerne la participation à la vie publique, chacun obtient la considération en raison de son mérite, et la classe à laquelle il appartient importe moins que sa valeur personnelle ; enfin nul n'est gêné par la pauvreté et par l'obscurité de sa condition sociale, s'il peut rendre des services à la cité. [...] La contrainte n'intervient pas dans nos relations particulières ; une crainte salutaire nous retient de transgresser les lois de la république ; nous obéissons toujours aux magistrats et aux lois et, parmi celles-ci, surtout à celles qui assurent la défense des opprimés et qui, tout en n'étant pas codifiées, impriment à celui qui les viole un mépris universel. »

Thucydide (460-400 av. J.-C.), *Histoire de la guerre du Péloponnèse*, II, 37, trad. J. de Romilly, © Les Belles Lettres, Paris, 1990. ■

1. Comment Périclès définit-il la démocratie athénienne ?
2. De quelle manière l'égalité entre les citoyens est-elle assurée selon lui ?
3. D'après Périclès, qu'apporte la démocratie au rayonnement d'Athènes dans le monde grec ?

3 Le gouvernement d'un seul homme

« Périclès avait de l'influence en raison de la considération qui l'entourait et de la profondeur de son intelligence. Il était d'un désintéressement absolu ; sans attenter à la liberté, il contenait la multitude qu'il menait. N'ayant acquis son influence que par des moyens honnêtes, il n'avait pas à flatter la foule. Grâce à son autorité personnelle, il pouvait lui tenir tête et même lui monter son irritation. Chaque fois que les Athéniens s'abandonnaient à contre temps à l'audace et à l'orgueil, il les frappait de crainte ; s'ils s'effrayaient sans motif, il les ramenait à la confiance. Ce gouvernement portait le nom de démocratie, en réalité, c'était le gouvernement d'un seul homme. »

Thucydide (460-400 av. J.-C.), *Histoire de la guerre du Péloponnèse*, II, 65, trad. J. de Romilly, © Les Belles Lettres, Paris, 1990. ■

1. D'après Thucydide, quelles sont les deux qualités qui assurent à Périclès le pouvoir ?
2. Expliquez la dernière phrase.

4 Périclès embellit l'Acropole

Les Propylées forment une entrée monumentale menant sur l'Acropole.

▶ **Doc. 4 et 5** Quels quartiers d'Athènes Périclès a-t-il privilégiés ?

5 Constructions attribuées à Périclès

Sur l'Acropole

Parthénon (449-438 av. J.-C.)

Odéon (443 av. J.-C.)

Entrée monumentale des Propylées (437 av. J.-C.)

Théâtre de Dionysos (420 av. J.-C.)

Erechtéion (421-406 av. J.-C.)

Dans la ville basse

Temple d'Héphaïstos (449 av. J.-C.)

Dans le port du Pirée

Longs murs (461-456 av. J.-C.)

Halle aux blés

Arsenaux (451-448 av. J.-C.)

En Attique

Temple de Poséidon au cap Sounion (444-440 av. J.-C.)

Salle du sanctuaire d'Eleusis

Temple de Némésis à Rhamnonte

▶ **Doc. 5 et 6** À travers ces grands travaux, quels buts veut-il atteindre ?

SYNTHÉTISER DES DOCUMENTS

Que montrent ces documents sur l'influence de Périclès dans la vie politique athénienne au ve siècle av. J.-C. ?

6 Périclès et ses détracteurs

« Ce qui apporta le plus de plaisir et d'embellissement à Athènes, ce qui, chez les autres, provoqua le plus grand choc, cela seul qui témoigne que la puissance fameuse et l'antique félicité de la Grèce ne sont pas des mensonges, c'est l'aménagement des édifices. [...] Les expéditions militaires fournissaient à ceux qui en avaient l'âge et la force des ressources assurées par le Trésor public ; quant à la masse non enrôlée des ouvriers, Périclès ne voulait pas qu'elle fût exclue des distributions ni non plus qu'elle y eut part en demeurant inactive et oisive. Il présenta donc au peuple de grands projets de constructions et des plans à long terme, intéressant nombre d'emplois : ainsi les gens restés en ville n'auraient-ils pas moins que les soldats en mer, en garnison et en campagne de motif d'être assistés et d'avoir part aux deniers publics. [...]

Phidias choisissait tout et surveillait tout pour Périclès, alors que les ouvrages avaient pourtant de grands architectes et de grands artistes. [...]

Ceci amenait à l'un jalousie, à l'autre calomnie – Phidias aurait reçu pour Périclès des femmes libres qui avaient des rapports avec celui-ci. Les Comiques, accueillant ce propos, répandirent sur Périclès quantité d'impudences ; ils le calomnièrent à propos de la femme de Ménippe, son ami et stratège en second [...].

Thucydide[1] et les orateurs de son clan invectivaient Périclès, l'accusant de gaspiller les fonds publics et de faire disparaître les revenus. [...] Finalement, entré en conflit, non sans péril, avec Thucydide à propos de l'ostracisme, il fit exiler celui-ci et dissoudre le parti qui, à lui-même, faisait opposition. »

Plutarque (vers 50-vers 125), historien romain, *Vie de Périclès*, dans *Les parallèles vies des hommes illustres*, vers 110. ■

1. Personnage différent de l'historien : opposant politique à Périclès.

1. Comment sont financés les embellissements d'Athènes ?

2. Qu'est-ce qui est reproché à Périclès ? D'après Plutarque, pourquoi ?

3. Comment Périclès fait-il taire ses ennemis politiques ?

L'Ecclésia, centre de la vie politique

L'assemblée du peuple est l'institution essentielle de la démocratie athénienne. Les citoyens doivent théoriquement participer à ses quarante séances annuelles. Ils peuvent y prendre la parole, faire des propositions et tous prennent part aux votes, le plus souvent à main levée. Les décrets adoptés sont gravés dans la pierre.

DÉFINITIONS
▶ Boulê / Conseil
Voir définition p. 44.
▶ Ecclésia
Voir définition p. 46.
▶ Ostracisme
Voir définition p. 52.

? *Comment fonctionne l'Ecclésia ?*

I La colline de la Pnyx

Les escaliers permettent de monter sur la tribune où l'orateur prend la parole devant les citoyens rassemblés sur la pente de la colline.

2 Les citoyens jugent leurs généraux

En 406, alors que la flotte athénienne a battu celle de Sparte au large des îles Arginuses, les généraux rentrent à Athènes mais sont accusés de ne pas avoir porté secours aux marins athéniens naufragés durant la bataille.

« L'assemblée du peuple fut convoquée. Quelques citoyens, et Théramène surtout, attaquèrent les généraux [...]. Alors les généraux se défendirent chacun en quelques mots, le temps légal ne leur ayant pas été accordé. Ils exposèrent comment les choses s'étaient passées : [...] "c'est la violence de la tempête qui a empêché de relever les naufragés." À l'appui de cette déclaration ils produisirent comme témoins les pilotes et beaucoup d'autres compagnons de leur navigation. Leurs discours persuadèrent le peuple. [...] Cependant on décida de remettre l'affaire à la prochaine assemblée, car il était tard et l'on n'aurait pu voir les mains. [...] Théramène et ses suppôts enrôlèrent un grand nombre d'hommes vêtus de noir et tondus jusqu'à la peau, et les engagèrent à se présenter à l'assemblée comme parents des morts, et ils persuadèrent Callixeinos d'accuser les généraux à la Boulê. Puis ils convoquèrent l'assemblée, où la Boulê présenta sa motion rédigée par Callixeinos en ces termes : "Attendu que les accusations contre les généraux et la défense de ces derniers ont été entendues dans l'assemblée précédente, tous les Athéniens sont appelés à voter par tribu [...]. S'ils sont déclarés coupables, ils seront punis de mort" [...].

Euryptolémos fait alors un discours en faveur des généraux, demandant que l'Ecclésia les juge séparément pour que chacun puisse se défendre.

Son discours fini, Euryptolémos rédigea une motion tendant à faire juger les prévenus [...], chacun séparément, tandis que celle de la Boulê était de les juger tous à la fois par un seul vote. Ces deux motions mises aux voix, le peuple vota d'abord celle d'Euryptolémos ; mais sur les protestations de Ménéclès, un second vote eut lieu et ce fut l'avis de la Boulê qui l'emporta. Après cela, le peuple condamna les généraux qui avaient pris part à la bataille navale ; ils étaient huit ; les six qui étaient présents furent exécutés. Les Athéniens ne tardèrent pas à s'en repentir, et décrétèrent que ceux qui avaient trompé le peuple seraient mis en accusation et qu'ils fourniraient des garants jusqu'au moment du jugement. Callixeinos était du nombre ; quatre autres furent accusés avec lui et emprisonnés. »

Xénophon (vers 430-vers 355 av. J.-C.), *Helléniques*, I-7. ■

1. Que nous apprend ce texte sur les pouvoirs de l'Ecclésia ?

2. Comment se déroule la séance ? Quels sont les droits des accusés ?

3. Comment se déroule le vote ?

4. D'après Xénophon, le peuple est-il totalement manipulable ?

Clepsydre. Musée
de l'Agora, Athènes.

Le temps de parole
des orateurs était
strictement décompté
grâce à l'écoulement
de l'eau dans
la clepsydre.

Ostrakon portant le nom de Thémistocle (524-460. av. J.-C.).
Musée de l'Agora, Athènes.

Sur ce tesson de poterie, les citoyens inscrivaient le nom
de celui qu'ils souhaitaient bannir lors de la procédure
d'ostracisme.

3 Débattre et juger

▶ Quels caractères de la démocratie athénienne ces objets
mettent ils en valeur ?

4 Une critique du fonctionnement
de l'Ecclésia au IVᵉ siècle

« Ah ! Athéniens, si la Boulê des Cinq-Cents et l'Ecclésia
étaient régulièrement dirigées par ceux qui les président, si
l'on observait encore les lois de Solon[1] sur la discipline des
orateurs, le plus âgé des citoyens parlant le premier, comme
les lois le prescrivent, pourrait monter à la tribune sans être
interrompu par le tumulte et, tirant parti de son expérience,
donner au peuple les meilleurs conseils. Ensuite viendraient
parler ceux des autres citoyens qui le désirent, chacun à son
tour suivant son âge, pour donner son avis sur toute chose.
Il me semble qu'ainsi la cité serait mieux gouvernée […].
Mais aujourd'hui les règles que chacun autrefois s'entendait à trouver bonnes sont abandonnées, il y a des gens qui
n'hésitent pas à déposer des motions illégales, d'autres à les
mettre aux voix, tenant leur présidence non de la façon la
plus juste, mais par suite d'intrigues. »

Eschine, orateur athénien (vers 390-314 av. J.-C.),
Contre Ctésiphon, 2-5. ■

1. Archonte du VIᵉ siècle à l'origine d'importantes réformes
politiques à Athènes.

▶ Quelle forme de démocratie Eschine critique-t-il ? Quelle
forme défend-il ?

5 Une satire de l'Ecclésia

*Dans une pièce de 392, Aristophane met en scène des Athé-
niennes qui prennent la place des hommes à l'Ecclésia. Dans
cet extrait, elles s'exercent à prendre la parole.*

« PRAXAGORA. Qui veut prendre la parole ?

HUITIÈME FEMME. Moi.

PRAXAGORA. Ceins donc cette couronne, et bonne chance !

HUITIÈME FEMME. Voici.

PRAXAGORA. Parle.

HUITIÈME FEMME. Eh bien ! Parlerai-je avant de boire ?

PRAXAGORA. Comment, avant de boire ?

HUITIÈME FEMME. Pourquoi, en effet, ma chère, me suis-je
couronnée ?

PRAXAGORA. Va-t'en vite ; tu nous en aurais peut-être fait
autant à l'assemblée.

HUITIÈME FEMME. Quoi donc ? Les hommes ne boivent
donc pas à l'assemblée ?

PRAXAGORA. Allons ! Tu crois qu'ils boivent !

HUITIÈME FEMME. Oui, par Artémis ! et du plus pur. Aussi
les décrets qu'ils formulent, pour qui les considère avec attention, sont comme de gens frappés d'ivresse. Et, de par Zeus !
ils font aussi des libations. En vue de quoi toutes ces prières,
si le vin n'était pas là ? Puis ils s'injurient en hommes qui ont
trop bu, et, au milieu de leurs excès, ils sont emportés par les
archers.

PRAXAGORA. Toi, va t'asseoir ; tu n'es bonne à rien. […]
J'ai résolu de parler moi-même pour vous toutes, et de prendre
cette couronne. Je prie les dieux de m'accorder la réussite de
nos projets. Je souhaite, à l'égal de vous-mêmes, l'intérêt de
ce pays, mais je souffre et je m'indigne de tout ce qui se passe
dans notre cité. Je la vois toujours dirigée par des pervers ; et si
l'un d'eux est honnête homme une seule journée, il est pervers
durant dix jours. Se tourne-t-on vers un autre, il fera encore
plus de mal. C'est qu'il n'est pas commode de mettre dans le
bon sens des gens difficiles à contenter. Vous avez peur de ceux
qui veulent vous aimer, et vous implorez, l'un après l'autre,
ceux qui ne le veulent pas. »

Aristophane (vers 445-vers 386 av. J.-C.), *L'Assemblée des femmes*. ■

1. Pourquoi Aristophane choisit-il de mettre en scène
une assemblée de femmes ?

2. Quels sont les éléments comiques du texte ?

3. **Doc. 4 et 5** Quels dysfonctionnements de la démocratie
ces documents dénoncent-ils ?

CONFRONTER DES INFORMATIONS

Pourquoi peut-on dire de l'Ecclésia qu'elle est l'institution
centrale à Athènes ?

La démocratie athénienne en débat

Pourquoi la démocratie est-elle débattue et remise en cause à Athènes ?

1 Démocratie et impérialisme

● **Une cité hégémonique.** Au milieu du ve siècle av. J.-C., Athènes domine le monde grec. À l'issue des guerres médiques contre les Perses, la cité a pris la tête de la ligue de Délos (478 av. J.-C.). Ce qui était à l'origine une alliance devient l'instrument de l'impérialisme athénien. Les cités alliées doivent verser un tribut à Athènes, le *phoros*. La flotte athénienne contrôle la mer Egée et installe des garnisons dans les cités qui représentent un intérêt stratégique ou dont la fidélité est douteuse. Le rôle dirigeant d'Athènes, fondé sur son prestige, se transforme en une domination fondée sur la force.

● **Une cité riche.** Le *phoros* et la maîtrise du commerce maritime enrichissent considérablement Athènes. Périclès utilise ces ressources pour financer le *misthos* et ainsi élargir la démocratie. Il fait aussi réaliser des grands travaux qui assurent un emploi aux artisans de la ville. Ainsi l'impérialisme favorise la démocratie. Toutefois, les adversaires de Périclès dénoncent les excès d'un pouvoir trop personnel.

2 Les défaites militaires fragilisent la démocratie

● **La guerre contre Sparte.** De 431 à 404 av. J.-C., un long conflit oppose la ligue du Péloponnèse, menée par Sparte, à la ligue de Délos. Les phalanges spartiates étant plus nombreuses, Périclès décide d'éviter l'affrontement terrestre et de regrouper la population à l'intérieur de la ville, défendue par ses remparts. Mais une épidémie de peste décime la population et entraîne la mort de Périclès en 429 av. J.-C. L'échec d'une expédition menée en Sicile contre Sparte entraîne l'instauration d'une oligarchie à Athènes en 411 av. J.-C., celle des Quatre-Cents. En 404 av. J.-C., la victoire de Sparte est totale, et les oligarques reviennent au pouvoir à Athènes : c'est la tyrannie des Trente.

● **Défendre la démocratie.** À deux reprises, en 411 et 404, une partie de l'armée athénienne, menée par Thrasybule, revient à Athènes pour renverser l'oligarchie et restaurer la démocratie **doc. 1**. Cela signifie que les citoyens soldats, où qu'ils soient, continuent de représenter le peuple. Quand Athènes est vaincue par les troupes du roi Philippe de Macédoine en 338 av. J.-C., la cité se prémunit d'un retour de la tyrannie par une surveillance étroite des anciens magistrats **doc. 4**.

3 Les débats autour de la démocratie

● **Quelle démocratie ?** Les Athéniens sont conscients des dérives possibles de leur système politique et n'hésitent pas à le critiquer. Les débats opposent les défenseurs de la démocratie la plus large à ceux qui estiment que la cité ne peut être bien gouvernée que si le peuple est guidé par des magistrats sages. Certains admirent même le régime oligarchique de Sparte, y voyant un exemple de cité où règne l'ordre **doc. 2**. De plus, les guerres incessantes ébranlent la cité et éloignent les citoyens soldats de la gestion des affaires publiques. La politique devient peu à peu une affaire de professionnels et on assiste à une dissociation entre chefs politiques et chefs militaires.

● **La nostalgie d'un âge d'or.** Le théâtre, les écrits des philosophes ou des historiens sont révélateurs des interrogations des Athéniens sur la valeur de leur système politique. Des auteurs comme Aristophane ou Euripide s'inquiètent de la menace que les guerres incessantes font peser sur la cité. La remise en cause ne concerne pas uniquement l'impérialisme athénien et son coût élevé. Au ive siècle av. J.-C., Démosthène s'inquiète des dérives de la cité qui confie son destin aux démagogues et fustige l'incapacité de ses concitoyens à s'unir face à la menace macédonienne **doc. 3**. En −322, la réforme imposée par les Macédoniens, qui prive la moitié des citoyens de leurs droits civiques, marque la fin de la démocratie athénienne.

■ **La démocratie et son fonctionnement ont été, tout au long des ve et ive siècles av. J.-C., constamment débattus à Athènes.**

ARISTOPHANE

(v. 445 - v. 385 av. J.-C.)

Auteur de nombreuses comédies dans lesquelles il se moque des défauts de la démocratie.

« Ne vous fâchez pas contre moi Messieurs les spectateurs si, tout gueux que je sois, je m'avise de parler des affaires de l'État dans une comédie devant des citoyens d'Athènes. La comédie s'intéresse à ce qui est juste. Or je vais vous dire des choses désagréables, sans doute, mais justes. »

Les Acharniens (425 av. J.-C.).

DÉFINITIONS

Impérialisme
Politique d'un État qui cherche à étendre sa domination sur d'autres régions ou États.

Oligarchie
Régime où le pouvoir est monopolisé par un petit nombre de citoyens, les plus riches.

Tyrannie
Régime où un homme ou un groupe d'hommes prennent et exercent le pouvoir par la force.

Démagogue
Homme politique qui s'attire la faveur du peuple en s'adressant à ses sentiments, en le flattant, sans se soucier de l'intérêt général.

1 Oligarchie contre démocratie

En 411, après une série de défaites face à Sparte, un courant antidémocratique installe une oligarchie à Athènes où le pouvoir est détenu par une assemblée de 400 citoyens. Les soldats athéniens, stationnant sur l'île de Samos, reviennent alors renverser les Quatre-Cents.

« Les soldats tinrent aussitôt une assemblée au cours de laquelle ils destituèrent les anciens stratèges [...]. Ils nommèrent à leur place d'autres hommes, parmi lesquels Thrasyboulos et Thrasylos, qui exerçaient déjà des commandements. Des orateurs se levèrent pour exhorter leurs camarades : [...] quelle autorité pouvaient avoir les Quatre-Cents après le crime qu'ils avaient commis en abolissant les institutions traditionnelles ? Les Athéniens de Samos, au contraire, étaient les défenseurs de la légalité et ils s'efforceraient de contraindre les gens de la cité à respecter les lois. Dans ces conditions, c'était encore parmi eux et non à Athènes, que se trouvaient les hommes les plus capables d'assurer par leurs conseils la bonne conduite des affaires [...]. »

Thucydide (460-400 av. J.-C.), *Histoire de la guerre du Péloponnèse*, VIII, 76-77, trad. J. de Romilly, © Les Belles Lettres, Paris, 1990. ▪

1. Dans quel contexte la démocratie est-elle fragilisée ?
2. Pourquoi les soldats athéniens qui stationnent sur l'île de Samos s'estiment-ils plus légitimes que les Quatre-Cents pour exercer le pouvoir ?

2 Un Athénien admirateur de Sparte

« À Sparte, les hommes les plus considérables sont les plus soumis aux autorités ; ils se font gloire de leur humilité et se piquent, quand on les appelle, d'obéir, non en marchant, mais en courant, persuadés que, si eux-mêmes donnent l'exemple d'une obéissance empressée, les autres suivront ; et c'est en effet ce qui est arrivé. Il est probable aussi que ces mêmes citoyens aidèrent Lycurgue[1] à établir l'autorité des éphores [magistrats], parce qu'ils avaient reconnu que l'obéissance est un bien inestimable dans l'État, dans une armée, dans une maison. [...] En conséquence, les éphores ont le droit de frapper d'une amende qui bon leur semble ; ils sont maîtres de la faire payer sur-le-champ, de révoquer des magistrats en exercice, d'emprisonner, d'intenter une action capitale. Revêtus d'une telle autorité, ils ne laissent pas, comme dans les autres États, les magistrats élus user arbitrairement de leur pouvoir durant toute l'année [...].
En plaçant au terme de la vie l'épreuve pour être élu au Conseil des Anciens, [Lycurgue] a obtenu que la pratique de la vertu ne fût pas négligée même dans la vieillesse. [...] En donnant aux vieillards le droit de juger les procès capitaux, il a fait qu'on rend plus d'honneurs à la vieillesse qu'à la force des jeunes gens. »

Xénophon (vers 430-vers 355 av. J.-C.), *La République des Lacédémoniens*, trad. Pierre Chambry. ▪

1. Personnage légendaire auquel on attribue la mise en place des institutions de Sparte.

1. Qu'admire Xénophon dans le régime politique de Sparte ?
2. Que peut-on en déduire sur sa vision de la démocratie athénienne ?

3 Bien public contre démagogie

« L'orateur qui, sans souci de l'intérêt public, met les riches en jugement, confisque leurs biens, en fait des largesses, accuse à tort et à travers, celui-là n'a pas besoin de courage pour agir ainsi [...]. Mais celui qui cherche votre bien même malgré vous, celui dont toutes les paroles visent non pas à la faveur mais au bien public, celui dont la politique laisse à la fortune plus de prise encore qu'à la prévoyance, et qui pourtant prend sur lui-même toute la responsabilité, voilà un homme courageux et un bon citoyen [...]. Ce qu'il faut conseiller, ce n'est pas le plus facile, c'est le meilleur ; le plus facile, la nature y court d'elle-même ; au lieu que le bien, c'est l'office du bon citoyen de l'enseigner par ses discours et d'y conduire ses auditeurs. »

Démosthène (384-322 av. J.-C.), *Cherson*, 69-72. ▪

1. Qu'est-ce qu'un bon citoyen d'après Démosthène ?
2. Quelle qualité cela exige-t-il ?

4 La démocratie couronnant le peuple

Stèle de marbre portant le décret contre la tyrannie, 336 av. J.-C. Musée de l'Agora, Athènes.

Craignant qu'à l'occasion de la défaite de Chéronée face à Philippe de Macédoine, des magistrats cherchent à abolir la démocratie, l'Ecclésia vote un décret contrôlant l'activité politique des anciens archontes. Décret pris en 337 av. J.-C.

Exercices et MÉTHODES

❶ Comprendre une consigne

1. Reliez le verbe consigne à ce qu'on attend de vous.

a. Analyser •   • Prouver par des exemples (faits, événements, chiffres...) une idée.

b. Argumenter •   • Donner un exemple pour appuyer une idée.

                    • Présenter de manière ordonnée un fait, une situation, un document iconographique...

c. Caractériser •   • Donner les éléments nécessaires pour faire comprendre un fait,
                      une situation, un mécanisme...

d. Comparer •

e. Décrire •   • Identifier les éléments d'un document, d'un phénomène et préciser
                      le rapport qu'ils entretiennent entre eux

f. Définir •   • Préciser les traits propres à un fait, une situation, un phénomène...

                    • Donner la signification d'une notion, d'un phénomène, d'un terme...

g. Expliquer •   • Extraire les éléments communs à deux documents et les mettre en relation

h. Illustrer •   pour faire apparaître les ressemblances, les différences et/ou les nuances

2. Trouvez parmi les verbes consigne de la liste précédente un synonyme pour :

a. Confronter   **b.** Justifier   **c.** Témoigner   **d.** Évoquer

❷ Comprendre un sujet de composition

▶ Sujet : **Athènes aux Ve et IVe siècles av. J.-C.**

MÉTHODE

1. Analyser les termes du sujet

Athènes aux Ve et IVe siècles av. J.-C.

Que désigne ici le terme « Athènes » ?	Que signifie cette période pour Athènes ?

– En général, un lieu, ou plus précisément une ville
 	
– Ici, pour l'Antiquité, une cité
  • Indiquez la définition de cette notion capitale
  • Quelle est la spécificité de l'organisation politique d'Athènes ?
	– Une période de deux siècles
	  • Cette période est-elle uniforme ou bien présente-t-elle une évolution ?
	  • Quelles dates choisir pour la délimiter ?
	    – le début de la période étudiée :
	    La date de 499 est-elle pertinente pour le sujet et, sinon, quelle date approchant retenir ?
	    – la fin de la période étudiée :
	    La date de 300 est-elle pertinente pour le sujet et, sinon, quelle date approchant retenir ?

2. Reformuler le sujet

▶ Choisissez parmi les questions suivantes celle qui vous semble le mieux correspondre à une reformulation du sujet :

a. En quoi les Ve et IVe siècles av. J.-C. constituent-ils l'apogée de la démocratie à Athènes ?

b. Comment fonctionne la démocratie à Athènes aux Ve et IVe siècles av. J.-C. ?

c. Quelle évolution la démocratie athénienne connaît-elle du Ve au IVe siècle av. J.-C. ?

EXERCICE D'APPLICATION Reformulez les sujets suivants :

▶ Sujet 1 : **Périclès et la démocratie athénienne.**

▶ Sujet 2 : **L'évolution de la démocratie à Athènes aux Ve et IVe siècles.**

❸ Comprendre et analyser un texte politique

▶ Comment Aristote définit-il et critique-t-il la démocratie athénienne ?

La démocratie selon Aristote

« Le principe fondamental du régime démocratique, c'est la liberté ; voilà ce que l'on a coutume de dire, sous prétexte que dans ce régime seul on a la liberté en partage : c'est là, dit-on, le but de toute démocratie. Une des marques de la liberté, c'est d'être tour à tour gouverné et gouvernant.

La justice démocratique consiste dans l'égalité selon le nombre, mais non selon le mérite : si la justice, c'est cela, le "souverain", c'est forcément la masse populaire […]. Chaque citoyen, dit-on, doit avoir une part égale ; et la conséquence dans les démocraties, c'est que les pauvres sont plus puissants que les riches : ils sont plus nombreux et l'autorité souveraine, c'est la décision de la majorité.

Ces principes de base une fois posés et telle étant la nature du pouvoir, voici les règles caractéristiques de la démocratie : élection des magistrats faite par tous et parmi tous, exercice du pouvoir par tous sur chacun, chacun à tour de rôle commandant à tous ; tirage au sort de toutes les magistratures ou du moins de toutes celles qui n'exigent ni expérience pratique ni connaissances techniques ; […] accès de tous aux fonctions judiciaires […]. Ensuite, versement d'indemnités, de préférence pour toutes les fonctions, assemblée, tribunaux, magistratures […].

De plus, puisqu'une oligarchie se définit par la naissance, la richesse et l'éducation, les marques de la démocratie sont, de général, opposées à celles-ci : basse naissance, pauvreté, vulgarité. »

Aristote (384-322 av. J.-C.), *Politique*, VI, 1. ■

MÉTHODE

1. Identifier et présenter le document Présentez la nature du texte, son auteur, son objet et son contexte (date et lieu) sans recopier le titre ou la légende.

2. Relever et classer les arguments

Étape 1 : Dégager le plan du texte pour mettre en valeur le raisonnement de l'auteur.

Étape 2 : Relever les différents arguments employés par l'auteur en regard des parties que vous venez d'identifiez.

Étape 3 : Classer ces arguments. Vous pouvez utiliser un tableau pour distinguer l'idée principale de son explication.

EXERCICE Complétez le tableau.

Plan du texte	Nom du principe	Définition selon l'auteur :
1) Principes de base de la démocratie :	la liberté	→ « être tour à tour gouvernant et gouverné »
	....	→
	Nom des règles	**Regroupement**
2) Règles caractéristiques de la démocratie :	-	Choix des gouvernants
	-	
	-	
	-	
	-	
	Nom du régime	**Caractéristiques selon l'auteur**
3) Distinction et critique des régimes politiques :	oligarchie	- - -
	....	- - -

Exercices et MÉTHODES

4 Comprendre et analyser un extrait de pièce de théâtre

▶ Après avoir présenté ce texte, montrez en quoi il témoigne des différentes conceptions politiques qui coexistent dans la démocratie athénienne au Vᵉ siècle av. J.-C.

Démocratie et tyrannie selon Euripide

« THÉSÉE : Notre cité n'est pas au pouvoir d'un seul homme : elle est libre. Son peuple la gouverne : tour à tour, les citoyens reçoivent le pouvoir, pour un an. Elle n'accorde aucun privilège à la fortune. Le pauvre et le riche y ont des droits égaux.

LE HÉRAUT[1] THÉBAIN : [...] La cité dont je viens est gouvernée par un seul homme, et non par la foule. Personne ne la flatte ou ne l'exalte par son éloquence, personne ne la tourne ou la retourne selon son seul intérêt particulier. [...] D'ailleurs comment le peuple, qui n'est pas capable de raisonnements droits, pourrait-il mener une cité sur le droit chemin ? Un pauvre paysan, même instruit, en raison de son travail, ne peut consacrer son attention aux affaires publiques.

THÉSÉE : [...] Pour une cité, rien n'est pire qu'un tyran. Sous la tyrannie, les lois ne sont pas les mêmes pour tous, [...] l'égalité n'existe plus. Au contraire, sous le règne des lois écrites, pauvres et riches ont les mêmes droits. Le faible peut répondre à l'insulte du fort, et le petit, s'il a le droit pour lui, peut l'emporter sur le grand. La liberté, elle est dans ces paroles : "Qui veut donner à l'assemblée un sage avis pour le bien de la cité ?". Qui veut parler se met en avant, qui n'a rien à dire se tait. Peut-on imaginer plus belle égalité entre les citoyens ? »

Euripide (480-406 av. J.-C.), *Les Suppliantes*, vers 404 et suivant. ■

1. Messager officiel.

Aide

Les *Suppliantes* est une tragédie d'Euripide dont le sujet mythologique a des résonnances politiques. Elle raconte la victoire du roi légendaire d'Athènes, Thésée, contre la cité de Thèbes qui refusait de rendre les corps de chefs argiens morts durant le siège de la ville alors que leurs mères les réclamaient. Mais la pièce, jouée durant la guerre du Péloponnèse, au moment où les Argiens attaquent l'Attique, constitue également un reproche à Argos et un éloge d'Athènes.

Ici, dans le dialogue qui oppose Thésée au messager thébain, chacun défend son régime politique.

5 Exercice TICE : des œuvres grecques antiques

www.

Le site du département des antiquités grecques, étrusques et romaines au musée du Louvre

La page du département des antiquités grecques, étrusques et romaines au musée du Louvre (**http://www.louvre.fr/departments/antiquités-grecques-étrusques-et-romaines/organisation#tabs**) présente ses collections.

▶ Dans l'onglet « Œuvres choisies », choisissez une œuvre grecque parmi ces deux exemples :

1. La plaque des Ergastines
– Réalisez une fiche d'identité de l'œuvre.
– Lisez le texte qui commente l'œuvre et rédigez un résumé. Qu'est-ce que la frise des Panathénées ?

2. L'amphore à col attique (procédez comme pour l'œuvre précédente en vous aidant de la page Histoire des arts sur la céramique athénienne p. 48).

MÉMO ET RÉVISIONS

▸ À retenir

COMMENT DEVIENT-ON CITOYEN À ATHÈNES ?

▸ Naissance de père athénien (et de mère athénienne après 451)

▸ Avoir été reconnu comme tel par l'assemblée des habitants de la commune (dème)

▸ Avoir fait un service militaire de 2 ans (l'éphébie) qui se conclut par un serment

MINORITÉ DE LA POPULATION

CATÉGORIES SOCIALES EXCLUES DE LA CITOYENNETÉ :

▸ **Femmes** (mais elles transmettent la citoyenneté)

▸ **Enfants** (mais les garçons sont de futurs citoyens)

▸ **Esclaves** (→ personnes qui ne s'appartiennent pas mais appartiennent à quelqu'un d'autre)

▸ **Métèques** (→ résidents permanents à Athènes d'origine étrangère à la cité)

MAJORITÉ DE LA POPULATION

LES DIFFÉRENTS RÉGIMES POLITIQUES SELON LES GRECS

Formes pures

✓ **Monarchie**
(pouvoir d'un seul)

✓ **Aristocratie**
(pouvoir des meilleurs)

✓ **Démocratie**
(pouvoir du peuple)

Formes dégradées

✓ **Tyrannie**
(pouvoir exercé par la force)

✓ **Oligarchie**
(pouvoir monopolisé par un petit nombre)

✓ **Démagogie**
(dérive de la démocratie qui consiste à flatter le peuple pour obtenir ses suffrages)

▸ Schéma explicatif

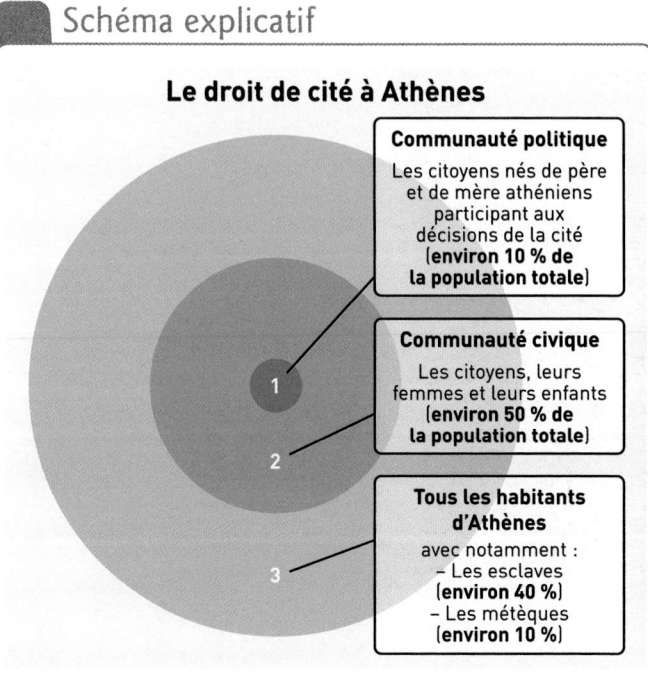

Le droit de cité à Athènes

1 — Communauté politique
Les citoyens nés de père et de mère athéniens participant aux décisions de la cité **(environ 10 % de la population totale)**

2 — Communauté civique
Les citoyens, leurs femmes et leurs enfants **(environ 50 % de la population totale)**

3 — Tous les habitants d'Athènes
avec notamment :
– Les esclaves **(environ 40 %)**
– Les métèques **(environ 10 %)**

▸ Faire une fiche de révision

Réalisez vos fiches de révision en développant les deux idées suivantes :

• Les principales institutions athéniennes

• Les principales étapes de l'histoire de la démocratie athénienne

Pensez à définir les mots-clés et à illustrer d'exemples les différentes parties de vos fiches.

Chapitre 3

Citoyenneté et empire à Rome (Iᵉʳ-IIIᵉ siècle apr. J.-C.)

Les Romains se différencient des Grecs par une diffusion progressive de la citoyenneté à l'ensemble de l'Empire. Cette citoyenneté se décline à deux niveaux : l'échelon de la cité locale et l'échelle de l'Empire tout entier. Avec cette dernière dimension, les Romains ont été les premiers à détacher la citoyenneté des notions de sol et de sang, lui conférant ainsi une dimension universelle.

Un Empire fondé sur la conquête militaire

Captifs enchaînés, trophée d'Auguste à la Turbie (Monaco), fin du Iᵉʳ siècle av. J.-C.

Un Empire marqué par la diffusion de la citoyenneté

Statues romaines en toge, symbole de la citoyenneté, provenant de la cité romaine d'Afrique de Leptis Magna.
Musée des Antiquités, Leptis Magna, Libye.

Sommaire

▶ **En quoi l'octroi de la citoyenneté constitue-t-il un moyen de gouverner l'Empire romain ?**

▶ **Comment expliquer la diffusion de la citoyenneté à l'ensemble de l'Empire ?**

Les grandes divisions territoriales de l'Empire romain

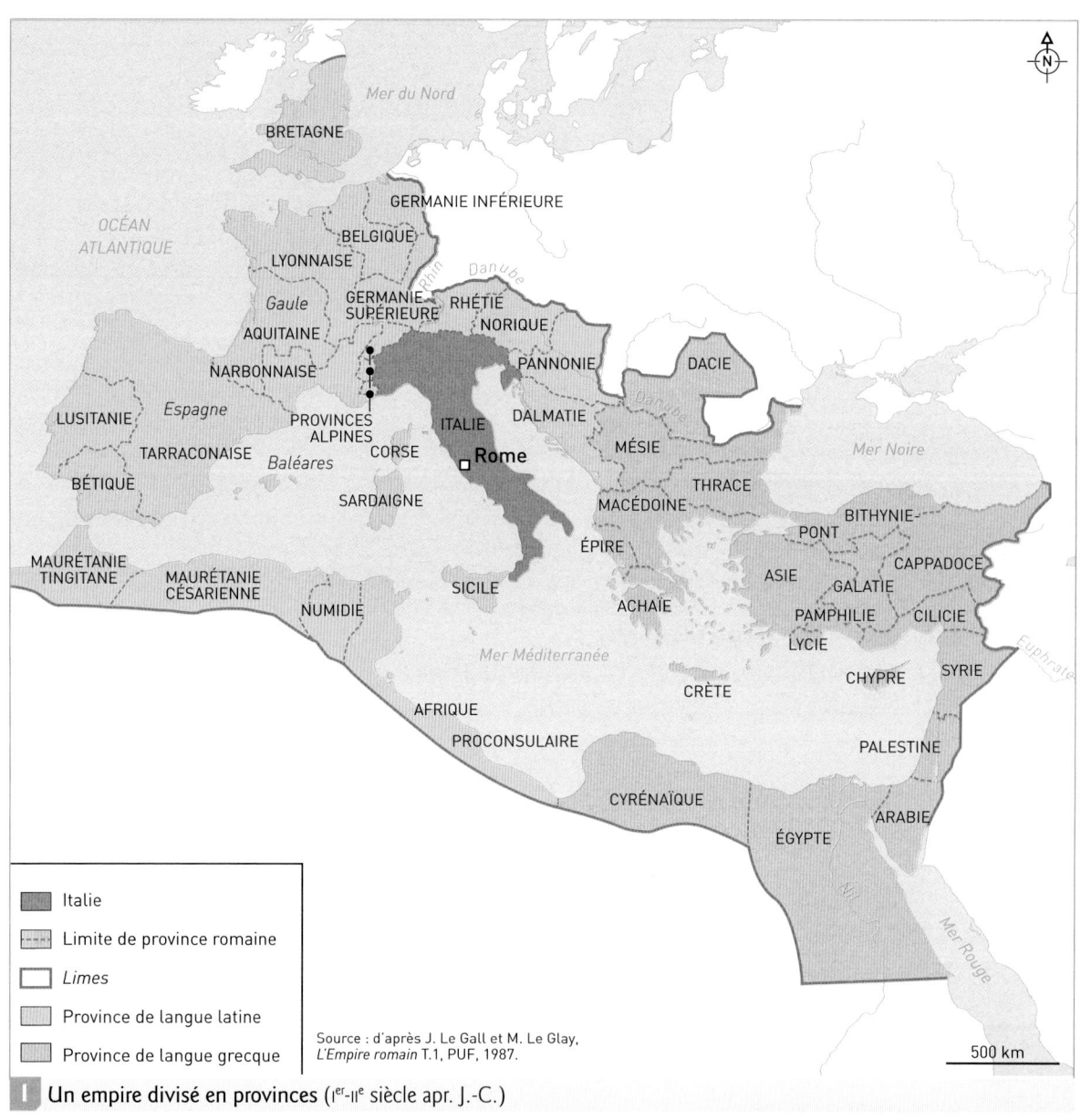

Légende :
- Italie
- Limite de province romaine
- *Limes*
- Province de langue latine
- Province de langue grecque

Source : d'après J. Le Gall et M. Le Glay, *L'Empire romain* T.1, PUF, 1987.

500 km

I Un empire divisé en provinces (Ier-IIe siècle apr. J.-C.)

QUESTIONS

1. Quelle est l'extension maximale de l'Empire d'est en ouest et du nord au sud (doc. 1) ?
2. Pourquoi parle-t-on à propos de l'Empire romain d'« empire bilingue » (doc. 1) ?
3. Comment est organisé le territoire d'une province (doc. 2) ?
4. Selon quels axes est organisé le plan de la cité (doc. 3) ?
5. Qu'est-ce qui est placé au croisement des deux axes majeurs (doc. 3) ?
6. Comment appelle-t-on ce type de plan (doc. 3) ? Pourquoi ?

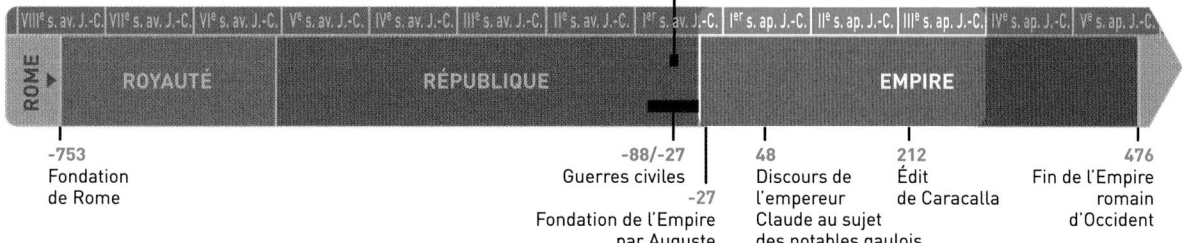

-58/-51
Conquête de la Gaule
par César

| VIIIe s. av. J.-C. | VIIe s. av. J.-C. | VIe s. av. J.-C. | Ve s. av. J.-C. | IVe s. av. J.-C. | IIIe s. av. J.-C. | IIe s. av. J.-C. | Ier s. av. J.-C. | Ier s. ap. J.-C. | IIe s. ap. J.-C. | IIIe s. ap. J.-C. | IVe s. ap. J.-C. | Ve s. ap. J.-C. |

ROME

ROYAUTÉ — RÉPUBLIQUE — EMPIRE

-753
Fondation
de Rome

-88/-27
Guerres civiles

-27
Fondation de l'Empire
par Auguste

48
Discours de
l'empereur
Claude au sujet
des notables gaulois

212
Édit
de Caracalla

476
Fin de l'Empire
romain
d'Occident

2 Des provinces divisées en cités :
la Gaule au IIe siècle apr. J.-C.

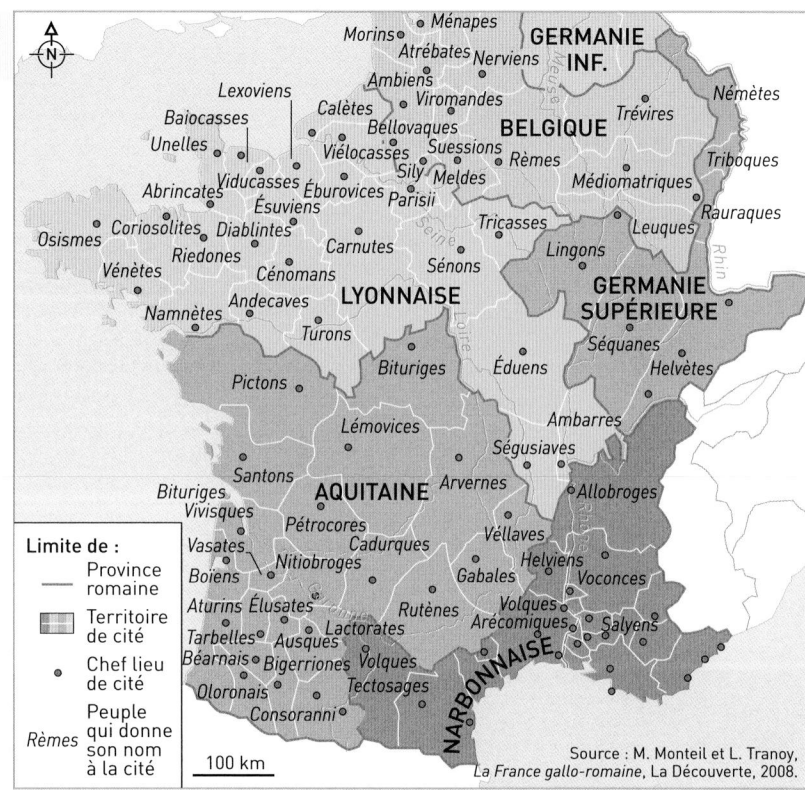

Limite de :
— Province romaine
▧ Territoire de cité
∘ Chef lieu de cité
Rèmes Peuple qui donne son nom à la cité

100 km

Source : M. Monteil et L. Tranoy,
La France gallo-romaine, La Découverte, 2008.

3 Plan du chef-lieu d'une cité
romaine d'Afrique : Timgad

Située dans les Aurès, au nord-est
de l'actuelle Algérie, la ville est fondée
en 100 apr. J.-C. par l'empereur Trajan.

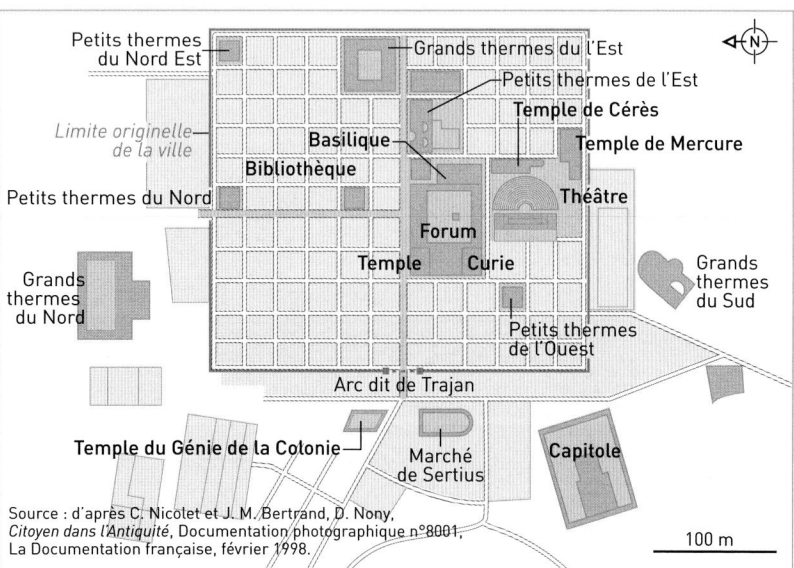

Source : d'après C. Nicolet et J. M. Bertrand, D. Nony,
Citoyen dans l'Antiquité, Documentation photographique n°8001,
La Documentation française, février 1998.

Qu'est-ce que l'Empire romain ?

Le terme d'empire désigne deux réalités différentes : d'une part un régime de nature monarchique ; d'autre part une domination territoriale étendue. L'Empire romain réunit ces deux dimensions. Les Romains parviennent en effet à maintenir leur domination durant cinq siècles sur un espace qui s'étend de l'Atlantique à la mer Noire et de l'Écosse au Sahara.

A Un pouvoir central fort

1 Un régime monarchique et héréditaire

« César[1], attendu qu'il était maître des finances (en apparence le trésor public était distinct du sien, mais, en réalité, les dépenses se faisaient à son gré) et qu'il avait l'autorité militaire, devait exercer en tout et toujours un pouvoir souverain. Quand il y eut dix ans écoulés, un décret y ajouta cinq autres années, puis encore cinq, ensuite dix, puis encore dix nouvelles, en cinq fois différentes ; de sorte que, par cette succession de périodes décennales, il régna toute sa vie. C'est pour cela que les empereurs qui lui succédèrent [le furent] une seule fois pour tout le temps de leur vie. [...] Le surnom d'Auguste fut ajouté à son nom par le sénat et par le peuple. [...] [Il] fut appelé Auguste, comme étant plus qu'un homme. [...] Ce fut ainsi que la puissance du peuple et du sénat passa tout entière à Auguste, et qu'à partir de cette époque fut établie une monarchie pure. »

Dion Cassius (vers 155-vers 235), *Histoire romaine*, LIII, 16-17. ■

1. Nom attribué à Octave-Auguste en raison de son adoption par César.

1. Quelles sont les différentes composantes du pouvoir d'Auguste ?
2. En quoi le surnom d'Auguste indique-t-il sa prééminence ?
3. Quelles sont les deux dimensions du régime ainsi créé ?

2 Rome, capitale d'empire

Maquette de la Rome antique (reconstitution). Musée national de la civilisation romaine, Rome.

▶ Quels bâtiments sont visibles sur cette reconstitution ? Que montrent-ils du statut de Rome au sein de l'Empire ?

B Le contrôle de territoires étendus

3 Le réseau des routes romaines
(fin du IIᵉ siècle apr. J.-C.)

1. Décrivez le maillage du territoire romain. Est-il uniforme ?

2. Quel est l'intérêt de construire un tel réseau ?

Mer du Nord

OCÉAN ATLANTIQUE

Rome □

Mer Noire

Mer Méditerranée

— Principales routes romaines   500 km

Source : d'après C. Badel,
Atlas de l'Empire romain, Autrement, 2012.

4 L'armée, instrument de conquête, de défense et d'administration de l'Empire

Fragment de la colonne trajane (IIᵉ siècle apr. J.-C.), Rome.

1. Quelles sont les activités des légionnaires romains ?

2. Que peut-on en déduire sur le rôle de l'armée romaine ? Est-il seulement militaire ?

5 Un discours universaliste

« Voici ce qui, de beaucoup, entre toutes choses, mérite le plus d'être vu et admiré : c'est ce qui concerne le droit de cité. Quelle grandeur de conception ! Rien jamais n'a ressemblé à cela. En effet, vous avez séparé en deux groupes tous ceux qui étaient sous votre pouvoir – par ces mots, je désigne l'ensemble du monde civilisé : à la partie qui avait la meilleure grâce, la noblesse et les capacités les plus grandes, vous avez donné la plénitude des droits politiques ou même la communauté de race ; pour le reste, vous l'avez soumis et réduit à l'obéissance. Ni la mer ni l'étendue d'un continent ne peuvent être un obstacle à l'obtention de la citoyenneté ; dans ce domaine, l'Asie n'est pas séparée de l'Europe. Tout se trouve ouvert à tous ; il n'est personne digne du pouvoir ou de la confiance qui reste un étranger. [...] Comme nous l'avons dit, vous avez, en hommes généreux, distribué à profusion la cité. [...] Vous avez cherché à en rendre digne l'ensemble des habitants de l'Empire ; vous avez fait en sorte que le nom de Romain ne fût pas celui d'une cité, mais le nom d'un peuple unique. [...] Depuis que ce partage est réalisé, nombreux sont ceux qui, dans chaque cité, sont les concitoyens de vous-mêmes autant que ceux issus de leur propre race, bien que quelques-uns d'entre eux n'aient encore jamais vu votre cité. Il n'est pas besoin de garnisons dans leurs acropoles car, partout, les hommes les plus importants et les plus puissants gardent pour nous leur propre patrie. »

Aelius Aristide (117-181), *Éloge de Rome*, IIᵉ siècle apr. J.-C.,
trad. A. Michel. ∎

1. Quelle est, pour l'auteur, la réussite la plus remarquable de Rome ?

2. Qu'est-ce qui en découle ?

PRÉLEVER ET CLASSER LES INFORMATIONS

Complétez le tableau suivant :

Doc.	Un pouvoir central fort	Le contrôle de territoires étendus

Les Tables claudiennes de Lyon

Conquise pour l'essentiel au Ier siècle av. J.-C., la Gaule est transformée en province et intégrée à l'Empire romain. Près d'un siècle plus tard, les notables de la Gaule chevelue demandent la citoyenneté romaine complète qui leur ouvrirait l'accès au sénat de Rome. La réponse de l'empereur Claude en 48 apr. J.-C., prononcée devant les sénateurs romains, est ensuite gravée à Lyon sur une plaque de bronze.

? *Quel rôle joue la citoyenneté dans l'intégration à l'Empire romain ?*

REPÈRES

▶ **125-70 av. J.-C.** : conquête de la Gaule narbonnaise (alors appelée « transalpine ») par les Romains.

▶ **58-51 av. J.-C.** : conquête de la Gaule chevelue par Jules César.

▶ **52 av. J.-C.** : victoire de César à Alésia et reddition de Vercingétorix.

▶ **10 av. J.-C.** : naissance de Claude pendant le séjour de ses parents à Lyon.

▶ **48 apr. J.-C.** : discours de Claude devant le sénat romain au sujet des Gaulois.

▶ **54 apr. J.-C.** : publication de l'*Apocoloquintose du divin Claude* par Sénèque.

▶ **vers 110 apr. J.-C.** : publication des *Annales* de Tacite.

1 L'empereur Claude (10 av. J.-C.-54 apr. J.-C.)

Buste de l'empereur Claude retrouvé en Libye, Ier siècle apr. J.-C. Musée archéologique, Tripoli, Libye.

Le règne de l'empereur Claude (41-54 apr. J.-C.) fut marqué par le début de la conquête de la Bretagne (actuelle Angleterre) et par une œuvre importante d'organisation administrative.

1. Pourquoi l'empereur est-il coiffé d'une couronne de lauriers ?
2. **Doc. 1 et 4** En quoi ce portrait se différencie-t-il de celui dressé par Sénèque ?

1. Pourquoi la citoyenneté romaine détenue par les notables de la Gaule chevelue n'est-elle pas complète ? Pourquoi jugent-ils important de l'obtenir ?
2. Quelle est la première réaction à la demande des notables gaulois ? De qui émane-t-elle ?
3. Classez dans un tableau les arguments des opposants et des partisans. Sur quoi sont-ils fondés ?
4. Quelle est l'issue de ce débat ? Comment l'expliquer ?

2 Le discours de Claude rapporté par l'historien Tacite

« Comme il était question de compléter le sénat et que les notables de la Gaule appelée chevelue, depuis long-temps bénéficiaires de traités et de la citoyenneté romaine, réclamaient le droit d'accéder à la carrière des honneurs à Rome[1], la question fit grand bruit en tous sens. […] N'était-ce donc pas assez que les Vénètes et les Insubres eussent fait irruption dans la curie[2], sans y introduire encore, avec des bandes d'étrangers, comme un rassemblement de captifs ? […] Ils allaient tout occuper, ces riches dont les aïeuls et les bisaïeuls, à la tête des peuplades ennemies, avaient taillé en pièces nos armées par le fer et la violence, assiégé le divin Jules près d'Alésia. […] Qu'ils jouissent du titre de citoyens soit ; mais que les insignes sénatoriaux, les ornements des magistratures ne soient pas prostitués !

Ces propos et d'autres semblables n'ébranlèrent pas l'empereur qui les réfuta aussitôt et qui, ayant convoqué le sénat, commença ainsi : […] "de l'Italie entière nous avons fait venir des sénateurs, […] pour que non seulement des individus à titre personnel, mais des pays, des nations se fondissent dans notre peuple. Alors la paix fut solide à l'intérieur ; […] Quelle autre cause perdit les Spartiates et les Athéniens, malgré leur puissance militaire, sinon qu'ils écartaient les vaincus comme des gens d'une autre race ? […] Si l'on fait la revue de toutes les guerres, nulle ne fut achevée dans un laps de temps plus bref que celle des Gaules. Depuis, ce fut la paix continue et fidèle. Déjà, les mœurs, les arts, les alliances familiales les confondent avec nous, qu'ils nous apportent leur or et leurs richesses, plutôt que d'en jouir séparément. […]"

Le discours du prince fut suivi d'un sénatus-consulte, et les Éduens obtinrent les premiers le droit de siéger au sénat dans la Ville. »

Tacite (vers 55-vers 120), *Annales*, XI, 23-25, trad. Pierre Wuilleumier, © Les Belles Lettres, Paris, 1976. ■

1. Accéder aux magistratures impériales et au sénat de Rome.
2. Salle de réunion du sénat.

3 Le discours de Claude gravé sur une plaque de bronze

Plaque de bronze de 193 cm sur 139 cm, milieu du Iᵉʳ siècle apr. J.-C.
Musée gallo-romain de Fourvières, Lyon.

Tables claudiennes retrouvées à Lyon au XVIᵉ siècle. Y est gravée la retranscription du discours de l'empereur Claude prononcé devant le sénat de Rome en 48 apr. J.-C.

1. Qui a pu faire graver le discours de Claude et pour quelles raisons ?

2. Pourquoi cette plaque a-t-elle été retrouvée à Lyon ?

3. Que révèlent le matériau utilisé et la graphie employée sur le soin et le coût d'une telle inscription ?

4 Les critiques contre l'empereur Claude

Pamphlet rédigé juste après la mort de l'empereur par le philosophe Sénèque, l'Apocoloquintose (« la transformation en citrouille ») du divin Claude retranscrit un dialogue imaginaire entre les dieux qui discutent du sort qu'ils doivent réserver à l'empereur défunt.

« "Par Hercule ! dit-elle [Clotho, divinité qui tient le fil de la destinée humaine], j'aurais voulu allonger un tout petit peu sa vie [de l'empereur Claude], le temps qu'il octroie le droit de cité au tout petit nombre de ceux qui ne l'ont pas encore : car il s'était promis de voir en toge tous les Grecs, Gaulois, Espagnols et Bretons. Mais comme il est bon de laisser quelques pérégrins¹ pour la graine, et que tu demandes qu'il en soit ainsi, ainsi soit-il !" […] Hercule, au premier coup d'œil, se sentit tout décontenancé : il crut qu'il n'avait pas encore affronté tous les monstres. Quand il vit cette face singulière, cette façon bizarre de marcher, cette voix qui n'était celle d'aucune créature terrestre, mais dont les sons rauques et brouillés rappelaient celle des bêtes marines, il crut qu'un treizième travail lui était échu. En regardant avec plus d'attention, il se rendit compte que c'était une manière d'homme. »

Sénèque (vers 4 av. J.-C.-65 apr. J.-C.), *Apocoloquintose du divin Claude*, IV, 3 ; V 3. ■

1. Habitants libres de l'Empire qui ne sont pas citoyens romains.

1. Sur quels aspects porte la critique de l'empereur Claude ?

2. Qualifiez le ton employé. Comment l'expliquer ?

METTRE EN RÉCIT

> **Quelles sont les étapes de l'intégration de la Gaule à l'Empire romain ?**

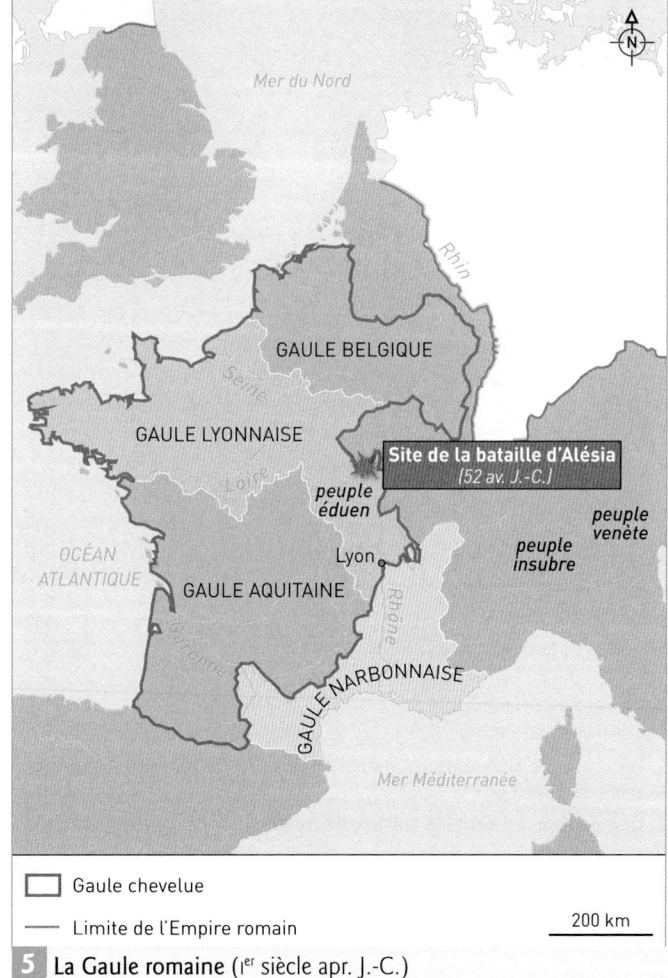

Gaule chevelue
Limite de l'Empire romain
200 km

5 La Gaule romaine (Iᵉʳ siècle apr. J.-C.)

▶ Pourquoi la Gaule chevelue se différencie-t-elle de la Gaule narbonnaise ?

Vienne, cité gallo-romaine

Chef-lieu de la cité du peuple gaulois allobroge, Vienne est conquise très tôt, d'où un statut privilégié qui fait de tous ses habitants des citoyens romains. Riche d'activités agricoles et commerciales, Strabon dit qu'elle est « une ville bien équipée ». Elle compte 30 000 habitants à la fin du IIe siècle de notre ère.

? *Comment la citoyenneté romaine est-elle vécue au quotidien dans une cité de province ?*

REPÈRES

GAULE BELGIQUE

GAULE LYONNAISE

Cité de Vienne

GAULE AQUITAINE

°Vienne

GAULE NARBONNAISE

200 km

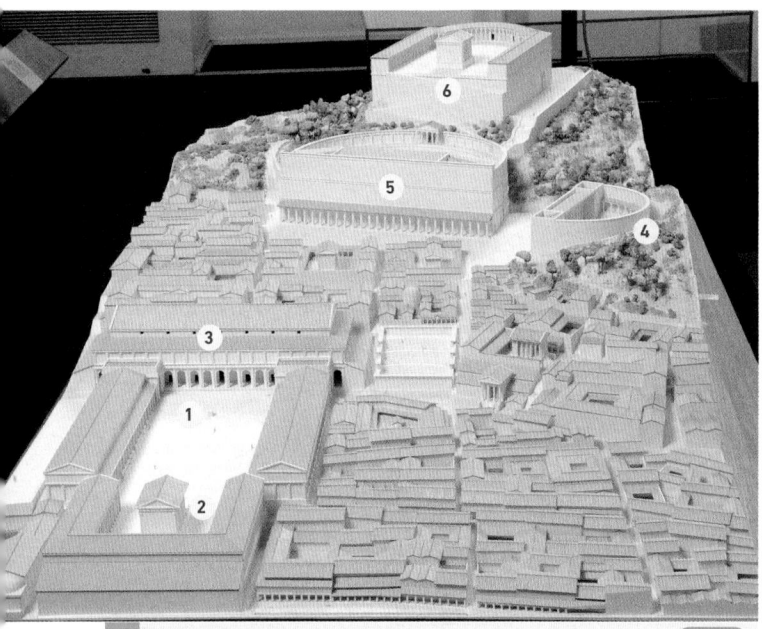

1 Le centre monumental de Vienne

DOC

Maquette au 1/500e du centre monumental de Vienne vers 200 apr. J.-C. Musée de l'Ancien Évêché de Grenoble.

1 Forum. **2** Temple de Rome et d'Auguste. **3** Basilique.
Autres monuments publics : **4** Odéon. **5** Théâtre. **6** Sanctuaire.

1. Décrivez les différentes constructions du forum. Quelle est leur fonction respective ?

2. Que peut-on en déduire sur le rôle du forum dans la vie de la cité ?

3. Que montrent les autres constructions publiques des différents aspects de la vie civique ?

2 Statue de Fortuna-Tychè dite *Tutela*
(milieu du IIe – début IIIe siècle apr. J.-C.)

Musée lapidaire de Saint Pierre, Vienne.

Statue en marbre de la divinité tutélaire de Vienne, coiffée d'un diadème et d'une couronne de tours crénelées, tenant une corne d'abondance du bras gauche et s'appuyant sur un gouvernail en partie disparu du bras droit.

▶ Quels sont les attributs de la déesse ? Qu'expriment-ils du besoin de protection des habitants de la cité ? de leur fierté ?

3 La rivalité entre Vienne et Lyon en 69 apr. J.-C.

Après l'assassinat de Néron, la guerre civile de 68-69 apr. J.-C. oppose les armées de plusieurs prétendants au titre d'empereur, notamment Galba et Vitellius. La cité de Vienne prend parti pour Galba alors que Lyon, cité voisine et rivale, prend parti pour Vitellius. Quand les soldats de ce dernier, commandés par Valens, arrivent à Lyon, les habitants les poussent à attaquer Vienne.

« Il y avait depuis longtemps entre Lyonnais et Viennois un différent que la guerre civile avait attisé. Ils s'étaient maintes fois causés des dommages, dans trop d'occasions et avec trop d'acharnement pour que la raison en fût uniquement la lutte pour Vitellius ou pour Galba. Galba d'ailleurs, mettant à profit son ressentiment, avait confisqué les revenus des Lyonnais, tandis qu'il prodiguait aux Viennois les marques de sa considération ; de là, des rivalités, des jalousies et entre ces deux peuples séparés par un seul et même fleuve, un seul trait d'union, la haine. Donc les Lyonnais excitaient les soldats les uns après les autres et les poussaient à anéantir les Viennois, leur rappelant que ces gens-là avaient assiégé leur colonie, aidé la tentative de Vindex [premier gouverneur à s'être soulevé contre Néron], levé naguère des légions pour appuyer Galba. Et après avoir mis en avant ces prétextes de haine, ils leurs montraient l'énormité du butin [...]. Les Viennois, conscients du danger, se portèrent à la rencontre de la colonne, avec des bandelettes et des bandeaux de laine dans les mains, et à force d'embrasser les armes, les genoux, les pieds des soldats, réussirent à les fléchir : Valens ajouta une gratification de trois cents sesterces par tête ; alors seulement on fut sensible à l'antiquité et à la dignité de la colonie. »

Tacite (vers 55-vers 120), *Histoire*, I, 65-66. ■

1. Quelles sont les causes immédiates de l'opposition entre Lyon et Vienne ? À quelles origines plus profondes l'auteur fait-il allusion ?

2. Pourquoi Vienne est-elle finalement épargnée ?

3. Quel enseignement peut-on en tirer sur la situation générale de la cité de Vienne et des provinces des Gaules ?

4 Temple de Rome et d'Auguste
(fin du Iᵉʳ siècle av. J.-C.)

Le temple de Vienne est l'un des premiers monuments attestant la mise en place du culte impérial en Gaule. Dédié au départ à Rome et Auguste, le nom de Livie, l'épouse divinisée d'Auguste, fut ajouté, d'où le nom usuel actuel de « temple d'Auguste et de Livie ».

1. Pourquoi dédier ce temple à l'empereur ?

2. **Doc. 1 et 4** À quel endroit de la cité se trouve-t-il ?

3. Décrivez cette construction ; quelles influences architecturales peut-on percevoir ? Quel enseignement en tirer ?

5 Thermes des lutteurs (milieu du Iᵉʳ siècle apr. J.-C.)

Vestige des thermes dits « des lutteurs » dans le quartier Saint-Romain-en-Gal de Vienne.

▶ Qu'indique la présence de ces thermes sur la situation économique de la cité de Vienne ? Quelle influence culturelle révèlent-ils ?

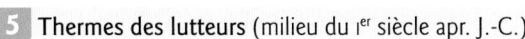

RELEVER ET CLASSER

Classez dans un tableau les différents aspects de la vie à Vienne. Comment s'exerce la citoyenneté au quotidien dans une cité de l'Empire romain ?

Vie politique	
Vie économique	
Vie religieuse	
Loisirs	

Histoire des arts

Les monuments de spectacle dans le monde romain : les arènes d'Arles

Les spectacles constituent une dimension essentielle de la vie des cités. Financés par des notables, ils permettent de réunir la communauté civique autour de grands rassemblements : courses de chevaux et de chars dans les cirques, combats de gladiateurs dans les amphithéâtres, comédies ou tragédies dans les théâtres.

L'amphithéâtre romain d'Arles est construit en 90 apr. J.-C. sur le modèle du Colisée de Rome. Il est composé de trois parties : l'arène proprement dite, de forme elliptique, qui repose sur un plancher permettant de loger les machines ; les gradins pouvant contenir 20 000 spectateurs ; la façade constituée de deux niveaux de soixante arcades qui masquent un système de couloirs et d'escaliers donnant accès aux gradins. Un mécanisme de voiles mobiles protégeait le public contre le soleil.

VOCABULAIRE DES ARTS

Amphithéâtre
Édifice romain de forme ronde ou ovale dont l'espace central est consacré aux jeux et dont le pourtour est formé de plusieurs rangs de gradins.

Arcade
Construction formée d'un arc reposant sur des colonnes ou des piliers.

Arènes
Du latin *arena* (« sable »), terrain sablé au centre d'un amphithéâtre ou d'un cirque.

Cirque
Enceinte de forme allongée destinée aux courses de chevaux ou de chars chez les Romains.

QUESTIONS

Décrire

1. Situez l'amphithéâtre dans la cité et par rapport aux autres édifices publics. Que montre sa localisation de sa place dans la vie civique ?
2. Que révèlent les dimensions de l'édifice sur la situation de la cité au plan démographique et économique ?
3. Décrivez l'architecture du bâtiment. Qu'assure-t-elle à tous les spectateurs ?
4. Quel genre de spectacle vient-on y voir (doc. 3 et 4) ?

Interpréter

5. À quelles pratiques sociales sont associés les spectacles ? Qui y participe ?
6. À qui les habitants d'Arles empruntent-ils cette pratique ?
7. Quel rôle jouent les spectacles dans la vie sociale, politique et culturelle des cités de l'Empire romain ?

1 Maquette représentant la ville d'Arles dans l'Antiquité

On aperçoit deux types d'édifice de spectacle : l'amphithéâtre et le théâtre.
Musée archéologique d'Arles.

2 Les arènes d'Arles

4 Les organisateurs des spectacles

« À Lucius Granius Romanus, fils de Lucius, de la tribu Teretina ; Marcus Iulius Olympus, impresario d'une troupe de gladiateurs [*negotiator familialae gladitoriae*], a fait élever [ce monument] pour célébrer les mérites de son grand-père Lucius Granius Victor. »

Inscription CIL XII, 727, IIᵉ siècle apr. J.-C.,
trad. Marc Heijmans, Alain Charron,
dans *Musée de l'Arles antique*, Actes Sud, 1996. ∎

Fiche d'identité de l'œuvre

Architecte : inconnu.

Date : 90 apr. J.-C.

Modèle : colisée de Rome.

Titre : amphithéâtre (appelé maintenant « arènes » d'Arles).

Matériau : pierre.

Dimensions : 136 mètres de long, 107 mètres de large, 21 mètres de haut.

À savoir : Arles est une colonie romaine fondée par César en 46 av. J.-C. pour les vétérans de la 6ᵉ légion. Sous la dynastie des Flaviens (70-96 apr. J.-C.), un amphithéâtre est construit. En 150, un cirque de 100 mètres de long est édifié, qui constitue l'un des plus grands monuments de ce type en Occident.

3 Représentation d'un gladiateur

Statuette de bronze représentant un gladiateur de type *secutores*. Musée archéologique d'Arles.

L'intégration des notables gaulois

Avant la conquête, les sociétés provinciales étaient dominées par une aristocratie, le plus souvent guerrière. La plupart de ces aristocrates conservèrent ensuite leur prééminence en s'intégrant à l'Empire romain au prix d'une transformation de leur rôle.

? *Comment et pourquoi les notables gaulois s'intègrent-ils à l'Empire romain ?*

1 Un soldat gaulois auxiliaire de l'armée romaine (Ier siècle av. J.-C.)

Statue dite du « guerrier de Vachères », représentant un notable gaulois en tenue militaire, Alpes-de-Haute-Provence. Musée lapidaire, Avignon.

1. Décrivez l'équipement de ce soldat.

2. Quels éléments vous paraissent gaulois ? Lesquels peuvent être romains ?

3. Que montre ce monument des voies d'intégration des notables gaulois à l'Empire romain ?

2 Un notable d'origine viennoise au IIe-IIIe siècle apr. J.-C.

Statue de Caius Julius Pacatianus érigée sur une place publique de Vienne (Isère). Musée des Beaux-Arts et d'Archéologie, Vienne.

1. Qu'est-ce que les commanditaires de cette statue ont voulu célébrer ?

2. Dans quelle tenue Caius Julius Pacatianus est-il représenté ? Pourquoi ?

3 La *domus*, habitat des notables gallo-romains

Maquette de la *domus* gallo-romaine du collège Louis Lumière au musée des Beaux-Arts de Besançon, section archéologie (ɪɪe siècle apr. J.-C.).

1 Vestibule 2 Atrium

1. Décrivez les différentes parties de cette habitation.
2. Quelles fonctions remplissent-elles ?

3. S'agit-il seulement de fonctions d'habitation ?
4. Quel peut être le statut social du propriétaire de cette habitation ?

4 La carrière d'un notable gaulois au ɪɪɪe siècle apr. J.-C.

« [Monument en l'honneur de] Titus Sennius Sollemnis, fils de Sollemninus, nommé personnellement quatre fois *duumvir*[1], augure[2] ayant accompli tous les honneurs et toutes les charges [dans sa cité] […]

Il fut flamine[3], commanditaire de spectacles dans sa cité et en même temps prêtre de Rome et d'Auguste au sanctuaire fédéral des trois Gaules où il y donna des spectacles de toute sorte : 32 combats de gladiateurs dont huit combats à mort sur une période de quatre jours.

Il acheva l'édification des thermes dont son père avait commencé les fondations pour servir aux compatriotes de sa cité et il décida de faire un don qui permettrait d'en assurer pour toujours les réparations.

Solemnis fut l'ami et le client de Tibérius Claudius Paulinus, gouverneur de la province de Gaule lyonnaise. Il l'assista ensuite dans le commandement d'une légion, la 6e Victrix, lorsque Paulinus fut gouverneur de Bretagne. C'est à cette occasion que ce dernier lui fit parvenir en or le salaire de son poste d'officier ainsi que d'autres cadeaux d'une valeur encore bien supérieure.

Il fut aussi l'excellent client d'Aedinius Julianus, [autre] gouverneur de la province lyonnaise qui devint plus tard préfet du prétoire[4] comme le montre la lettre gravée à côté.

Il servit également auprès de Marcus Valerius Florus, tribun militaire[5] de la IIIe légion Auguste, à Lambèse, dans la province de Numidie[6].

À ce responsable des mines de fer, le premier auquel les Trois provinces de Gaule ont élevé un monument dans sa propre cité, le groupe dirigeant [l'ordre des décurions] de la cité libre des Viducasses a donné cet emplacement.

[Statue] posée le 17e jour des calendes de janvier [238 apr. J.-C.]. »

Inscription appelée « Marbre de Thorigny », trouvé à Vieux (Calvados), gravée sur le socle d'une statue (perdue), traduction remaniée.

1. Magistrat dirigeant de sa cité.
2 et 3. Prêtre.
4. Commandant en chef des légions d'élite basées à Rome.
5. Commandant.
6. Actuelle Algérie.

1. Quelles fonctions Sollemnis a-t-il occupées ? Recopiez et complétez le tableau.

Dédicataire :			Domaines d'activité :
Carrière :	– fonctions à l'échelle de la cité :	– – –	
	– fonctions à l'échelle de la province :	–	
	– fonctions à l'échelle de l'Empire :	– –	
Dédicants :	– –		

2. Par quelles autres actions Sollemnis a-t-il manifesté sa générosité à l'égard de ses concitoyens ? Comment s'appelle cette pratique ?
3. Que révèle cette inscription de la manière dont on fait carrière dans l'Empire romain ?
4. Quels sont les mécanismes de l'intégration ?

METTRE EN RELATION

Classez dans un tableau les différents moyens d'intégration des notables gaulois à l'Empire romain puis les manifestations de cette intégration.

La citoyenneté au début de l'Empire romain

*Quel rôle joue
la citoyenneté
dans le gouvernement
de l'Empire romain ?*

1 Les fondements de l'Empire romain

● **Les conquêtes et l'Empire.** C'est sous la République que Rome conquiert le bassin méditerranéen, mais ce régime aristocratique ne peut résoudre les problèmes posés par l'administration d'aussi vastes territoires, ce qui plonge le monde romain dans la guerre civile. En 27 av. J.-C., Auguste rétablit l'ordre et fonde ce que l'on appelle l'Empire.

● **La réorganisation augustéenne.** Auguste établit un régime monarchique où l'empereur détient la suprématie civile, militaire et religieuse. Il gouverne avec l'assemblée aristocratique du sénat. L'armée, devenue permanente, est stationnée aux frontières et une administration stable se met progressivement en place.

● **L'organisation en provinces.** L'Empire est divisé en provinces qui constituent le territoire d'action d'un gouverneur envoyé par Rome. Ce dernier s'occupe des grandes affaires judiciaires, fiscales et militaires de la province. Même en comptant l'armée, le personnel envoyé par Rome est très réduit compte tenu de l'étendue des territoires à contrôler ; l'essentiel de l'administration est exercé à l'échelle des cités.

2 Les cités, cellules de base de l'Empire

● **La diffusion du modèle de la cité.** L'Orient romain est déjà structuré par un dense réseau de cités mais l'Occident connaît peu ce modèle d'organisation de la vie collective que les Romains s'emploient dès lors à développer. Cela se traduit par un mouvement d'urbanisation qui voit des villes nouvelles ou déjà existantes s'orner de monuments permettant la vie civique (forum, temples, thermes et monuments de spectacle).

● **L'échelon municipal, maillon essentiel de l'administration de l'Empire.** C'est à l'échelon de ces cités (on en compte de 2 000 à 2 500), cadre de vie des habitants, qu'est administré l'Empire. Hormis la politique extérieure et la défense, aux mains de Rome, les cités se gouvernent de manière autonome grâce à des institutions calquées sur le modèle romain (des magistrats et une assemblée aristocratique appelée sénat).

3 La place des élites locales dans la diffusion de la citoyenneté

● **Les relais du pouvoir central.** Les cités étant gouvernées par des élites locales, celles-ci jouent un rôle primordial comme relais du pouvoir impérial. Pour s'assurer de leur collaboration, Rome s'emploie à les doter d'un statut privilégié, symbolisé par la citoyenneté romaine **doc. 4** .

● **La diffusion de la citoyenneté romaine.** Le statut de citoyen romain est conféré par Rome à titre individuel, pour services rendus, ou collectivement après l'exercice de certaines fonctions. L'armée permet ainsi, après une vingtaine d'années de service, de devenir citoyen . L'exercice de charges municipales conduit aussi les magistrats à la citoyenneté romaine . Certains occupent ensuite des fonctions au niveau provincial, voire à l'échelle de l'Empire. Ces élites locales sont ainsi dotées d'une double citoyenneté : à l'échelon local et à l'échelon de l'Empire **doc. 1** .

● **Un nouveau mode de vie.** Ces notables provinciaux, souvent issus d'anciennes aristocraties guerrières, adoptent le mode de vie romain correspondant à leur nouveau rôle (nom romain, usage du latin, port de la toge, habitat aristocratique). Riches, ils dépensent une partie de leur fortune au bénéfice de leur cité en pratiquant l'évergétisme.

■ **L'Empire romain a ainsi développé un moyen économe et efficace de gouverner de vastes territoires en décentralisant l'administration, en intégrant les élites locales et en diffusant la citoyenneté comme le modèle de la cité.**

DÉFINITIONS

Cité
Territoire associé à un peuple et organisé autour d'une ville appelée chef-lieu de cité. La cité, sous l'Empire romain, n'est plus indépendante (armée et politique extérieure sont aux mains de Rome) mais reste autonome (intérieurement, elle se gouverne seule).

1 Rome et la théorie des deux patries

« [...] tous les citoyens des municipes[1] ont, je crois, deux patries, une naturelle, l'autre politique ; ainsi ce Caton dont tu parles, [...] il avait une première patrie, le lieu de sa naissance, et une autre de par le droit. [...] De même nous regardons comme notre patrie et le lieu où nous sommes nés et la cité qui nous a conféré la qualité de membres. Cette dernière est nécessairement l'objet d'un plus grand amour, elle est la république, la cité commune [...]. Mais la patrie qui nous a engendrés n'en a pas moins une douceur presque égale, et certes je ne la renierai jamais, ce qui n'empêche pas que Rome soit ma grande patrie, où ma petite est contenue. »

Cicéron (106-43 av. J.-C.), Des lois, II, 5,
Ier siècle av. J.-C. ■

1. Cité préexistant à la conquête romaine qui, dans l'Empire, perd son indépendance mais garde son autonomie.

▶ Quels liens Cicéron établit-il entre la cité d'origine et la cité d'adoption ?

2 L'accession à la citoyenneté par l'exercice de charges municipales

« Comment on obtient la citoyenneté romaine dans ce municipe : ceux qui [...] seront créés magistrats du municipe flavien[1] d'Irni selon la modalité de cette loi, quand ils auront quitté cet honneur, qu'ils soient citoyens romains ainsi que leurs parents, leurs femmes et leurs enfants nés d'un mariage légitime et demeurés sous la puissance paternelle, ainsi que leurs petits enfants des deux sexes nés d'un fils et demeurés sous la puissance paternelle, à condition qu'il n'y ait pas plus de citoyens romains que de magistrats qu'on doit nommer d'après cette loi. »

Loi municipale d'Irni en Bétique (Espagne),
seconde moitié du IIe siècle apr. J.-C. ■

1. Nom d'une dynastie impériale romaine de la deuxième moitié du Ier siècle apr. J.-C.

1. Quelle est la condition pour devenir citoyen romain à Irni ?
2. Quelle catégorie sociale est concernée ?
3. La citoyenneté romaine se limite-t-elle au magistrat sorti de charge ? Quelle en est la conséquence ?

1. Quelle est la nature du document ?
2. Quelle peine encourt Paul ?
3. Quels sont les deux représentants du pouvoir romain dans la province auquel Paul a affaire ?
4. Quelle protection judiciaire le statut de citoyen lui confère-t-il ?

3 L'accession à la citoyenneté par le service dans l'armée

Fragment de diplôme militaire datant de 160 apr. J.-C. et conférant la citoyenneté à un ancien soldat de la cohorte V Bracaraugustanorum. Inscription conservée au Musée Quintana, Künzing (Allemagne).

1. Quelle catégorie sociale est concernée par cette accession à la citoyenneté romaine ?
2. Quelle en est à votre avis la conséquence ?

4 Les garanties procurées par la citoyenneté romaine

Paul de Tarse, Saint Paul pour les chrétiens, est arrêté en 58 apr. J.-C. par des soldats romains pour avoir déclenché une émeute sur l'esplanade du Temple à Jérusalem.

« Comme on l'étendait pour le fouetter, Paul dit au centurion qui était là : "Un citoyen romain, qui n'a même pas été jugé, avez-vous le droit de lui donner le fouet ?". Quand il entendit cela, le centurion alla trouver le commandant pour le mettre au courant : "Qu'allais-tu faire ? Cet homme est citoyen romain !". Le commandant alla trouver Paul et lui demanda : "Dis-moi : tu es citoyen romain ? Oui, répondit-il". Le commandant reprit : "Moi, j'ai dû payer très cher pour obtenir la citoyenneté." Paul répliqua : "Moi, je l'ai eue de naissance." Aussitôt, ceux qui allaient le torturer se retirèrent ; et le commandant fut pris de peur en se rendant compte que c'était un citoyen romain et qu'il l'avait fait attacher. [...]
Festus [le gouverneur romain] siégea au tribunal et ordonna d'amener Paul. [...] [Celui-ci dit :] "Je suis ici devant le tribunal de l'empereur : c'est là que je dois être jugé. Je ne suis coupable de rien contre les Juifs, comme toi-même tu t'en rends fort bien compte. Si donc je suis coupable, et si j'ai fait quelque chose qui mérite la mort, je ne refuse pas de mourir. Mais s'il ne reste rien des accusations qu'ils portent contre moi, personne ne peut me livrer à eux. J'en appelle à l'empereur." Alors Festus, en ayant conféré avec son conseil, déclara : "Tu en as appelé à l'empereur, tu iras devant l'empereur." »

Actes des Apôtres, 22, 25-29. ■

La romanisation des populations

La romanisation désigne le processus par lequel les populations choisissent d'adopter certains traits de la culture romaine laquelle, en retour, s'enrichit de ces nouveaux apports. Il s'agit d'un phénomène progressif qui touche d'abord les élites avant de concerner peu à peu le reste de la population.

? *Comment se manifeste la romanisation progressive des populations de l'Empire ?*

I Le nom et la langue

« [...] Caius Julius Rufus, fils de Caius Julius Catuaneunius, petit-fils de Calius Julius Agedomopas, arrière-petit-fils d'Epotsorofidius, inscrit dans la tribu Voltinia, prêtre de Rome et d'Auguste à l'autel qui se dresse au Confluent, préfet des ouvriers, a élevé [cet arc] à ses frais. »

Dédicants de l'arc dit de Germanicus à Saintes (Charentes maritimes), 18-19 apr. J.-C., *CIL*, XIII, 1036. ■

1. Replacez dans l'ordre chronologique les noms des différents personnages énumérés dans cette inscription.

2. Quel enseignement peut-on tirer de l'évolution du nom des membres de cette famille ?

2 La religion : le pilier des Nautes à Lutèce (14-37 apr. J.-C.)

Restitution du haut de la face A du pilier des Nautes, 14-37 apr. J.-C. Musée de Cluny / musée national du Moyen Âge, Paris.

Les Nautes, association de marins naviguant sur la Seine, commandèrent ce pilier à vocation religieuse au début de notre ère.

1 Cernunos :
Pilier des Nautes : pierre « aux quatre divinités ».
Hauteur : 0,740 m, longueur : 0,740 m.

2 Jupiter :
Pilier des Nautes : pierre « de Jupiter ».
Hauteur : 1,090 m, longueur : 0,790 m.

1. Décrivez chacune des divinités.

2. De quel phénomène témoigne l'association de ces dieux sur un même monument ?

3 Le mode de vie : les thermes

Reconstitution 3D des thermes de Lillebonne (Normandie), IIe siècle apr. J.-C.

1. Quelle est la fonction des thermes ? À qui cette pratique est-elle empruntée ?

2. De quel niveau technique témoignent-elles ?

4 L'alimentation

Lampe portant l'inscription *PANE VINU RADIC PAUPERIS CENA* (« Pain, vin, radis : le dîner de l'homme pauvre »). Kunsthistorisches museum, Vienne.

1. Quels sont les deux mets qui, à votre avis, sont plus proprement romains ?

2. En quoi ce document témoigne-t-il de la romanisation croissante des populations ?

5 L'adhésion des Bretons au mode de vie romain

« Pour habiter par les jouissances à la paix et à la tranquillité des hommes disséminés, sauvages et par là même disposés à faire la guerre, il [Agricola, gouverneur de la province de Bretagne] encourageait les particuliers, il aidait les collectivités à édifier temples, forums, maisons, louant les gens empressés, blâmant les nonchalants : ainsi l'émulation dans la recherche de la considération remplaçait la contrainte. De plus, il faisait instruire dans les arts libéraux les fils des chefs, et préférait les dons naturels des Bretons aux talents acquis des Gaulois, si bien qu'après avoir naguère dédaigné la langue de Rome, ils se passionnaient pour son éloquence. On en vint même à priser notre costume et souvent à porter la toge ; peu à peu, on se laissa séduire par nos vices, par le goût des portiques, des bains et des festins raffinés ; dans leur inexpérience, ils appelaient civilisation ce qui contribuait à leur asservissement. »

Tacite (vers 55-vers 120), *Vie d'Agricola*, 21. ■

1. Classez les différents éléments qui marquent l'adhésion des Bretons au mode de vie romain.

2. À quelle partie de la population s'adresse en priorité la politique du gouverneur Agricola ?

3. Pourquoi les Bretons adoptent-ils le mode de vie romain ?

4. Pourquoi l'opinion de l'auteur vis-à-vis de la culture romaine peut-elle paraître ambiguë ?

SYNTHÉTISER

Classez dans un tableau les différents aspects de la romanisation des populations.

L'évolution de la citoyenneté romaine aux IIᵉ et IIIᵉ siècles apr. J.-C.

Comment évolue la citoyenneté romaine dans l'Empire ?

1 L'évolution du statut de citoyen romain

● **Un statut qui se diffuse.** Au début de notre ère, on estime que seuls 10 % des 50 à 60 millions d'habitants de l'Empire bénéficient de la citoyenneté romaine ; les autres sont soit pérégrins (la majorité) soit esclaves. Perçue au départ comme un privilège, la citoyenneté romaine ne cesse toutefois de s'étendre à différentes couches sociales. En effet, si ce statut confère un ensemble de droits privés identiques pour tous ses bénéficiaires (mariage, contrat, appel à l'empereur dans certains cas de jugements capitaux), les droits politiques varient en revanche selon le rang social.

● **Le contenu variable de la citoyenneté.** On distingue, à partir du IIᵉ siècle, les *honestiores*, situés en haut de la hiérarchie sociale, des *humiliores,* placés dans une position inférieure. Or, seuls les premiers peuvent accéder à une carrière politique, parfois à l'échelle de l'Empire. Au IIᵉ siècle, les Antonins constituent ainsi la première dynastie d'empereurs issus des provinces (espagnoles principalement) et, au début du IIIᵉ siècle, la nouvelle dynastie des Sévères vient d'Afrique.

2 La vie municipale, élément central de la civilisation romaine

● **La participation à la vie civique.** C'est donc, pour la majorité, à l'échelle de la cité locale que se déroule l'essentiel de la vie politique. Celle-ci n'est pas démocratique mais aristocratique ; seuls les membres des couches les plus élevées exercent les charges municipales. Mais cela n'empêche pas le reste de la population de participer à la vie de la cité. Ils manifestent leur appartenance à la collectivité notamment par leur participation aux spectacles qui permettent à la communauté de se rassembler et de se célébrer.

● **La religion, dimension essentielle de l'appartenance au monde romain.** La vie religieuse revêt une importance essentielle puisqu'elle s'exerce principalement dans un cadre communautaire. On distingue d'abord les cultes civiques, notamment le culte impérial qui est l'occasion, à l'échelle de la cité ou de la province, de manifester sa loyauté à l'égard de Rome et de l'empereur. C'est l'un des ciments de l'Empire. Les autres cultes sont largement tolérés à condition qu'ils n'excluent pas la participation à la religion civique, comme c'est le cas du christianisme, dès lors persécuté.

3 L'élargissement de la citoyenneté romaine à tout l'Empire

● **L'édit de Caracalla.** Cet empereur militaire accède au pouvoir dans une situation troublée (assassinat de son frère et menaces aux frontières) **doc. 2** . Dans ce contexte, il décide d'élargir la citoyenneté romaine à tous les habitants libres de l'Empire. Outre des raisons fiscales (financer l'outil militaire), il semble que cet empereur contesté a aussi voulu renforcer la cohésion de l'Empire au moment où il était attaqué.

● **Portée de la mesure.** L'édit de Caracalla ne paraît pas avoir, dans l'immédiat, bouleversé la vie des populations dans la mesure où elles étaient déjà largement romanisées **doc. 1** , **doc. 3** et **doc. 4** . Il constitue donc plutôt l'aboutissement d'un processus de plusieurs siècles. À terme, toutefois, la mesure consacre l'unification d'un empire qui, pour la première fois dans l'Antiquité, a étendu sa citoyenneté à l'ensemble de ses habitants.

■ **La diffusion progressive de la citoyenneté a permis aux Romains de maintenir leur domination sur un vaste espace durant plusieurs siècles. Les populations conquises ont ainsi été progressivement intégrées tant sur le plan culturel que politique.**

CARACALLA

(188-217 apr. J.-C.)

Fils de l'empereur Septime Sévère et frère aîné de Geta, qu'il fait assassiner, Caracalla passe l'essentiel de son court règne (211-217 apr. J.-C.) à l'armée qu'il affectionnait particulièrement. Il est assassiné, vraisemblablement par d'anciens partisans de son frère, et reste célèbre pour sa décision d'élargir la citoyenneté romaine à tous les habitants libres de l'Empire.

DÉFINITIONS

Pérégrins
Habitants libres de l'Empire qui ne bénéficient pas de la citoyenneté romaine ; ils disparaissent donc après l'édit de Caracalla.

Cultes civiques
Cultes publics pratiqués par une cité.

1 L'édit de Caracalla (212 apr. J.-C.)

« Voilà pourquoi j'estime pouvoir accomplir de manière si magnifique et si digne des dieux un acte qui convienne à leur majesté, en ralliant à leur culte, comme Romains, autant de fois de dizaines de milliers de fidèles qu'il en viendra chaque fois se joindre à mes hommes. Je donne donc à tous ceux qui habitent l'Empire le droit de cité romaine, étant entendu que personne ne se trouvera hors du cadre des cités, excepté les déditices[1]. Il se doit en effet que la multitude soit non seulement associée aux charges qui pèsent sur tous, mais qu'elle soit désormais aussi englobée dans la victoire. Et le présent édit augmentera la majesté du peuple romain : il est conforme à celle-ci que d'autres puissent être admis à cette même dignité que celle dont les Romains bénéficient depuis toujours. »

Constitution antoninienne, 212 apr. J.-C. ■

1. Catégorie incertaine d'habitants de l'Empire, sans doute des barbares récemment soumis par la force, à qui la citoyenneté romaine est encore refusée.

▶ Énumérez les raisons données par l'empereur pour justifier sa décision.

2 L'empereur Caracalla (188-217 apr. J.-C.)

Buste de l'empereur Caracalla, IIIe siècle apr. J.-C. Musées capitolins, Rome.

1. Décrivez ce buste.
2. Quelle impression en ressort ?

3 Une vision critique de Caracalla

« Il se fit une occupation de dépouiller, spolier et pressurer tout le reste de l'humanité, les sénateurs pas moins que les autres. [...] Il y eut les fournitures qu'il fallut livrer en grande quantité en toute occasion, gratuitement et parfois même contraints à des dépenses supplémentaires ; il les prodiguait aux soldats ou alors les vendait au détail ; il y eut les cadeaux qu'il exigea des citoyens riches des différentes communautés, les impôts, ceux qu'il promulgua et le dixième qui remplaça le vingtième sur les affranchissements et sur les biens laissés en héritage et toute forme de legs. Il abolit en effet le droit de succession et l'immunité qui avait été accordée aux proches du défunt. Ce fut la raison pour laquelle il attribua à tous les habitants de son empire le droit de cité romaine, officiellement pour les honorer, en fait dans le but d'augmenter par ce moyen ses revenus, dans la mesure où les pérégrins ne paient pas la plupart de ces impôts. »

Dion Cassius (vers 155-vers 235),
Histoire romaine, LXVII, 9. ■

1. Quelles sont les deux raisons avancées pour expliquer la promulgation de l'édit ?
2. Dans quelle politique impériale plus générale cette mesure s'inscrit-elle ?
3. L'auteur du texte est-il favorable à l'empereur Caracalla ? Justifiez votre réponse.

4 L'édit de Caracalla et sa retranscription en grec

Texte de l'édit rédigé en grec sur un papyrus égyptien du IIIe siècle apr. J.-C., découvert en 1901. Université de Giessen, Allemagne.

1. Dans quel état de conservation le manuscrit se trouve-t-il ?
2. Pourquoi l'édit est-il traduit en grec ?

Exercices et MÉTHODES

❶ Comprendre un sujet de composition

▶ **Sujet :** Comment les Romains ont-ils intégré les populations de l'Empire (Iᵉʳ-IIIᵉ siècle) ?

MÉTHODE

1. Analyser les termes du sujet

Comment les Romains ont-ils intégré
les populations de l'Empire ? (Iᵉʳ-IIIᵉ siècle)

Les Romains : terme général qui désigne ici moins le peuple romain dans son ensemble que les autorités romaines (l'empereur et son administration).

Intégrer : de quelle intégration s'agit-il ?
– militaire (la conquête) ?
– juridique (l'octroi de la citoyenneté) ?
– culturelle (l'adoption du mode de vie romain) ?

Les populations de l'Empire : l'ensemble des populations vivant à l'intérieur des frontières de l'Empire, qui ont été conquises par les Romains, c'est-à-dire **les habitants des provinces**, à l'exclusion de ceux de l'Italie. Ces populations ne sont pas homogènes et présentent des différences.

Comment : terme qui met l'accent sur **la manière** dont se produit un phénomène historique, sur ses **modalités** ; il faut donc s'intéresser ici aux différentes formes que prend l'intégration des populations.

Iᵉʳ-IIIᵉ siècle : aidez-vous de la frise chronologique p. 65.
→ Cette période est-elle uniforme ?
→ Quelles dates choisir pour la délimiter précisément ?

2. Reformuler le sujet

EXERCICE

En vous appuyant sur l'analyse des termes du sujet et la réponse aux questions que pose cette analyse, reformulez le sujet sous forme affirmative. Vous pouvez commencer votre phrase par « Il s'agit de... »

❷ Comparer deux situations historiques de l'Antiquité

1. Recopiez et complétez le tableau suivant :

	Athènes	Rome
1) Quelle période ? Quel espace ?		
2) Comment se définit la cité ?		
3) Comment devient-on citoyen ?		
4) Qui est exclu de la citoyenneté ?		
5) Quelles sont les caractéristiques de chaque citoyenneté ?		

2. À l'aide du tableau que vous venez de compléter, rédigez un paragraphe dans lequel vous comparerez les citoyennetés grecque et romaine.

❸ Comprendre et analyser un texte officiel

▶ Après avoir présenté le texte, vous montrerez en quoi il témoigne du rôle de la citoyenneté romaine dans le gouvernement de l'Empire.

Table de Banasa (extraits)

« Nous avons pris connaissance de la requête de Julianus, du peuple des Zegrenses, jointe à ta lettre, et, bien qu'il ne soit pas habituel d'octroyer la citoyenneté romaine à des membres de ces tribus, si ce n'est pour des mérites indiscutables appelant la faveur impériale, puisque tu affirmes qu'il appartient aux premiers de son peuple et qu'il a fait preuve d'une très grande loyauté en manifestant sa soumission à nos intérêts, considérant d'autre part que nous pouvons penser qu'il n'y a guère chez les Zegrenses de familles capables de se prévaloir de services comparables aux siens, encore qu'il soit de notre désir que beaucoup soient incités à suivre l'exemple de Julianus par l'honneur que nous apportons à ce foyer, nous n'hésitons pas à donner la citoyenneté romaine, tout en sauvegardant le droit local, à Julianus lui-même, à son épouse Ziddina et à leurs enfants, Julianus, Maximus, Maximinus et Diogenianus. »

Lettre de l'empereur Marc Aurèle et Lucius Verus à Coiedius Maximus, gouverneur de Maurétanie, 168-169 apr. J.-C., d'après M. Euzennat, J. Marion, J. Gascou, *Inscriptions antiques du Maroc, 2, inscriptions latines n° 94*, P, Éditions du CNRS, 1982. ■

Aide

La table de Banasa est une plaque de bronze trouvée en 1957, dans l'actuel Maroc, sur laquelle sont gravées deux lettres d'empereurs et un extrait du registre impérial. Il s'agit ici d'un extrait du premier texte qui est une lettre de l'empereur Marc Aurèle et de son co-empereur Lucius Verus.

MÉTHODE

1. Identifier et présenter un document Présentez la nature du document, son auteur, son objet et son contexte sans recopier le titre ou la légende.

2. Relever et classer les informations

Étape 1 : Dégager le plan du texte.

Étape 2 : Relever les différentes informations employées par l'auteur.

Étape 3 : Les classer dans un tableau.

EXERCICE Complétez le tableau suivant :

Plan du texte	Informations du texte	Questions que le texte pose
1) Les différents acteurs cités :	– Les deux empereurs – – – Julianus et sa famille	→ Qu'est-ce que ce texte nous apprend sur les mécanismes d'attribution de la citoyenneté ?
2) Les raisons avancées :	– Octroi de la citoyenneté romaine par les empereurs pour des mérites indiscutables – – –	→ Comment la citoyenneté romaine est-elle utilisée pour gouverner l'Empire ?
3) L'acte juridique :	– Condition particulière : – Bénéficiaires de la mesure :	→ Que révèle ce texte sur l'exercice de la citoyenneté romaine à l'échelle locale ?

Exercices *et* MÉTHODES

④ Comprendre et analyser un texte officiel

▶ **En quoi ce texte témoigne-t-il du rôle que joue la citoyenneté romaine dans l'intégration des populations à l'Empire ?**

Après avoir présenté le texte, dégagez son plan puis relevez les différents arguments employés par l'auteur et classez-les dans un tableau.

Table claudienne de Lyon

« [...] Assurément c'est par un usage nouveau que le dieu Auguste, mon grand-oncle, et mon oncle Tibère César ont voulu que dans tout l'Empire la fleur des colonies et des municipes, je veux dire des honnêtes gens et des plus aisés, soit dans cette curie[1]. Quoi donc ? un sénateur italien n'est-il pas préférable à un provincial ? [...] Mais je considère qu'il ne faut pas rejeter même les gens des provinces, du moment qu'ils peuvent faire honneur au sénat. [...] Voici la très honorable et très puissante colonie des Viennois : comme il y a longtemps déjà qu'elle envoie des sénateurs à cette assemblée ! [...] Ce n'est, certes pas sans crainte, Pères Conscrits[2], que j'ai dépassé les limites provinciales qui vous sont habituelles et familières : mais il faut à présent plaider avec détermination la cause de la Gaule chevelue. À ce propos, si on rappelle que les Gaulois ont donné du mal au dieu César en lui faisant la guerre pendant dix ans, il faut pareillement mettre en regard une fidélité invariable pendant cent ans et une obéissance plus qu'éprouvée dans mille circonstances préoccupantes pour nous. »

Table claudiennes de Lyon, traduction révisée par François Bérard, d'après Allmer et Dissard, et Ph. Fabia, *Rencontres en Gaule romaine*, éd. In Folio-Département du Rhône / Gollion, 2005. D. R. ▪

1. Lieu de réunion du sénat.
2. Sénateurs.

⑤ Comprendre et analyser une lettre officielle

▶ **En vous appuyant sur ce document, vous expliquerez les avantages qu'apporte le statut de citoyen romain et les mécanismes pour l'obtenir.**

Lettre du gouverneur de Bithynie (Asie), Pline le Jeune, à l'empereur Trajan (début du IIᵉ siècle)

« Seigneur, mis en danger de mort l'an passé par une maladie très grave, j'ai eu recours à un médecin, Harpocras ; ce n'est que par un bienfait de ta bienveillance que je peux le remercier de sa sollicitude et de son zèle. Je te prie donc de lui donner la cité romaine. Il est en effet de condition pérégrine. Il a pour nom Hapocras, il eut pour patronne Thermutis, femme de Théon, qui est morte depuis longtemps. Je te prie par la même occasion d'accorder le droit de citoyenneté aux affranchies d'Antonia Maximilla, femme très distinguée : Hedia et Antonia Harméridès. C'est à la demande de leur patronne que je t'en prie. »

Pline le Jeune (62-114 apr. J.-C.), Lettres, X, 6. ▪

⑥ Exercice TICE : Paris, ville antique

Le site Paris, ville antique

Connectez-vous au site Paris, ville antique (**www.culture. gouv.fr/culture/arcnat/paris/**)

1. Sur les onglets en haut cliquez sur « La ville au Haut-Empire ».

2. Explorez les différents aspects de la ville au Haut-Empire en cliquant sur les différents monuments dont la liste est à droite de l'écran et en lisant le texte explicatif qui accompagne chacun d'entre eux.
Comparez le forum de Lutèce au forum de la cité de Vienne p. 70.

3. Revenez à la page d'accueil du site, cliquez sur « Aspects de la vie quotidienne » puis sur la petite case blanche de droite, en bas au centre de l'écran.
Explorez les différentes facettes du pilier des Nautes en les comparant à l'illustration du dossier « La Romanisation des populations » p. 78.

MÉMO ET RÉVISIONS

À retenir

QUI EST CITOYEN ROMAIN ?

▶ **Rome et l'Italie** : tous les habitants sont des citoyens romains, sauf les esclaves.

▶ **Dans les provinces :**
– certains habitants ont obtenu la citoyenneté romaine (dans une proportion qui augmente au fil du temps) ;
– les autres sont
   • soit des pérégrins, c'est-à-dire des habitants libres de l'Empire qui ne sont pas citoyens romains mais citoyens de leur cité locale,
   • soit des esclaves.

▶ **Hors de l'Empire :** les barbares sont ceux qui habitent en dehors de l'Empire (même si certains s'y installent progressivement).

→ À partir de 212, tous les habitants libres des provinces sont citoyens romains.

COMMENT DEVIENT-ON CITOYEN ROMAIN ?

▶ Par **filiation**, en étant fils de citoyens romains.

▶ Par **l'exercice de certaines fonctions** :
– tous les magistrats des cités de province
– après avoir accompli vingt de service militaire comme soldat auxiliaire

▶ Par **mérite**, accordé par faveur impériale.

Schéma explicatif

L'Empire romain : trois échelons d'administration

- ⦿ Rome (et l'Italie)
- - - - Les provinces
- ○ Les cités

Faire une fiche de révision

À l'aide des encadrés fournis dans cette page, réalisez vos fiches de révision :

• L'exercice de la citoyenneté dans l'Empire

• La diffusion de la citoyenneté romaine en Gaule

Vous pouvez intégrer des schémas en vous aidant des cartes et des documents du chapitre.

Sociétés et cultures de l'Europe médiévale du XIᵉ au XIIIᵉ siècle

Enluminure extraite des *Chroniques de Hainaut* de Jacques de Guise, XVᵉ siècle.
Bibliothèque nationale de France, Paris.

Chapitre 4
La chrétienté médiévale
(XIᵉ-XIIIᵉ siècle)

Au Moyen Âge, la chrétienté indique une appartenance religieuse : l'adhésion à la foi chrétienne dans sa version latine. Elle désigne aussi l'ensemble des territoires sur lesquels les chrétiens latins sont quasiment sans concurrents. Elle évoque enfin l'organisation des pouvoirs par laquelle le clergé domine l'ensemble de la société. L'Église romaine, renforcée par la réforme de son clergé, encadre la vie des populations européennes : leurs croyances et leurs pratiques mais aussi la vie sociale et économique.

La Mère Église entre le clergé et le peuple

Extrait du chant liturgique de l'*Exultet* du Mont Cassin, abbaye du Mont Cassin (Italie du Sud), fin du XIᵉ siècle. Bibliothèque vaticane, Rome.

Saint Thomas d'Aquin triomphant des hérétiques

Détail de la fresque d'Andrea di Bonaiuto, salle du chapitre du couvent dominicain de Santa Maria Novella, Florence, milieu du XIVe siècle.

Sommaire

Une Église maîtresse de l'espace

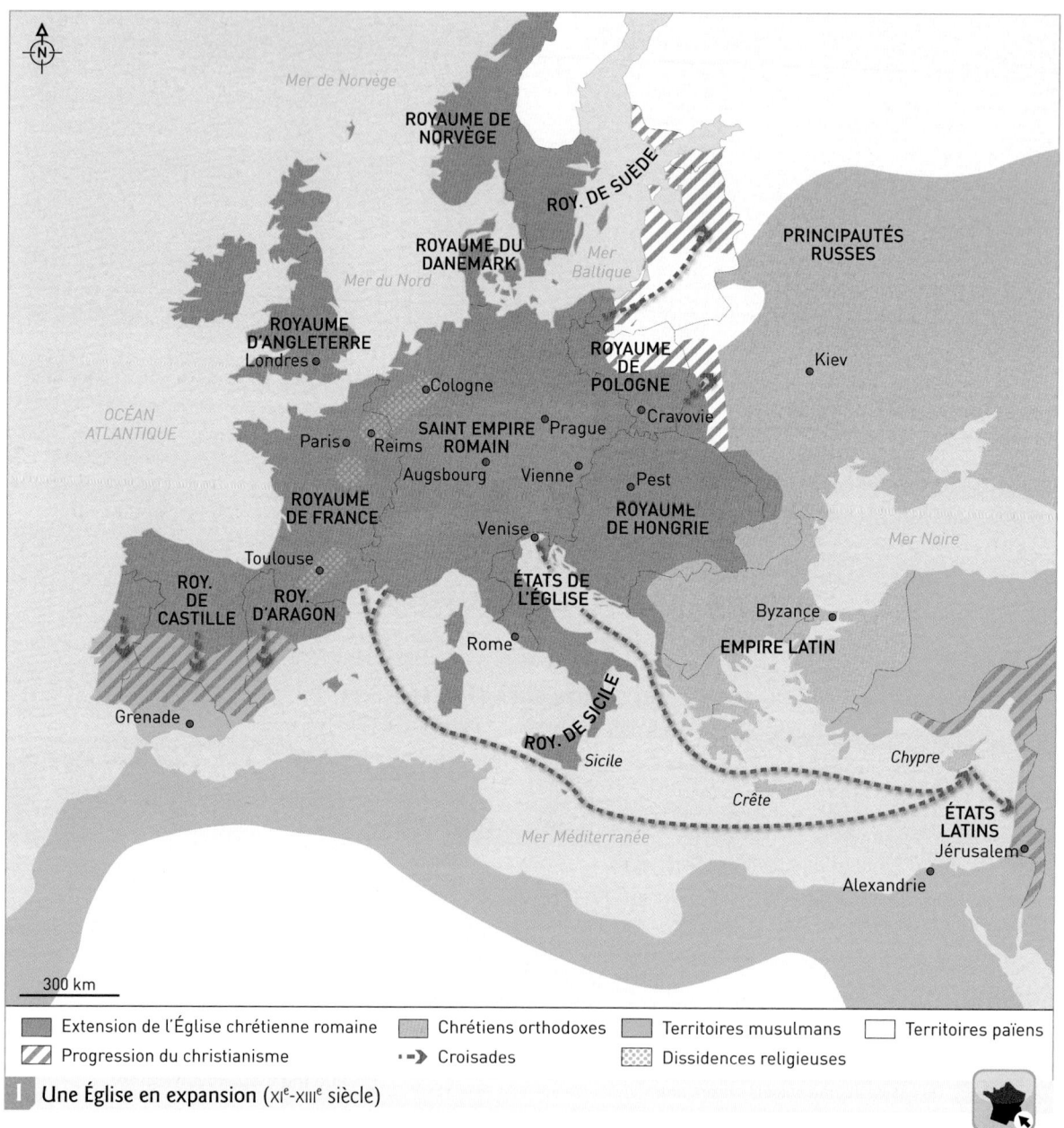

Légende :
- Extension de l'Église chrétienne romaine
- Progression du christianisme
- Chrétiens orthodoxes
- Croisades
- Territoires musulmans
- Dissidences religieuses
- Territoires païens

300 km

I Une Église en expansion (XIᵉ-XIIIᵉ siècle)

QUESTIONS

1. Sur quels espaces s'étend l'Église chrétienne romaine (doc. 1) ?
2. À quelles limites se heurte l'expansion de l'Église romaine (doc. 1) ?
3. Rencontre-t-elle des obstacles internes (doc. 1) ?
4. **Doc. 2 et 3** À quelles échelles s'exerce le contrôle de l'Église sur son territoire ?

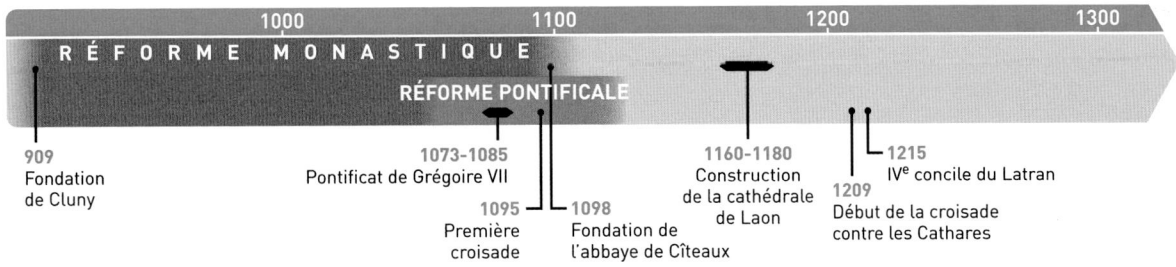

909
Fondation
de Cluny

1073-1085
Pontificat de Grégoire VII

1095
Première
croisade

1098
Fondation de
l'abbaye de Cîteaux

1160-1180
Construction
de la cathédrale
de Laon

1209
Début de la croisade
contre les Cathares

1215
IVe concile du Latran

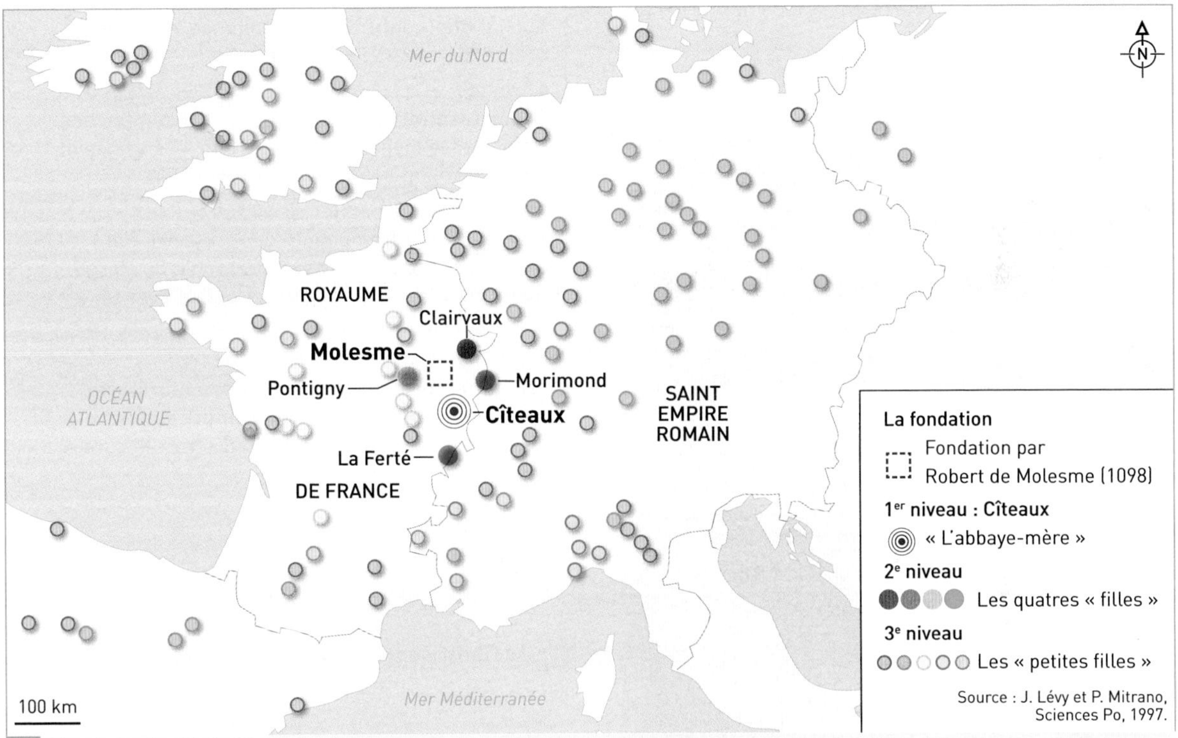

RÉFORME MONASTIQUE
RÉFORME PONTIFICALE

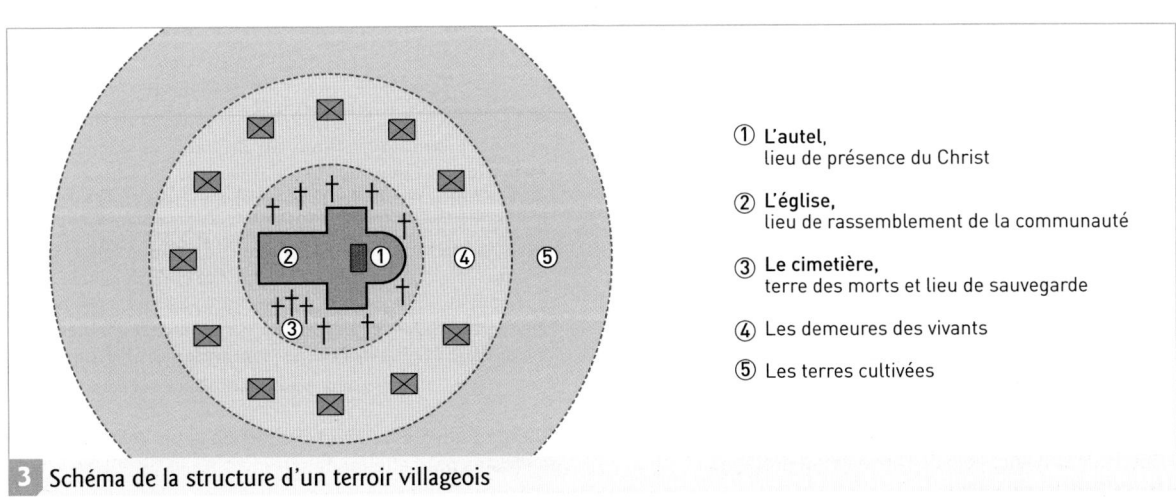

2 Un ordre religieux européen : la diffusion des communautés cisterciennes (xıᵉ-xvᵉ siècle)

La fondation

┈┈ Fondation par
Robert de Molesme (1098)

1ᵉʳ niveau : Cîteaux
◎ « L'abbaye-mère »

2ᵉ niveau
●●●● Les quatres « filles »

3ᵉ niveau
◎◎○○○ Les « petites filles »

Source : J. Lévy et P. Mitrano,
Sciences Po, 1997.

① L'autel,
lieu de présence du Christ

② L'église,
lieu de rassemblement de la communauté

③ Le cimetière,
terre des morts et lieu de sauvegarde

④ Les demeures des vivants

⑤ Les terres cultivées

3 Schéma de la structure d'un terroir villageois

Qu'est-ce qu'une société chrétienne ?

Au Moyen Âge, la religion rythme le quotidien des fidèles et les accompagne tout au long de leur vie, de la naissance à la mort et, au-delà, au Jugement dernier. L'Église, dirigée par le pape qui siège à Rome, encadre et contrôle la société.

DÉFINITIONS

▶ **Christianisme**
Religion monothéiste fondée sur la vie et l'enseignement de Jésus Christ.

▶ **Sacrement**
Cérémonie destinée à la consécration religieuse des diverses phases de la vie des fidèles. Ils sont au nombre de sept chez les chrétiens : baptême, eucharistie, confirmation, pénitence, mariage, ordination, onction des malades.

▶ **Trinité**
Dogme central du christianisme : l'ensemble des trois entités divines, le Père, le Fils, l'Esprit-Saint, qui ne forment qu'un seul et même Dieu.

▶ **Église / église**
À l'origine, la communauté des croyants. Par extension, l'institution et la hiérarchie du clergé (pape, évêques, prêtres, etc.). L'église avec un « é » minuscule désigne le lieu du culte.

▶ **Paroisse**
Territoire, correspondant souvent à un village ou au quartier d'une ville, rassemblé autour de son église, dans laquelle un prêtre – le curé – célèbre les offices.

1 Le Christ *pantocrator* (« en majesté »)

Détail de la fresque de l'église Saint-Clément de Taüll en Catalogne, XIIᵉ siècle

▶ Comment cette fresque illustre-t-elle l'importance de la figure du Christ dans la religion chrétienne ?

2 Le calendrier chrétien et la guerre

« Qu'aucun chrétien n'ose porter atteinte à un autre chrétien, à sa personne, à son honneur ou à ses biens : 1 du premier dimanche de l'Avent à l'octave [période de 8 jours qui suit une fête] de l'Épiphanie ; 2 du début du jeûne à l'octave de Pâques ; 3 de l'Ascension à l'octave de la Pentecôte ; 4 les jours et les veilles des fêtes de sainte Marie ; 5 le jour et la veille de la Saint-Jean-Baptiste ; 6 les jours et les veilles des fêtes des Apôtres ; 7 les jours et les veilles des fêtes de saint Laurent, saint Michel, Toussaint, saint Martin ; 8 lors des jeûnes des Quatre-Temps. »

Statuts du concile provincial de Narbonne, 1054. ▪

▶ Déterminez quelle part de l'année était protégée par les fêtes chrétiennes.

3 La fondation d'une paroisse

« Moi, Pierre, archevêque de Bourges, je confie à la mémoire des fidèles qu'Archambaud de Bourbon, après avoir édifié une ville franche appelée Limeux, m'a supplié d'y établir une église paroissiale ayant baptistère et cimetière. Acquiesçant à sa requête, j'ai établi là une église, béni le cimetière, concédé le chrême pour célébrer le sacrement de baptême. Puis j'ai donné cette église aux moines de Souvigny pour qu'ils la possèdent à perpétuité en témoignant à leur mère l'Église de Bourges soumission et obéissance. »

Cartulaire de la cathédrale de Bourges, 1151. ▪

▶ Quels sont les aspects essentiels de la vie chrétienne manifestés par cette fondation ?

4 Une église rurale

Église romane de Saint-Hymetière dans le Jura (xIᵉ-xIIᵉ siècle).

▶ Par quoi l'église est-elle entourée ? Qu'exprime cette situation ?

5 La Domerie d'Aubrac (Massif central)

Hôpital fondé au xIIᵉ siècle pour héberger les pèlerins de Saint-Jacques-de-Compostelle.

▶ Quel rôle social l'Église joue-t-elle avec cet hospice ?

METTRE EN RELATION

En vous appuyant sur les documents, montrez comment l'Église se rend maîtresse du temps et de l'espace dans la société des xIᵉ et xIIᵉ siècles.

Histoire des arts

Justes et damnés au tympan des églises : l'abbatiale de Conques

▶ L'abbatiale de Conques, en Rouergue, est un grand centre de pèlerinage où l'on vénère les reliques de sainte Foy, et l'une des principales villes étapes sur la route de Saint-Jacques-de-Compostelle. Comme d'autres églises recevant de nombreux pèlerins, elle présente un riche décor destiné à l'édification du chrétien.

▶ À l'opposé de l'abside, le portail de l'église s'ouvre à l'ouest, du côté du soleil couchant, c'est-à-dire des ténèbres et de la mort. Les fidèles le franchissent pour pénétrer dans l'église. À leur intention, on y représente souvent le Jugement dernier.

1 L'église Sainte-Foy de Conques (Aveyron)

2 Le tympan du Jugement dernier à Conques

A Le Paradis **B** L'Enfer

Le Jugement dernier, annoncé par la doctrine de l'Église, désigne le retour du Christ à la fin des temps, qui viendra juger chacun selon ses actions.

QUESTIONS

Décrire
1. Où se situe l'Enfer sur le tympan ? Et par rapport au Christ ? (doc. 2)
2. Quelle est la forme donnée à l'Enfer ? Que signifie-t-elle ? (doc. 4)
3. Qui est placé au centre de la scène ?
4. Quels supplices subissent les damnés ?
5. Les figures humaines vous semblent-elles réalistes ?

Expliquer
6. Comment voit-on que l'on est dans un monde néfaste ?
7. Quelle est la fonction des inscriptions ?
8. Quelle impression cette scène doit-elle produire sur le fidèle ?
9. Quelle est la finalité des sculptures dans les églises romanes ?

3 Le Paradis

Détail du tympan du Jugement dernier, registre inférieur gauche.

4 L'Enfer

Détail du tympan du Jugement dernier, registre inférieur droit.

Fiche d'identité de l'œuvre

Dimensions : largeur 6, 73 m, hauteur 3,63 m.

Date : début XIIe siècle.

Matériau : calcaire, traces de polychromie.

À savoir : la représentation du Jugement dernier au portail des églises romanes est fréquente. Celle de Conques se distingue par la grande densité de la scène (124 personnages), qui faisait écho, les jours de fête, au grand nombre des pèlerins qui se pressaient pour demander l'aide de sainte Foy. L'impressionnant tympan les préparait à l'attitude respectueuse qui s'imposait dans le sanctuaire.

Bernard de Clairvaux et les cisterciens

Les moines ont vocation à vivre dans la clôture de leurs abbayes, éloignés des villes et des bourgs. L'abbé Bernard de Clairvaux (1090-1153), grand promoteur du mouvement cistercien, a été le personnage public le plus actif de son temps, intervenant dans la vie de l'Église et des royaumes, profitant de ses nombreux voyages pour fonder de nouveaux monastères.

? *Comment les cisterciens ont-ils concilié retrait du monde et action sur la société ?*

REPÈRES

▶ 1098 : fondation de l'abbaye de Cîteaux par Robert de Molesme.

▶ 1115 : Bernard fonde l'abbaye de Clairvaux, dont il reste abbé jusqu'à sa mort.

▶ 1146 : Bernard prêche la deuxième croisade.

DÉFINITIONS

▶ **Monachisme**
La vie religieuse en communauté, propre aux moines qui s'isolent du monde pour vivre selon une règle commune.

▶ **Mouvement cistercien**
Famille monastique qui redéfinit les normes concernant l'équilibre de la vie des moines (prière et travail manuel) et le vœu de pauvreté. Cîteaux connaît rapidement un rayonnement considérable : les dons affluent et de nombreuses communautés viennent s'affilier.

A Bernard de Clairvaux, un moine au cœur de son siècle

1 Portrait de saint Bernard

Détail du retable de la vie de saint Bernard, vers 1300. Musée de Majorque, Palma de Majorque.

▶ Quels signes montrent que Bernard est un moine ? Qu'exprime son visage ?

2 Un monastère fondé par Bernard

Vue intérieure de l'abbatiale de Fontenay (Bourgogne), fondée en 1118.

1. Quelle impression générale cette architecture cherche-t-elle à produire ?
2. Quels sont les éléments réduits ou absents par comparaison avec d'autres églises du XIIe siècle ?

3 Bernard, réformateur du clergé

« Vous honorerez votre ministère, non par des vêtements recherchés, non par le faste des équipages, ni par l'ampleur des édifices, mais par une conduite honorable, des préoccupations spirituelles, la pratique des bonnes œuvres. Pourtant, combien agissent autrement ! On remarque chez certains évêques un grand souci de leur garde-robe, peu ou pas de zèle pour la vertu. Je voudrais les reprendre, mais je crains qu'ils ne me prennent de haut. Comme si les médecins ne prenaient pas le même bistouri pour opérer rois et vilains ! [...] Leurs parures n'ont rien à voir avec les blessures du Christ : ce sont elles que les évêques devraient porter sur leurs corps, à l'exemple des martyrs. [...] Toi, prêtre du Dieu très haut, à qui veux-tu plaire ? Au monde ou à Dieu ? Si c'est au monde, à quoi bon être prêtre ? Si c'est à Dieu, sache que tu ne peux servir deux maîtres. »

Lettre à Henri, archevêque de Sens, vers 1130, cité dans
J. Leclercq, *Saint Bernard et l'esprit cistercien*, Seuil, 1966. ∎

1. À qui s'adresse cette lettre et quel est le ton adopté ?
2. À quoi Bernard compare-t-il son intervention ? Comment justifie-t-il son initiative ?

4 Bernard et la papauté

« Peuple illustre, noble nation, glorieuse cité, écoutez-moi, car je poursuis votre salut. L'Église romaine est clémente, mais elle n'est pas moins puissante. N'abusez pas de sa clémence, si vous ne voulez pas être opprimés par sa puissance. Si vous voulez vraiment lui rendre ce qui lui est dû, témoignez-lui un respect sans mesure. La plénitude du pouvoir sur toutes les Églises de l'univers, par un privilège singulier, a été donnée au Saint-Siège. Celui qui lui résiste résiste à l'ordre de Dieu. Si l'on vous dit qu'il ne faut obéir qu'en partie et refuser l'obéissance sur d'autres points, considérez celui qui parle ainsi comme un homme qui veut vous tromper. »

Lettre de Bernard aux habitants de Milan, 1135. ∎

1. Sur quelle dimension de l'Église Bernard insiste-t-il ?
2. Que nous apprend cette lettre sur le rôle de saint Bernard dans l'Église ?

5 Bernard prêche la croisade (1146)

« L'abbé Bernard, muni des pleins pouvoirs par le pape et précédé de son grand renom de sainteté, arriva [à Vézelay] avec une grande multitude de fidèles. Le roi reçut la croix que lui avait envoyée le souverain pontife, et beaucoup de grands seigneurs avec lui. Comme il n'y avait pas dans le bourg d'emplacement assez vaste pour une telle foule, on construisit à l'extérieur, dans un champ, une tribune de bois pour l'abbé. Il y monta accompagné du roi. Comme il répandait le message du Christ, les assistants commencèrent à crier de toutes parts qu'eux aussi voulaient la croix. Bernard sema plus qu'il ne distribua le paquet de croix qui avaient été préparées, et quand il n'en resta plus il fut obligé de déchirer ses habits pour en faire d'autres. Il fut alors décidé que tous partiraient dans un an. »

Eudes de Deuil, *De l'expédition de Louis VII en Orient*,
XIIe siècle. ∎

1. Comment se manifeste la popularité de Bernard ?
2. Que signifie « recevoir la croix » ?

6 Les réseaux d'amitiés de Bernard

Hildegarde de Bingen recevant l'inspiration divine, copie faite, au XXe siècle, par les moniales du Rupertsberg du manuscrit médiéval original perdu en 1945.

Hildegarde, abbesse du monastère de Bingen sur le Rhin et femme mystique très influente dans la chrétienté, confortée dans sa mission par Bernard.

1. Que signifie le décor dans lequel Hildegarde est présentée ? À quoi est-elle occupée sur l'image et que représente la forme rouge au-dessus de sa tête ?
2. Que symbolise la présence du personnage à sa droite ?

EXPLOITER ET CONFRONTER DES INFORMATIONS

Quel est le rôle de Bernard de Clairvaux dans l'Église de son temps ?

B Vivre au monastère

7 Un monastère cistercien

Vue aérienne de l'abbaye du Thoronet (Var), xiiᵉ siècle.

1 Église abbatiale. **2** Salle capitulaire et dortoir (à l'étage). **3** Cloître.
4 Lavabo. **5** Cellier. **6** Bâtiment des convers (membres, généralement illettrés
des communautés monastiques, qui, pour cette raison, se livraient davantage
au travail manuel). **7** Bibliothèque.

1. Relevez les divers éléments qui composent l'abbaye et classez-les
en fonction des différentes occupations des moines.

2. Pourquoi les bâtiments forment-ils un espace fermé au monde
extérieur ?

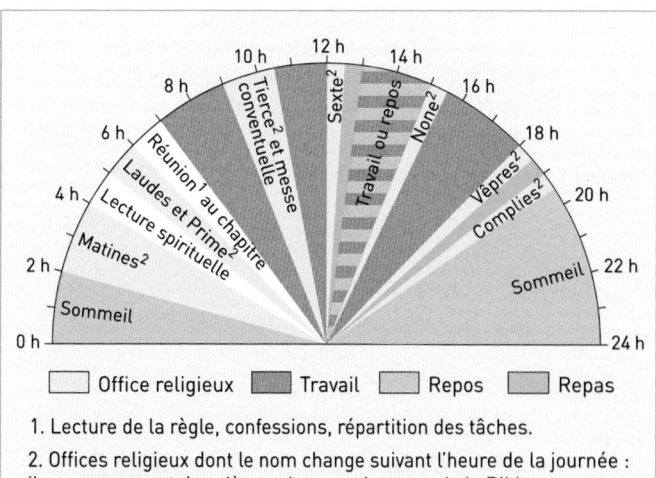

1. Lecture de la règle, confessions, répartition des tâches.

2. Offices religieux dont le nom change suivant l'heure de la journée :
ils se composent de prières, chants et lectures de la Bible.
Cet horaire variait considérablement en fonction des saisons.

8 La journée d'un moine

▶ Combien d'heures sont consacrées à la prière ? au travail ?

9 Un scriptorium monastique

Enluminure du milieu du xiᵉ siècle, montrant le moine Guy
d'Arezzo écrivant son traité de musique. Herzog August
Bibliothek, Wolfenbüttel, Basse-Saxe, Allemagne.

1. Décrivez la technique d'écriture du moine Guy.

2. En quoi son activité répond-elle aux objectifs
de la vie monastique ?

10 Les moines aux champs

Retable de Zwettl (détail), vers 1500. Kunsthistorisches Institut, Nimègue.

1. Décrivez les différentes activités des moines. Laquelle est la plus mise en valeur ?
2. Ces activités paraissent-elles contradictoires ou sont-elles complémentaires ?

11 Le travail manuel

Les moines cisterciens vivent selon la règle de saint Benoît.

« L'oisiveté est l'ennemie de l'âme. C'est pourquoi les frères doivent vaquer au travail manuel à heures fixes, et à la lecture de la Bible à heures fixes. [...] Si les circonstances locales ou la pauvreté exigent que les frères fassent eux-mêmes les récoltes dans les champs, ils ne doivent pas s'en attrister, car c'est alors qu'ils sont vraiment moines, vivant du travail de leurs mains comme le faisaient les Apôtres et les Pères. Mais que tout se fasse avec mesure, pour ne pas décourager les faibles. »

Règle de saint Benoît, chap. 48, VIᵉ siècle. ■

◄ 1. Le travail manuel a-t-il pour seul but la subsistance ?
2. Quelle est sa principale forme ?
3. Qu'entend saint Benoît par « mesure » ?

DÉCRIRE ET EXPLIQUER

Décrivez les différents aspects de la vie des moines cisterciens au Moyen Âge. Expliquez en quoi ils correspondent à l'idéal chrétien.

L'Église dans la société médiévale (XIe-XIIe siècle)

Comment les clercs prennent-ils une place dirigeante dans la société chrétienne ?

1 Une Église réformée

● **Une Église princière.** On a pris l'habitude de parler d'une « réforme de l'Église » dans les années 1050-1120. Cela ne signifie pas que l'Église était auparavant en crise, mais que ses chefs (évêques et abbés) vivaient dans une grande proximité avec les aristocrates les plus puissants, qui étaient souvent leurs frères ou leurs cousins.

● **La réforme grégorienne.** Sous l'influence de moines imprégnés de l'idée que le monde d'ici-bas est mauvais, s'impose progressivement le principe d'une séparation entre les hommes de Dieu d'une part et, de l'autre, l'empereur, les rois et les seigneurs. Le rôle majeur du pape Grégoire VII (1073-1085) a donné le nom de « réforme grégorienne » à cette entreprise marquée par la revendication de « liberté pour l'Église » et l'aspiration de la papauté à dicter sa loi à toute l'Europe chrétienne.

● **De nouvelles familles monastiques.** Cet appel à la rigueur s'accompagne de la création de nouvelles familles monastiques comme les chartreux **doc. 4** et surtout les cisterciens qui, tout en vivant sous la règle de saint Benoît, refusent le « luxe pour Dieu » des monastères traditionnels et prônent l'éloignement des villes et le travail manuel.

2 Une Église conquérante

● **Une discipline rénovée.** Les réformateurs n'hésitent pas à traiter rudement leurs ennemis, excommuniant les seigneurs qui ne veulent pas restituer les biens d'Église – même l'empereur germanique **doc. 3** –, destituant les évêques en désaccord, imposant la paix aux chevaliers batailleurs et pillards **doc. 2**.

● **Le combat contre les « infidèles ».** Toutefois, c'est surtout vers les marges de la Chrétienté qu'ils dirigent leurs ambitions de reconquête. Le premier pays concerné est l'Espagne, que les musulmans occupent dans sa quasi-totalité depuis le VIIIe siècle. Les chevaliers chrétiens sont encouragés à les déloger, avec succès (*Reconquista*).

● **L'appel à la croisade.** En 1095, à Clermont, le pape Urbain II les appelle à une expédition plus lointaine : partir en pèlerinage armé vers la Palestine pour reprendre aux Turcs les lieux saints de la vie du Christ. C'est la première croisade, la seule à être couronnée de succès par la prise de Jérusalem à l'été 1099. Les campagnes suivantes, jusqu'au XIIIe siècle, manifesteront l'incapacité des princes chrétiens à s'unir efficacement.

3 Une Église puissante

● **Une institution riche.** L'Église n'est pas seulement une institution spirituelle. Par ses cathédrales et ses monastères, elle est aussi le plus grand propriétaire terrien d'Occident. En effet, les laïcs lèguent des terres aux religieux afin que ceux-ci prient pour le salut de leur âme. Peu à peu se constituent de gigantesques domaines ecclésiastiques.

● **L'Église, un acteur économique.** En outre, sur toutes les terres cultivées, évêques et abbés prélèvent la dîme, une taxe en nature équivalant à environ un dixième des récoltes, destinée à assurer la subsistance des membres du clergé.

● **Un « blanc manteau d'églises ».** Pour assurer un meilleur encadrement des fidèles, l'époque féodale voit l'achèvement du réseau des paroisses **doc. 1**. Chaque village est centré sur le cimetière et l'église, desservie par un prêtre qui rassemble les habitants pour la messe et célèbre pour eux les sacrements aux grandes étapes de leur vie.

■ **Au XIe siècle, l'Église d'Occident lance un grand mouvement de réforme qui confirme le rôle social et économique de l'institution et affirme l'autorité souveraine et indépendante du pape.**

GRÉGOIRE VII

(vers 1020-1085)

D'abord clerc régulier, il devient l'un des principaux responsables de l'Église romaine. Élu pape en 1073, il tente de libérer le clergé du pouvoir laïc, ce qui entraîne un conflit très violent avec l'Empire.

DÉFINITIONS

« Réforme grégorienne »
Nom donné au mouvement animé et dirigé dans la seconde moitié du XIe siècle par la papauté, et plus particulièrement par Grégoire VII. Elle vise à discipliner les clercs afin de mieux encadrer la société laïque et à faire du pape l'autorité souveraine.

Reconquista
Guerres menées par les rois chrétiens d'Espagne pour conquérir la péninsule ibérique, ce qu'ils estiment être une « reconquête » sur les musulmans. Elle est assimilée par l'Église à une croisade.

Croisade
Pèlerinage organisé par l'Église, qui prend la forme d'une expédition militaire destinée à défendre les lieux saints de Jérusalem ; celui qui fait vœu de croisade, manifesté par la prise de la croix, reçoit des privilèges spirituels.

Laïc
Fidèle de l'Église appartenant à l'ordre des gens mariés.

1 Le « blanc manteau d'églises »

« Comme approchait la troisième année qui suivit l'An Mil, on vit dans presque toute la terre, mais surtout en Italie et en Gaule, rénover les basiliques des églises ; bien que la plupart, fort bien construites, n'en eussent nul besoin, une émulation poussait chaque communauté chrétienne à en avoir une plus somptueuse que les autres. C'était comme si le monde lui-même se fût secoué et, dépouillant sa vétusté, avait revêtu de toutes parts une blanche robe d'églises. Alors, presque toutes les églises des sièges épiscopaux, les sanctuaires monastiques dédiés aux divers saints, et même les petits oratoires des villages, furent reconstruits plus beaux par les fidèles. »

Raoul Glaber, *Cinq Livres d'Histoire (900-1044)*, rédigés à partir de 1026, in Georges Duby, *L'An mil*, © Éditions Gallimard, 1974 ∎

▶ Pourquoi construire ou rénover des églises ?

2 La trêve de Dieu au concile de Narbonne (1054)

« Dix évêques réunis dans la cité de Narbonne sous la présidence du seigneur Guifred, archevêque, ont décidé : qu'aucun chrétien ne tue un autre chrétien, car celui qui tue un chrétien répand le sang du Christ. Si quelqu'un tue injustement un homme, il devra faire réparation. Que la trêve que nous avions fixée et qui a été rompue par de méchants hommes soit désormais observée par tous. Qu'aucun chrétien ne parte en guerre du mercredi au coucher du soleil jusqu'au lundi au soleil levant. En outre, du premier dimanche de l'Avent jusqu'aux fêtes de Pâques, et aussi la veille et le jour des grandes fêtes, qu'aucun chrétien n'ose léser un autre chrétien. »

Conclusions du concile provincial de Narbonne, 1054. ∎

1. Qui prend l'initiative de la trêve ? Pourquoi les combats sont-ils interdits certains jours ?
2. Ces interdictions sont-elles un véritable obstacle aux guerres ?

3 La pénitence de l'empereur Henri IV (1077)

Depuis 1076, l'empereur germanique Henri IV est en conflit avec la papauté au sujet de l'investiture des évêques dont il veut garder le contrôle. Ayant déclaré la déposition du pape Grégoire VII, l'empereur est excommunié.

« Le pape [Grégoire VII] décida de rester quelque temps au château de Canossa… Le roi arriva jusqu'à la porte du château sans y avoir été invité, et il ne reçut aucune réponse du pape. Il demanda longuement, douloureusement, l'autorisation d'entrer. Transi de froid, les pieds nus, il resta trois jours avec les siens à l'extérieur du château. Il demandait en pleurant, à la manière des pénitents, la grâce de la réconciliation et le retour à la communion chrétienne. Quand il fut trouvé obéissant, autant qu'il était possible d'en juger, on lui fit savoir qu'il devrait jurer par serment d'accepter les conditions qui lui seraient imposées pour le bien de la sainte Église. Le roi trouva ces conditions très dures. Mais comme il ne pouvait être réconcilié autrement, il dut s'y résigner, à grand regret. »

Chronique de Berthold de Reichenau,
XIe siècle. ∎

1. Quel est le but du pape Grégoire VII en traitant durement l'empereur ?
2. Qui sort vainqueur de la confrontation ?

4 La Grande Chartreuse

Vue du monastère de la Grande Chartreuse, Isère, région Rhône-Alpes.

Originaire de Rhénanie, promis à une brillante carrière ecclésiastique, Bruno le Chartreux décide de tout quitter pour se retirer dans la solitude des Alpes. C'est ainsi qu'est fondée la Grande Chartreuse en 1084.

▶ Quel est le caractère particulier de l'habitat des Charteux ? Dans quel but ?

Les luttes d'une Église conquérante

Du XIᵉ au XIIIᵉ siècle, l'Église lutte sur deux fronts.
Elle s'emploie d'abord, aux marges de la Chrétienté,
à combattre ceux qui ne sont pas chrétiens. C'est ainsi
qu'elle lutte contre les musulmans en Espagne
(la *Reconquista*) ou en Orient (les croisades). Mais l'Église
est aussi confrontée à des contestations internes :
son pouvoir est remis en cause, au nom des Évangiles,
du nord au sud de l'Europe.

DÉFINITIONS

▶ **Cathares**
Nom donné par les clercs à certains dissidents religieux des XIIᵉ et XIIIᵉ siècles qui revendiquaient une religion plus « pure ».

▶ **Albigeois**
Les « Cathares » du Languedoc, c'est-à-dire de la région d'Albi, tels que les désignaient les barons du Nord de la France lors de la croisade qui fut décrétée contre eux.

? *Quels ennemis la chrétienté combat-elle et quelles formes prennent ces luttes ?*

A La lutte aux frontières de la Chrétienté

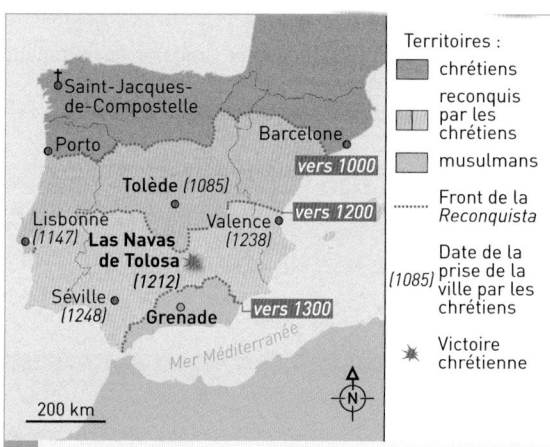

Territoires :
- chrétiens
- reconquis par les chrétiens
- musulmans
- ······ Front de la *Reconquista*
- *(1085)* Date de la prise de la ville par les chrétiens
- ✳ Victoire chrétienne

I La *Reconquista*

▶ Que nous apprend cette carte sur la nature de la guerre livrée entre chrétiens et musulmans dans la péninsule ibérique ?

3 La prise d'Antioche lors de la première croisade (1099)

Enluminure de l'*Histoire d'outremer* de Guillaume de Tyr, manuscrit réalisé à Saint-Jean d'Acre à la fin du XIIIᵉ siècle, Bibliothèque municipale de Boulogne-sur-Mer.

▶ Quels aspects de la croisade cette enluminure révèle-t-elle ?

2 L'appel à la première croisade par le pape Urbain II (1095)

Le pape Urbain II, venu en France promouvoir la réforme de l'Église, adressa à des évêques et des laïcs cet appel, rapporté quelques années plus tard par Foucher de Chartres.

« Ô fils de Dieu ! [...] Il importe que, sans tarder, vous vous portiez au secours de vos frères qui habitent les pays d'Orient et qui déjà bien souvent ont réclamé votre aide. En effet, comme la plupart d'entre vous le savent déjà, un peuple venu de Perse, les Turcs, a envahi leur pays. [...] Ces Turcs détruisent les églises ; ils saccagent le royaume de Dieu. [...] Aussi je vous exhorte et je vous supplie – et ce n'est pas moi qui vous y exhorte, c'est le Seigneur lui-même – vous, les hérauts du Christ [les évêques] à persuader à tous, à quelque classe de la société qu'ils appartiennent, chevaliers ou piétons, riches ou pauvres, par vos fréquentes prédications, de se rendre à temps au secours des chrétiens et de repousser ce peuple néfaste loin de nos territoires. [...] À tous ceux qui y partiront et qui mourront en route, [...] la rémission de leurs péchés sera accordée. [...] Qu'ils aillent donc au combat contre les Infidèles [...], ceux-là qui jusqu'ici s'adonnaient à des guerres privées et abusives, au grand dam des fidèles ! »

Foucher de Chartres, *Historia Hierosolymitana*, cité par M. Balard, A. Demurger, P. Guichard, *Pays d'Islam et monde latin Xᵉ-XIIIᵉ siècles*, Hachette Supérieur, coll. « Les fondamentaux », 2000. ▪

1. Quelles sont les raisons invoquées par le pape pour justifier la croisade ?
2. À qui s'adresse cet appel et qu'est-ce qui est promis à ceux qui partiront ?

B Les luttes à l'intérieur de la Chrétienté

4 Un discours cathare sur le baptême

« La véritable Église de Dieu pratique le saint baptême spirituel, c'est-à-dire l'imposition des mains, par laquelle est donné le Saint-Esprit. Quand notre Seigneur Jésus-Christ fut venu d'en haut pour sauver son peuple, il enseigna à sa sainte Église de baptiser de ce saint baptême, comme il le dit dans l'Évangile [...]. Mais la mauvaise Église romaine, comme la menteuse et semeuse de mensonges qu'elle est, dit que le Christ entendait par là le baptême de l'eau matérielle que pratiquait Jean-Baptiste. Ce que l'on peut réfuter par de nombreuses raisons. Si le baptême de l'Église romaine était celui que le Christ avait enseigné à son Église, tous ceux qui le reçoivent seraient condamnés. [...] De plus, le Christ serait mort pour rien, car avant lui on avait déjà le baptême de l'eau. Mais il est certain que l'Église du Christ baptise d'un autre baptême que celui de Jean-Baptiste. »

> Rituel cathare en occitan, Dublin, Trinity College, cité dans A. Brenon, *Les Archipels cathares, dissidence chrétienne dans l'Europe médiévale*, Cahors, Dire éditions, 2000. D. R. ▪

1. Les Cathares se réclament-ils du Christ ?
2. Comment jugent-ils l'Église romaine ?
3. Sur quoi se fondent-ils pour refuser le baptême d'eau ?

5 La prédication de saint Dominique en Albigeois (1206-1207)

« En ces jours-là, le Seigneur fit venir d'Espagne deux champions qu'il avait choisis pour son combat, Diego, évêque d'Osma, et son compagnon Dominique, ce grand religieux que l'on devait plus tard canoniser. Ils se mirent à l'œuvre, avec quelques abbés de l'ordre de Cîteaux et d'autres gens de valeur. Ils attaquèrent la fausse religion des hérétiques en toute humilité, par la sobriété et la patience, allant de bourg en bourg pour des disputes, pieds nus, sans chevaux ni escorte. »

> Guillaume de Puylaurens, *Chronique*, cité dans M.-H. Vicaire, *Saint Dominique et ses frères : Évangile ou croisade ?*, Cerf, 1967. D. R. ▪

1. Pourquoi le chroniqueur insiste-t-il sur la pauvreté de Dominique ?
2. Dominique cherche-t-il à punir les hérétiques ?

PRÉLEVER ET CONFRONTER DES INFORMATIONS

Recopiez et complétez le tableau suivant.

Adversaires de l'Église	Formes de lutte

6 Le château de Montségur (Ariège), dernier bastion de la résistance cathare

Vestiges du château de Montségur qui, après un premier échec, fut finalement pris au milieu du XIIIe siècle et ses défenseurs brûlés.

▶ Comment la situation du château traduit-elle la détermination des Cathares et de ceux qui les combattaient ?

7 Un bûcher d'hérétiques

Grandes chroniques de France, début du XVe siècle. Bibliothèque municipale de Toulouse.

L'Inquisition est un tribunal religieux spécialisé, créé au début du XIIIe siècle, dans le but de lutter contre les déviances religieuses.

▶ Que nous apprend cette image sur le mécanisme de répression des dissidences religieuses ?

Laon : une cathédrale au cœur de la cité

La cathédrale, église de l'évêque, est le principal lieu de culte de la cité et du diocèse, dont elle symbolise l'ancienneté et le rayonnement. Aussi les cathédrales sont-elles des chantiers quasi permanents, visant à donner aux grandes cérémonies le cadre le plus prestigieux.

Dans le royaume de France, dès le milieu du XIIᵉ siècle, la conjonction entre prospérité urbaine et stabilité nouvelle de l'Église permet de lancer de grands programmes de reconstruction qui sont à l'origine d'un style nouveau : le gothique. Bâtie entre les années 1160 et 1180, Laon en est un exemple précoce et brillant.

VOCABULAIRE DES ARTS

Gothique
Style architectural qui se répand en Europe du XIIᵉ au début du XIVᵉ siècle. Il se caractérise par l'usage de l'arc-boutant et de la croisée d'ogives qui permettent une plus grande élévation du bâtiment et le percement d'ouvertures où sont installés des vitraux.
Sanctuaire
Zone orientale de l'église, réservée aux clercs et aux cérémonies.
Rose / Rosace
Grande fenêtre ronde.

1 La cathédrale domine la ville de Laon (Aisne)

On distingue le long de la nef l'hôpital et la résidence des chanoines.

QUESTIONS

Décrire

1. Combien de niveaux présente l'architecture de la nef ? (doc. 2)
2. Quels procédés techniques ont permis une telle élévation du bâtiment ?
3. Quelles sont les sources de lumière ?
4. Le décor est-il abondant ?
5. Quelle est l'impression produite ?

Interpréter

6. Qui la cathédrale accueille-t-elle ? Pour accomplir quels rites ?
7. Où se situe la séparation entre clercs et laïcs ?
8. Quel est l'équilibre entre les deux parties de l'église ?
9. Que peut-on en déduire sur le clergé laonnois ?

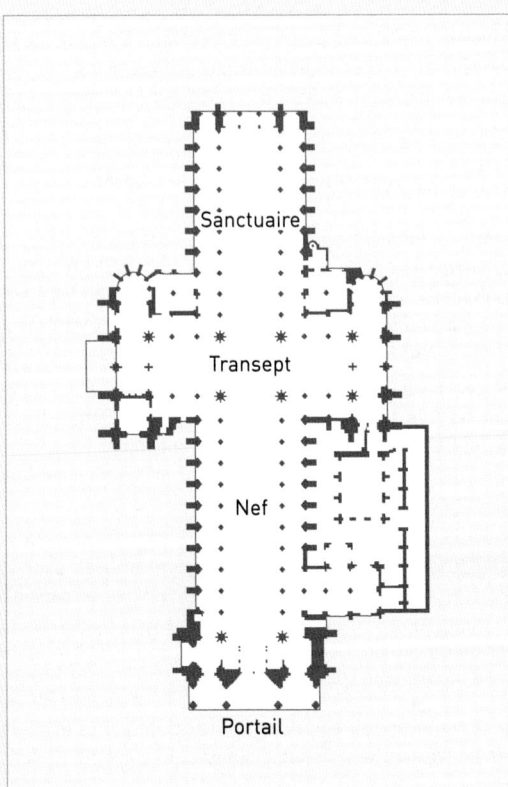

2 La nef de la cathédrale de Laon (1160-1180 environ)

3 Plan de la cathédrale de Laon

Sanctuaire

Transept

Nef

Portail

Fiche d'identité de l'œuvre

Dimensions : 110 m de long, 30 m de large, 24 m de hauteur sous voûtes.

Construction : durant toute la seconde moitié du XIIe siècle. Le chœur, trop petit, est reconstruit au début du XIIIe siècle.

À savoir : la cathédrale de Laon est l'une des premières grandes constructions gothiques en France. Son chantier commence peu de temps après ceux de Sens (vers 1135) et de Saint-Denis (vers 1140), qui sont les pionniers du style nouveau. Sa situation au sommet d'une colline met particulièrement en valeur sa haute silhouette.

Une Église triomphante (XIIIᵉ siècle)

Comment la papauté prend-elle la première place dans l'Europe chrétienne ?

① Une centralisation renforcée

● **L'apogée de la puissance papale.** Les premières années du XIIIᵉ siècle marquent le sommet de la puissance papale dans l'histoire de l'Occident. Innocent III (1198-1216) est l'arbitre incontesté de l'Europe. Il impose ses vues aux princes, faisant de certains royaumes des vassaux du Saint-Siège. Il est même tuteur du jeune empereur Frédéric II, avant que celui-ci ne prenne violemment ses distances.

● **Une institution hiérarchisée.** Le pape est désormais entouré d'une bureaucratie nombreuse, installée à Rome et appelée *Curie*. Tout ce personnel l'assiste dans la gestion des affaires administratives, le jugement des causes ecclésiastiques et la perception des revenus. Apparaît en effet une fiscalité pontificale, contraignante, qui provoque par la suite des heurts avec les États.

② Des fidèles mieux encadrés

● **Le concile du Latran.** En 1215, Innocent III réunit un concile dans son palais du Latran. C'est l'occasion de prendre des décisions lourdes de conséquences pour tous les chrétiens latins. Ils doivent recevoir la communion chaque année à Pâques, et surtout s'y préparer en confessant leurs fautes au curé de leur paroisse, qui devient ainsi une puissance redoutée . Mais les curés sont généralement peu cultivés et ne peuvent enseigner que les rudiments de la doctrine.

● **La promotion des ordres mendiants.** La papauté encourage l'apparition de nouvelles familles religieuses, dites « ordres mendiants » en raison de leur culte de la pauvreté. François d'Assise fonde ainsi les Frères mineurs, qui se consacrent au « soin des âmes » dans les villes, auprès des nouveaux groupes sociaux de l'artisanat ou du commerce .

● **Les juifs, entre tolérance et exclusion.** Les seules communautés vivant en marge de ce système sont les juifs **doc. 4**. Les hommes d'Église leur sont plutôt favorables mais les princes, comme Louis IX de France, commencent à prendre contre eux des mesures de ségrégation.

③ L'essor d'une culture chrétienne

● **De nouveaux lieux d'enseignement.** Le XIIIᵉ siècle voit l'apparition, à Paris, Bologne ou Oxford, des premières universités. Des écoles existaient déjà auprès des grandes cathédrales, mais elles acquièrent un rayonnement nouveau. Ce sont des institutions d'Église, dans la mesure où leurs étudiants appartiennent tous au clergé et où le pape seul peut leur donner les privilèges requis. La théologie est la discipline reine.

● **Le rôle des dominicains.** Les Frères prêcheurs, un ordre mendiant fondé par l'espagnol Dominique de Guzman, jouent un rôle important dans le mouvement intellectuel. Les maîtres de l'ordre, dont le plus prestigieux est Thomas d'Aquin, peuplent les grands centres d'enseignement. Mais ils ne cherchent pas le savoir pour lui-même. Comme leur nom l'indique, ils rassemblent des données pour les sermons qui développent chez les fidèles la connaissance de la foi et de la morale.

● **La lutte contre la dissidence religieuse.** La théologie peut aussi être utilisée dans le cadre de polémiques ou de conflits. Les frères mendiants sont employés par la papauté dans la nouvelle juridiction qu'est l'Inquisition, dont le but est de combattre la dissidence religieuse, ou hérésie, déjà très présente au XIIᵉ siècle et contre laquelle l'Église lutte longuement, sans jamais vraiment en venir à bout.

■ **Au XIIIᵉ siècle, l'Église s'organise et confirme son emprise sur la société par le biais de nouvelles familles religieuses et de nouveaux lieux d'enseignement qui s'installent dans les villes.**

FRANÇOIS D'ASSISE

(vers 1182-1226)

Issu de la bourgeoisie d'Assise, il crée l'ordre des Frères mineurs (devenu l'ordre franciscain) fondé sur un idéal de pauvreté et d'évangélisation. Il fut l'une des plus grandes figures spirituelles du XIIIᵉ siècle.

DÉFINITIONS

Concile
Assemblée d'évêques et d'abbés réunie par le pape pour traiter des grandes affaires de la chrétienté.

Ordre mendiant
Ordre religieux dont la règle impose la pauvreté et vivant de la charité des fidèles.

Théologie
Science qui a Dieu pour objet.

Hérésie
Doctrine ou opinion considérée comme erronée par rapport au dogme établi. En remettant en cause les vérités qui forment la foi chrétienne, les hérétiques rompent avec la communauté et sont perçus comme une menace.

I Les devoirs du fidèle
selon le concile de Latran IV (1215)

« Que tout fidèle des deux sexes, parvenu à l'âge de discrétion, confesse fidèlement tous ses péchés, sans témoin, à son propre curé, à tout le moins une fois par an, et qu'il s'attache à accomplir selon ses forces la pénitence à lui imposée, recevant respectueusement le sacrement de l'eucharistie, au moins à Pâques, sauf si, sur le conseil de son propre curé, quelque cause raisonnable le conduit à s'en abstenir pour un temps ; qu'autrement pendant sa vie l'accès de l'église lui soit interdit et qu'à sa mort il soit privé de la sépulture chrétienne. Que ce statut salutaire soit souvent lu publiquement dans les églises afin que personne ne se serve, comme semblant d'excuse, de l'aveuglement de son ignorance. Si quelqu'un pour un motif valable veut confesser ses péchés à un prêtre étranger, qu'il demande d'abord et obtienne la permission de son propre curé, cet autre prêtre, dans le cas contraire, n'a le pouvoir ni d'absoudre ni de lier. »

Canon du concile de Latran IV, 1215. ■

1. Quelles sont les deux obligations religieuses du fidèle ?
2. Que risque-t-il s'il ne les accomplit pas ?
3. Qu'est-ce que cela montre du rôle du curé ?
4. Ce rôle est-il seulement religieux ?

2 Innocent III approuve les Frères mineurs (XIIIᵉ siècle)

Giotto, fresque de la basilique Saint-François d'Assise, Ombrie (Italie), XIIIᵉ siècle.

1. Indiquez ce qui confère sa majesté au pape. Que traduit l'attitude de François et ses frères ?
2. Quel document le pape leur remet-il ?

3 Le sacre du roi de France par les évêques

Rituel du sacre royal, miniature, 1250. Bibliothèque nationale de France, Paris.

▶ Que fait l'évêque au centre de l'image ? Quels sont les deux groupes à droite et à gauche ? Que manifeste cette répartition ?

4 Le statut des juifs

« Moi, Gercius, chevalier, vicaire de la cour du révérend père Pierre, par la grâce de Dieu archevêque de Narbonne, je donne et concède les immunités et libertés aux juifs. Je les reçois sous ma garde, défense et juridiction. […] Si un juif ou une juive est détenu par moi pour des délits civils, il pourra rentrer chez lui la veille du samedi et des autres fêtes juives, après en avoir obtenu la permission. […] Tous les juifs payent un cens annuel, et s'ils veulent sortir et revenir avec leurs biens de la juridiction de l'archevêque, ils le pourront sans empêchement. […] Si on a des doutes sur ceux qui doivent des gages, on rendra justice autant aux juifs qu'à ceux qui leur doivent. »

Charte des juifs de Narbonne, 1285. ■

1. De qui dépendent les juifs de Narbonne ? Quelle est leur activité économique ?
2. Comment sont-ils intégrés dans la cité ?

Exercices et MÉTHODES

❶ Comprendre un sujet de composition

▶ **Sujet : Les luttes de l'Église à l'intérieur et à l'extérieur de la Chrétienté du XIᵉ au XIIIᵉ siècle.**

MÉTHODE

▶ **Analyser les termes du sujet**

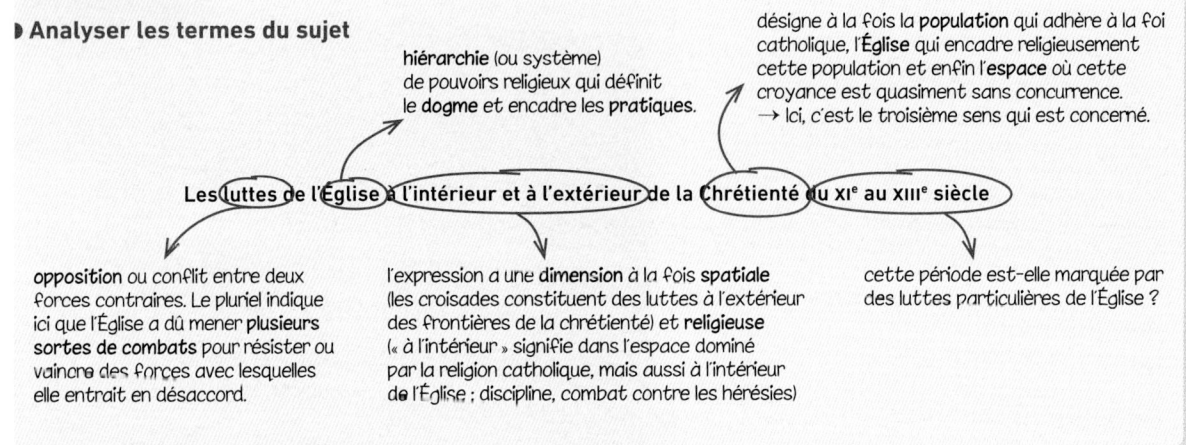

désigne à la fois la **population** qui adhère à la foi catholique, l'**Église** qui encadre religieusement cette population et enfin l'**espace** où cette croyance est quasiment sans concurrence.
→ Ici, c'est le troisième sens qui est concerné.

hiérarchie (ou système) de pouvoirs religieux qui définit le **dogme** et encadre les **pratiques**.

Les luttes de l'Église à l'intérieur et à l'extérieur de la Chrétienté du XIᵉ au XIIIᵉ siècle

opposition ou conflit entre deux forces contraires. Le pluriel indique ici que l'Église a dû mener **plusieurs sortes de combats** pour résister ou vaincre des forces avec lesquelles elle entrait en désaccord.

l'expression a une **dimension** à la fois **spatiale** (les croisades constituent des luttes à l'extérieur des frontières de la chrétienté) et **religieuse** (« à l'intérieur » signifie dans l'espace dominé par la religion catholique, mais aussi à l'intérieur de l'Église ; discipline, combat contre les hérésies)

cette période est-elle marquée par des luttes particulières de l'Église ?

❷ Formuler une problématique

▶ **Sujet : Église et société dans l'Occident médiéval du XIᵉ au XIIIᵉ siècle.**

MÉTHODE

1. Analyser les termes du sujet

Avec un « É » majuscule, le terme désigne la **hiérarchie** des pouvoirs religieux qui définit le **dogme** et encadre les **pratiques**.

On entend par ce mot l'ensemble **des habitants** vivant dans un **espace** doté d'une certaine unité.

Il s'agit d'une période de **renforcement** des pouvoirs de l'Église et d'**encadrement accru** des fidèles.

Église et société dans l'Occident médiéval du XIᵉ au XIIIᵉ siècle

Attention ! La conjonction « et » dans un sujet n'indique pas qu'il faut étudier l'un après l'autre les mots qu'elle unit (1. L'Église ; 2. La société), mais au contraire qu'il faut étudier **ensemble les rapports** entre l'Église et la société.

Du XIᵉ au XIIIᵉ siècle, il s'agit de l'Europe de l'Ouest dont l'unité est définie par la Chrétienté latine.

2. Dégager la problématique

▶ **Dégager une problématique**
Cela signifie interroger de manière approfondie un sujet. L'analyse du sujet a permis de questionner chaque terme, la problématique rassemble ces questions en une seule phrase. C'est une proposition synthétique qui pose les repères spatiaux-temporels du sujet et précise le sens du raisonnement que l'on va suivre.

▶ **Rédiger une problématique**
• Si le sujet est une question, la problématique prendra une forme affirmative. Selon le sujet, on pourra commencer ainsi :
– « Il s'agit d'exposer l'enchaînement/les liens de... »
– « Nous verrons les différentes formes que prend... »
– « Nous montrerons ce qui explique que les rapports entre...»

• Si le sujet est posé sous forme affirmative, la formulation sous la forme d'une question s'impose. On peut formuler ainsi la problématique du sujet ci-dessus :

Quels sont les rapports que l'Église catholique entretient avec la société en Occident du XIᵉ au XIIIᵉ siècle ?

EXERCICE Formulez la problématique du sujet de l'exercice 1.

❸ Décrire et expliquer un document iconographique

▶ En vous appuyant sur l'étude de ce document, vous montrerez comment fonctionne l'Église dans la société médiévale du XIᵉ au XIIIᵉ siècle.

Détail de la fresque *Le Triomphe de l'Église et des dominicains* d'Andrea Bonaiuti, vers 1365-1368 (église Sainte-Marie Nouvelle, Florence)

1 Le pape. 2 Un cardinal. 3 Un archevêque. 4 Un abbé. 5 Un moine cistercien.
6 Deux moniales. 7 Les « Chiens du seigneur » (*domini cane* = dominicains).

| LES CLERCS | LES LAÏCS |

MÉTHODE

1. Identifier et présenter un document

2. Décrire et expliquer un document

On peut utiliser un tableau pour prélever et classer les informations.

EXERCICE **Complétez le tableau proposé.**

Description		Explication (Reliez les informations tirées du document avec les connaissances du cours)
Composition générale du document	Comment et selon quel ordre les différents éléments de la fresque sont-ils organisés (premier plan, deuxième plan, arrière-plan, etc.) ?	
Éléments particuliers du document	pape cardinal, etc.	

Rédigez deux paragraphes qui reprennent les éléments de réponse du tableau en choisissant un des deux plans possibles :

• 1) Description ; 2) Explication.
• 1) Composition générale ; 2) Éléments particuliers du tableau en associant pour chaque paragraphe description puis explication.

Exercices *et* MÉTHODES

④ Comprendre et analyser un texte

▶ **En vous aidant du dossier sur saint Bernard (p. 96-99), montrez comment ce texte illustre la richesse de l'Église du XIᵉ au XIIIᵉ siècle, ses origines, ses manifestations et sa critique.**

La critique de la richesse de l'Église

« Je dois vous reprocher un abus à mes yeux plus grave : vous donnez à vos églises des proportions gigantesques, les décorez avec somptuosité, les faites revêtir de peintures qui détournent irrésistiblement sur elles l'attention des fidèles, et n'ont pour effet que d'empêcher le recueillement [...]. Mais dites-moi, vous qui pratiquez la pauvreté de l'esprit, que vient faire tant d'or dans un sanctuaire ? [...] Mais nous, qui n'appartenons plus au monde, nous avons abandonné pour le Christ la beauté même du monde [...]. Mais surtout, quel rapport avec votre vie de pauvres, de moines, de spirituels ? »

Bernard de Clairvaux, *Apologie adressée à Guillaume, abbé de Saint-Thierry*, vers 1125. ◾

⑤ Comprendre et analyser un texte

▶ **En vous appuyant sur l'analyse de ce document, vous expliquerez comment l'Église a établi sa puissance aux XIᵉ-XIIIᵉ siècle en luttant contre les abus en son sein.**

Les débuts de la réforme grégorienne

« À tout prêtre, diacre, sous-diacre, qui postérieurement à la Constitution de notre prédécesseur de bienheureuse mémoire le pape Léon sur la chasteté des clercs, se sera ouvertement marié, ou qui, marié, n'aura pas congédié sa femme, nous interdisons absolument et impérativement de par le Dieu Tout-Puissant, fort de l'autorité des bienheureux apôtres Pierre et Paul, de chanter la messe, ni de lire à la messe l'évangile ni l'épître, ni de rester au chœur, pendant l'office divin, avec qui auront obéi à ladite Constitution, ni de recevoir sa part des revenus de l'Église, jusqu'à ce qu'une décision de notre part intervienne à ce sujet [...]. Qu'en aucune manière, un prêtre ou clerc n'obtienne une église par l'intermédiaire de laïcs, gratuitement ou pour de l'argent »

Décisions du concile tenu à Rome sous le pontificat de Nicolas II (1059-1061). ◾

⑥ Exercice TICE : l'architecture gothique

WWW.

Les cathédrales et Villard de Honnecourt

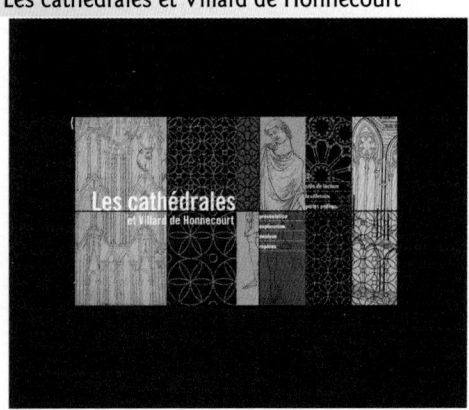

Le site de la BNF présente une exposition virtuelle sur les cathédrales : **http://classes.bnf.fr/villard/index.htm**

1. Dans la liste verticale des onglets à gauche, cliquez d'abord sur « **présentation** » puis lisez le texte intitulé « Les **cathédrales gothiques dans la ville** ». Puis, dans le texte du dernier paragraphe intitulé « **dossier** », cliquez sur « **l'architecture gothique** » et lisez la fiche.
Quelles sont les caractéristiques de l'architecture gothique ?

2. Revenez à l'écran d'accueil et, dans la liste verticale des onglets à gauche, cliquez sur le dernier mot du bas « **repères** ».
Qui est Villard de Honnecourt ? Quelle est son œuvre ?

MÉMO ET RÉVISIONS

À retenir

LE CHRISTIANISME

▶ **Religion** née dans l'Antiquité qui s'est répandue dans toute l'Europe à la fin de l'Antiquité et au début du Moyen Âge.

▶ **Système de croyances :**
- défini par l'Église (le dogme) ;
- fondé sur la vie et l'enseignement de Jésus ;
- croyance en la Trinité (Dieu, Jésus, l'Esprit saint), en la résurrection après la mort, à l'Enfer et au Paradis.

▶ **Pratiques :** sept **sacrements** qui marquent les grandes étapes de la vie par des rites (naissance, mariage, mort, etc.).

▶ **Une institution :** l'Église dont les membres (les **clercs**) se différencient du reste de la population (les **laïcs**) par le vœu de célibat afin de consacrer leur vie à Dieu.

LE POIDS DE L'ÉGLISE DANS LA SOCIÉTÉ MÉDIÉVALE

▶ **Poids religieux :** tous les habitants de la Chrétienté sont des chrétiens soumis à l'autorité de l'Église ; les juifs ont un statut particulier.

▶ **Poids politique :** le **pape** est un **souverain** à la tête d'un État ; chef des chrétiens, il affirme son indépendance vis-à-vis des rois.

▶ **Poids économique :** enrichie par les **dons**, l'Église est une puissance économique qui gère des terres et conduit de grands travaux.

▶ **Poids social :** l'Église encadre le comportement du peuple et des nobles ; elle s'occupe de l'**assistance** aux pauvres et aux malades.

▶ **Poids culturel :** l'Église assure l'essentiel de l'**enseignement** ; les abbayes conservent et copient les livres ; l'art est principalement religieux.

LE RENFORCEMENT DE L'ÉGLISE DU XIᵉ AU XIIIᵉ SIÈCLE

▶ **Un encadrement renforcé :**
- Réforme grégorienne (XIᵉ siècle) qui renforce l'autorité du pape et de l'Église vis-à-vis des laïcs.
- Concile de Latran IV (1215) qui accroît l'encadrement des fidèles (obligation de communion et de confession dans sa paroisse).

▶ **Lutte contre les hérésies** (croyances chrétiennes qui s'éloignent du dogme défini par l'Église)
- Lutte contre les Cathares.
- Établissement du tribunal de l'Inquisition.

▶ **Expansion de la Chrétienté :**
- *Reconquista* contre l'Espagne musulmane.
- Croisades pour la conquête et la garde des Lieux saints (Jérusalem).

Schéma explicatif

```
                    LA CHRÉTIENTÉ
        ┌───────────────┼───────────────┐
        ▼               ▼               ▼
  Des populations   Un territoire   Un système
  adhérant à        (l'Europe       de pouvoirs
  un même système   occidentale)    (l'Église)
  de croyances      sur lequel      qui définit le dogme et
                    cette religion  encadre les pratiques
                    est pratiquement sans
                    concurrence

          Évolution du XIᵉ au XIIIᵉ siècle

        ▼               ▼               ▼
  Un encadrement    Un territoire   Des pouvoirs
  accentué des      en expansion    qui se renforcent
  croyances
  et des populations
```

▶ ## Faire une fiche de révision

Réalisez vos fiches de révision en développant les idées suivantes :

- La lutte de l'Église contre les hérésies

- Le combat de l'Église aux frontières de la Chrétienté

- Le clergé régulier du XIᵉ au XIIIᵉ siècle

Pensez à définir les mots-clés et à illustrer d'exemples vos différentes parties.

Chapitre 5

Sociétés et cultures rurales du XIᵉ au XIIIᵉ siècle

*Les campagnes d'Occident connaissent du XIᵉ au XIIIᵉ siècle
des mutations décisives. Bénéficiant d'un essor agricole
et démographique sans précédent, elles voient se mettre
en place un triple encadrement : politique, social et religieux.
Les hommes et les communautés se structurent selon
une hiérarchie d'obligations réciproques.*

Des sociétés rurales en plein essor

Guillaume Revel, Saint-Vincent, *Armorial d'Auvergne, Forez et Bourbonnais*, vers 1456. Bibliothèque nationale de France, Paris.

Une société hiérarchisée

Une cérémonie d'entrée en vassalité (xɪᵉ siècle), détail d'une miniature de la Bible de Ripoll. Bibliothèque Vaticane, Rome.

Sommaire

▷ **Quels développements connaissent les campagnes du xɪᵉ au xɪɪɪᵉ siècle ?**

▷ **Comment s'organisent les rapports entre les détenteurs du pouvoir du xɪᵉ au xɪɪɪᵉ siècle ?**

L'espace rural du XIᵉ au XIIIᵉ siècle

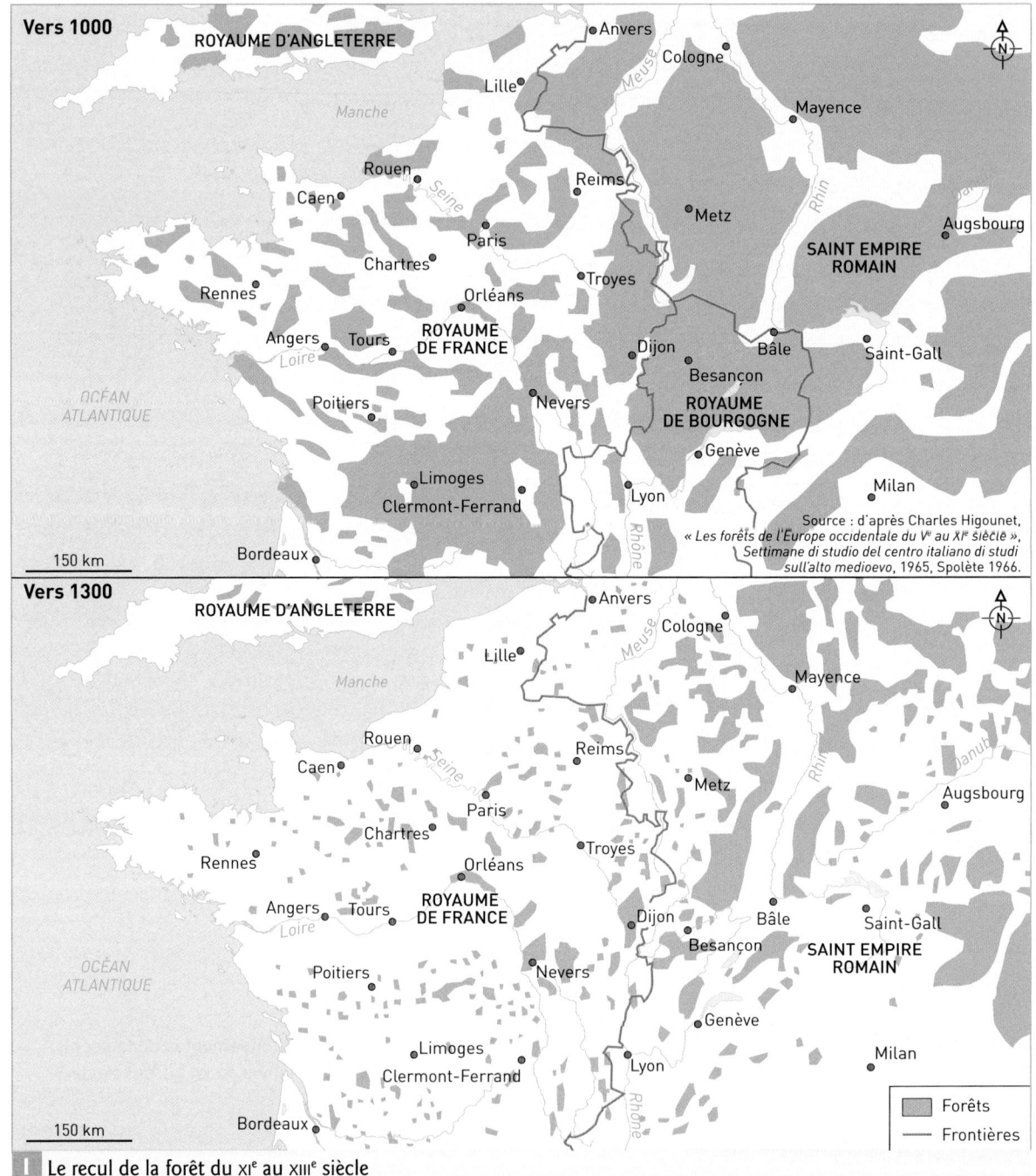

Vers 1000

Source : d'après Charles Higounet,
« Les forêts de l'Europe occidentale du Vᵉ au XIᵉ siècle »,
Settimane di studio del centro italiano di studi
sull'alto medioevo, 1965, Spolète 1966.

Vers 1300

Forêts

Frontières

1 Le recul de la forêt du XIᵉ au XIIIᵉ siècle

QUESTIONS

1. Pourquoi la forêt recule-t-elle en Europe du Nord du XIᵉ au XIIIᵉ siècle (doc. 1) ?

2. Évaluez l'augmentation du nombre de châteaux en Charente au XIᵉ-XIIᵉ siècle (doc. 2).

3. Quel phénomène cette augmentation traduit-elle ?

4. Comment est organisée l'exploitation de ce terroir et comment s'appelle ce système d'exploitation (doc. 3) ?
Quel type d'organisation collective cela suppose-t-il ?

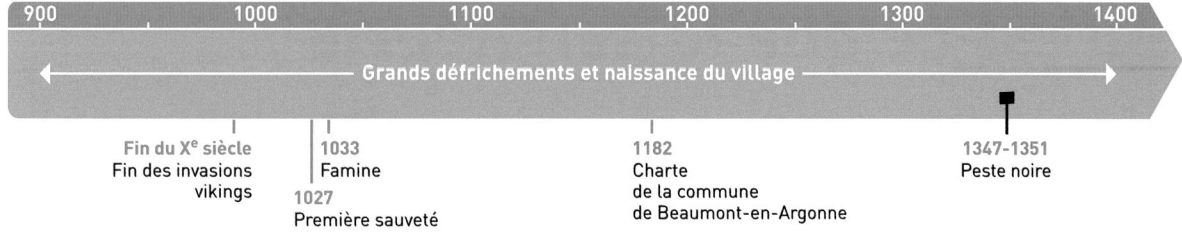

Grands défrichements et naissance du village

| 900 | 1000 | 1100 | 1200 | 1300 | 1400 |

Fin du Xe siècle
Fin des invasions
vikings

1033
Famine

1027
Première sauveté

1182
Charte
de la commune
de Beaumont-en-Argonne

1347-1351
Peste noire

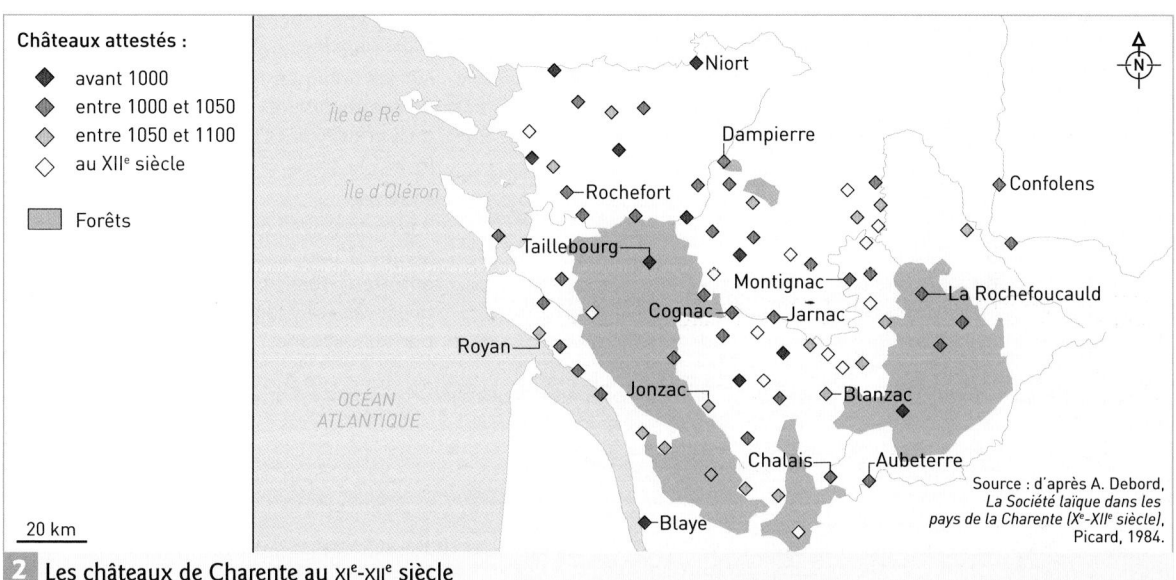

Châteaux attestés :

◆ avant 1000
◆ entre 1000 et 1050
◇ entre 1050 et 1100
◇ au XIIe siècle

▨ Forêts

20 km

Niort
Dampierre
Île de Ré
Île d'Oléron
Rochefort
Confolens
Taillebourg
Montignac
La Rochefoucauld
Cognac
Jarnac
Royan
OCÉAN
ATLANTIQUE
Jonzac
Blanzac
Chalais
Aubeterre
Blaye

Source : d'après A. Debord,
*La Société laïque dans les
pays de la Charente (Xe-XIIe siècle)*,
Picard, 1984.

2 Les châteaux de Charente au XIe-XIIe siècle

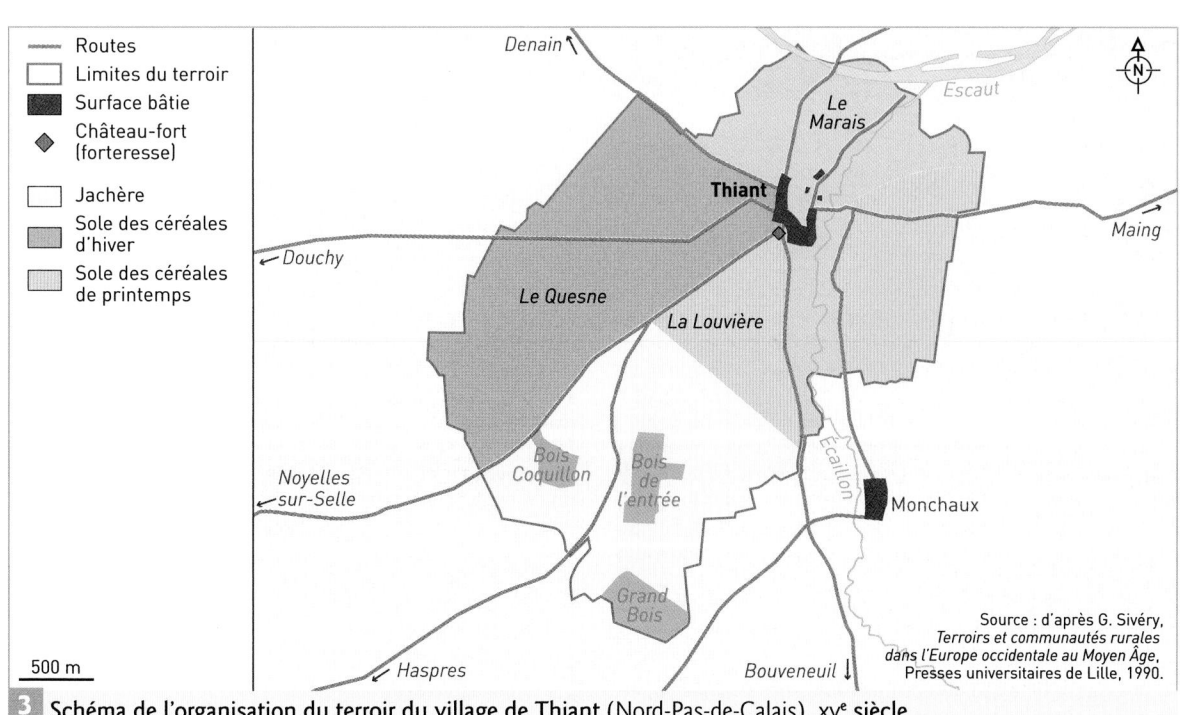

── Routes
▫ Limites du terroir
■ Surface bâtie
◆ Château-fort
(forteresse)

▫ Jachère
▨ Sole des céréales
d'hiver
▨ Sole des céréales
de printemps

Denain
Escaut
Le
Marais
Thiant
Maing
Douchy
Le Quesne
La Louvière
Noyelles
sur-Selle
Bois
Coquillon
Bois
de
l'entrée
Écaillon
Monchaux
Grand
Bois
Haspres
Bouveneuil

500 m

Source : d'après G. Sivéry,
*Terroirs et communautés rurales
dans l'Europe occidentale au Moyen Âge*,
Presses universitaires de Lille, 1990.

3 Schéma de l'organisation du terroir du village de Thiant (Nord-Pas-de-Calais), XVe siècle

Qu'est-ce que la seigneurie ?

Au Moyen Âge, le mot de seigneurie renvoie à un système de domination qui s'exerce soit sur les terres (seigneurie foncière), soit sur les hommes (seigneurie banale). Ces deux réalités bien distinctes ne coïncident pas forcément dans l'unité d'un même village, mais constituent l'une des structures fondamentales d'encadrement des campagnes occidentales du XIe au XIIIe siècle.

D É F I N I T I O N S

▶ **Seigneurie foncière** (ou rurale)
Ensemble des droits qu'un seigneur possède sur des terres qu'il exploite directement (la réserve) ou qu'il confie à des paysans (tenures ou manses) en échange de redevances fixes (le cens) ou proportionnelles à la récolte (le champart), en nature ou en espèces.

▶ **Seigneurie banale** (ou châtelaine)
Ensemble des droits qu'un seigneur exerce sur les hommes, notamment le droit de commander et de punir, et des taxes qu'il prélève sur l'usage d'équipements (moulins, fours, pressoirs, ponts ou routes).

▶ **Corvée**
Jours de travail que le paysan doit à son seigneur pour exploiter la réserve ou bien entretenir fossés, routes et remparts ; la corvée est progressivement rachetée par les paysans.

A Un pouvoir sur les terres

I La seigneurie de Castelnou

Le château des vicomtes de Castelnou en Languedoc-Roussillon (Pyrénées-Orientales).

▶ Relevez sur la photographie tous les éléments constitutifs d'une seigneurie foncière, en distinguant les types de bâtiment ou de construction puis les diverses catégories de terres en fonction de leur exploitation.

2 La composition de la seigneurie de Tillenay en Bourgogne (Xe siècle)

« L'an de l'incarnation de Notre Seigneur Jésus Christ 937, seconde année du règne de Louis et troisième de l'épiscopat de Rodmond, le doyen Gobert et les dignitaires du chapitre de Saint-Nazaire ont trouvé dans la villa de Tillenay une exploitation seigneuriale sur la Saône avec grange, jardin et cour. Il y a là une église dédiée à Saint-Denis qui a en dotation trois manses [exploitations confiées à des paysans] et paie à la Toussaint un cens de dix sous. Il y a là un pré du seigneur ; on peut y récolter soixante chars de foin ; trois condamines [parcelles seigneuriales] où l'on peut semer trente muids [mesure d'environ 300 litres] ; trois bois où l'on peut engraisser deux mille porcs [...]. Il y a là cinq manses garnis. Rictred et Gautier tiennent un manse libre qui paie en mars deux sous [unité monétaire divisée en 12 deniers], en mai douze deniers ou bien un porc valant un sou ; aux foires de Châlon douze deniers ; il fait la corvée sur les condamines et l'ansange [parcelle seigneuriale exploitée par les tenanciers des manses closes]. Il fait deux quinzaines de travail ou bien les rachète à la mi-mars douze deniers ; une troisième semaine de travail sans possibilité de rachat ; pour le bois, à la Saint-André, deux deniers ; il sème dans l'ansange du seigneur un muid de froment du seigneur, un muid du sien ; il étend deux chars de fumiers dans l'ansange s'il y en a ; à Pâques, trois poulets ou un poulet et cinq œufs, douze cercles de tonneaux [...]. »

Extrait du *Cartulaire du chapitre cathédral de Saint-Lazare d'Autun*. ■

1. Relevez les différents éléments qui constituent la seigneurie de Tillenay en distinguant ce qui relève de l'exploitation directe (la réserve) et de l'exploitation indirecte (les tenures, ici appelées « manses »).

2. Dressez la liste des différentes redevances exigées par le seigneur en les classant selon la nature du paiement.

Contrat de location de terres du village de Mugnano (Ombrie), XIᵉ siècle

« Au nom de la sainte et indivisible Trinité, l'an de l'incarnation de Notre Seigneur Jésus-Christ 1054. Nous Berizo, fils de Suppo de bonne mémoire, et Bernardo, fils de Sigizo et neveu dudit Berizo, habitants du village de Mugnano, et Teuzo, fils de Bonizo, demeurant sous la protection des murailles de la cité d'Orvieto, te demandons à toi Teuzo, évêque de Santa Maria d'Orvieto, de nous donner par contrat, à nous et à nos héritiers, toute la terre de Santa Maria située dans le village de Mugnano, de la même façon que moi Berizo susnommé, mes frères germains et mon père Suppo avons eu par contrat cette terre et tous ses éléments où qu'ils se trouvent, c'est-à-dire que nous demandons d'avoir dans leur intégrité par contrat, de tenir, de cultiver, d'améliorer et non de détériorer chacune de ces terres avec leurs vignes, leurs arbres et leurs accès, moyennant une pension.

Nous Teuzo, évêque susnommé, avons entendu votre demande, et il nous a plu de vous accorder ledit contrat, à savoir lesdites terres du village de Mugnano où qu'elles se trouvent, comme vous l'avez demandé plus haut.

Nous les contractants susdits et nos héritiers promettons d'avoir ladite terre, de la tenir, cultiver, améliorer, et non détériorer, en vertu de quoi nous promettons de te payer une pension à toi et à tes successeurs, c'est-à-dire de payer chaque année au mois de décembre sept deniers et un salut. Et si la susdite terre périclite par notre faute ou si ne payons pas ladite pension ou si nous n'accomplissons pas tout ce qui est écrit plus haut et qui a été convenu entre nous, alors nous et nos héritiers te promettons à toi, évêque Teuzo, et à tes successeurs, de payer une amende de 29 sous d'argent.

Moi, évêque Teuzo susnommé, et mes successeurs, si nous voulons rompre le contrat susdit ou demander une pension plus élevée ou imposer des charges autres que les charges prévues ci-dessus, qui ont été convenues entre nous, je promets pour moi et mes successeurs, de payer à vous ou à vos héritiers la même peine de 20 sous convenue entre nous. »

L. Fumi, *Codice diplomatico della città d'Orvieto*, Florence, 1884. ■

1. Identifiez les différents acteurs du contrat.
2. Relevez et comparez les droits et les devoirs de chacune des parties en présence.
3. Ces obligations réciproques vous paraissent-elles équilibrées entre les deux parties ?
4. **Doc. 2 et 3** Comparez-les avec celles qui sont détaillées dans le document précédent.

B Un pouvoir sur les hommes

4 La corvée due au seigneur

Miniature, vers 1310-1320. British Library, Londres.

1. Quelle est la nature de l'obligation due ici au seigneur ? Quelle terre travaillent les paysans ?
2. Décrivez l'attitude et les gestes du personnage qui se tient debout à gauche de l'image. Qui peut-il être ?
3. Quelles raisons peuvent pousser les paysans à racheter au seigneur leur corvée ?

5 La justice seigneuriale au village (XIIᵉ siècle)

Exposition au pilori, miniature des coutumes de Toulouse, 1296. Bibliothèque nationale de France, Paris.

1. Qu'est-ce qu'un pilori ?
2. Quel est l'intérêt pour le seigneur de l'exposition au pilori ?

PRÉLEVER ET CONFRONTER DES INFORMATIONS

Relevez les différents éléments d'une seigneurie puis classez-les dans un tableau en distinguant ce qui relève du seigneur et ce qui relève des paysans.

L'essor agricole de l'Occident du xiᵉ au xiiiᵉ siècle

Comment expliquer l'essor agricole que connaît l'Occident du xiᵉ au xiiiᵉ siècle ?

1 Les conditions d'un essor des campagnes en Occident

● **Des conditions favorables.** L'Europe aurait connu, à partir de l'an mille, des changements climatiques favorables à l'agriculture. Parallèlement, la population recommence à croître, sans qu'on sache si cet essor démographique est cause ou conséquence de la croissance économique que connaissent au même moment les campagnes, lesquelles sont en tout cas stimulées par cette demande en constante augmentation.

● **L'évolution des techniques agricoles.** Les progrès techniques facilitant le travail agricole se répandent dans les campagnes, qu'il s'agisse de la multiplication des moulins à eau **doc. 2**, du remplacement progressif de l'araire par la charrue **doc. 1**, de l'amélioration de l'attelage des animaux (joug frontal pour les bœufs et collier d'épaule pour les chevaux), du perfectionnement des techniques d'assolement. Par ailleurs, la population fournit une force de travail de plus en plus nombreuse, tandis que la croissance de la production conduit à la raréfaction des crises alimentaires et au développement d'une agriculture commerciale (vigne et colorants pour le textile notamment).

2 L'encadrement seigneurial, stimulant de l'essor agricole

● **La seigneurie foncière.** Elle fournit le cadre où se règlent les rapports entre seigneurs et paysans. Ces derniers sont le plus souvent locataires des terres (les tenures ou les manses) que leur concèdent des seigneurs, laïcs ou ecclésiastiques, en échange de redevances fixes (le cens) ou proportionnelles à la récolte (champart), payées en nature ou en espèces. Une partie de la seigneurie, appelée réserve, est directement exploitée par le seigneur grâce au travail salarié ou à la corvée, mais celle-ci est progressivement rachetée par les paysans.

● **La seigneurie banale.** À côté de cette rente foncière, les seigneurs ajoutent les banalités découlant de l'autorité publique qu'ils exercent sur les paysans. Outre le droit de justice, le seigneur tire un revenu des taxes prélevées sur l'usage d'équipements tels que le moulin, le four, le pressoir, les ponts ou les routes. Il peut s'agir de droits légitimes accordés au seigneur par le roi ou le comte mais, la plupart du temps, ils sont perçus comme une « exaction » par les paysans **doc. 3** ; progressivement ils deviennent une coutume.

3 Les grands défrichements, causes et conséquences du développement rural

● **Un mouvement au départ spontané.** À leurs débuts, dans la seconde moitié du xᵉ siècle, les défrichements sont le fait de paysans isolés qui grignotent les terres non cultivées en limite des terroirs. Mais rapidement les seigneurs, notamment les abbayes, organisent les défrichements pour mettre en valeur les terres qui leur appartiennent et bientôt se mettent en place de véritables entreprises organisées **doc. 4**.

● **Un mouvement organisé.** Le mécanisme est la plupart du temps identique : les communautés ecclésiastiques apportent la terre tandis que les seigneurs laïcs s'occupent des hommes et du financement. Il est généralement nécessaire, pour que les paysans acceptent de participer à l'entreprise, de mettre en place des droits allégés. À l'issue de ce mouvement, le paysage rural de l'Europe se trouve transformé.

■ **Les paysans de l'Occident médiéval, encadrés par le système seigneurial, sont à l'origine d'un formidable essor agricole qui profite à l'ensemble de la société.**

SUGER

(Vers 1081-1151)

Abbé de l'abbaye de Saint-Denis, au nord de Paris. À partir de 1122, il est le conseiller des rois Louis VI puis Louis VII. Il décrit dans certains de ses ouvrages ses efforts pour augmenter les revenus de son abbaye par une gestion rigoureuse du domaine.

DÉFINITIONS

Araire
Instrument de labour, utilisé depuis l'Antiquité, muni d'une lame (le soc) qui fend la terre sans la retourner.

Charrue
Instrument de labour, qui se répand au xiᵉ-xiiiᵉ siècle, muni d'un soc dissymétrique et d'un versoir permettant de retourner la terre.

Assolement
Rotation annuelle des cultures pratiquées en commun par l'ensemble d'un village.

Coutume
Droit non écrit consacré par l'usage.

Défrichements
Action de mettre en culture des terres qui jusqu'alors ne l'étaient pas (des friches).

1 Le labour à la charrue

Brunet Latin, *Livre du trésor et autres traités*, France (Valenciennes)–Angleterre, vers 1326. Bibliothèque nationale de France, Paris.

1. Décrivez l'instrument de labour et l'attelage. En quoi peuvent-ils constituer un progrès pour le travail agricole ?
2. Pourquoi l'enlumineur a-t-il représenté un artisan à gauche du laboureur ? Quel lien peut-on établir entre son activité et celle du paysan ?

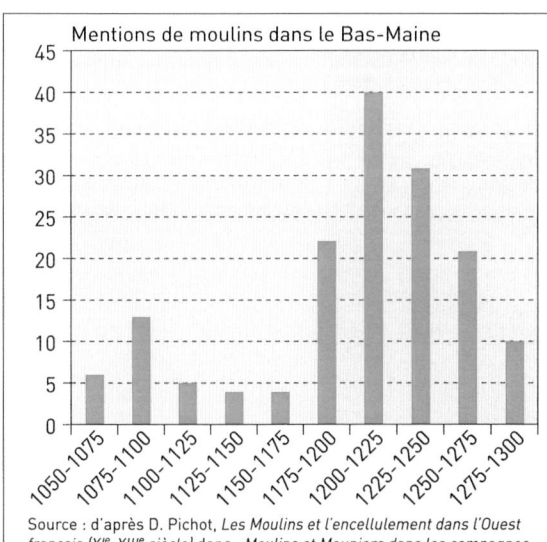

Source : d'après D. Pichot, *Les Moulins et l'encellulement dans l'Ouest français (XIᵉ-XIIIᵉ siècle)* dans : *Moulins et Meuniers dans les campagnes européennes*, Colloque de Flaran, 2002.

2 Les moulins dans le Bas-Maine du XIᵉ au XIIIᵉ siècle

1. Quelle est l'évolution générale de l'équipement en moulins dans la région du Bas-Maine ?
2. Distinguez deux phases dans cette évolution. Comment les expliquer ?

3 Des exactions seigneuriales

« Comme ledit village de Tremblay se trouvait frappé par le comte de Dammartin de nombreux services, à savoir l'exaction de la taille portant sur cinq muids de froment que je lui avais concédée pour raison de paix mais qu'il continuait à exiger selon son bon plaisir, par l'exaction des béliers et du droit de gîte qu'il levait chaque année sur les ressources des paysans demeurant à Tremblay, nous avons conclu avec le comte une paix selon laquelle ledit village nous appartiendra pacifiquement sans aucune exaction ni coutume et que nous donnerons au comte sur notre bourse, en échange de son hommage, dix livres annuelles dans l'octave de la Saint-Denis. »

> Suger, *Sur son administration abbatiale*, II,
> dans *Œuvres complètes de Suger*, éd. H. Lecoy de la Marche,
> Paris, 1867. ∎

1. Dressez la liste des « exactions » ou « coutumes » du comte de Dammartin.
2. Comment Suger règle-t-il ce problème d'exaction seigneuriale et pourquoi ?

4 Une scène de défrichement

Fresque d'Ambrogio Lorenzetti (v. 1290-1343), *Le Bon Gouvernement*, détail, 1335-1340. Salle de la Paix, Palais communal, Sienne.

▶ Quel type d'espace est défriché par les paysans ? Dans quel but ?

Les communautés villageoises

À côté de la paroisse et de la seigneurie, la communauté villageoise constitue, après la famille, la cellule de base de la société rurale. Sa mise en place a été progressive et a varié selon les régions mais, à la fin du XIIIe siècle, la plupart des villages sont dotés d'institutions communautaires. Elles organisent la vie collective et règlent les relations du village avec les deux autres institutions que sont la seigneurie et l'Église.

DÉFINITIONS

❱ **Communautés villageoises**
(ou communautés rurales ou communautés paysannes)
Institutions collectives qui règlent la vie des villages dans les campagnes de l'Occident médiéval.

❱ **Terroir**
Ensemble des terres agricoles dont l'exploitation dépend d'un village.

? *Quel rôle jouent les communautés villageoises dans la vie des campagnes au Moyen Âge ?*

1 **La solidarité villageoise inscrite dans le paysage**

Le village de Monteriggioni, près de Sienne, en Italie.

Les fortifications datent du XIIIe siècle.

1. Quels éléments, à l'intérieur et à l'extérieur de l'enceinte, témoignent d'une vie communautaire ?

2. L'enceinte du village a-t-elle, seulement une fonction militaire ?

2 **Les attributions des représentants d'une communauté villageoise**

« Les consuls de Chorges, au nom de ladite université, sont en possession du consulat et de ses droits [...] dans les limites ci-dessous décrites [...] : l'ensemble des hommes de Chorges a droit d'installer à Chorges des consuls, et cela depuis longtemps. Ils font faire les chemins, vérifier les murs ; ils reçoivent les serments des gardes des bois et pâtures [...]. Ils connaissent des larcins mais sauf les droits du seigneur [...]. Ils ont la possibilité de convoquer en assemblée les hommes du village pour les affaires concernant l'honneur et l'intérêt du seigneur. »

Confirmation des franchises du village de Chorges
dans le Dauphiné (1227) *in* P. Vaillant, *Les libertés
des communautés dauphinoises*, 1951. ∎

1. Quel est le nom donné aux représentants de la communauté villageoise de Chorges ?

2. Dressez la liste des attributions des représentants de la communauté villageoise.

3. Montrez que ces représentants sont des intermédiaires entre le seigneur et les habitants du village.

3 Le rôle de la communauté villageoise dans l'entretien de l'église paroissiale

« À tous ceux qui verront les présentes lettres, l'official d'Amiens, salut. Sachez qu'un différend s'est élevé entre les religieux abbé et couvent de Saint-Acheul près d'Amiens et le prieur de Domvast, d'une part, Gérard de Boubers et les hommes du village de Domvast, d'autre [part], sur la reconstruction de l'église de Domvast. Lesdites parties se sont accordées à l'amiable sur cette affaire de la manière suivante. Les hommes de Domvast doivent reconstruire et entretenir l'église [...] dudit lieu, tant à l'intérieur qu'à l'extérieur, et pourvoir cette église de vitres, de cloches et de luminaires tout au long de l'année, trouver le nécessaire, reconstruire la tour de cette église, chaque fois qu'il sera nécessaire, avoir refuge, si besoin est, dans lesdites tour et église, non pas pour pouvoir combattre leur seigneur mais pour se protéger là en raison du refuge. Lesdits abbé et couvent et le prieur de Domvast sont tenus de fournir les livres, le calice et les vêtements pour ladite église, chaque fois qu'il sera nécessaire.

À ce règlement, ledit Gérard, seigneur du lieu, ledit abbé pour lui et lesdits prieurs et son Couvent, Pierre Escouvet, Gérard Herluyns, Renaud de l'Aître et Jean de Hauchies, hommes du village qui avaient été spécialement députés par la communauté du village et avaient, pour ce, pouvoir et spécial mandement de ladite communauté, comme nous l'avons appris du témoignage de notre cher Nicolas, doyen de Saint-Riquier, auquel nous prêtons foi, donnèrent leur bon accord devant nous et pour la communauté de tout le village de Domvast, promirent, après avoir prêté serment, qu'ils n'iraient pas, à l'avenir, à l'encontre de ce règlement et de cet arrangement, mais qu'ils préserveraient de bonne foi sans tromperie et sans les violer.

En témoignage de quoi nous avons fait rédiger les présentes lettres, corroborées du sceau de la cour d'Amiens. Fait l'année du Seigneur 1256, au mois de septembre. »

Accord passé entre l'abbaye de Saint-Acheul et les habitants du village de Domvast, Picardie (1256), cité dans R. Fossier, *Chartes et coutumes de Picardie (fin du XIᵉ-fin du XIIIᵉ siècle)*, CTHS, 1974, Actes n° 160. ▪

1. Identifiez les différents acteurs et leur fonction. Combien de personnes représentent les villageois ?

2. D'après les devoirs qui incombent aux habitants du village, que peut-on déduire des différentes fonctions de l'église paroissiale ?

3. Le rôle des représentants de cette communauté villageoise se limite-t-il à négocier l'entretien de l'église ? Justifiez votre réponse.

4 Le rôle de la communauté villageoise dans la seigneurie

« [...] Item, nous établissons que chacun de notre commune soit tenu de planter chaque année dix arbres domestiques, c'est-à-dire chaque manse, et à ceci sont tenus le recteur et le chambrier au temps de leur office. Et quiconque ira contre sera puni chaque fois de douze deniers.

[...] Item, nous établissons que le recteur devra faire appeler trois bons chefs de manse de ladite commune, lesquels devront borner toute la terre commune, et étant bornée, personne ne devra labourer dans ces limites, et qui ira contre sera puni chaque fois de dix sous de deniers.

[...] Item, nous établissons et ordonnons que tout chef de famille, ou de manse, de Montaguloto, et de la cour, sera tenu de faire aménager un jardin de poireaux d'une étendue de deux cents brasses, et une plate-bande de ciboule, et quatre cents petits oignons et cinquante têtes d'ail. Il est tenu à cela par le serment fait à la commune ; et au contrevenant, le chambrier est tenu de prendre cinq sous par jardin. Et le chambrier devra faire proclamer par ban que tout homme doit faire ledit jardin, et il est tenu de faire chercher par deux hommes si lesdits jardinages sont faits [...]. »

Statut de la commune de Montaguloto dell'Ardinghescas (1280-1297), cité dans G. Duby, *L'Économie rurale et la vie des campagnes dans l'Occident médiéval (France, Angleterre, Empire, IXᵉ-XVᵉ siècle). Essai de synthèse et perspectives de recherches*, Aubier, 1962, t.1. ▪

1. Relevez et expliquez les trois obligations auxquelles sont tenus les villageois dans ce texte.

2. Quel est le rôle des chefs de la communauté villageoise dans l'accomplissement de ces obligations ?

5 Les travaux agricoles et la vie d'une communauté villageoise

Semailles et moissons, miniature du *Speculum virginum*, XIIᵉ siècle. Rheinisches Landesmuseum, Bonn.

1. Décrivez les activités des paysans.

2. Comment la dimension communautaire de ces activités est-elle soulignée ?

ORGANISER DES CONNAISSANCES

Dans un tableau, classez les fonctions des communautés villageoises :

Dans la vie du village	Dans les rapports avec le seigneur

La société rurale au XIᵉ-XIIIᵉ siècle

Comment est structurée la société rurale du XIᵉ au XIIIᵉ siècle ?

1 Le regroupement des populations rurales et les formes de l'habitat

● **Le lent regroupement des populations rurales.** Le village, en tant que noyau de peuplement regroupé autour du cimetière, de l'église et du château, est né autour du XIᵉ siècle. C'est généralement le seigneur et son château qui sont à l'origine du mouvement, d'où le terme d'enchâtellement (*incastellamento*) pour désigner ce regroupement, spontané ou contraint ; on parle d'encellulement quand la paroisse vient redoubler ce premier encadrement politique.

● **Les formes du village.** Elles sont très diverses selon qu'il s'agisse d'une création *ex-nihilo* ou d'un lent développement : en anneaux concentriques autour du château (dans le centre de l'Italie) ou de l'église (en Languedoc), alignées le long d'une rue (en Angleterre), les maisons jointives ou « en arête de poisson » (dans les villages de défrichement) ou bien avec un plan en damier (bastides ou villages neufs du Sud de la France).

2 Les cadres élémentaires de la société rurale

● **L'évolution de la famille.** Au resserrement du peuplement correspond celui du cercle familial. On observe en effet la disparition progressive de la famille élargie au profit de la famille nucléaire (un couple et ses enfants). Cette famille, renforcée par l'Église qui fait du mariage un sacrement, est la première cellule de la vie sociale. Le village est ainsi constitué d'un regroupement de familles encadrées par la paroisse, sous l'autorité du seigneur.

● **Les communautés paysannes.** La sociabilité, résultant du voisinage constant aux champs ou à l'église, construit un sentiment d'appartenance à une même communauté. Cette communauté villageoise parvient peu à peu à faire reconnaître ses droits par le seigneur (franchises rurales) et à obtenir une amélioration de ses conditions comme, par exemple, la disparition progressive de la corvée .

3 Les hiérarchies de la société paysanne

● **Une inégalité juridique.** Tous les paysans dépendent de leur seigneur, mais les serfs constituent un groupe à part. Leur dépendance est particulièrement forte puisqu'ils sont attachés héréditairement à une terre qu'ils ne possèdent pas mais ne peuvent quitter, et sont astreints à des obligations humiliantes. Le servage est toutefois inégalement réparti (certaines régions l'ignorent), minoritaire et tend à disparaître sous l'effet du rachat ou de l'affranchissement ; mais d'autres formes de dépendance, non plus attachées à la personne mais à la terre, se développent.

● **L'accroissement des inégalités économiques.** Sous l'effet de la croissance économique des campagnes du XIᵉ au XIIIᵉ siècle, des inégalités se développent au sein de la société paysanne. Vers le haut se détachent les gros laboureurs qui possèdent des trains d'attelage, peuvent dégager des surplus et occupent une place privilégiée au sein de la communauté villageoise **doc. 4**. À l'autre extrémité, en bas de l'échelle, se situent les paysans sans terre, manouvriers contraints de louer leurs bras.

■ **La société rurale a connu, du XIᵉ au XIIIᵉ siècle, des évolutions décisives qui l'ont conduite à se structurer tant sur le plan matériel que juridique et économique.**

DÉFINITIONS

Village
Forme d'habitat plus ou moins concentré, propre aux campagnes, qui connaît, du XIᵉ au XIIIᵉ siècle, un regroupement et une fixation autour de l'église, du cimetière et du château, au moment de l'organisation des paroisses et des seigneuries.

Sociabilité
Ensemble des relations sociales effectives entretenues par un individu avec d'autres personnes.

Franchise rurale
Document écrit qui fixe les obligations auxquelles sont tenus seigneurs et paysans ; elle consiste à reconnaître l'autonomie juridique de la communauté villageoise et conduit souvent à un allégement de certaines charges.

1 Un village constitué autour de son église

Le village de Bram en Languedoc-Roussillon fondé au XIIᵉ siècle.

1. En quoi la forme du village révèle-t-elle l'histoire de sa création ?

2. Quelles raisons peuvent amener les villageois à venir habiter au plus près de l'église ?

3 L'affranchissement d'un serf

« Nous avons affranchi et affranchissons par piété nos hommes de corps des villages de la Garenne, soit de Villeneuve, de Gennevilliers, d'Asnières, de Colombes, de Courbevoie et de Puteaux, manants dans ces villages au temps de la concession de cette liberté, avec leurs femmes et leurs héritiers issus ou à issir à l'avenir de leur propre corps. Nous les avons délivré à perpétuité de toutes les charges de servitude auxquelles ils nous étaient tenus auparavant, c'est-à-dire du formariage[1], du chevage[2], de la mainmorte[3] et de tout autre genre de servitude, de quelque nom qu'on la nomme, et nous les donnons à la liberté. Cependant, [...] on saura que si quelqu'un des hommes sus-dits, après la liberté à eux concédée, épouse une femme de notre mes-nie, il nous sera adjugé pour être soumis à la condition de sa femme, nonobstant le privilège de sa liberté concédée. Nous gardons aussi sur les individus des deux sexes les justices de toute sorte que nous avons sur nos autres hommes, affranchis ou libres.
On saura enfin que ces hommes ont donné pour cette liberté, à nous et à notre église, 1 700 livres parisis[4] [...]. »

Charte de l'abbaye de Saint-Denis, 1248, citée dans Robert Boutruche,
Seigneurie et féodalité, t.2, Paris, Aubier, 1970. ∎

1. Taxe que paie le serf au seigneur pour pouvoir se marier.
2. Taxe que paie chaque serf.
3. Taxe que paie le serf lorsqu'il hérite des biens de son père.
4. Monnaie dont la valeur est établie à Paris, principalement utilisée dans le nord du royaume de France.

1. Quelles sont les composantes de la servitude selon le texte ?

2. Pourquoi l'abbé de Saint-Denis décide-t-il d'affranchir ses serfs ?

3. Quelles obligations sont communes aux serfs et aux hommes libres ?

4 La maison d'un paysan aisé

Détail d'une miniature des *Très Riches Heures du duc de Berry*, XVᵉ siècle.
Musée Condé, Chantilly.

▶ Quels éléments de l'image montrent qu'on est en présence d'un paysan aisé ?

2 Charte de franchise entre un seigneur et ses paysans (XIᵉ siècle)

Le roi de France, Henri Iᵉʳ (1031-1060) confirme l'accord passé entre un seigneur, Teudon, et ses paysans.

« Teudon de la Ferté, appelé Ourcq, venant en notre présence, abandonna les mauvaises coutumes qu'il possédait injustement dans le village appelé Marizy [...]. Il ne retint que celles qu'avaient tenues ses prédécesseurs et que les vilains[1] de ce pays ont démontrées par droit et ont affirmées par serment, à savoir :
– pour chaque maison, une mine d'avoine de cens[2] ;
– une journée de toutes les charrues du village pour le versage et une journée pour le binage et pour ceux qui ne travaillent pas avec des bœufs, deux deniers par maison ;
– à la fenaison, un char par an vers la cité de Soissons et un autre à la Noël pour le bois ;
– et s'il est nécessaire, en cas de guerre qui ne soit pas faite par mauvaise intention, ils appor-teront pieux et bois pour fortifier le château.
À l'exception de ces droits, il a renoncé à toutes les autres coutumes qu'il possédait injustement. »

Charte du XIᵉ siècle citée dans M. Tardif,
Monuments historiques, nᵒ 280, 1866. ∎

1. Paysans libres.
2. Loyer payé par le paysan pour la terre qu'il cultive.

1. Pourquoi les droits stipulés dans le texte constituent une amélioration de la condition des paysans ?

2. Quel intérêt le seigneur peut-il avoir à fixer ces droits par écrit ?

Le développement des châteaux en Occident au XIᵉ-XIIIᵉ siècle

Éléments dominants du paysage médiéval, les châteaux symbolisent le pouvoir des seigneurs qui cherchent à afficher leur contrôle sur un territoire et sa population. L'augmentation du nombre de châteaux, à partir du XIᵉ siècle, accompagne la constitution des pouvoirs locaux.

? Pourquoi les châteaux se multiplient-ils du XIᵉ au XIIIᵉ siècle et à quelles fonctions répondent-ils ?

DÉFINITIONS

▶ **Motte castrale** (de *castrum*, « château » en latin)
Construction à vocation militaire et politique, édifiée sur une éminence naturelle ou artificielle.

1 Le donjon de Gisors (Normandie)

Le donjon, d'abord construit en bois à la fin du XIᵉ siècle, est remplacé par des fortifications en pierre au XIIᵉ siècle.

1. Distinguez les éléments constitutifs du château. Quel élément manque-t-il sur la photographie ?
2. Quelle est l'impression donnée par cette construction ?

2 Le château d'Essertines (Forez, Auvergne)

Guillaume Revel, *Armorial d'Auvergne, Forez et Bourbonnais*, vers 1456.

1. Distinguez les différents types de bâtiments représentés sur l'image.
2. Lequel fut édifié en premier ? Que peut-on en déduire sur sa fonction ?

3 Le droit d'édifier un château

« Il n'était permis à personne en Normandie de creuser un fossé en terrain plat, sinon d'une profondeur telle que l'on pût rejeter la terre au sommet du tas sans relais ; il n'était pas non plus permis de construire une palissade sinon d'un seul rang de pieux, sans éléments faisant saillie en avant, ni chemin de ronde. »

Extrait des coutumes normandes (XIᵉ siècle), cité dans C. Haskins, « Consuetudines et Justice », *Norman Institutions*, 1960. ■

1. Quel est le but de l'interdiction formulée par ce texte ? Qui peut en être à l'origine ?
2. En quoi ce texte nous renseigne-t-il sur les caractéristiques et les deux fonctions d'un château ?

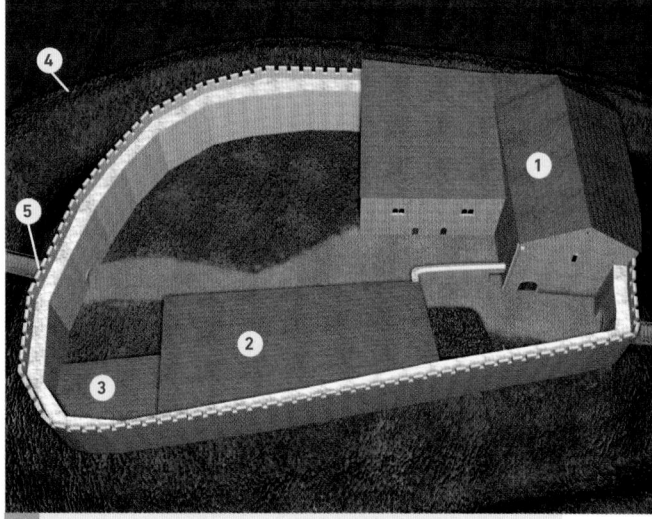

4 Le château, un lieu de justice

Chanson de Garin de Monglenne, France, xvᵉ siècle.
Bibliothèque nationale de France, Paris.

1. Le rapport entre l'intérieur et l'extérieur du château
est-il réaliste ? Que veut représenter l'auteur de l'image ?

2. Décrivez la scène figurée à l'intérieur du château :
identifiez les différents acteurs, les gestes et les postures
adoptées ainsi que le décor.

3. Quel enseignement peut-on tirer de ce document
sur l'une des fonctions importantes du château ?

PRÉLEVER DES INFORMATIONS

Complétez le tableau à l'aide des réponses
aux questions :

	Fonction de défense	Fonction de...	Fonction de...	Fonction de...
Doc. 1				
Doc. 2				
Doc. 3				
Doc. 4				
Doc. 5				

5 Reconstitution de la résidence fortifiée d'Andone

1 Bâtiment résidentiel. **2** Bâtiment de service. **3** Cuisine.
4 Talus. **5** Porte ouest.

1. En quoi cette reconstitution s'éloigne-t-elle de l'image
traditionnelle des châteaux forts du Moyen Âge ?

2. À côté des parties défensives, relevez la fonction des
autres bâtiments ; que peut-on en déduire sur la fonction
principale de cet ensemble fortifié ?

La société féodale

L'Europe de l'an mille connaît une crise de l'autorité royale. Le pouvoir est alors accaparé par des seigneurs dont les relations sont structurées par le système féodal.

? *Qui sont les détenteurs du pouvoir dans la société féodale et quels rapports entretiennent-ils ?*

A Seigneurs et vassaux

1 La fidélité du vassal à son seigneur

« Celui qui jure fidélité à son seigneur doit toujours avoir les six mots suivants présents à la mémoire : sain et sauf, sûr, honnête, utile, facile, possible. Sain et sauf, afin qu'il ne cause pas quelque dommage au corps de son seigneur. Sûr afin qu'il ne nuise pas à son seigneur en livrant son secret ou ses forteresses qui garantissent sa sécurité. Honnête afin qu'il ne porte pas atteinte aux droits de justice de son seigneur ou aux autres prérogatives intéressant l'honneur auquel il peut prétendre. Utile, afin qu'il ne fasse pas de tort aux possessions de son seigneur. Facile et possible, afin qu'il ne rende pas difficile à son seigneur le bien que celui-ci pourrait facilement faire et afin qu'il ne rende pas impossible ce qui eût été possible à son seigneur. [...] Il importe [qu'] il fournisse fidèlement à son seigneur le conseil et l'aide s'il veut paraître digne de son bénéfice et s'acquitter de son fidélité. Le seigneur aussi doit dans tous ces domaines rendre la pareille à celui qui lui a juré fidélité. S'il ne le faisait pas, il serait à bon droit taxé de mauvaise foi ; de même que le vassal qui serait surpris manquant à ses devoirs [...] sera coupable de perfidie ou de parjure ».

Lettre de Fulbert de Chartres à Guillaume le Grand, duc d'Aquitaine, *Epistolae*, trad. française François-Louis Ganshof, *Qu'est-ce que la féodalité ?*, Tallandier, 1982. ■

▶ Quelles sont les obligations du vassal ? du seigneur ?

3 Le don aristocratique à l'Église

Chapiteau de la cathédrale d'Autun (Bourgogne), vers 1130.

▶ Quels avantages les deux parties tirent-elles de ce don ?

2 La réglementation des liens féodaux

« Lorsque le père ou l'ancêtre de quelqu'un meurt, le seigneur du fief est aussitôt tenu de recevoir l'hommage de l'héritier légitime que ce dernier soit ou non majeur, mais pourvu qu'il soit mâle. [...]
Un homme peut prêter plusieurs hommages à différents seigneurs pour les différents fiefs tenus de ces seigneurs ; mais il doit y avoir un hommage principal accompagné de la ligesse [hommage lige], et cet hommage doit être prêté au seigneur de qui l'on tient son principal fief. [...]
Si quelqu'un a prêté plusieurs hommages pour ses différents fiefs à différents seigneurs qui se font ensuite la guerre et si son seigneur lige lui ordonne de l'accompagner en personne contre un autre de ses seigneurs, il doit sur ce point obéir à son ordre tout en exceptant le service qu'il doit à l'autre seigneur pour le fief qu'il tient de lui. »

Texte extrait du droit féodal anglais, XIIe siècle. ■

1. Comment se transmet le fief ?
2. Un vassal se limite-t-il à un seul seigneur ?

4 Les difficultés du comte Guillaume V de Poitiers avec son vassal Hugues de Lusignan

« Hugues se rendit à la cour du comte et y débattit de son droit – en vain. Il en fut attristé, et il défia le comte [...]. Avant qu'Hugues et ses vassaux leur aient fait de mal, les vassaux du comte se saisirent d'un fief sur les vassaux d'Hugues au nom de la guerre. Ce que voyant, Hugues marcha sur le château de Chizé, qui avait été à son oncle et que tenait injustement Pierre, faisant ainsi du tort à Hugues ; il prit donc la tour, et il en expulsa les vassaux de ce Pierrot. Hugues fit cela parce qu'il savait bien qu'il avait droit à ce château qui avait été à son père ou à d'autres de son lignage, et qu'il s'en trouvait spolié. Entendant cela, le comte fut très attristé, et il fit dire à Hugues de lui rendre la tour qu'il avait enlevée à Pierrot. Hugues fit dire au comte de lui rendre l'honneur de son père et tout le reste de ce qu'avaient eu les hommes de son lignage et à quoi il avait droit ; alors il pourrait rendre la tour avec tout ce qu'elle contenait et qu'il avait pris, et tout l'honneur de Joscelin, que le comte lui avait donné. »

Conventum Hugonis, vers 1028, lignes 277 à 291. ■

1. Comment Hugues exprime-t-il et justifie-t-il son mécontentement face à son seigneur ?
2. **Doc. 2 et 4** Comment se règlent les conflits ?

B La chevalerie

5 L'adoubement

Miniature extraite du *Lives of the Offas*, 1350. British Library, Londres.

1. Décrivez les étapes de l'adoubement.
2. Cette cérémonie semble-t-elle avoir un caractère religieux ?

6 Figures de chevaliers

a. Le combattant

« "Sire, on massacre tes hommes !" Raoul entend ce cri : le sang lui monte à la tête ; il lève les poings et crie à pleine voix : "Armez-vous chevaliers ; je veux saccager Origny sur l'heure !" Sous les cognées et les coins d'acier, la palissade s'abat de toutes parts ; les chevaliers traversent le fossé, pénètrent par toutes les brèches. Des femmes, des enfants, des vieillards essaient de fuir : ils sont cloués contre leurs murs ou contre leurs portes. Le sang coule partout. Les écuyers jettent des charbons ardents dans les granges. Tout Origny s'embrase. Les petits enfants brûlent dans leurs berceaux. L'odeur de l'incendie et de la chair grillée se répand dans la campagne. Raoul est content. »

Raoul de Cambrai, récit épique du XIIe siècle. ▪

b. Le bon chevalier

« Quand Envie et Convoitise commencèrent de grandir dans le monde, les faibles établirent au-dessus d'eux des défenseurs pour [...] les protéger. À cet office, on choisit les grands, les forts, les beaux, les loyaux, les hardis, les preux. Et nul n'eût été si osé que de monter à cheval avant d'avoir reçu la chevalerie. Mais elle n'était pas donnée pour le plaisir. On demandait aux chevaliers d'être débonnaires sauf envers les félons, pitoyables pour les souffreteux, prêts à secourir les besogneux et à confondre les voleurs et les meurtriers, bons juges sans amour ni haine. Et ils devaient protéger la Sainte Église. »

Lancelot, XIIIe siècle. ▪

1. Qu'est-ce qui distingue ces deux descriptions ?
2. Comment l'Église cherche-t-elle à discipliner la chevalerie ?

7 Sceau de chevaliers

Sceau de Raymond VII de Toulouse, 1204. Archives nationales, Paris.

ORGANISER DES CONNAISSANCES

Proposez un schéma simple des relations féodo-vassaliques à partir des éléments suivants :
– Seigneur
– Vassal
– Serment de fidélité (hommage – investiture)
– Fief
– Conseil et aide

La chevalerie en représentation dans la miniature

▶ Le *Breviari d'Amor* (*Bréviaire d'amour*) de Matfre Ermengaud est une grammaire occitane de 35 600 octosyllabes commencée en 1288, qui traite de toutes les formes d'amour, du plus religieux au plus profane. À partir d'exemples tirés de la vie quotidienne, l'auteur évoque les tentations qui touchent le chrétien, ici le chevalier. Le *Breviari* est décoré de miniatures exécutées d'après les indications de l'auteur.

▶ Depuis le XIIᵉ siècle, la chevalerie se confond avec la noblesse. Le développement de la vie de cour est propice à l'épanouissement d'un nouvel art de vivre mêlant tournois et banquets. Les troubadours y magnifient la place des dames qui inspirent aux chevaliers les sentiments les plus ardents. Les valeurs et le mode de vie chevaleresques sont exaltés par la littérature profane mais critiqués par l'Église.

VOCABULAIRE DES ARTS

Miniature
Peinture de petite dimension, également appelée enluminure, destinée à illustrer un manuscrit. Spécialité des ateliers ecclésiastiques (*scriptoria*), elle est pratiquée dès le XIIIᵉ siècle par des peintres laïcs.
Manuscrit
Ouvrage écrit ou copié à la main.
Troubadour
Poète lyrique s'exprimant en langue d'oc.
Registre
Voir définition p. 94.

I Guillaume de Poitiers, duc d'Aquitaine (1071-1127)

Guillaume de Poitiers, surnommé depuis le XIXᵉ siècle le Troubadour, est le premier poète de langue occitane. Il chante l'amour courtois, un modèle idéal de l'attitude du chevalier vis-à-vis de sa dame.

« Par sa joie ma Dame peut guérir,
par sa colère elle peut tuer.
Par elle le plus sage peut sombrer dans la folie,
le plus beau perdre sa beauté,
le plus courtois devenir un rustre,
et le plus rustre devenir courtois.

Puisqu'on ne peut en trouver de plus noble,
ni en voir de plus belle, ni même en entendre parler,
je la veux pour moi seul,
pour que mon cœur y trouve fraîcheur,
ma chair nouveauté,
sans plus jamais vieillir.

Si ma dame veut bien son amour donner,
je suis prêt à le prendre et à rendre grâce,
et à le cacher et à le clamer,
et pour son plaisir, dire et faire,
et ce qui a tant de prix le chérir,
et pour sa louange m'élancer ! »

QUESTIONS

Décrire

1. Quelles sont les scènes et les personnages représentés dans chaque registre de la miniature ?
2. Comment l'enlumineur figure-t-il les différents décors ?
3. La représentation de l'espace se veut-elle réaliste ?
4. Comment l'enlumineur rend-il le mouvement ?
5. Quels éléments montrent que le chevalier est un combattant ?
6. Quelle est la fonction du tournoi ? Comment se déroule-t-il ?
7. Quelle place occupent les dames dans la société chevaleresque (doc. 1 et 2) ?

Interpréter

8. Que nous apprend la miniature sur l'idéal de vie chevaleresque ?
9. Comment interpréter les diables présents à tous les registres ?
10. Quel regard l'Église, en la personne du franciscain Matfre Ermengaud, porte-t-elle sur la chevalerie ?
11. Montrez que ce document, tout en exaltant la figure du chevalier, est une leçon moralisante.

2 *Bréviaire d'Amour*

Fiche d'identité de l'œuvre

Nature : manuscrit enluminé, folio 215 verso.

Auteur : anonyme.

Date : début du XIVe siècle.

Lieu de conservation : bibliothèque de l'Escurial, San Lorenzo de El Escorial.

À savoir : Originaire de Béziers, Matfre Ermengaud (mort en 1322), connu comme troubadour, devint moine franciscain à la fin de sa vie. Son œuvre la plus célèbre est le *Breviari d'Amor* (« Bréviaire d'amour »).
L'auteur de la miniature reste quant à lui inconnu.

Cours 3 — La féodalité (xiᵉ-xiiiᵉ siècle)

Quels rapports s'organisent entre les puissants dans la société du xiᵉ au xiiiᵉ siècle ?

1 La mise en place de la féodalité

● **Un système d'allégeance.** Dès la fin du ixᵉ siècle, de grands seigneurs constituent des principautés régionales. Ils tissent avec des seigneurs secondaires des liens d'interdépendance où l'hommage crée une union personnelle entre le seigneur et son vassal. Le premier accepte de protéger son vassal ; le second met sa personne et ses biens au service du seigneur.

● **Le rite vassalique.** Le futur vassal se présente sans armes, s'agenouille, place ses mains dans celles du seigneur, devenant ainsi l'homme du seigneur, et lui jure fidélité sur la Bible ou des reliques. L'hommage est suivi de l'investiture : le seigneur remet la possession d'un fief (symbolisé par un fétu de paille ou une motte de terre par exemple). Au xiᵉ siècle, ce serment devient la partie essentielle de l'hommage, renforcé par le baiser de paix.

● **Le contrat vassalique.** Le seigneur octroie le fief **doc. 1** ; le vassal lui doit aide matérielle et militaire (ost, chevauchée, escorte, garde). Pour limiter ces exigences, l'aide est limitée aux quatre cas : rançon, adoubement du fils aîné, mariage de la fille aînée, départ pour la croisade.

2 La société féodale

● **La chevalerie.** Au xiᵉ siècle, l'adoubement du jeune noble symbolise son passage à l'âge adulte. Fait chevalier, il devient un membre de la société féodale. Les tournois sont l'occasion pour lui de s'entraîner au combat et de briller devant les dames. Les valeurs chevaleresques – courage, honneur, valeur au combat – sont exaltées par la littérature et érigées en modèle. L'Église, longtemps hostile (elle interdit les tournois en 1130), cherche à christianiser la chevalerie en l'appelant au combat pour le Christ (croisade).

● **La violence féodale : l'ost et le plaid.** Le chevalier est la figure centrale d'une société où les guerres privées sont nombreuses. Si le seigneur abuse de son pouvoir, le vassal peut jeter à ses pieds le fétu, provoquant la guerre entre les deux parties (levée de l'ost). Si le vassal est félon, le seigneur saisit le fief : c'est la commise. Pourtant, les guerres féodales, dont les victimes sont d'abord les paysans, se règlent souvent par le compromis ou par un jugement rendu à la cour du suzerain – le plaid **doc. 2** et **doc. 3**.

● **Les trois ordres.** La société féodale s'organise selon une hiérarchie où le guerrier noble domine, par la seigneurie foncière et banale, des paysans voués au travail. L'Église, insérée dans les liens féodaux, a un rôle de régulation sociale et morale **doc. 4**.

3 L'évolution des institutions féodo-vassaliques

● **Les solidarités familiales.** Le fief devient peu à peu héréditaire contre le paiement de droits de mutation, le relief. Il se transmet donc au sein d'une famille qui constitue un lignage. Le mariage des héritières permet de créer des solidarités entre familles ou de réconcilier les ennemis.

● **Des équilibres fragiles.** Dès le xiᵉ siècle, l'aspect économique du lien féodo-vassalique devient primordial. Les vassaux multiplient les hommages afin de s'assurer plus de fiefs. Il devient difficile d'exiger les services des vassaux. La solution est l'hommage-lige qui oblige à privilégier un suzerain.

● **Les mutations du xiiᵉ siècle.** Le développement de l'administration financière et judiciaire permet aux seigneurs les plus puissants – rois, princes, barons – de réaffirmer leurs droits sur leurs vassaux et arrière-vassaux qui peuvent avoir à comparaître devant la cour féodale de leur suzerain. C'est ainsi qu'en France, à partir du xiiᵉ siècle, les rois capétiens s'affirment peu à peu.

■ **La société féodo-vassalique, faite d'allégeances multiples, loin d'être anarchique, suppose compromis et équilibre entre les lignages nobles et le pouvoir royal. L'Église en devient peu à peu l'autorité régulatrice.**

LE CHEVALIER

À partir du xiᵉ siècle, les valeurs et les rituels chevaleresques sont érigés en modèle.

NOTIONS

Féodalité
Au sens restreint, les liens qui unissent un vassal à son seigneur, c'est-à-dire les liens féodo-vassaliques.

Hommage
Rituel féodal d'entrée en vassalité, constitué de l'hommage des mains et suivi du serment de fidélité prêté sur des reliques.

Fidélité
Le terme, construit à partir du mot « foi », suppose un engagement sacré.

Fief / bénéfice
Bien cédé par le seigneur en échange de la fidélité et du service de son vassal. Le fief est source de revenus (terre, cens, droit, péage, etc.).

Adoubement
Cérémonie qui marque l'entrée du jeune noble dans l'aristocratie.

1 La remise du fief

Charles Ier d'Anjou investit son vassal. Fresque de la tour Ferrande à Pernes-les-Fontaines, XIIIe siècle.

1. Décrivez la scène.
2. Comment la relation hiérarchique entre les deux personnages est-elle figurée ?

2 La lettre du comte de Blois à Robert le Pieux

« Tout de même, mon seigneur, cela me surprend de toi, cette manière de me déclarer indigne de ton bienfait ! Est-ce le rang de ma famille que tu mets en cause ? Par la grâce de Dieu, je suis à l'évidence susceptible d'hériter. Est-ce le caractère même du bienfait que tu m'as remis ? Il apparaît pourtant que ce n'est pas un don prélevé sur ton domaine, mais un bien que je tiens de mes aïeux, par héritage – et avec ta grâce. Tu sais combien je t'ai servi, chez toi, en campagne guerrière, à l'étranger, tant que j'ai eu ta grâce. Mais lorsque tu me l'as refusée, lorsque tu as voulu confisquer l'honneur [c'est-à-dire le bienfait, le fief], que tu m'avais donné, alors oui j'ai peut-être commis des actions disgracieuses envers toi, pour ma défense et celle de mon honneur. Mais si j'ai fait cela, c'est que j'étais criblé d'injustices et poussé par la nécessité.

Comment pourrais-je ne pas défendre mon honneur ? J'en prends Dieu et mon âme à témoin, je préférerais mourir dans l'honneur plutôt que de vivre déshonoré. »

Lettre d'Eudes de Blois écrite par Fulbert de Chartres, vers 1022. ■

▶ Que montre ce document des rapports de force qui existent au sein de la société féodale ?

4 Une société hiérarchisée

Une représentation des trois ordres dans la lettrine d'un manuscrit du XIIIe siècle. British Library, Londres.

▶ Que représente chacun des trois personnages ? Quelle hiérarchie est établie entre eux ?

3 Louis IX veut faire rendre justice à l'un de ses barons (1259)

« Il advint en ce temps qu'en l'abbaye de Saint-Nicolas au bois qui est près de la cité de Laon, demeuraient trois nobles jeunes gens natifs de Flandre, venus pour apprendre le langage de France. Ces jeunes gens allèrent jouer un jour dans le bois de l'abbaye avec des arcs et des flèches ferrées pour tirer et tuer les lapins. [...] Ils entrèrent dans un bois appartenant à Enguerran, le seigneur de Coucy. Ils furent pris et retenus par les sergents qui gardaient le bois. Quand Enguerran apprit ce qu'avaient fait ces jeunes gens [...], cet homme cruel et sans pitié fit aussitôt pendre les jeunes gens. Mais quand l'abbé de Saint-Nicolas qui les avait en garde l'apprit, ainsi que messire Gilles le Brun, connétable de France au lignage de qui appartenaient les jeunes gens, ils vinrent trouver le roi Louis et lui demandèrent qu'il leur fît droit du sire de Coucy. Le bon roi droiturier, dès qu'il apprit la cruauté du sire de Coucy, le fit appeler et convoquer à sa cour pour répondre de ce vilain cas. [...] [Le roi] le fit mettre en prison [...] et fixa le jour où il devait répondre en présence des barons. [...] L'intention du roi était de rester inflexible et de prononcer un juste jugement, c'est-à-dire de punir ledit sire selon la loi du talion et de le condamner à une mort semblable. Quand les barons s'aperçurent de la volonté du roi, ils le prièrent et requirent très doucement d'avoir pitié du sire de Coucy. [...] Finalement, le roi se laissa fléchir par les humbles prières des barons et décida que le sire de Coucy rachèterait sa vie avec une amende de dix mille livres et ferait bâtir deux chapelles où l'on ferait tous les jours des prières chantées pour l'âme des trois jeunes gens. Il donnerait à l'abbaye le bois où les jeunes gens avaient été pendus et promettrait de passer trois ans en Terre sainte. »

Guillaume de Nangis, *Vie de Saint-Louis*, XIIIe siècle, cité par Jacques Le Goff, *Saint-Louis*, © Éditions Gallimard, 1996. ■

1. De quel crime le seigneur de Coucy s'est-il rendu coupable ?
2. Qui en appelle au roi ? Dans quel but ?
3. Quelle est la réaction de Louis IX ? Celle des barons ?
4. Que montre ce texte de l'évolution du pouvoir royal en France dans le cadre féodal ?

Exercices *et* MÉTHODES

❶ S'entraîner à la composition : bâtir un plan

▶ **Sujet** : **L'encadrement des campagnes de l'Occident médiéval du XIe au XIIIe siècle.**

MÉTHODE

1. Analyser les termes du sujet

Définir le terme sur un plan général puis indiquer quel sens historique particulier il prend au Moyen Âge central.

En quoi cette période fait-elle sens dans pour l'histoire des campagnes occidentales (voir l'introduction du chapitre et le cours 1 p. 118) ?

L'encadrement des campagnes de l'Occident médiéval du XIe au XIIIe siècle

Renvoie à la notion de cadre (ce qui délimite un espace ou une action) ; les campagnes étant au Moyen Âge majoritairement peuplées par des paysans, le sujet concerne donc toutes les limites spatiales ou sociales qui enserrent la vie ou les activités des paysans.

Délimiter géographiquement cet espace tout en indiquant s'il forme une unité sur le plan culturel ou politique.

2. Dégager une problématique
Le sujet offre plusieurs possibilités.

EXERCICE 1

Parmi les trois problématiques, choisissez celle qui correspond le mieux à vos connaissances. Elle vous sera utile pour bâtir votre plan.

a. *Quelle est la nature de l'encadrement des campagnes de l'Occident médiéval du XIe au XIIIe siècle ?*

b. *Dans quels cadres s'est effectué l'essor agricole de l'Occident du XIe au XIIIe siècle ?*

c. *En quoi le XIe-XIIIe siècle constitue-t-il la période où se sont mis en place les cadres fondamentaux des campagnes de l'Occident médiéval ?*

3. Bâtir un plan

Étape 1 : rassembler les informations nécessaires au traitement du sujet.

Voir les cours 1 p. 118 et 2 p. 122 ainsi que les trois dossiers portant sur la seigneurie p. 116, la communauté paysanne p. 120 et les châteaux p. 124.

Étape 2 : regrouper ces informations en fonction de grands thèmes qui répondent à la problématique.
C'est la nature de l'encadrement (politique, social, religieux, etc.) qui paraît offrir les thèmes les plus pertinents pour le sujet.

Étape 3 : établir le contenu de chaque grande partie, organisée en sous-parties, en plaçant les divers éléments (idées, exemples) qui doivent s'y trouver.

Un plan doit répondre à plusieurs impératifs. Il doit être :

– **clair** (éviter les répétitions par exemple),

– **équilibré** (chaque grande partie doit être de taille à peu près équivalente),

– **adapté au sujet** (chaque grande partie doit, dans sa formulation, répondre à la problématique, constituer un élément de réponse à la question posée en introduction).

EXERCICE 2

En vous appuyant sur la méthode ci-avant, proposez un plan en trois parties.

I. ....

II. ....

III. ....

EXERCICE D'APPLICATION

Après avoir analysé les termes du sujet et dégagé la problématique, vous élaborerez un plan détaillé.

▶ **Sujet** : **L'organisation de la société féodale du XIe au XIIIe siècle.**

② Comprendre et analyser un texte

▶ Après avoir présenté le document, vous montrerez en quoi il témoigne de la condition des paysans du XIᵉ au XIIIᵉ siècle.

Les redevances d'un paysan à son seigneur (XIIᵉ siècle)

« Que tous les fils de l'église de Mâcon, ainsi que tous les autres fidèles chrétiens, sachent que le chanoine[1] Étienne de Chaumont, en présence de sire Bérard, évêque de Mâcon, et de ses clercs, a donné un manse[2], situé dans le pays de Lyon, dans la paroisse de la Chapelle, qui appartient aux chanoines réguliers de Saint-Pierre, et dans le village de *Brutoria*, avec ses appartenances. Dans ce manse réside Guichard, bon paysan, qui doit en service :
– à Pâques, un agneau ;
– à la fenaison[3], six pièces de monnaie ;
– à la moisson, un repas (avec plusieurs associés) et un setier[4] d'avoine ;
– aux vendanges, douze deniers ;
– à Noel, douze deniers, trois pains, un demi-setier de vin ;
– à Carême-entrant, un chapon[5] ;
– à la Mi-Carême, six pièces de monnaie…
Étienne a affirmé cette charte et l'a fait affirmer. »

Extrait du cartulaire de Saint-Vincent de Mâcon, vers 1096-1127, cité dans G. Duby, *Économie rurale et vie des campagnes dans l'occident médiéval (France, Angleterre, Empire, IXᵉ-XVᵉ siècles), Essai de synthèse et perspectives de recherches*, Aubier, 1962.

1. Membre du clergé vivant en communauté auprès de l'évêque (chanoines séculiers) ou dans une abbaye (chanoines réguliers).
2. Synonyme de tenure.
3. Récolte des foins.
4. Mesure de capacité qui varie selon les périodes ou les régions.
5. Coq castré (pour rendre sa chair plus tendre).

MÉTHODE

1. Présenter le document
Présentez la nature du texte, son auteur, son objet et son contexte (date et lieu) sans recopier le titre ou la légende.

2. Dégager le plan du texte
Il n'est pas obligatoire de suivre l'ordre du texte ; il faut surtout dégager les différentes catégories d'informations qui s'y trouvent.

3. Relever et classer les informations
Il ne s'agit pas de recopier le texte. Vous pouvez faire des citations courtes, de l'ordre de quelques mots, ou résumer le passage du texte en une courte phrase.

4. Relier les informations aux connaissances du cours

EXERCICE **Complétez le tableau suivant :**

	Éléments du document			Reliez les passages relevés aux connaissances du cours
Les acteurs	– – l'évêque et les clercs – le paysan			→ Recherchez dans le chapitre ou le lexique les définitions de ces termes
Les lieux	– un manse – un village – une paroisse			→ Recherchez dans le chapitre les passages qui évoquent ces notions (notamment dans le dossier p. 116 et dans les cours 1 p. 118 et 2 p. 122) – De quel type de seigneurie s'agit-il ? – Qu'est-ce qu'un village ? – En quoi les notions abordées dans le document nous renseignent-elles sur l'encadrement des campagnes ?
Les redevances	Moment de l'année (saison)	Nature de la redevance		→ Qu'est-ce que la nature de ces redevances nous apprend sur l'agriculture de l'époque ?
	– – –	Animale	Végétale	Numéraire	→ À quelle partie du cours 1 p. 118 peut-on relier ce thème ?

❸ Décrire et analyser une miniature

▶ Après avoir présenté le document, montrez en quoi il témoigne des relations entre les puissants du XIᵉ au XIIIᵉ siècle.

> Un seigneur et son vassal agenouillé devant lui

Miniature tirée du manuscrit *Liber Feudorum Maior*, ouvrage juridique rédigé par Alphonse II d'Aragon le Chaste (1151-1196) en 1194. Archives Royales de la Couronne d'Aragon, Barcelone.

❹ Exercice TICE : la légende du roi Arthur

www.

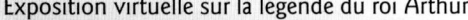
Exposition virtuelle sur la légende du roi Arthur

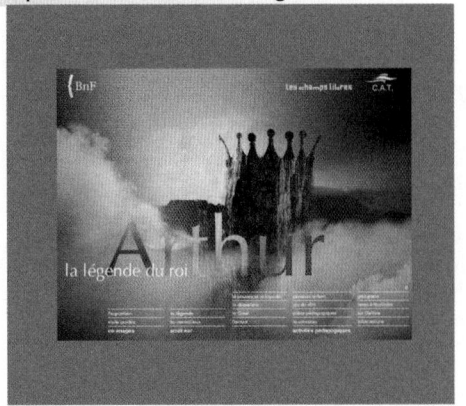

http://expositions.bnf.fr/arthur/

1. Cliquez d'abord sur les deux thèmes situés dans la première colonne en bas à droite de l'écran :
– **L'exposition** : cliquez sur l'écran puis explorez les trois thèmes retenus en haut de l'écran (De l'histoire à la littérature ; Les figures de la légende ; La puissance du mythe) en cliquant sur la flèche en bas à droite de l'écran.
– **Visite guidée** : choisissez soit de consulter l'œuvre complète soit de consulter les œuvres commentés.

2. Revenez ensuite au menu d'accueil puis cliquez successivement sur les thèmes de la troisième colonne en bas à droite :
– **Le pouvoir et la royauté**
– **La chevalerie**
– **L'amour courtois**

Choisissez un de ces trois thèmes pour réaliser un exposé.

MÉMO ET RÉVISIONS

À retenir

LA SEIGNEURIE

Définition : système de domination sur la terre et sur les hommes.

→ 2 types de seigneurie :
– **La seigneurie rurale** (ou **foncière**) : ensemble de droits qu'un seigneur possède sur des terres qu'il exploite directement ou qu'il donne à exploiter à des paysans en échange de redevances.
– **La seigneurie banale** (ou **châtelaine**) : ensemble de droits qu'un seigneur exerce sur les hommes (droit de commander et de punir ; taxes prélevées sur l'usage d'équipements collectifs : pont, routes, moulin, four, pressoir…).

Idées :
→ La seigneurie constitue le cadre fondamental où se règlent les rapports entre seigneurs et paysans et est l'une des structures fondamentales d'encadrement des populations avec la paroisse et la communauté villageoise.

→ Loin d'être uniquement un cadre contraignant, elle a aussi stimulé l'essor agricole que connaissent les campagnes du XIe au XIIIe siècle.

LA FÉODALITÉ

Définition : système de relations entre seigneurs de rang inégal qui s'établit à partir du Xe siècle à la faveur d'une crise de l'autorité royale.

Acteurs : un **suzerain** (grand seigneur à la tête d'une principauté régionale) cède un **fief** à un **vassal**, seigneur de rang inférieur, en échange de sa fidélité personnelle ; ce dernier doit aide matérielle et militaire à son suzerain.

Actes : l'entrée en vassalité est consacrée par la cérémonie de l'**hommage** durant laquelle le vassal jure **fidélité** à son seigneur.

Évolution : la détention du fief tend à devenir héréditaire et n'empêche pas la violence féodale : guerres privées entre seigneurs dont les principales victimes sont les paysans ; tandis que l'Église cherche à canaliser cette violence, le pouvoir royal utilise le système féodal pour réaffirmer sa suprématie à partir du XIIe siècle.

Schéma explicatif

Les cadres de la société rurale durant le Moyen Âge central

- ● Cellule familiale
- ▨ Communauté villageoise
- ▦ Paroisse
- ⬚ Seigneurie

▶ Faire une fiche de révision

Réalisez vos fiches de révision en développant les idées suivantes :

- La chevalerie
- Les communautés villageoises
- L'essor agricole du XIe au XIIIe siècle

Pensez à définir les mots-clés et à illustrer d'exemples vos différentes parties.

Chapitre 6

L'essor des villes en Occident (XIᵉ-XIIIᵉ siècle)

À partir de l'an mille, les villes connaissent un nouveau développement sous l'impulsion des seigneurs et dans un contexte de reprise du grand commerce. Devenues des centres prospères et attractifs, les cités se dotent d'institutions et obtiennent une reconnaissance juridique. Peu à peu, la société urbaine s'organise.

La ville : un paysage et un pouvoir

Vue de la ville de San Gimignano en Toscane avec les habitations et les monuments.
Détail de la peinture de Taddeo di Bartolo (1362-1422). Pinacoteca Nazionale, Sienne.

La ville : des communautés organisées

Un mercier pèse sa marchandise devant un client. Vitraux de la cathédrale de Chartres, début du XIIIe siècle.

Sommaire

▶ **Quelles sont les caractéristiques de l'essor des villes du XIe au XIIIe siècle ?**

▶ **Comment s'organise la société urbaine ?**

Cartes et repères

L'essor urbain de l'Europe du XIᵉ au XIIIᵉ siècle

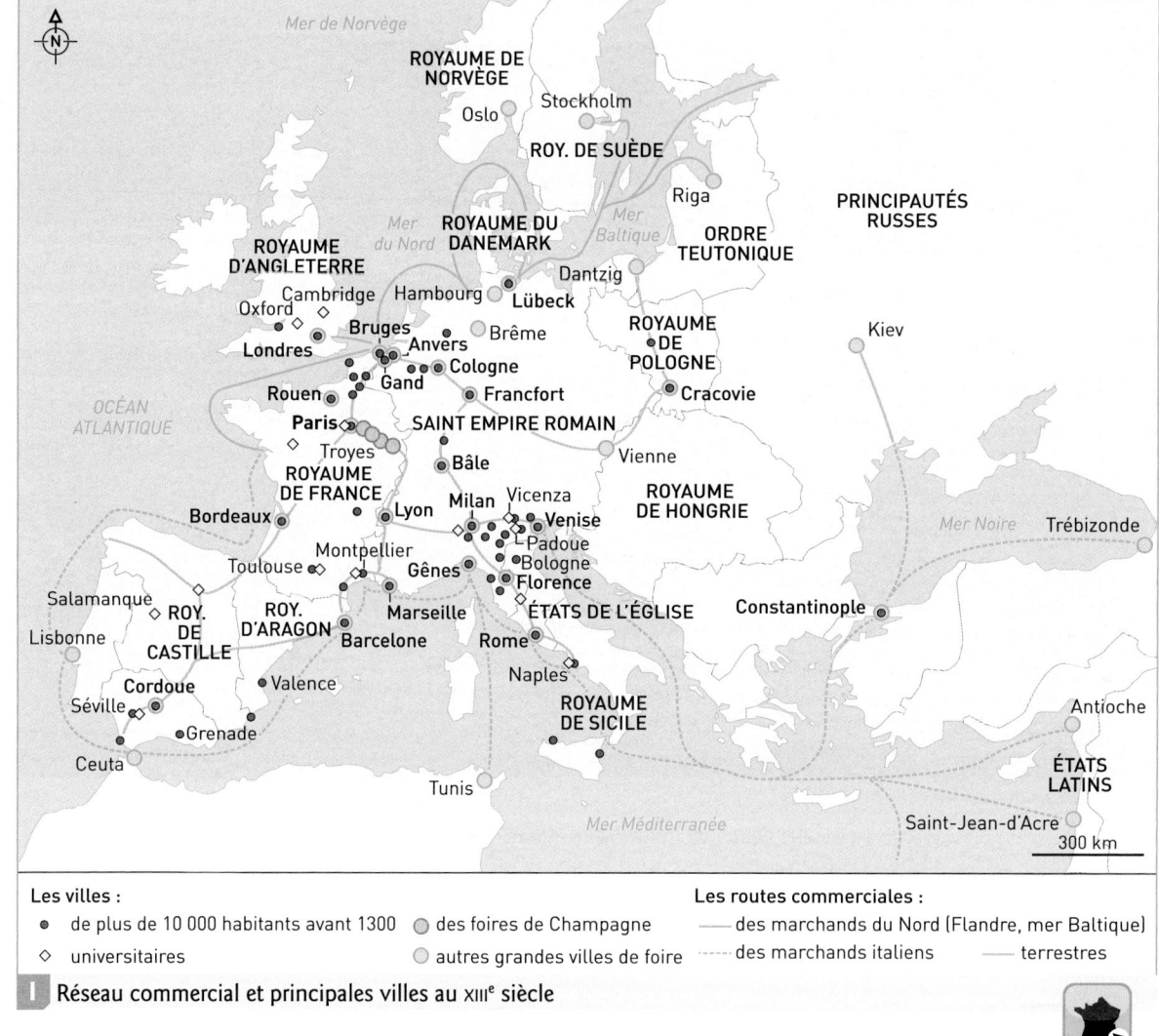

Les villes :
- de plus de 10 000 habitants avant 1300
- ◇ universitaires
- ⊙ des foires de Champagne
- ⊙ autres grandes villes de foire

Les routes commerciales :
— des marchands du Nord (Flandre, mer Baltique)
----- des marchands italiens
— terrestres

1 Réseau commercial et principales villes au XIIIᵉ siècle

QUESTIONS

1. Quelles sont les zones de concentration urbaine (doc. 1) ?

2. Quel rôle jouent les foires (doc. 1) ?

3. Quelles sont les régions où les mentions de bourgs sont les plus nombreuses (doc. 2) ?

4. Où se situent les fondations les plus anciennes (doc. 2) ?

5. Les « bourgs » se sont-ils transformés en ville (doc. 2) ?

6. Comment est délimité l'espace urbain (doc. 3) ?

7. Les zones habitées se limitent-elles à la ville (doc. 3) ?

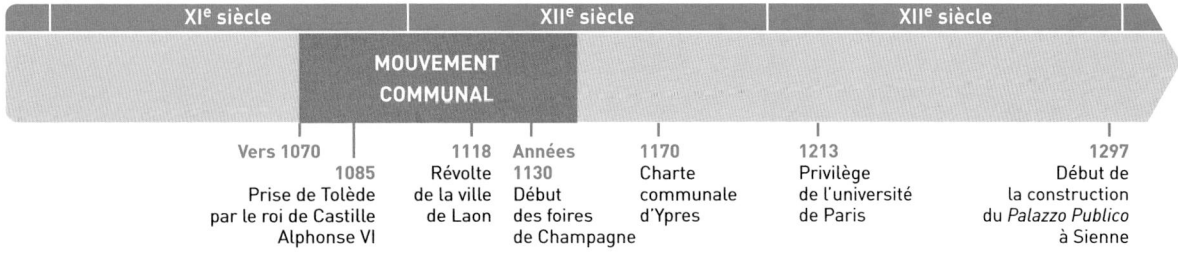

MOUVEMENT COMMUNAL

Vers 1070
Prise de Tolède
par le roi de Castille
Alphonse VI

1085

1118
Révolte
de la ville
de Laon

Années
1130
Début
des foires
de Champagne

1170
Charte
communale
d'Ypres

1213
Privilège
de l'université
de Paris

1297
Début de
la construction
du *Palazzo Publico*
à Sienne

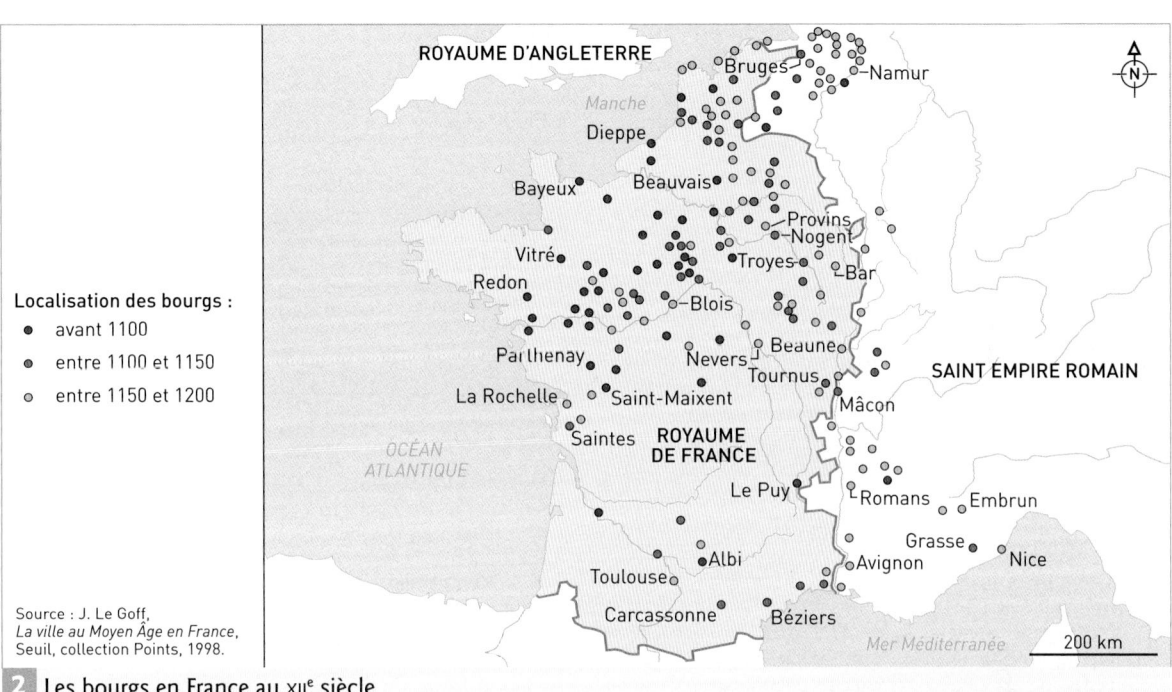

Localisation des bourgs :
- avant 1100
- entre 1100 et 1150
- entre 1150 et 1200

Source : J. Le Goff,
La ville au Moyen Âge en France,
Seuil, collection Points, 1998.

2 Les bourgs en France au XIIe siècle

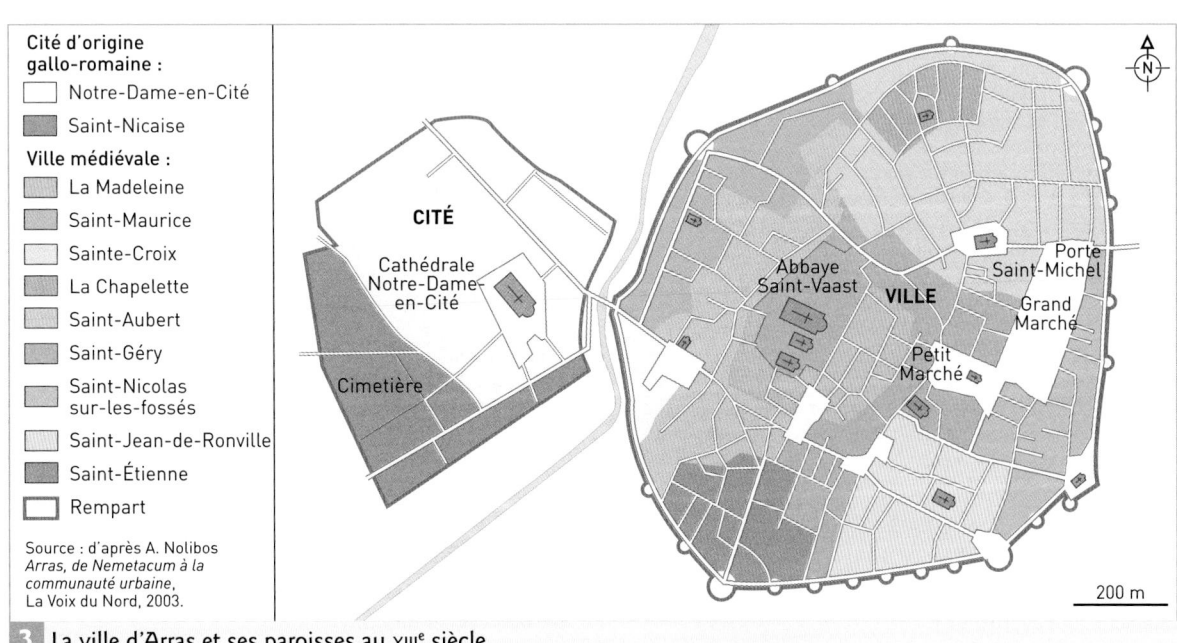

Cité d'origine
gallo-romaine :
- Notre-Dame-en-Cité
- Saint-Nicaise

Ville médiévale :
- La Madeleine
- Saint-Maurice
- Sainte-Croix
- La Chapelette
- Saint-Aubert
- Saint-Géry
- Saint-Nicolas
  sur-les-fossés
- Saint-Jean-de-Ronville
- Saint-Étienne
- Rempart

Source : d'après A. Nolibos
*Arras, de Nemetacum à la
communauté urbaine*,
La Voix du Nord, 2003.

3 La ville d'Arras et ses paroisses au XIIIe siècle

Comment naît la ville au Moyen Âge ?

La ville dépend du surplus commercialisable des campagnes. Or celles-ci connaissent, du XIᵉ au XIIIᵉ siècle, une croissance de leur production. Dans ce contexte d'expansion économique, l'essor urbain est en outre favorisé et encadré par le pouvoir ecclésiastique ou laïc.

1 Qu'est-ce qu'une ville ?

« II. Les édifices publics :
1. Une cité (*civitas*) est une multitude de gens unis par un lien communautaire, qui tient son nom des résidents de la cité (*urbs*). Quant à *urbs* (également "cité") il désigne les bâtiments, tandis que *civitas* ne se réfère pas aux pierres mais aux habitants.
2. En réalité il y a trois sortes de communautés (*societas*) : de foyers, de cités (*urbs*) et de nations (*gens*).
3. "Ville" (*urbs*) vient de "cercle" (*orbis*), car les villes anciennes étaient faites en cercle, ou à partir d'une charrue avec laquelle l'emplacement des murs était tracé. »

Isidore de Séville (VIIᵉ siècle), *Étymologies*. ∎

2 La création d'institutions communales : l'exemple du consulat d'Arles

« Au nom de Notre Seigneur Jésus-Christ, moi, Raimond, archevêque d'Arles, [...] nous établissons et nous ordonnons de fonder dans la cité et le bourg d'Arles, un consulat, valable, légal et convenable, étant sauf le domaine et les droits des seigneurs majeurs et mineurs qui ont participé au présent consulat ou qui y participeront à l'avenir. [...]
Il y aura douze consuls, quatre chevaliers de la cité, quatre pris parmi les habitants du bourg [le Vieux-Bourg], deux choisis parmi ceux du Méjean, deux parmi ceux du Borian, par lesquels ceux qui font partie du consulat seront régis et gouvernés. [...] ils auront le pouvoir de juger et de mettre à exécution les jugements, tant au sujet des héritages que des injures ou tout autre délit. [...]
Le consul prêtera le serment suivant : "Moi, untel, élu consul, je jure que de toute manière, à ma connaissance, je régirai et gouvernerai ceux qui font partie avec moi du consulat, par le conseil, le meilleur et le plus éclairé, de ceux qui font partie du consulat, et que je ne manquerai pas d'exercer ma fonction de consul jusqu'à ce qu'un autre soit élu, et si quelques discords s'élève entre nous, consuls, j'y mettrai fin avec le conseil de l'archevêque et des meilleurs du consulat et je ferai en sorte qu'il en soit ainsi. Pour discuter d'une affaire, je ne recevrai ni promesse, ni argent de personne, et nul, pendant la durée de mes fonctions consulaires, ne sera pas cité en justice, s'il fait partie du présent consulat ou s'il a fourni préalable caution. Ainsi Dieu m'aidera et les saints Évangiles." »

Les statuts d'Arles (v. 1142-1156). ∎

1. Qui crée le consulat à Arles ? Pourquoi ?

2. Décrivez le processus de nomination des consuls : quel équilibre est respecté ?

3. Quelles sont les fonctions du consul ?

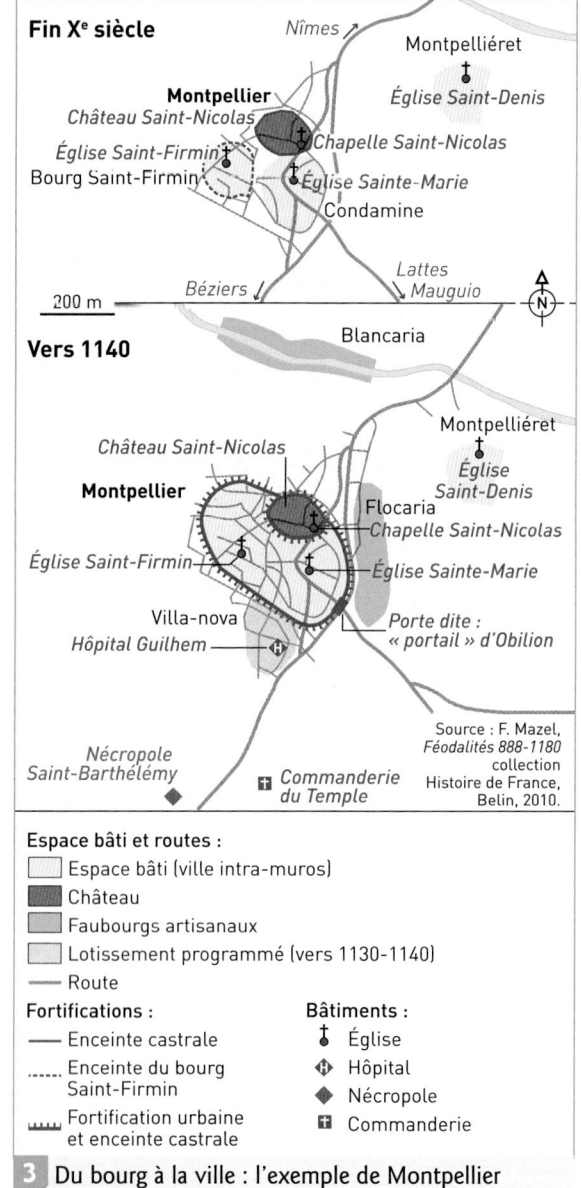

Source : F. Mazel, *Féodalités 888-1180* collection Histoire de France, Belin, 2010.

Espace bâti et routes :
- ☐ Espace bâti (ville intra-muros)
- ■ Château
- ▨ Faubourgs artisanaux
- ☐ Lotissement programmé (vers 1130-1140)
- — Route

Fortifications :
- — Enceinte castrale
- ..... Enceinte du bourg Saint-Firmin
- ⊔⊔⊔ Fortification urbaine et enceinte castrale

Bâtiments :
- ✝ Église
- ⊕ Hôpital
- ◆ Nécropole
- ⊞ Commanderie

3 Du bourg à la ville : l'exemple de Montpellier de la fin du Xᵉ siècle au milieu du XIIᵉ siècle

1. Autour de quels éléments la population se regroupe-t-elle ?

2. Qu'est-ce qui marque le passage du bourg à la ville ?

4 Feurs dans le Forez

Armorial de Guillaume Revel, 1456. Bibliothèque nationale de France, Paris.

1. Décrivez les différents ensembles représentés sur la gravure.

2. Quel lien s'établit entre la ville et son arrière-pays ?

3. `Doc. I et 4` Feurs correspond-elle à la définition de la ville d'Isidore de Séville ?

a. Meulan (XIIe siècle)	b. Figeac (XIVe siècle)	c. Cambrai (1185)

5 Une identité

À la fin du XIIe siècle, les villes se dotent de sceaux, symboles de leur puissance.

1. Quelle dimension du pouvoir communal a-t-on voulu représenter à Meulan et à Figeac ?

2. Quel symbole s'est choisi Cambrai et pourquoi ?

SYNTHÉTISER DES INFORMATIONS

Proposez une définition de la ville au Moyen Âge.

Sienne : une communauté et son gouvernement

Sienne, en Italie, devient une commune libre en 1184. Ville de financiers et de grands marchands, elle connaît son apogée au XIIIe siècle. De 1287 à 1355, la cité est dirigée par un Conseil des Neuf : élus par tirage au sort, neuf citoyens, siégeant dans le *Palazzo Pubblico*, ou palais communal, assument la charge du pouvoir pendant deux mois. C'est durant cette période qu'est lancé un programme architectural et iconographique visant à magnifier le gouvernement républicain de la cité.

? *Comment se manifeste la puissance de Sienne au XIIIe siècle ?*

I | Le statut de la commune de Sienne (1309)

« Ce statut a été traduit en langue vulgaire et écrit par moi Ranieri Ghezi Gangalandi, notaire, sur ordre de messieurs le trésorier et les quatre proviseurs de la Commune de Sienne ; [...] le dit statut doit être déposé à la Biccherna[1] [...] pour que les pauvres et les autres personnes qui ne savent pas le latin, et tous ceux qui le veulent, puissent le consulter et le recopier s'ils le désirent. »

Cité dans Laura Neri, « Culture et politique à Sienne au début du XIVe siècle : le statut en langue vulgaire de 1309-1310 », *Médiévales* 22-23, printemps 1992. ▪

1. Magistrature financière.

▶ Dans quel but les autorités font-elles traduire le statut en langue vulgaire ?

2 | Le *Palazzo Pubblico* de Sienne

La tour du Palais communal, haute de 86 m, est érigée entre 1338 et 1348.

1. **Doc. 2 et 3** Comment la richesse et la puissance de la ville se traduisent-elles dans l'architecture ?

2. Quelle est la fonction du *Palazzo Pubblico* ?

3. Où se situe-t-il dans la ville ?

3 Une cité prospère

Fresque d'Ambrogio Lorenzetti (v.1290-1348), *Le Bon Gouvernement*, détail, 1335-1340. Salle de la Paix, Palais communal, Sienne.

1 Cathédrale. 2 Palais communal. 3 Chantier de construction. 4 Église Saint-Christophe. 5 Échoppe de bottier. 6 École. 7 Charcutier. 8 Atelier de tailleur. 9 Piazza del Campo, place principale de Sienne.

1. Comment s'organisent les activités ?

2. Comment Lorenzetti rend-il compte des hiérarchies sociales au sein de la ville ?

4 Peindre « le Bon Gouvernement »

Fresque d'Ambrogio Lorenzetti (v.1290-1348), *Le Bon Gouvernement*, détail : la Sagesse et la Justice, 1335-1340. Salle de la Paix, Palais communal, Sienne.

La Justice, inspirée par la Sagesse, distribue à chacun selon ses mérites.

1. Décrivez le détail.

2. À quels principes obéit le gouvernement de la ville ?

5 La ville protège son *contado*

Fresque d'Ambrogio Lorenzetti (v.1290-1348), *Le Bon Gouvernement*, détail, 1335-1340. Salle de la Paix, Palais communal, Sienne.

Sur l'inscription : « Cheminez sans peur et librement ; travaillez et semez, tant qu'une telle commune maintiendra ce Bon Gouvernement, vous êtes protégés des malheurs. »

1. Doc. 3 et 5 Qu'est-ce qui montre la prospérité de Sienne ?

2. Qu'assure le Conseil à la communauté siennoise ?

PRÉLEVER ET CONFRONTER DES INFORMATIONS

Que signifie « bien gouverner » à Sienne au XIIIe siècle ?

Le beffroi et la halle aux draps d'Ypres, symboles de la puissance des villes communales de Flandre

▶ À Ypres, la halle aux draps, surmontée du beffroi, constitue l'un des plus grands édifices civils de style gothique. Sa construction résulte à la fois de la prospérité de la ville et du mouvement d'autonomie communale.

▶ Troisième ville de Flandre, Ypres est un centre de fabrication de draps vendus dans toute l'Europe. La ville a obtenu du comte de Flandre son autonomie de commune en 1170. Mais le comté est annexé par la France en 1300. En 1328, le roi de France ordonne la destruction de la cloche du beffroi d'Ypres, symbole de l'autonomie communale. Sur le plan intérieur, les tensions sociales sont vives entre une aristocratie de riches marchands qui domine le gouvernement de la ville (les échevins) et les métiers. En 1303, une révolte des métiers aboutit au massacre de plusieurs échevins.

REPÈRES

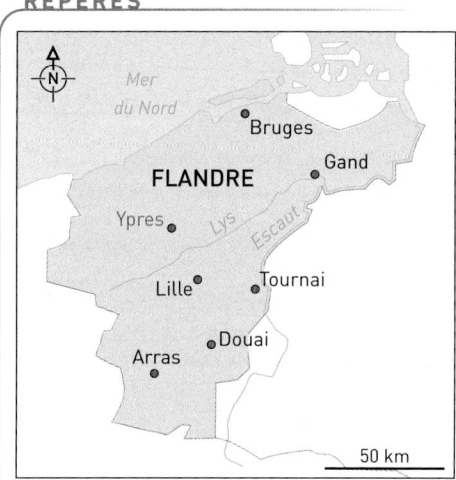

I Le beffroi, siège des symboles du pouvoir communal

3e étage	– Cloche communale
2e étage	– Salle d'armes – Prison – Entrepôt des bannières de la ville
1er étage	– Trésorerie communale – Lieu de conservation de la charte octroyée par le comte de Flandres – Salle de réunion des échevins

VOCABULAIRE DES ARTS

Halle
Vaste espace couvert servant à l'entrepôt et au commerce de gros des marchandises.
Beffroi
Tour carrée, emblème de l'autonomie communale.
Arc brisé
Arcs de cercle symétriques s'appuyant l'un sur l'autre, particulièrement employé dans l'architecture de style gothique.
Gothique
Voir définition p. 104.

QUESTIONS

Décrire
1. Décrivez les différentes parties du bâtiment.
2. Quelle impression procure l'ensemble ? Quel est l'effet recherché ?
3. Quelles sont les fonctions de ce bâtiment ?
4. Quels sont les éléments architecturaux qui se rattachent au style gothique ?
5. Quels éléments vous paraissent communs avec l'architecture des cathédrales ?

Interpréter
6. Sur quelle opposition de lignes repose la conception d'ensemble du monument ? Comment interpréter, sur le plan symbolique, cette opposition ?
7. Relevez les éléments ou les caractères qui, dans le beffroi, peuvent représenter le pouvoir communal.
8. Montrez en quoi ce bâtiment témoigne de l'essor des villes en Occident du XIe au XIIIe siècle.

2 Vue contemporaine de la halle aux draps

Fiche d'identité de l'œuvre

Auteur : inconnu.

Nature : édifice public de style gothique composé de deux ensembles :
– un bâtiment central, la halle aux draps, destiné à abriter les marchandises (draps), les activités marchandes et les activités communales ;
– une tour, le beffroi, symbole des fonctions communales.

Dimensions : 130 m de long (façade de la halle aux draps), 70 m de haut (beffroi).

Lieu : Ypres (Flandre, actuelle Belgique).

Date : XIIIe siècle.
– 1230 : achèvement de la construction du beffroi.
– 1304 : achèvement de la halle aux draps.

À savoir : la halle aux draps et le beffroi ont subi une première restauration au XIXe siècle avant d'être complètement détruits lors de la Première Guerre mondiale et d'être progressivement reconstruits, en grande partie à l'identique, des années 1930 jusqu'aux années 1960. Le beffroi d'Ypres, au même titre qu'un grand nombre de beffrois flamands, a été inscrit au patrimoine mondial de l'humanité par l'UNESCO. La halle aux draps abrite actuellement un musée dédié à la Première Guerre mondiale.

Le développement des villes du XIᵉ au XIIIᵉ siècle

Quelles sont les modalités de l'essor urbain au Moyen Âge ?

Les magistrats municipaux sont nommés ou élus par les bourgeois de la ville. Leur apparition dans les villes médiévales atteste l'organisation progressive des communautés citadines qui cherchent à gagner leur autonomie face au pouvoir seigneurial.

« L'air de la ville rend libre. »
Proverbe allemand, XVᵉ siècle.

DÉFINITIONS

Bourgs
Les bourgs sont des lieux de peuplement urbains organisés autour d'un château ou d'une abbaye.

Mouvement communal
Mouvement qui, de la fin du XIᵉ siècle à la fin du XIIᵉ siècle, conduit en Occident des communautés d'habitants à réclamer des droits politiques et fiscaux, qu'ils obtiennent généralement de leur seigneur ou de leur roi.

Commune
Association jurée des habitants d'une ville.

Charte de franchises
Document écrit qui consigne les droits et les privilèges qu'un seigneur concède à une communauté.

1 L'essor urbain

● **La croissance des villes.** Les bourgs se multiplient en Occident à partir du Xᵉ siècle. Ces centres urbains sont d'abord issus du développement d'anciennes cités repliées autour de la résidence de l'évêque, notamment dans les régions méditerranéennes où les villes prennent le relais des cités gallo-romaines. Mais des centres urbains peuvent aussi se former à proximité d'une abbaye, de lieux d'échanges ou de points fortifiés. Ils sont alors progressivement intégrés au centre primitif, à moins qu'il ne s'agisse de créations ex-nihilo.

● **Des causes multiples.** Cet essor résulte avant tout de la croissance économique de l'Occident du XIᵉ au XIIIᵉ siècle. C'est particulièrement vrai pour les villes qui se développent sur les grands axes d'échanges et qui bénéficient de la reprise du grand commerce. Mais nombre de centres urbains se créent ou se développent grâce à l'essor des campagnes dont ils absorbent le surplus. La plupart des cités regroupent quelques milliers de personnes. Seules les capitales régionales comptent plusieurs dizaines de milliers d'habitants, et deux ou trois métropoles, comme Paris ou Venise, dépassent 100 000 habitants.

2 La volonté d'émancipation des villes

● **Le pouvoir seigneurial en ville.** L'essor urbain s'est d'abord effectué dans le cadre du système seigneurial. Le seigneur, maître du sol, prélève des impôts, des taxes sur les marchés et exerce ses droits de justice. Parfois absent de la ville, il peut se faire représenter par un bailli. Plusieurs pouvoirs seigneuriaux – évêque, abbaye, seigneur laïc – peuvent aussi se partager l'espace urbain, voire être concurrents.

● **Le mouvement communal.** Rapidement cependant, la croissance urbaine se heurte aux multiples exigences seigneuriales, particulièrement sur le plan du commerce et des métiers. Les années 1070-1130 correspondent aux premiers mouvements urbains de contestation du pouvoir seigneurial. Ainsi se forment des conjurations, des serments pris en commun par les habitants d'une ville pour obtenir certaines libertés. La commune obtient alors par la négociation, parfois par la violence **doc. 3**, une charte de franchises qui concède certains droits, même si le seigneur conserve son autorité **doc. 2**.

3 Gouverner la ville

● **La diversité des institutions.** Les villes obtiennent généralement de se gouverner en partie elles-mêmes. Cela passe par le choix de magistrats urbains (échevins au nord, jurats au sud, consuls) qui exercent collégialement un pouvoir de justice et de réglementation des activités **doc. 1**. Ils prélèvent aussi des impôts qui permettent d'assurer la défense de la cité (milice et enceinte), mais aussi d'édifier les symboles du nouveau pouvoir (hôtel de ville, beffroi ou campanile).

● **Une autonomie relative.** Le gouvernement des villes demeure toutefois aux mains des puissants, qu'il s'agisse de nobles seigneurs ou bien d'une nouvelle aristocratie de marchands. Le degré d'autonomie des villes varie d'ailleurs considérablement. Dans le royaume de France, non seulement les villes restent sous l'autorité d'un seigneur mais il arrive que l'emprise, notamment du roi, se resserre au XIIIᵉ siècle. Il n'y a qu'en Italie que le mouvement communal débouche sur une grande autonomie.

■ **Les villes ont ainsi connu du XIᵉ au XIIIᵉ siècle un développement important au sein d'un système seigneurial dont elles ne se sont affranchies qu'en partie.**

1 Le gouvernement de Toulouse

Miniature extraite des *Annales*, Livre I, 1369. Musée des Augustin, Toulouse.

Les capitouls du conseil de la ville de Toulouse pour l'année 1353-1354.

1. Pourquoi les capitouls portent-ils tous le même vêtement ?

2. Que montre ce document de la manière dont est gouvernée la ville de Toulouse ?

2 Charte de Lorris en Gâtinais

« [...] Les hommes de Lorris avaient demandé des coutumes à notre grand-père Louis et à notre géniteur, le roi Louis, son fils, et avaient reçu d'eux des chartes qui contenaient ces coutumes. Leur infortune a voulu que la ville presque toute entière et les chartes où étaient écrites ces coutumes, aient été consumées par le feu [...]. Aussi, compatissant à leur malheur, nous leur avons accordé de notre libéralité royale les coutumes qu'ils avaient reçues jadis et nous les avons établies comme si elles étaient données pour la première fois.

1. Celui qui aura une maison dans la paroisse de Lorris, s'acquittera de seulement 6 deniers de cens pour sa maison et pour un arpent de terre. [...]

3. Nul d'entre eux n'ira à l'ost ou à la chevauchée, à moins de pouvoir revenir chez lui, s'il le désire, dans la journée.

4. Nul ne donnera de péage jusqu'à Étampes, jusqu'à Orléans et jusqu'à Milly, qui est en Gâtinais, et jusqu'à Melun.

5. Que quiconque ayant possession dans la paroisse de Lorris ne la perde pas pour un quelconque forfait commis, à moins d'avoir forfait envers nous ou envers l'un de nos hôtes.

6. Que quiconque va ou revient de la foire ou du marché de Lorris ne soit ni pris ni inquiété, sauf s'il a commis un forfait ce jour-là. [...]

15. Qu'aucun des hommes de Lorris ne nous doivent de corvée, hormis une fois l'an pour acheminer notre vin à Orléans. [...]

35. [...] À chaque changement de prévôt, chacun l'un après l'autre jurera de garder fermement ces coutumes ; les nouveaux sergents feront de même [...].

Pour que cela soit désormais bien établi et inébranlable en toute chose, nous avons ordonné de confirmer la présente charte du sceau de notre autorité et du monogramme de notre nom inscrit plus bas. Fait publiquement à Bourges, l'an de l'Incarnation 1187 [...]. »

Recueil des actes de Philippe Auguste, éd. M. H.-F. Delaborde, 1916. Traduction J. Berlioz, *Le Commentaire de document en histoire médiévale*, coll. Mémo-Histoire, Seuil, 1996. ■

1. De qui émane la charte ?

2. Quels sont les privilèges accordés à la ville de Lorris ?

3. Montrez que le roi ne renonce pas à tous ses droits.

3 La commune de Laon de 1118

« Le lendemain jeudi, tandis que dans l'après-midi, il [l'évêque Gaudry] s'entretenait avec l'archidiacre Gautier des moyens de réclamer de l'argent, voici que, à travers la ville, éclata le tumulte des gens qui criaient : "Commune !". Dans le même temps [...], des habitants en troupe considérable, porteurs d'épées, de haches doubles, d'arcs, de cognées, d'épieux et de piques, envahirent le palais épiscopal. On vit alors accourir de toute part, vers l'évêque, des grands qui avaient eu connaissance du début de cette subversion : ils avaient juré serment de lui porter secours si une telle attaque se produisait. [...]

Et voici que la populace insolente, qui hurlait devant les murailles du palais, attaque enfin l'évêque. [...] Incapable de contenir les assauts audacieux du peuple, il prit les vêtements d'un de ses esclaves, se réfugia dans le cellier diocésain et s'y cacha dans un petit fût où il se fit enfermer, un domestique fidèle appliquant le couvercle : il se croyait ainsi bien dissimulé.

"Où donc est ce pendard ?" criaient les gens parlant de l'évêque et courant çà et là. [...]

Theudegaud s'arrêta devant celui-là même où Gaudry se cachait, en fit sauter le fond et, à deux reprises, il lança : "Qui est ici ?". Sous les coups, l'autre put remuer ses lèvres glacées pour articuler : "un prisonnier". [Il] [...] est arraché du tonneau, tiré par les cheveux, roué de coups, puis entraîné en plein air, dans une ruelle du quartier des clercs, devant la maison du chapelain Godefroy. Là, il finit par les implorer lamentablement, à leur garantir par serment que jamais plus il ne serait leur évêque, leur promettant d'énormes sommes d'argent et assurant qu'il quitterait le pays ; mais eux tous, comme des obstinés, s'acharnaient sur lui. Finalement, un nommé Bernard, dit de Bruyères, brandit une hache double, frappa à la tête cet homme sacré, encore que pêcheur, et en fit brutalement jaillir la cervelle. »

Guibert de Nogent, *Autobiographie*, xiie siècle. ■

1. En quoi l'émeute est-elle une illustration des divisions de la société urbaine ?

2. Que signifie le cri de ralliement des insurgés : « Commune » ?

3. Quel sort est réservé à l'évêque ?

Tolède, une ville frontière

En 1085, Tolède est conquise sur les musulmans par le roi Alphonse VI de Castille. La tolérance relative qui y règne dans les premiers temps de la *Reconquista* permet une cohabitation féconde entre les différentes communautés et une vie intellectuelle brillante.

? *Qu'est-ce qui fait de Tolède une ville carrefour de civilisations dans l'Europe du XIIᵉ siècle ?*

REPÈRES

▶ 192 av. J.-C. : les Romains fondent *Toletum* (« ville fortifiée »).

▶ VIᵉ siècle : Tolède devient la capitale du royaume wisigoth chrétien.

▶ 711 : la ville tombe sous domination musulmane.

▶ 1085 : prise de Tolède par Alphonse VI.

▶ 1086 : la Grande Mosquée est rasée pour construire la cathédrale actuelle.

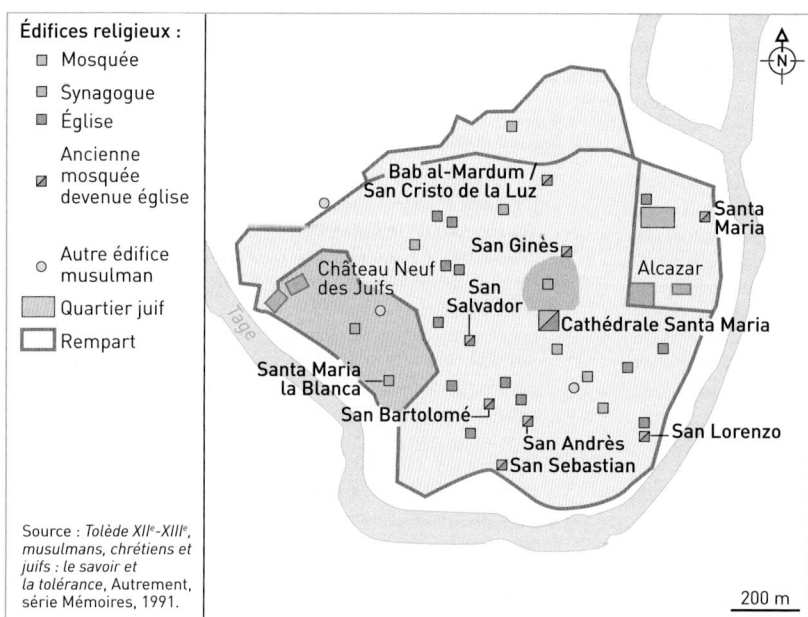

Édifices religieux :
- ▣ Mosquée
- ▣ Synagogue
- ▣ Église
- ▣ Ancienne mosquée devenue église
- ○ Autre édifice musulman
- ▨ Quartier juif
- ▭ Rempart

Bab al-Mardum / San Cristo de la Luz · Santa Maria · San Ginès · Alcazar · Château Neuf des Juifs · San Salvador · Cathédrale Santa Maria · Santa Maria la Blanca · San Bartolomé · San Andrès · San Sebastian · San Lorenzo

Tage

200 m

Source : *Tolède XIIᵉ-XIIIᵉ, musulmans, chrétiens et juifs : le savoir et la tolérance*, Autrement, série Mémoires, 1991.

I Tolède au XIIᵉ siècle

1. Quelles sont les communautés en présence à Tolède ?

2. Comment cohabitent-elles dans la ville ?

2 La place des musulmans dans la ville

« [...] Le moine de Cluny Bernard, abbé de Sahagún, fut élu archevêque de la ville nouvellement conquise, et en une occasion où le roi s'était absenté pour aller à Leon, la reine Constance, le poussa à prendre possession de la mosquée principale [...]. Il entra dans la mosquée accompagné de chevaliers chrétiens, érigea des autels, et fit suspendre au minaret des cloches pour appeler les fidèles. Lorsque le roi Alphonse en fut informé, il fut douloureusement indigné car il avait promis aux Sarrasins de leur conserver leur mosquée. Il alla en trois jours de Sahagún à Tolède, menaçant de brûler l'évêque Bernard et la reine. Lorsque les Arabes de Tolède surent qu'il était à ce point irrité, ils sortirent tous, riches et pauvres, avec leurs femmes et leurs enfants, jusqu'à la ville de Magham, pour y attendre le roi ; et, quand Alphonse arriva auprès d'eux, croyant qu'ils venaient se plaindre : "l'injure qui a été faite, leur dit-il, n'a pas été commise à votre égard, mais au mien, ma fidélité à la parole donnée, qui était jusque-là immaculée, se trouve désormais discré-

ditée. Je vous donnerai satisfaction et je punirai les coupables". Alors les Arabes, qui étaient prudents, s'agenouillèrent en pleurant devant le roi et lui firent arrêter son cheval en lui disant : "Nous savons bien que l'archevêque est le chef de votre loi, et que si nous étions causes de sa mort, il viendrait un jour où les chrétiens se jetteraient sur nous ; si la reine périssait à cause de nous, nous serions détestés pour toujours, et nous ne pourrions échapper à la vengeance. C'est pourquoi nous leur demandons de leur pardonner, car en ce qui nous concerne, de notre propre volonté nous te libérons du pacte et de ton serment". À ces paroles, la colère du roi se changea en joie, car il pouvait ainsi obtenir la mosquée sans manquer à la foi jurée et il rentra pacifiquement à la cour. »

Rodrigue de Tolède, *De rebus hispaniæ*, VI, 24, trad. dans P. Guichard, *L'Espagne et la Sicile musulmanes aux XIᵉ et XIIᵉ siècles*, Presses universitaires de Lyon, 2000. ▪

1. Quelle est, selon le texte, l'attitude d'Alphonse VI à l'égard des musulmans de Tolède ?

2. La tolérance dont fait preuve Alphonse VI semble-t-elle la règle ou l'exception ?

3. À la fin de l'épisode, qu'advient-il de la mosquée ?

3 La mosquée Bab al-Mardum

Bâtie à la fin du Xe siècle, cette mosquée de quartier à plan carré est transformée en édifice chrétien, San Cristo de la Luz, en 1187. On lui ajoute alors une abside de style *mudejar*.

▶ **Doc. 1, 2 et 3** Comment se traduit la conquête chrétienne de Tolède pour les musulmans et les juifs ?

4 Un lettré anglais à Tolède

Daniel de Morley participa à l'introduction du savoir gréco-arabe en Europe.

« La passion de l'étude m'avait naguère chassé d'Angleterre et je restai un moment à Paris. [...] L'ignorance [des lettrés parisiens] les contraignait à un maintien de statue, mais ils prétendaient montrer leur sagesse par leur silence même. [...] Aussi, comme de nos jours c'est à Tolède que l'enseignement des Arabes, qui consiste presque entièrement dans les arts du quadrivium[1], est abondamment dispensé, je me hâtai de m'y rendre pour écouter les plus savants philosophes au monde. Rappelé enfin par mes amis et invité à rentrer d'Espagne, je vins en Angleterre avec une précieuse quantité de livres. »

Daniel de Morley, *De Philosophia*, introduction, XIIe siècle. ■

1. Les quatre disciplines liées aux mathématiques enseignées à l'Université : arithmétique, géométrie, astronomie, musique.

1. Qu'est venu chercher Daniel de Morley à Tolède ?
2. Qu'en rapporte-t-il ?

5 La synagogue Santa Maria la Blanca

Construite au XIIe siècle afin de servir de synagogue, elle fut transformée en église au XIVe siècle.

1. **Doc. 3 et 5** Quels éléments architecturaux communs retrouve-t-on dans les deux édifices ?
2. Comment les documents illustrent-ils les limites de la cohabitation religieuse ?

RÉDIGER

Comment Tolède s'enrichit-elle de son statut de ville frontière ?

Paris, capitale du royaume de France

Paris, devenue depuis la naissance de la dynastie capétienne en 987 le cœur du royaume, connaît un essor important au XIIᵉ siècle, ce qui en fait l'une des premières villes d'Occident. Sous le règne de Philippe Auguste (1180-1223), elle devient la capitale du royaume.

 Quelles transformations connaît Paris entre le XIᵉ et le XIIIᵉ siècle ?

REPÈRES

▶ XIᵉ siècle : la *Curia Regis* s'installe dans le palais construit sur l'île de la Cité.

▶ 1163 : pose de la première pierre de la cathédrale Notre-Dame en présence de Louis VII et du pape Alexandre III.

▶ 1200 : Philippe Auguste donne un statut officiel à l'Université de Paris.

▶ 1257 : fondation, avec l'appui de Louis IX, du collège de la Sorbonne pour les étudiants pauvres.

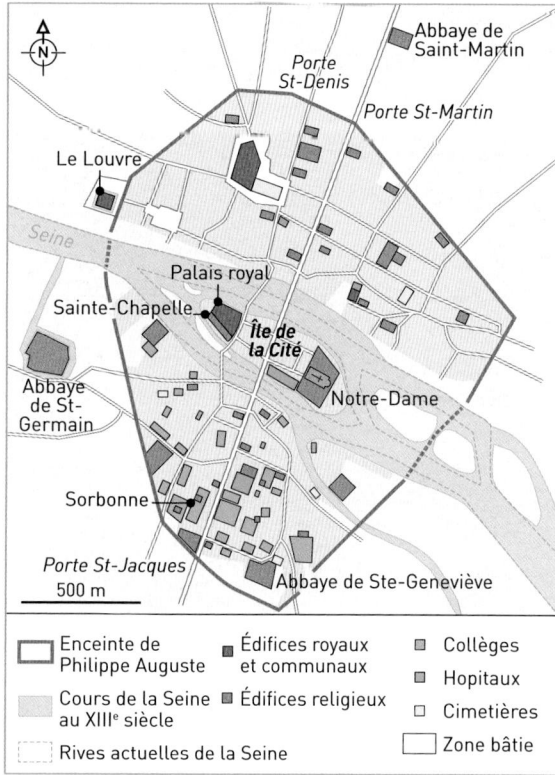

Légende :
- Enceinte de Philippe Auguste
- Cours de la Seine au XIIIᵉ siècle
- Rives actuelles de la Seine
- Édifices royaux et communaux
- Édifices religieux
- Collèges
- Hopitaux
- Cimetières
- Zone bâtie

1 Paris au XIIIᵉ siècle

1. Quels sont les lieux du pouvoir royal ?

2. Distinguez les activités selon les rives.

2 Éloge du palais de la Cité

« Dans ce siège très illustre de la monarchie française a été élevé un splendide palais, témoignage superbe de la magnificence royale. Ses murailles inexpugnables offrent entre elles une enceinte assez vaste et assez étendue pour pouvoir contenir un peuple innombrable. Par honneur pour leur glorieuse mémoire, les statues de tous les rois de France, qui jusqu'à ce jour ont occupé le trône, sont réunies en ce lieu, elles sont d'une ressemblance si expressive, qu'à première vue on les croirait vivantes. [...] Le palais du roi n'a été ni décoré pour l'indolence et les grossiers plaisirs des sens, ni élevé pour flatter la vanité fausse et trompeuse d'une vaine gloire, ni fortifié pour abriter les perfides complots d'une orgueilleuse tyrannie ; mais il a été merveilleusement adapté aux soins actifs, efficaces, complets de la prudence de nos rois qui cherchent sans cesse par leurs ordonnances à accroître le bien-être public. »

Jean de Jandun, *Éloge de la ville de Paris*, XIVᵉ siècle. ■

1. Relevez les éléments décrivant l'architecture du Palais.

2. Qu'en déduire sur ses fonctions ?

3. Quels détails montrent qu'il s'agit du lieu où s'exerce le pouvoir politique ?

3 Un nouveau bourgeois de Paris

« Nous faisons savoir [...] que Jacques Lanfranc des Chiarenti, né à Pistoia, avait longtemps habité dans notre royaume et s'y était conduit louablement ; considérant en outre l'affection que nous portons audit Jacques qui réside dans notre royaume, nous avons décidé d'accorder audit Jacques la bourgeoisie de notre ville de Paris et de notre royaume, par certaine science et grâce spéciale, par les présentes, voulant et lui concédant que dans la ville de Paris et partout où il lui plaira dans notre royaume, excepté les terres rebelles, il pourra rester, aller et venir, faire métier de marchand et contracter tous les contrats licites pos- sibles [...]. Nous voulons en outre [...] qu'il puisse jouir des franchises, libertés, droits, immunités de notre dite ville de Paris, comme nos autres bourgeois de Paris [...] ; donnant par la teneur des présentes l'ordre à tous nos justiciers et sujets de notre royaume de ne pas molester le susdit Jacques notre bour- geois, dans sa personne, ses marchandises et ses biens, contre la teneur présente de cette grâce, et de ne pas permettre qu'il soit inquiété ou molesté par quiconque [...]. »

Diplôme de Philippe Auguste, juillet 1328. ■

1. Quels avantages apporte le statut de bourgeois de Paris ?

2. Qui l'octroie à Jacques Lanfranc ? Pourquoi ?

4 Le prévôt de Paris

« La prévôté de Paris était alors vendue aux bourgeois de Paris ou à d'autres personnes et quand certaines personnes l'avaient achetée, ils couvraient les méfaits de leurs enfants ou neveux […]. Le menu peuple était foulé aux pieds et ne pouvait avoir justice des hommes riches à cause des grands présents et cadeaux qu'ils faisaient aux prévôts. […] Le roi [Louis IX] qui mettait grand soin à ce que le menu peuple soit protégé, apprit toute la vérité ; et il ne voulut plus que la prévôté de Paris fut affermée, et il donna des gages importants désormais à ceux qui en auraient la garde. Et il supprima toutes les mauvaises coutumes dont le peuple était accablé. Et il fit rechercher dans tout le royaume et le pays où l'on pourrait trouver un homme qui fit bonne justice et qui n'épargnât pas plus le riche que le pauvre. Ainsi on lui recommanda Étienne Boileau, lequel maintint et garda la prévôté de telle sorte qu'aucun malfaiteur, aucun voleur, aucun meurtrier n'osa plus demeurer à Paris, car il était aussitôt pendu ou supprimé ; aucune parenté, aucun lignage, aucun or, aucun argent ne pouvait lui venir en aide. La terre du roi commença à s'améliorer et le peuple y vint à cause de la bonne justice qui y était rendue. Et les habitants se multiplièrent tant que les ventes, les échanges, les achats et toutes les autres choses rapportaient le double de ce que le roi prélevait auparavant. »

Jean de Joinville, *Histoire de Saint-Louis*, Chapitre CXLI, xive siècle. ■

1. Quelle est la fonction du prévôt de Paris ?
2. Pourquoi Louis IX en a-t-il modifié la nomination ?
3. Que montre ce texte de l'attention que porte le roi à l'administration de la capitale ?

5 La Sainte Chapelle, fondation royale

La Sainte Chapelle (1241) est édifiée sous Louis IX sur l'île de la Cité, dans l'enceinte du palais, pour abriter les reliques de la Passion (couronne d'épines, morceaux de la Croix) et servir de chapelle royale.

1. Décrivez l'architecture du bâtiment. Quelle impression en ressort ?
2. Quelles sont les différentes fonctions de la Sainte Chapelle ?

6 Un cours de théologie à la Sorbonne

Enluminure, 1490. Bibliothèque municipale de Troyes.

L'université de Paris est fondée par Philippe Auguste au xiiie siècle. En 1231, le pape Grégoire VII lui octroie, avec l'accord du roi, d'importants privilèges. Sa faculté de théologie est alors la plus réputée d'Europe.

1. Décrivez la scène.
2. Quel rôle jouent les monarques dans l'installation et le renforcement de l'université parisienne ?

ORGANISER DES CONNAISSANCES

Comment les rois de France ont-ils contribué à faire de Paris une capitale prospère et un centre intellectuel ?

Vivre en ville
au xiᵉ-xiiiᵉ siècle

Qu'est-ce qui caractérise la société urbaine médiévale ?

LES MEMBRES DES MÉTIERS

L'essor économique favorise le développement des activités artisanales. Les métiers se rassemblent par quartier et se donnent des statuts visant à réglementer la profession.

DÉFINITIONS

Métier/corporation
Association des travailleurs d'un même domaine qui doivent respecter les règles fixant des conditions strictes d'entrée dans le métier, de salaires, etc.

Confrérie
Dédiée à un saint patron, elle organise des célébrations, des fêtes et assure l'assistance à ses membres les plus démunis. Souvent s'y regroupent les membres d'un même métier.

Patriciat urbain
Catégorie de la population urbaine issue de l'ancienne noblesse urbaine, des chevaliers installés en ville et comprenant la frange supérieure des métiers du commerce et de la banque.

Peuple
Population urbaine ; elle est divisée en plusieurs catégories qui n'ont pas les mêmes intérêts. Les émeutes urbaines naissent des oppositions à l'intérieur de ce groupe.

1 Une société encadrée et solidaire

● **La domination des familles.** Comme à la campagne, la famille demeure en ville la structure de base de la société. Chez les puissants, elle est le cadre de domination des patriciens : les maîtres des métiers y recrutent associés et employés. Mais la famille, plus réduite qu'à la campagne, offre une protection limitée, d'où l'importance des autres structures sociales.

● **L'importance des paroisses.** La paroisse regroupe sans distinction tous les habitants d'un quartier qui s'occupent de l'église, du cimetière et de l'assistance aux pauvres **doc. 3**. Les membres d'une paroisse peuvent aussi être chargés de l'entretien et de la défense d'une portion de la muraille de la ville.

● **Le rôle des** confréries. Ces associations religieuses assurent un rôle de protection dans le cadre des métiers. Sous l'égide d'un saint patron, elles fixent obligations et interdictions, cherchent à contrôler la production, déterminent prix ou salaires et organisent l'entraide. L'inégalité reste toutefois forte entre les maîtres des métiers, qui bloquent les nouvelles adhésions, et les apprentis qui demeurent dans la dépendance d'un patron.

2 Une société hiérarchisée

● **Gouverner la communauté urbaine.** Au sommet se trouve le patriciat, né de la fusion de l'ancienne noblesse urbaine, des chevaliers et des élites économiques. Ces dernières maîtrisent le foncier, les capitaux et profitent de la mise en place des autonomies municipales en Flandre ou en Italie. Les grands marchands, appartenant à la frange supérieure de la bourgeoisie, s'allient aux patriciens pour contrôler la ville contre les artisans, ou, au contraire, cherchent le soutien des artisans pour supplanter le patriciat.

● **Le monde du travail.** Il comprend le « menu peuple », la grande majorité des artisans et des petits boutiquiers **doc. 2**. Nombreux, difficiles à contrôler, ils sont sujets à de violentes émeutes réprimées durement. Face à lui, le « peuple gras » tente de maintenir sa position dominante en intégrant la frange supérieure des métiers. Il existe aussi une population nombreuse d'exclus : travailleurs pauvres hors métiers, mendiants récemment arrivés en ville ; ils ne disposent d'aucun droit, vivent misérablement et sont à la merci des maîtres des métiers qui les emploient **doc. 4**.

● **Une immigration proche.** Les habitants des villes viennent la plupart du temps des campagnes environnantes, seule une petite minorité est « étrangère » et se spécialise dans les activités du grand commerce comme les Juifs ou les Lombards.

3 La puissance économique des cités

● **L'essor du grand commerce au xiiiᵉ siècle.** Les villes sont des places commerciales. Les marchands se déplacent toute l'année. Deux grandes zones commerciales émergent : au nord, Bruges, grand marché de la laine anglaise, alimente toutes les cités drapières de Flandre. Au sud, les cités italiennes contrôlent le commerce d'épices et de denrées précieuses avec l'Orient. Les deux pôles du grand commerce se rejoignent dans les foires de Champagne.

● **La place des métiers dans l'économie urbaine.** À côté de l'industrie textile qui fait la fortune des villes de Flandre et d'Italie, une multitude de métiers se développent : métaux, alimentation, construction. Ils sont hiérarchisés selon leur richesse et leur dignité : les orfèvres sont puissants et renommés alors que les bouchers, pourtant prospères, sont méprisés **doc. 1**.

▪ **Les villes sont les centres économiques majeurs de l'Occident des xiiᵉ et xiiiᵉ siècles. La société urbaine, fortement hiérarchisée, est gouvernée par un patriciat urbain qui domine les marchands, les artisans et le peuple.**

1 Statut des Bouchers de Poitiers 1247

« Étant donné que les bouchers ou le métier des bouchers de Poitiers ont pris l'habitude de fondre leurs graisses en suivant leur propre intérêt et sans prendre aucune précaution et d'exiger des nouveaux bouchers et des bouchers étrangers un droit d'entrée arbitraire dans la corporation, étant donné qu'ils ne respectent pas les horaires fixés pour les abattages ou le transport des viandes sur les bancs de vente, qu'ils font des conspirations, des ligues, multipliant les usages illégitimes ou plutôt les abus corrupteurs contre l'utilité commune, vu que nous, maire et tous les autres échevins de Poitiers, nous avons engagé contre eux une action judiciaire, lesdits bouchers et leur métier se sont soumis à la décision arbitrale d'Aimeri Pouvreau de Pierre de la Charité, de Pierre Garnier et de Guillaume Morail. Ces derniers ont décrété qu'à l'avenir lesdits bouchers ne doivent pas fondre leurs graisses le vendredi et le samedi [...]. Item, il a été ordonné qu'en ce qui concerne le droit d'entrée dans le métier, ils n'exigent pour des biens mobiliers inférieurs à 20 livres qu'une somme de six deniers par livre ; pour des biens mobiliers égaux ou supérieurs à 20 livres, l'impétrant ne donnera que dix sous, [...]. Et les héritiers de celui qui aura versé une fois le droit d'entrée complet n'auront rien à payer par la suite. Item, que les bouchers accueillent parmi eux les bouchers étrangers et leur permettent de vendre sur les bancs de Poitiers de bonnes viandes [...]. Item, que tout boucher de Poitiers et tout boucher étranger ait le droit de vendre les porcs salés, bœufs, porcs et autres viandes, quelle que soit leur provenance, [...] et que le vendeur reçoive pour sa viande le prix fixé. [...] »

Recueil de documents concernant la commune et la ville de Poitiers, t. I : de 1063 à 1327, par E. Audouin, Poitiers, 1923 (« Arch. historiques Poitou », t. 44), n° XLIX. ■

1. Quelles sont les relations entre les bouchers de Poitiers et les institutions de la cité ?
2. Comment cherchent-ils à protéger leurs intérêts ?

2 Les cris de Paris

« Je vous dirai comment font ceux qui ont des marchandises à vendre et qui courent Paris, en les criant, jusqu'à la nuit. Ils commencent dès le point du jour. "Seigneurs, dit le premier, allez aux bains, vite, vite : ils sont chauds !" Et puis viennent ceux qui crient les poissons : harengs saurs et harengs blancs, harengs frais salés, vives de mer et aloses. Et d'autres qui crient les oisons, et les pigeons, la viande salée, et la viande fraîche. Et la sauce à l'ail, et le miel. Et les pois en purée chaude, et les fèves chaudes. [...] Celui-ci s'écrie : "J'ai du bon merlan frais, du merlan salé !..." Un autre : "Je change des aiguilles contre du vieux fer !" Ou bien : "Qui veut de l'eau contre du pain ?..." Et celui-là : "J'ai du bon fromage de Champagne, du fromage de Brie ! N'oubliez pas mon beurre frais !..." [...] Et tous ceux qui réclament du pain : "Du pain pour les Frères mineurs !..." "Du pain pour les Carmes !..." "Du pain pour les pauvres prisonniers !..." "Du pain pour les croisés !..." "Du pain pour les aveugles du Champ-Pourri !..." "Du pain pour les Bons Enfants, pour les Filles-Dieu !" [...] Et voici le sonneur qui court les rues en criant : "Priez pour l'âme du trépassé !" »

In E. Faral, *Textes relatifs à la civilisation des Temps modernes*, Hachette, 1938. ■

▶ Quelles marchandises peut-on trouver à Paris ?

3 La prise en charge des pauvres

Scène de la vie d'Andrea Gallerani (début XIIᵉ-1251), attribué à Guido da Siena, vers 1275. Pinacoteca Nazionale, Sienne.

Andrea Gallerani fonda à Sienne la congrégation des Frères de la Miséricorde.

▶ **Doc. 3 et 4** Qui prend en charge les pauvres dans les villes médiévales ?

4 Une société de secours mutuel à Paris

« À tous ceux qui verront ces lettres Henri de Taperel, garde de la prévôté de Paris, salut. Nous faisons savoir que nous avons reçu la requête des ouvriers corroyeurs de robes de vair demeurant à Paris qui, en raison de leur travail harassant, succombent souvent à de graves et longues maladies les empêchant de travailler. Ils doivent alors mendier leur pain et meurent de misère. La majorité d'entre eux souhaite donc, avec notre accord, aider les membres de leur métier de la façon suivante : quiconque sera malade, tant que durera la maladie et l'invalidité, recevra chaque semaine 3 sous parisis pour vivre. Il recevra 3 sous la semaine de sa convalescence et à nouveau 3 sous pour se fortifier. [...] Les ouvriers corroyeurs qui voudront participer à cette aumône verseront chacun 10 sous et 6 deniers d'entrée au clerc. Ils paieront chaque semaine 1 denier parisis ou 2 deniers pour la quinzaine, qu'ils devront apporter à l'endroit où l'aumône sera perçue. [...] Si un corroyeur ne désire pas payer ce qui est dit au-dessus, il ne participera pas à l'association et ne profitera pas de ses avantages s'il était dans le besoin. Les cotisations seront reçues par six membres du métier qui ne pourront en faire que l'usage prévu sous peine de corps et de biens. Ils devront rendre des comptes au commun du métier une fois par an, à défaut de quoi ils seront punis par nous, prévôt de Paris ou nos successeurs. »

Le prévôt de Paris, 1319. O. Fagniez, *Études sur l'industrie et la classe industrielle à Paris aux XIIIᵉ et XIVᵉ siècles*, 1877. ■

▶ Quelle est la fonction d'une association de métiers ?

❶ S'entraîner à la composition : bâtir un plan thématique

▶ **Sujet :** Vivre en ville au XIᵉ-XIIIᵉ siècle.

MÉTHODE

1. Analyser les termes du sujet

Vivre en ville au XIᵉ-XIIIᵉ siècle

Les bornes chronologiques du thème étudié.
À quoi correspond cette période dans l'histoire des villes en Occident ?

Le terme est très large : habiter, travailler, se divertir, mourir, etc.
Qui vit en ville ? Quel statut octroie-t-elle à ses habitants ?
Comment est-elle ravitaillée ?
Quelles activités s'y développent ?
Comment s'organise la société urbaine ?

Qu'est-ce qu'une ville au Moyen Âge ?
Quel statut a-t-elle ?
Qui la dirige / la domine ?

2. Dégager la problématique

L'analyse du sujet permet de dégager la problématique.

EXERCICE 1

Parmi les problématiques proposées ci-dessous, choisissez celle qui vous semble la plus adaptée en justifiant votre choix :

a. *Comment s'organisent les villes de l'Occident au XIᵉ-XIIIᵉ siècle ?*

b. *Quelles sont les caractéristiques des sociétés urbaines en Occident au XIᵉ-XIIIᵉ siècle ?*

3. Bâtir le plan

Même si le sujet s'étend sur deux siècles, il ne permet pas de dégager une évolution.
Aussi est-il préférable d'adopter un plan thématique.

EXERCICE 2

À partir de l'analyse du sujet et de la problématique choisie, dégagez trois thèmes qui constitueront les parties du plan :

I. ....

II. ....

III. ....

EXERCICE D'APPLICATION

En vous appuyant sur la méthode ci-dessus, proposez une problématique et un plan :

▶ **Sujet : Les pouvoirs dans la ville au XIᵉ-XIIIᵉ siècle.**

② Comprendre et analyser le statut d'une ville

▶ **Présentez le document. En quoi témoigne-t-il du fonctionnement de la vie économique et de l'organisation des professions dans les sociétés urbaines médiévales ?**

Le statut des orfèvres de Paris

Prévôt de Paris de 1261 à 1270, Étienne Boileau (vers 1200-1270) demande aux différents métiers de Paris de fixer et rédiger leurs statuts et les réunit dans un recueil, connu sous le nom de Livre des métiers. *Cet extrait présente le statut des orfèvres de Paris.*

« I. Est orfèvre à Paris, qui veut l'être et sait le faire pourvu qu'il œuvre aux us et coutumes du métier qui sont tels.

II. Nul orfèvre ne peut ouvrer d'or à Paris qui ne soit à la touche de Paris ou meilleur, lequel dépasse tous les ors de l'univers.

III. Nul orfèvre ne peut ouvrer d'argent qui ne soit au même titre que l'esterlin ou meilleur.

A

IV. Chaque orfèvre ne peut avoir qu'un apprenti étranger, mais de son lignage ou de celui de sa femme, il peut en avoir autant qu'il lui plaît.

V. Aucun orfèvre ne peut avoir d'apprenti de la famille ou étranger de moins de dix ans, sauf si l'apprenti sait gagner 100 sous. l'an et ses dépens de boire et de manger.

B

VI. Aucun orfèvre ne peut œuvrer de nuit si ce n'est à l'œuvre du roi, de la reine, de leurs enfants, de leurs frères, ou de l'évêque de Paris.

VII. Aucun orfèvre ne doit payer de coutume sur ce qu'il achète ou vend pour son métier.

VIII. Aucun orfèvre ne peut ouvrir sa forge les jours de fête d'apôtre à l'exclusion d'un atelier que chacun

C

œuvre à son tour en ces fêtes et le dimanche. Tous les gains de celui qui a ouvert son ouvroir sont déposés en la boîte de la confrérie des orfèvres. L'argent de cette boîte sert à donner chaque année, le jour de Pâques, un repas aux pauvres de l'Hôtel-Dieu de Paris.

IX. Les orfèvres ont juré de tenir et garder bien et loyalement ces établissements. Et si un orfèvre forain vient à Paris, il jurera de les tenir tous.

X. Les orfèvres de Paris sont quittes du guet, mais ils doivent les autres redevances dues au roi par les autres bourgeois.

XI. Et il est à savoir que les prud'hommes du métier élisent deux ou trois d'entre eux pour garder le métier : ceux-ci jurent qu'ils garderont bien et loyalement le métier aux us et coutumes susdits. Et quand ces prud'hommes ont fini leur office, le commun du métier ne peut les nommer pour garder le métier pendant trois ans à moins qu'ils ne veuillent le faire de bonne volonté.

XII. Et si les trois prud'hommes trouvent un homme de leur métier qui œuvre de mauvais or ou de mauvais argent, et qu'il ne s'en veuille corriger, ils le ramènent devant le prévôt de Paris et celui-ci le punit du bannissement à 4 ou 6 ans selon sa faute.

D

Le Livre des métiers d'Étienne Boileau, vers 1268. ▪

MÉTHODE

1. Identifier et présenter le document

Présentez le document en identifiant la nature, l'auteur, la date, le contexte et le thème.

Vous pouvez vous aider du dossier consacré à Paris p. 150.

2. Lire le document

Pour comprendre un document, il est nécessaire d'en repérer les articulations. Dans certains textes, les alinéas correspondent à des changements de propos. Ici, le texte est une énumération de règles. On peut les regrouper par catégorie.

EXERCICE 1 Complétez le tableau.

Partie du texte	Règles du statut	Idée
A	I à III	Le métier définit les critères de production
B		
C		
D		

3. Relier le document aux connaissances

De cette première analyse du texte, on peut dégager quelques questions. Pour y répondre, aidez-vous de la leçon 2 p. 152 et du texte.

EXERCICE 2 Complétez le tableau.

Questions à se poser	Éléments tirés du texte	Connaissances tirées de la leçon 2
Au Moyen Âge, qu'appelle-t-on un métier ?		
Quelle est sa fonction ?		
Comment est-il organisé ?	« les prud'hommes du métier élisent deux ou trois d'entre eux pour garder le métier »	
Qui sont les garants du respect des statuts du métier ?		

Exercices et **MÉTHODES**

❸ Comprendre et analyser un texte officiel

▶ Présentez le document en insistant sur le contexte.
Que révèle-t-il de l'organisation des villes dans l'Espagne de la Reconquête ?

Une franchise urbaine en Espagne

« Toutes les franchises qui suivent sont accordées à ceux qui résident ou viendraient à résider en ces villes. [...] Si d'aventure un riche homme ou un chevalier pénètre de force à l'intérieur des limites et y est blessé ou tué, son meurtrier en légitime défense, ne sera pas poursuivi. [...] Si des moutons, des vaches ou d'autres troupeaux entrent pour paître sur le territoire, le conseil percevra le quint ou le huitième sur eux. [...] Par une franche liberté, quiconque vient ici pour y habiter qu'il soit chrétien, maure, juif, libre ou serf, sera reçu, à moins qu'il ne tombe sous l'accusation de dette, d'abus de confiance, d'hostilité, etc. Les gens qui viennent habiter la ville ou son terroir seront installés par le conseil, ou, si ce dernier ne trouve pas d'endroit convenable, par le juge et les alcaldes qui leur assigneront une maison à côté des autres [...]. »

Fueros d'Alarcon et Alcaraz dans la Mancha (Espagne), vers 1220, dans Jacques Roudil, *Les* Fueros *d'Alcaraz et d'Alarcon*, Klincksieck, 1968. ■

Aide

> Dans l'Espagne médiévale, un *fuero* est une charte garantissant les privilèges et les libertés d'une ville.
> Un alcade est un fonctionnaire communal.

❹ Comprendre et analyser une charte de ville

▶ Présentez le document en insistant sur sa nature.
Montrez comment il témoigne de l'organisation et de la gestion des villes du XIᵉ au XIIIᵉ siècle.

L'élection des échevins de Gand (Flandres)

« Nous, bourgeois de Gand, à tous ceux qui prendront connaissance de cette présente charge, qu'il soit connu de votre universitas, que, à notre demande, notre seigneur Ferrand, comte de Flandres et de Hainaut, et sa femme la comtesse Jeanne, nous ont concédé la liberté de renouveler les échevins chaque année, de la façon suivante.
Le comte doit choisir de bonne foi quatre proud'hommes qu'il estime être les meilleurs, dans quatre paroisses [de la ville]. Ces quatre hommes jureront sur les choses saintes que, de concert avec le comte, ils choisiront, de bonne foi et sans fraude, treize échevins qu'ils jureront être les plus capables et les plus utiles à la cause du comte et de la ville : les quatre premiers seront choisis dans les quatre paroisses, les neuf autres indistinctement dans toute la ville, là où il sera jugé que c'est le mieux. »

Charte de 1212. ■

❺ Exercice TICE : la vie quotidienne au Moyen Âge   www.

L'enfance au Moyen Âge

Le site de la Bibliothèque nationale de France propose une exposition virtuelle sur l'enfance au Moyen Âge (**http://classes.bnf.fr/ema/**).

1. À partir de cette adresse, vous pouvez ouvrir l'onglet portant sur la ville et la vie en ville.

2. Trouvez ensuite des liens vous permettant d'illustrer par des textes ou des images les thèmes suivants :
– l'essor urbain   – la vie quotidienne
– l'espace urbain – la vie économique

3. Rédigez un bref texte sur un des thèmes ci-dessus.

MÉMO ET RÉVISIONS

À retenir

LA VILLE MÉDIÉVALE

UN PAYSAGE

▶ La ville se distingue de la campagne par son paysage :

– elle est souvent entourée d'une **enceinte** ;

– elle peut étendre sa souveraineté au-delà des **murailles** (*contado* en Italie) ;

– elle regroupe des **habitants nombreux** (de quelques milliers à quelques dizaines de milliers) ;

– s'y développent des **activités commerciales** (foire) et des **activités artisanales** ;

– le pouvoir communal s'y donne à voir par la construction d'un **palais communal** (hôtel de ville) ;

– la puissance des grandes familles est visible par la construction de **tours**.

UN POUVOIR

▶ Les villes peuvent être des fondations seigneuriales, laïques ou religieuses.

▶ Les villes obtiennent de se gouverner en partie elles-mêmes, soit par l'octroi de chartes de franchise, soit à la suite d'une insurrection : c'est le **mouvement communal**.

▶ Le pouvoir urbain se dote de symboles : sceau, halle, cloche, etc.

UNE COMMUNAUTÉ

▶ Les habitants d'une ville sont appelés des « bourgeois ».

▶ L'appartenance à la communauté donne des droits, obtenus grâce à des chartes de franchise.

▶ La communauté est encadrée : la famille, le métier, la paroisse, etc.

▶ La communauté est hiérarchisée : riches et pauvres, élite dirigeante et simples bourgeois.

▶ La communauté est solidaire : corporations, société d'entraide...

Schéma explicatif

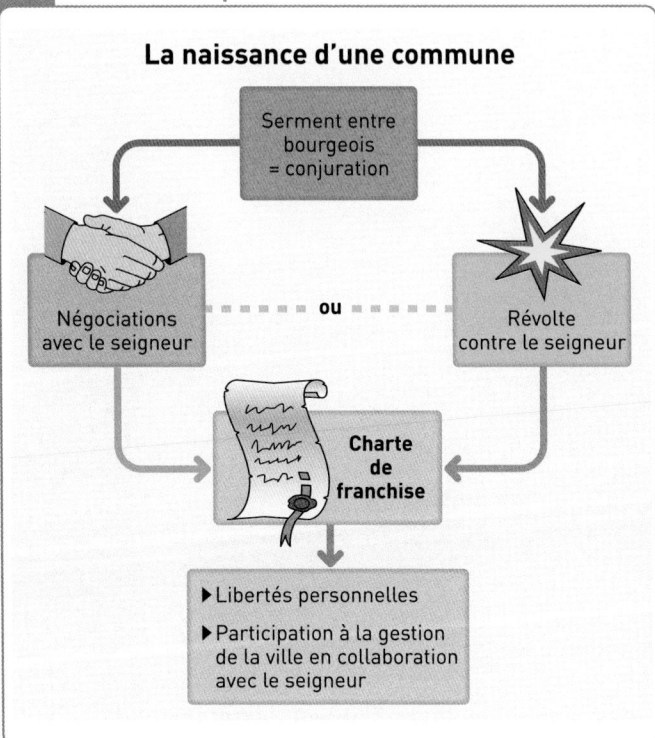

La naissance d'une commune

▶ Faire une fiche de révision

Réalisez vos fiches de révision en développant les idées suivantes :

- Les caractéristiques de l'essor urbain au XIe-XIIIe siècle.

- Comment le pouvoir s'exerce-t-il dans les villes médiévales ?

- L'organisation de la société urbaine.

Pensez à relire les définitions en marge des cours du chapitre pour utiliser le vocabulaire approprié.

Thème 4

Nouveaux horizons géographiques et culturels des Européens à l'époque moderne

Hans Holbein le Jeune (1497-1543), *Les Ambassadeurs*, 1533. Huile sur panneau de chêne, largeur : 209,5 cm, hauteur : 207 cm. National gallery, Londres.

Chapitre 7

L'élargissement du monde

(XVᵉ-XVIᵉ siècle)

Le monde du XVᵉ siècle est articulé autour de territoires plus ou moins unifiés (Chine des Ming, Empire ottoman, empires aztèque et inca) et de régions plus morcelées (royaumes européens). Des espaces d'échanges relient ces territoires. À partir de la fin du XVᵉ siècle, les Grandes Découvertes transforment le rapport des Européens au monde.

1453, prise de Constantinople par les Turcs

Fresques de l'iconostase du monastère orthodoxe de Moldovita (Roumanie), 1537.

1521, prise de Tenochtitlan par les Européens

Combat décisif entre Cortez et Cuauhtemoc à la bataille de Tenochtitlan, lithographie couleur de 1892 d'après le Lienzo de Tlaxcala, xvᵉ siècle.

Sommaire

La diversité des mondes de la Renaissance

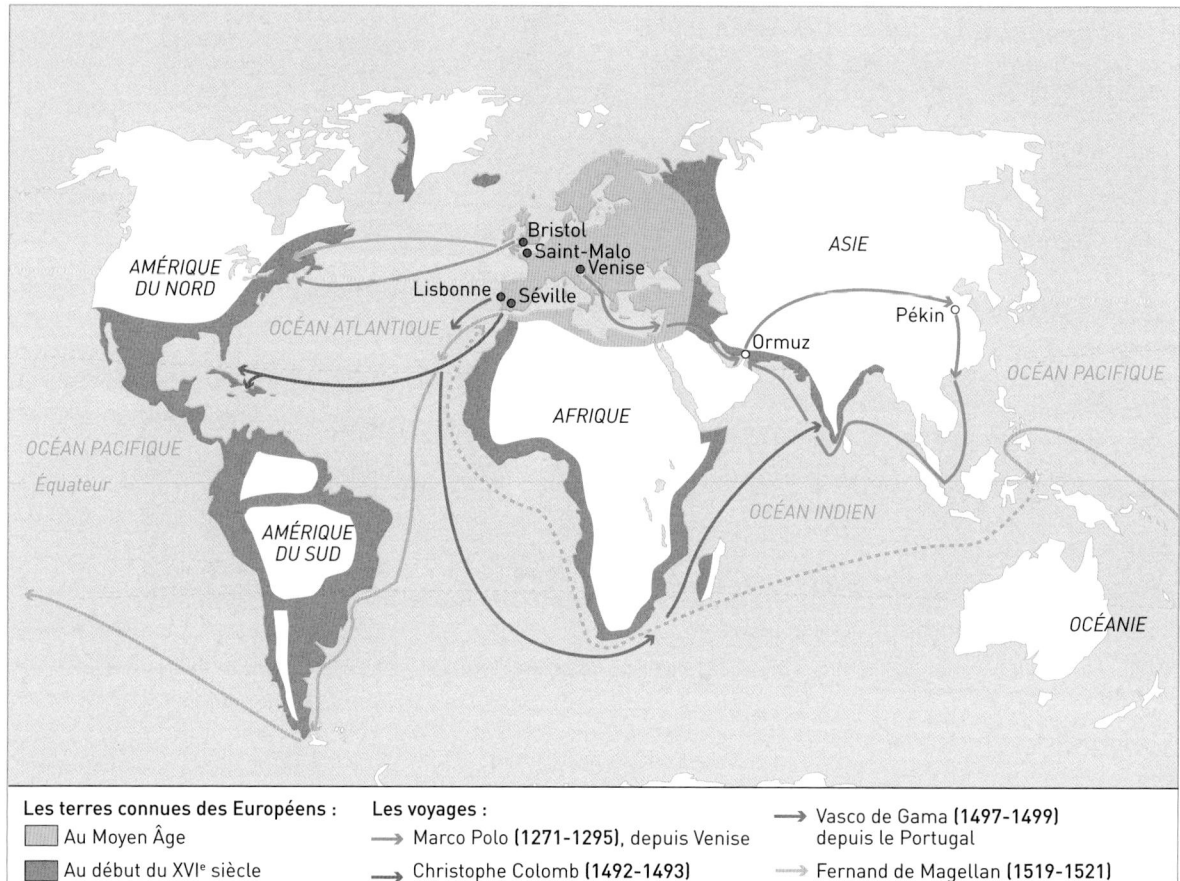

Les terres connues des Européens :
- Au Moyen Âge
- Au début du XVIᵉ siècle

Les voyages :
- → Marco Polo **(1271-1295)**, depuis Venise
- → Christophe Colomb **(1492-1493)** depuis l'Espagne
- → Jean Cabot **(1497)**, depuis l'Angleterre
- → Vasco de Gama **(1497-1499)** depuis le Portugal
- → Fernand de Magellan **(1519-1521)** et Juan Elcano **(1522)**, depuis l'Espagne
- → Jacques Cartier **(1534)** depuis la France

I L'élargissement du monde connu par les Européens au xvᵉ et au début du xvɪᵉ siècle

QUESTIONS

1. Quelles régions du monde les Européens découvrent-ils au xvᵉ et au début du xvɪᵉ siècle ? Par quels moyens les Européens effectuent-ils ces découvertes (doc. 1) ?

2. Quelles parties du monde restent inconnues ? Comment l'expliquer (doc. 1) ?

3. Quels sont les principaux États amérindiens avant la conquête (doc. 2) ?

4. Distinguez les étapes de la progression des Européens sur le continent américain (doc. 2).

5. Dans quelles directions s'effectue l'expansion de l'Empire des Ming (doc. 3) ?

6. Quels éléments montrent une ouverture de la Chine vers l'extérieur (doc. 3) ?

7. `Doc. 1 à 3` Quels bouleversements territoriaux marquent l'époque de la Renaissance ?

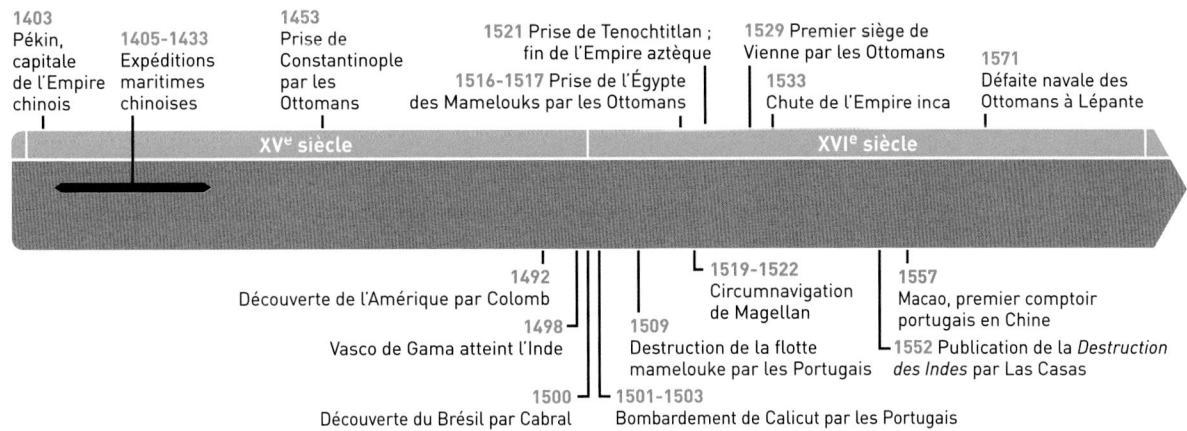

1403
Pékin, capitale de l'Empire chinois

1405-1433
Expéditions maritimes chinoises

1453
Prise de Constantinople par les Ottomans

1521 Prise de Tenochtitlan ; fin de l'Empire aztèque
1516-1517 Prise de l'Égypte des Mamelouks par les Ottomans

1529 Premier siège de Vienne par les Ottomans
1533 Chute de l'Empire inca

1571
Défaite navale des Ottomans à Lépante

XVe siècle

XVIe siècle

1492
Découverte de l'Amérique par Colomb
1498
Vasco de Gama atteint l'Inde

1509
Destruction de la flotte mamelouke par les Portugais

1519-1522
Circumnavigation de Magellan

1557
Macao, premier comptoir portugais en Chine
1552 Publication de la *Destruction des Indes* par Las Casas

1500
Découverte du Brésil par Cabral
1501-1503
Bombardement de Calicut par les Portugais

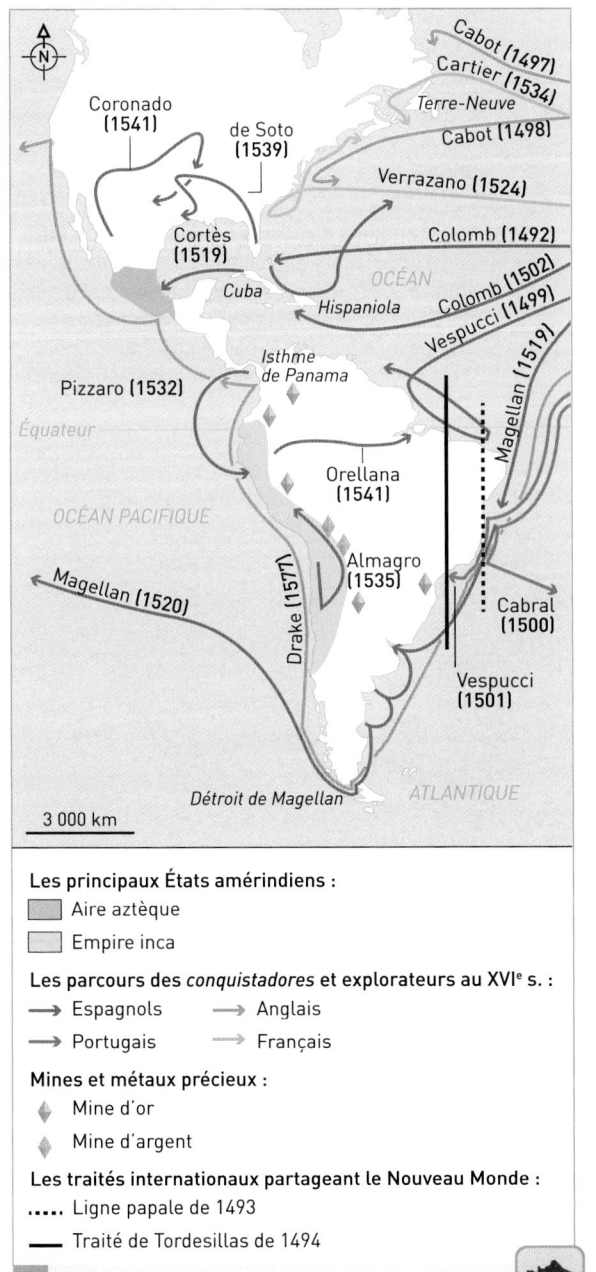

Les principaux États amérindiens :

◻ Aire aztèque

◻ Empire inca

Les parcours des *conquistadores* et explorateurs au XVIe s. :

→ Espagnols   → Anglais

→ Portugais   → Français

Mines et métaux précieux :

◆ Mine d'or

◆ Mine d'argent

Les traités internationaux partageant le Nouveau Monde :

..... Ligne papale de 1493

▬ Traité de Tordesillas de 1494

2 Le continent américain aux XVe et XVIe siècles

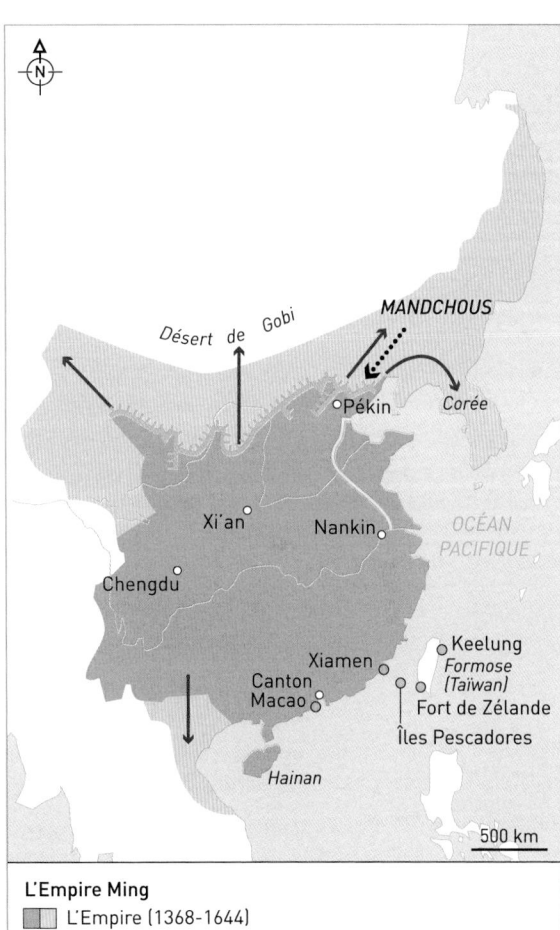

L'Empire Ming

◻ L'Empire (1368-1644)

→ Expansion chinoise (fin XIVe siècle-début XVe siècle)

⊔⊔⊔ La Grande Muraille

═ Canaux

Les principaux adversaires des Ming

◄••• Attaque des Mandchous (1635)

Les établissements européens

◉ Portugais

◎ Hollandais

3 Rayonnement et repli de la Chine de la fin du XVe siècle au milieu du XVIIe siècle

L'océan Indien au xvᵉ siècle, espace d'une première mondialisation ?

Au xvᵉ siècle, l'océan Indien est l'un des espaces économiques et culturels les plus dynamiques du monde. Les marchands arabes, chinois et indiens y échangent tissus, épices, objets d'art et esclaves entre l'Afrique orientale, l'Asie de l'Est et l'Asie du Sud-Est. Calicut est le grand port du poivre. À la fin du xvᵉ siècle, les Portugais s'imposent dans ces échanges.

REPÈRES

▶ 1405-1433 : envoi par l'empereur chinois Yongle de sept expéditions dans l'océan Indien.

▶ 1429 : le sultan mamelouk d'Égypte démantèle le réseau marchand maritime arabe.

▶ 19 mai 1498 : Vasco de Gama atteint Calicut.

▶ 1501 et 1502-1503 : bombardements navals de Calicut par les Portugais.

▶ 1509 : destruction de la flotte mamelouk par les Portugais.

▶ 1516-1517 : prise de l'Égypte par les Ottomans.

DÉFINITIONS

▶ Espace interconnecté / Mondialisation
Espace relié à d'autres espaces de la planète par d'importants échanges économiques et culturels. Au xvᵉ siècle, l'océan Indien est ainsi relié à la Méditerranée par les marchands arabes puis indiens et par les navires chinois. C'est l'amorce d'une première mondialisation.

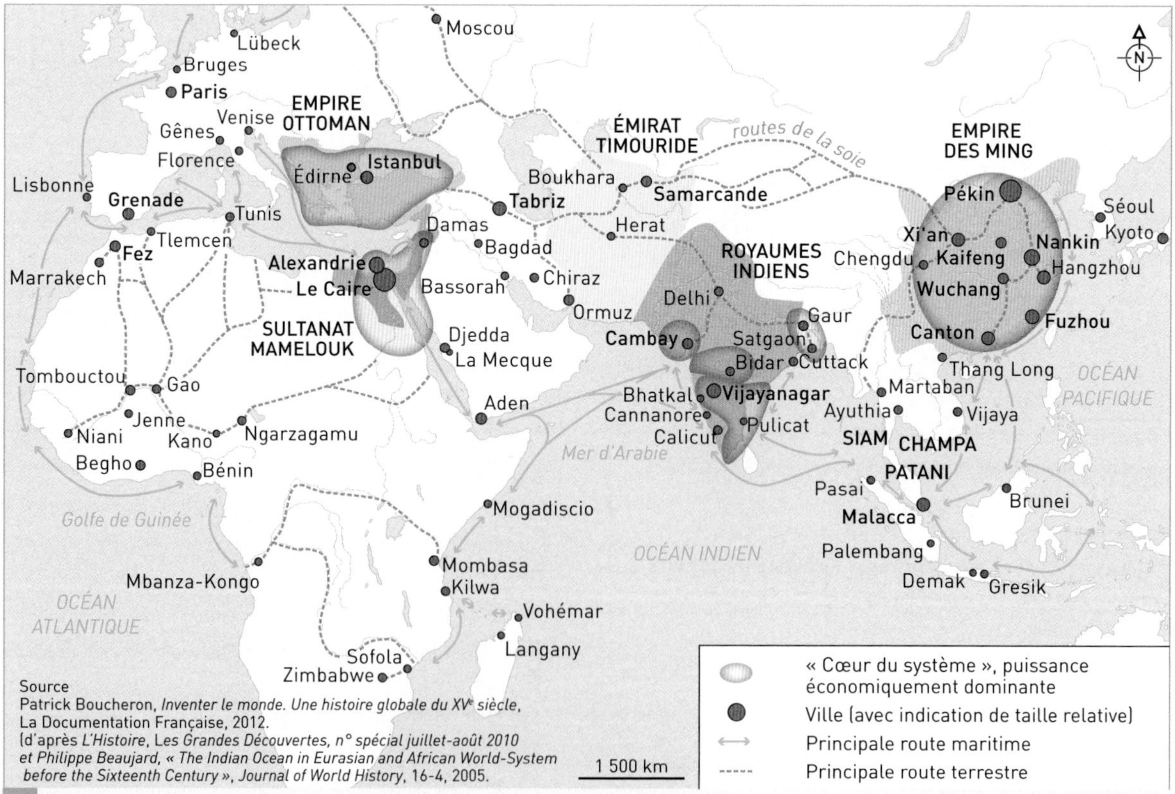

Source
Patrick Boucheron, *Inventer le monde. Une histoire globale du XVᵉ siècle*, La Documentation Française, 2012.
(d'après *L'Histoire, Les Grandes Découvertes*, n° spécial juillet-août 2010 et Philippe Beaujard, « *The Indian Ocean in Eurasian and African World-System before the Sixteenth Century* », *Journal of World History*, 16-4, 2005.

1 500 km

1 L'océan Indien au xvᵉ siècle : premier espace économique dans le monde

1. Quels espaces relient les routes maritimes qui traversent l'océan Indien ?

2. Quelles sont les puissances économiques dominantes ?

2 Un cadeau impérial

Copie du rouleau représentant la girafe africaine offerte par le sultan du Bengale à l'empereur Yongle, réalisée par le lettré Shen Du, 1414.

1. Qu'indique ce cadeau sur les relations qui s'établissent entre les États de la région ?

2. **Doc. 2 et 3** Pourquoi le port de Calicut occupe-t-il une place stratégique dans l'océan Indien ?

4 Le regard d'un notable musulman d'Orient sur l'arrivée des Portugais

« Ce sont les pires de toutes les créatures,/ Aux manières les plus sales,/ Les ennemis les plus âpres d'Allah et de son Prophète,/ De sa foi et de la communauté du Prophète./ Le Franc vénère la croix/ Et se prosterne devant des images et des idoles,/ Laid d'apparence et de forme,/ Aux yeux bleus telle une goule./ Il urine [debout] comme un chien,/ Et ceux qui se lavent sont réprimandés et chassés./ Fourbe, désobéissant, et déloyal,/ La plus répugnante des créatures de Dieu, c'est le Franc ! »

Mohammed ibn Abdul Aziz, « Victoire manifeste pour le samiri, qui aime les musulmans », vers 1570, cité par Sanjay Subrahmanyam, « Comment les Indiens ont découvert Vasco de Gama », *L'Histoire*, n° 355, juillet 2010. ▪

1. Comment expliquer l'hostilité de l'auteur de ce document ?

2. **Doc. 4 et 5** Pourquoi les Portugais ne sont-ils pas les bienvenus dans l'océan Indien ?

ORGANISER ET SYNTHÉTISER DES INFORMATIONS

> Montrez ce qui fait de l'océan Indien un espace interconnecté.

3 Le port de Calicut dans les années 1440

« Calicut est un port parfaitement sûr qui, comme celui d'Ormuz, réunit des marchands de toutes les contrées et où l'on trouve en abondance des produits rares venus de Da(e ?)ryabar, du Pays sous le Vent, d'Abyssinie et de Zanj [régions de l'Afrique équatoriale]. Parfois y arrivent des bateaux venant de la Maison de Dieu [La Mecque] et d'autres villes du Hedjaz [région de La Mecque], qui y font escale pour un temps. C'est une ville habitée par les infidèles et qui relève donc du territoire de la guerre. On y trouve cependant un grand nombre de musulmans, qui ont là leur résidence et ont construit deux mosquées où ils se réunissent pour la prière du vendredi. Il règne dans cette ville tant de sécurité et de justice que les marchands les plus riches y apportent des cargaisons considérables qu'ils débarquent et jettent négligemment sur les marchés, sans songer à en vérifier le compte. [...] De Calicut partent continuellement des vaisseaux qui font voile pour La Mecque et sont le plus souvent chargés de poivre. Les habitants de Calicut sont de hardis navigateurs : on les désigne par le nom de [Fils du Chinois] et les pirates n'osent pas en attaquer les bâtiments. On trouve dans ce port tous les objets que l'on peut désirer. »

Relation de l'ambassadeur Abd al-Razzaq al-Samarqandi au nom du sultan timouride de Shahrukh. Traduction Étienne Quatremère, *Notices et extraits des manuscrits de la Bibliothèque du Roi*, XIV, 1843. Cité par Patrick Boucheron, *Inventer le monde. Une histoire globale du XVᵉ siècle*, La Documentation Française, 2012. ▪

1. D'où viennent les marchands qui s'arrêtent dans le port de Calicut au milieu du XVᵉ siècle ? Que viennent-ils acheter ?

2. Quelle atmosphère règne entre les différentes communautés ?

5 L'arrivée de Vasco de Gama à Calicut

En touchant Calicut le 19 mai 1498, le Portugais Vasco de Gama est le premier Européen à rallier l'Inde par la mer en contournant l'Afrique.

« Ce même jour, vers le soir, nous allâmes mouiller à deux lieues au-dessous de cette cité de Calicut [...]. Nous mouillâmes le long de la côte, à environ une demi-lieue du rivage, et lorsque nous fûmes établis là, quatre embarcations parties de la terre vinrent nous trouver : ils voulaient savoir quelles gens nous étions ; ils nous annoncèrent et montrèrent Calicut. Et, le jour suivant, les mêmes barques revinrent le long de nos navires ; alors le capitan-mor [le chef de l'escadre, Vasco de Gama] envoya l'un de nos déportés [prisonniers] à Calicut, et ceux dont il était accompagné le menèrent où se trouvaient deux Maures [musulmans] de Tunis qui savaient parler le castillan et le génois, et la première bienvenue qu'ils lui donnèrent fut littéralement celle-ci : "Au diable qui te tient, qui t'a amené ici ?" Et ils lui demandèrent ce que nous venions chercher de si loin, et il leur répondit que nous venions chercher des chrétiens et des épices. Ils lui dirent : "Pourquoi donc n'envoient ici ni le roi de Castille, ni le roi de France, ni la seigneurie de Venise ?" Et il répartit que le roi de Portugal ne voudrait point permettre que ces souverains envoyassent en ces parages ; ils répliquèrent que bien il faisait. Alors ils lui donnèrent l'hospitalité et lui servirent à manger du miel et du pain de froment ; et lorsqu'il eut mangé, il revint aux navires. Or il nous arriva avec lui un de ces Maures qui, lorsqu'il fut à bord, commença à dire ces paroles : "Bonne chance ! Bonne chance !... Beaucoup de rubis... beaucoup d'émeraudes... Vous devez rendre bien des grâces à Dieu de vous avoir conduits vers une terre où il y a tant de richesses !" Et ceci était pour nous telle cause d'étonnement, que nous l'entendions parler et ne le croyions pas, ne pouvant nous persuader qu'il y eut si loin du Portugal un homme capable de nous entendre en notre langage. »

Alvaro Velho, *Journal*, cité dans Édouard Charton, *Voyageurs anciens et modernes*, T. III, Aux Bureaux du magasin pittoresque, 1855. ▪

1. Comment Vasco de Gama est-il accueilli à son arrivée à Calicut ?

2. Que vient-il y chercher ?

Istanbul, une capitale entre Orient et Occident

Constantinople, capitale de l'Empire byzantin, est prise en 1453 par les Ottomans.
Ceux-ci la baptisent alors Istanbul et en font leur capitale. Elle devient le cœur d'un empire musulman toujours ouvert vers l'Europe chrétienne grâce à Venise, partenaire commercial privilégié.

? *Quelles caractéristiques font d'Istanbul une capitale d'empire ?*

REPÈRES

▶ **1453** : prise de Constantinople par les Ottomans.

▶ **1454** : désignation d'un baile (représentant permanent) de Venise à Istanbul.

▶ **1478** : achèvement du palais de Topkapi.

▶ **1479-1481** : invitation du peintre vénitien Bellini par Mehmed II pour exécuter son portrait.

▶ **1503** : traité de commerce avec Venise.

▶ **1517** : déposition des reliques de Mohammed à Istanbul qui devient la capitale du califat.

I Le nouveau visage d'Istanbul

Atlas de Georg Braun et Franz Hogenberg, *Vue d'Istanbul*, XVIᵉ siècle.

▶ Décrivez les avantages exceptionnels du site d'Istanbul.

2 La description d'une ville portuaire cosmopolite

« Pera [un quartier d'Istanbul] ou Galata [...] est cité non trop antique, édifiée par les Genevois [Génois], qui y envoyèrent une de leurs colonies [...]. Quant au port, c'est l'un des plus beaux et plus commodes, que je pense, qui soit au monde [...]. Cette cité de Pera [...] est séparée de murailles en trois parties : en l'une desquelles habitent les vrais Perots [descendants des premiers Génois installés] ; en l'autre les Grecs, en la troisième les Turcs [...] et quelque peu de Juifs. [...] Les Français et les vrais Pérots vivent selon la loi de l'Église romaine, à la différence des Grecs [...]. Se tiennent ordinairement dedans la ville les Ambassadeurs de France et les bailes [chef de communauté] des Vénitiens, et Florentins [...] tant pour entretenir les ligues et considérations d'amitié, qu'ils ont avec le Grand Seigneur, que pour le trafic de marchandise, qu'ils exercent là, et par toutes les autres parties du Levant. »

Nicolas de Nicolay, *Les Navigations*, 1576-1577. ■

▶ Relevez les origines des populations citées. Appartiennent-elles à l'Empire ottoman ? Comment participent-elles au dynamisme de la ville ?

4 Un centre intellectuel

Astronomes et savants ottomans dans la tour de Galata à Istanbul, miniature ottomane, XVIᵉ siècle. Üniversitesi Kütüphanesi, Istanbul.

▶ Distinguez les différentes disciplines représentées ?

3 Une audience au palais de Topkapi

Miniature ottomane du *Süleymanname* 1558. Palais de Topkapi, Istanbul.
▶ Que montre le cérémonial de l'audience impériale ?

5 Évolution de la population d'Istanbul

En nombre d'habitants (estimation)		
1453	1478	1566
36 000	75 000	600 000
Par communautés (en nombre de foyers)		
Constantinople (Istanbul et Galata)	Vers 1478	Vers 1500
Musulmans	9 517	46 640
Chrétiens	5 162	25 288
Juifs	1 647	8 240

Source : Robert Mantran, *Histoire de l'Empire ottoman*, Paris, Fayard, 2009.

▶ Calculez l'évolution de la population d'Istanbul depuis la prise la ville par les Ottomans. Comment peut-on expliquer cette évolution ?

FAIRE LA SYNTHÈSE

Dans quelle mesure peut-on dire que la capitale de l'Empire ottoman est un carrefour entre l'Europe et l'Asie ?

De la basilique Sainte-Sophie à la mosquée Aya Sofia

▶ L'Église Sainte-Sophie de Constantinople est, à l'origine, une basilique à grande coupole centrale, remarquable par ses proportions majestueuses. Elle fut construite sous l'empereur Justinien au VIe siècle. Sainte-Sophie constituait le centre de la vie religieuse de l'Empire byzantin.

▶ Lors de la prise de la ville par les Ottomans en 1453, Mehmed II le Conquérant la fit transformer en sanctuaire musulman. Il commanda un *mihrâb*, installé dans l'abside, au bout de la nef centrale, et fit ériger un minaret d'angle à l'extérieur ; trois autres minarets furent ensuite ajoutés par ses successeurs. Aya Sofia (« Sainte-Sophie » en turc) devint alors le modèle des grandes mosquées ottomanes.

VOCABULAIRE DES ARTS

Basilique
Espace public couvert destiné, dans l'Antiquité, aux activités judiciaires et commerciales, puis transformé par le christianisme en lieu de culte ; la basilique devient ensuite un titre conféré par le pape à certaines églises.

Mosquée
Littéralement « le lieu où l'on se prosterne » ; espace sacré où se rassemblent les musulmans pour la prière.

Minaret
Tour devenue caractéristique des mosquées, dont la fonction première est l'appel à la prière.

Calligraphie
Art de tracer des lettres ornées qui, dans l'islam, constituent un support privilégié pour glorifier le Verbe divin.

Coupole
Élément architectural de forme hémisphérique posé sur le toit d'un bâtiment, religieux ou non ; on appelle généralement coupole la partie intérieure et dôme la partie extérieure.

Mihrâb
Niche symbolisant la présence du Prophète et l'orientation de la prière vers La Mecque.

Abside
Espace de forme semi-cylindrique formé au fond d'un mur ; dans les églises, extrémité arrondie en hémicycle située dans le fond du chœur.

1 Les mosquées Sultanahmet et Aya Sofia

La mosquée Sultanahmet, ou Mosquée bleue, est bâtie entre 1609 et 1616.

QUESTIONS

Décrire

1. Dans l'architecture extérieure, distinguez les éléments byzantins d'origine des ajouts ottomans. Quelle impression produisent les premiers ? En quoi les seconds modifient-ils cette première impression (doc. 3) ?
2. Quelle est l'impression produite par l'intérieur du bâtiment (doc. 2) ?
3. Relevez deux éléments caractéristiques de l'art byzantin et deux ajouts musulmans.
4. Quel élément architectural de la basilique chrétienne le *mirhâb* réemploie-t-il ?

5. Comparez, en relevant les points communs et les différences, Sainte-Sophie et la mosquée Sultanahmet (doc. 1).

Interpréter

6. Comment deux rites de nature religieuse différente, la messe orthodoxe puis la grande prière musulmane, ont-ils pu être accomplis successivement dans ce même espace ?
7. Quels éléments d'architecture religieuse sont communs au christianisme et à l'islam ?
8. En quoi Sainte-Sophie témoigne-t-elle des continuités et des ruptures de l'histoire de la ville ?

2 Vue intérieure de Sainte-Sophie

3 Vue extérieure
de Sainte-Sophie

Fiche d'identité de l'œuvre

Auteurs : architectes grecs Anthémius de Tralles et Isidore de Milet.

Nature : bâtiment religieux chrétien (basilique) puis musulman (mosquée) devenu un musée.

Dimensions : coupole de 31 m de diamètre reposant sur quatre piliers à 55 m du sol ; la nef centrale forme presque un carré de 77 mètres sur 71.

Lieu : Constantinople devenue Istanbul.

Date : construite au VIᵉ siècle, modifiée et restaurée à de nombreuses reprises.

À savoir : La réutilisation des lieux de culte par une autre religion est un phénomène courant dans l'histoire (les chrétiens transformèrent de nombreux temples païens). Elle permet de s'inscrire dans un héritage prestigieux, de récupérer la sacralité antérieure d'un lieu tout en la transformant.

Istanbul à l'apogée de l'Empire ottoman (XVIᵉ siècle)

Comment Istanbul devient-elle la capitale européenne d'un empire musulman ?

1 Un empire musulman sur deux continents

● **Un nouvel empire musulman.** La dynastie ottomane, issue de la principauté d'Osman (1300-1324), s'installe dans les Balkans et s'empare de Constantinople en 1453 **doc. 2**. Battant ensuite les Mamelouks d'Égypte, elle réunifie une grande partie des terres d'islam, de la frontière iranienne aux portes du Maroc **doc. 1**.

● **Le sultan, un chef au-dessus de l'aristocratie militaire.** Bien que les successions soient parfois sanglantes, l'empire n'est pas divisible. Mehmed II développe progressivement un pouvoir absolu, marqué par un cérémonial de cour très rigide. Ses successeurs se donnent le titre de calife, guide de la communauté des croyants. Au nom du *djihad*, il doit accroître son influence partout où il peut.

● **L'expansion en Europe.** En 1529, Soliman le Magnifique (1520-1566) atteint Vienne et se considère comme le premier des souverains européens. Il domine la Méditerranée par les armes mais signe des traités d'amitié et de commerce avec François Iᵉʳ **doc. 3** ou Venise. L'expansion ottomane est stoppée à Lépante (1571) **doc. 4**.

2 Un empire cosmopolite

● **La péninsule Balkanique, cœur de l'Empire.** Vers 1500, le sultan règne sur près de 7 millions de sujets dont près de la moitié sont des chrétiens qui lui apportent les trois quarts de ses recettes. En effet, tout non-musulman, juif ou chrétien, est soumis, au titre des « gens du Livre », à un impôt en échange de la protection (*dhimma*) du pouvoir.

● **Le pluralisme religieux.** La loi islamique fait des non-musulmans des sujets de second ordre mais ils ne sont pas contraints à la conversion. Des juifs, expulsés de la péninsule Ibérique à la fin du XVᵉ siècle, viennent ainsi trouver refuge dans l'Empire. Les musulmans shiites, accusés de déviance religieuse, sont en revanche persécutés.

● **L'ascension sociale au service de l'État.** Le *devchirme* (« récolte ») consiste à prélever dans les campagnes des enfants chrétiens convertis au sein de familles ottomanes. Ils sont ensuite formés aux métiers des armes pour constituer les redoutables janissaires, l'élite de l'infanterie ottomane, ou pour administrer l'Empire. En deux siècles, vingt et un des grands vizirs (principal ministre du sultan) en sont issus.

3 De Constantinople à Istanbul : un carrefour euro-asiatique

● **Constantinople, capitale politique d'un empire en expansion.** La ville passe de 40 000 à 250 000 habitants en un siècle. Au côté d'une majorité musulmane (55 %) reconnaissable au port du turban blanc, vivent des communautés grecques orthodoxes, catholiques, arméniennes et juives. L'islamisation de la cité se traduit par l'édification de près de 400 mosquées sur le modèle d'Aya Sofia, ancienne basilique Sainte-Sophie.

● **Le palais impérial.** Mehmed II édifie le palais royal, le Sérail, qui abrite plusieurs milliers de personnes. Suivant la division classique de l'espace musulman (extérieur ouvert au public et espace privé réservé à la famille), seule la première cour est accessible à tous. La deuxième est le siège du pouvoir politique et la troisième est réservée aux appartements privés.

● **Un carrefour de l'Europe et de l'Asie.** La ville est composée de trois ensembles : Stanbul, la capitale politique, siège du palais royal et du grand bazar, immense marché couvert, qui domine la rade de la Corne d'Or ; Galata, la ville grecque et portuaire où résident les commerçants occidentaux ; Üsküdar sur la rive asiatique.

■ **Au XVIᵉ siècle, Istanbul est ainsi devenu une ville cosmopolite, centre d'un puissant empire à cheval sur deux continents.**

DÉFINITIONS

Ottoman
Dynastie de souverains d'origine turque dont le nom renvoie au fondateur, Osman Iᵉʳ, qui conquit l'Anatolie aux dépens de Byzance.

Islam
Religion née en 622 autour du prophète Mohammed. L'islam prône l'obéissance à la loi de Dieu, révélée par le Prophète et mise par écrit dans le Coran. Cinq rites sont obligatoires : profession de foi, prières quotidiennes, aumône, jeûne du mois de ramadan et pèlerinage à La Mecque.

Chrétiens orthodoxes
Les chrétiens d'Europe orientale et d'Asie Mineure, de langue grecque et slave, qui ne reconnaissent pas l'autorité du pape mais celle du patriarche de Constantinople.

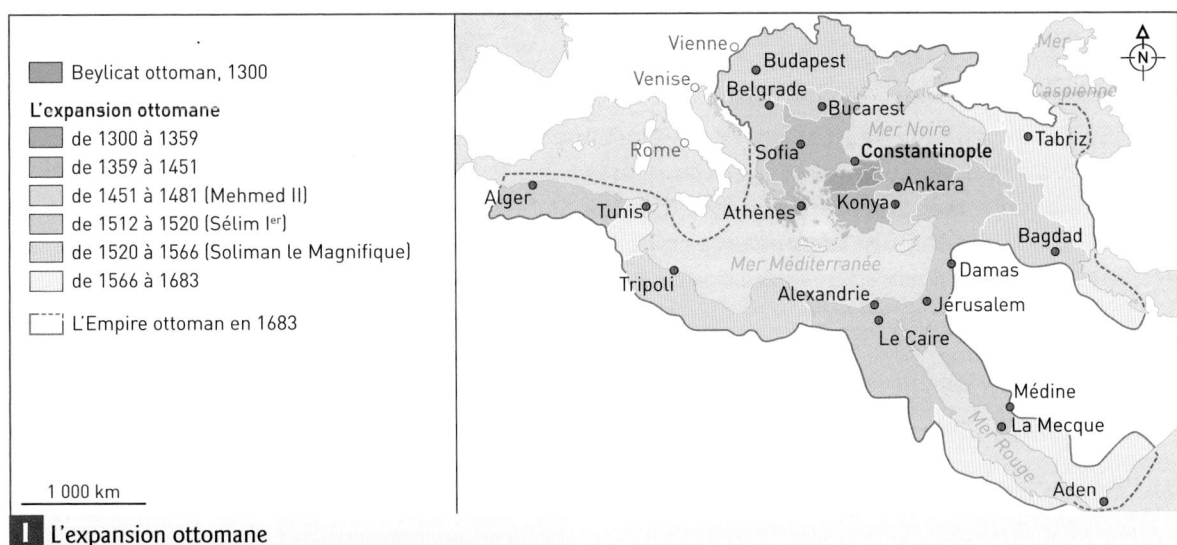

Légende :
- Beylicat ottoman, 1300

L'expansion ottomane
- de 1300 à 1359
- de 1359 à 1451
- de 1451 à 1481 (Mehmed II)
- de 1512 à 1520 (Sélim Ier)
- de 1520 à 1566 (Soliman le Magnifique)
- de 1566 à 1683

- - - L'Empire ottoman en 1683

1 000 km

1 L'expansion ottomane

▶ Dans quelles directions se fait l'expansion ottomane ?
S'exerce-t-elle uniquement aux dépens des territoires chrétiens ?

2 Mehmed II, vainqueur de Constantinople

« Pendant qu'il [Mehmed II] visitait la file des palais, les larges rues, les marchés de l'antique métropole, de cette vaste forteresse, le Padichah [sultan] éprouva le désir d'admirer l'église qui porte le nom d'Aya Sofia, un prodige du paradis. [...] [Mehmed II] tint un conseil. On présenta au conseil les prisonniers regroupés selon les peuples infidèles auxquels ils appartenaient. On ordonna pour certains la sentence capitale, pour d'autres on décida de les réserver aux travaux et de les garder en vie. Le Padichah nomma gouverneur de Constantinople Karichtiran Süleyman Bey, un bey qui avait participé à tant d'événements et qui était très expérimenté. Il lui donna la charge de faire exécuter tous les travaux indispensables pour que la ville fut restaurée, selon ses désirs. Ayant obtenu ce qu'il désirait, il repartit vers Edirne [Andrinople]. »

Tursun Bey, témoin de la prise de Constantinople,
cité par Alain Servantie, *Le Voyage à Istanbul*,
Bruxelles, Complexe, 2003. D. R. ■

▶ Quelle est l'attitude du vainqueur face à la cité vaincue ?

3 Lettre de Soliman le Magnifique à François Ier, prisonnier de Charles Quint en 1526

« Toi qui es François, roi du pays de France, vous avez envoyé une lettre à ma Porte [Istanbul], asile des souverains, par votre fidèle agent Frankipan [émissaire secret], vous lui avez aussi recommandé quelques communications verbales ; vous avez fait savoir que l'ennemi s'est emparé de votre pays, et que vous êtes actuellement en prison, et vous avez demandé ici aide et secours pour votre délivrance. Tout ce que vous avez dit ayant été exposé au pied de mon trône, refuge du monde, ma science impériale l'a embrassé en détail, et j'en ai pris une connaissance complète. »

Cité par Huguette Meunier, « François Ier et Soliman à Écouen »,
L'Histoire, (les Collections de l'Histoire n° 45), *Les Turcs. De la
splendeur ottomane au défi de l'Europe*, octobre-décembre 2009. ■

▶ Quelle est la nature des relations entre le sultan
et le roi de France ?

4 La bataille de Lépante (1571)

Paul Véronèse, *Allégorie de la bataille de Lépante*, 1572. Huile sur toile, largeur 137 cm, hauteur 170 cm. Gallerie de l'Accademia, Venise.

À Lépante, au large du golfe de Patras en Grèce, a lieu l'une des plus grandes batailles navales de l'histoire moderne. Les Ottomans, défaits par une flotte chrétienne, perdent l'essentiel de leurs vaisseaux et 30 000 hommes.

▶ Quelle vision de l'affrontement le peintre a-t-il voulu donner ?

Pékin, capitale de l'Empire Ming

En 1421, l'empereur Yongle transfère la capitale impériale de Nankin à Pékin, afin d'organiser la défense face à la menace mongole, marquant ainsi le début d'une période de repli de l'Empire chinois. La puissance chinoise repose dès lors sur une administration sophistiquée et centralisée autour de la Cité interdite où siège le Fils du Ciel.

? *Quelle place occupe Pékin dans l'Empire chinois ?*

REPÈRES

▶ **1275 :** le Vénitien Marco Polo atteint la Chine.

▶ **1421 :** début de la construction de la Cité interdite.

▶ **1450 :** avec 700 000 habitants, Pékin est la plus grande ville du monde.

▶ **1601 :** le jésuite italien Matteo Ricci est reçu par l'empereur de Chine.

▌ Pékin, capitale impériale

« Cette ville royale donc est située à l'extrémité du royaume vers le septentrion et n'est éloignée de ces murs renommés, élevés contre les Tartares, que de cent milles. [...] Vers le septentrion elle n'est environnée que d'une muraille. Il y a des troupes de soldats qui de nuit font aussi bonne garde sur ces remparts que si tout était enflammé de guerre. De jour, il y a des eunuques qui font garde à la porte. [...]
Le palais du roi est élevé au-dedans le mur intérieur de la partie du midi quasi aux portes de la ville et de là s'étend jusqu'à la muraille du septentrion. D'où l'on peut voir qu'il occupe quasi toute la ville. Car le reste de la ville est épandu de chaque côté du palais. »

Matteo Ricci, *Histoire de l'expédition chrétienne au royaume de la Chine entreprise par les pères de la Compagnie de Jésus*, trad. N. Trigault, 1617. ■

1. Où se situe Pékin dans l'Empire ?
2. Quel est son rôle stratégique ?

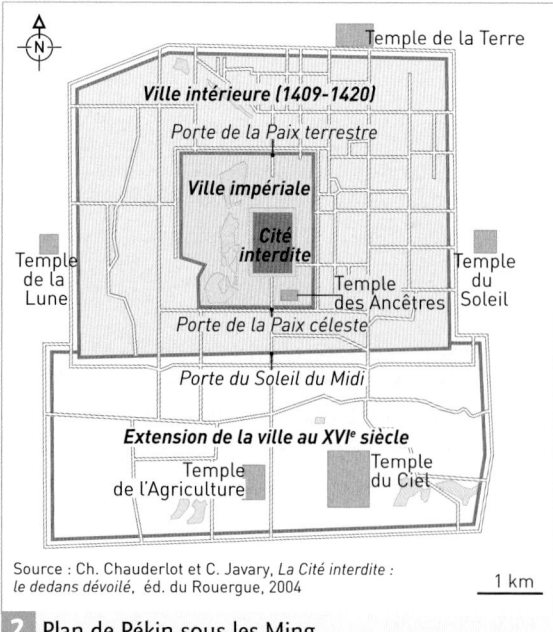

Source : Ch. Chauderlot et C. Javary, *La Cité interdite : le dedans dévoilé*, éd. du Rouergue, 2004

1 km

▌2 Plan de Pékin sous les Ming

1. Où se situe la Cité interdite dans Pékin ?
2. Comment est-elle délimitée ?

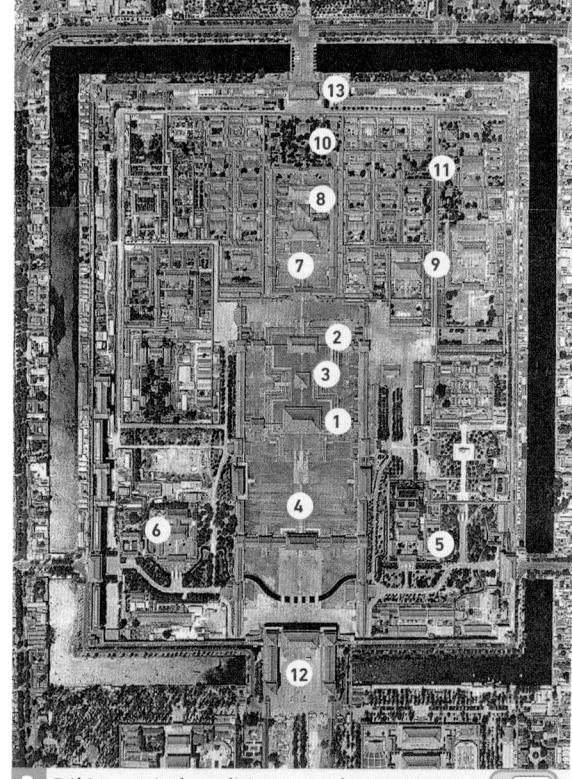

▌3 Pékin, capitale politique et administrative
DOC ▶

Vue aérienne de la Cité interdite.

1 Palais de l'Harmonie suprême où l'empereur reçoit ses ministres.
2 Palais de l'Harmonie préservée. 3 Palais de l'Harmonie du milieu.
4 Cour officielle pour les grandes cérémonies.
5 Palais de la Gloire littéraire. 6 Palais de la Bravoure militaire.
7 Cour privée autour de laquelle se situent le cabinet de travail de l'empereur, les appartements de la famille impériale, le palais des concubines.
8 Palais de la Tranquilité terrestre. 9 Salle de culte des ancêtres.
10 Jardin impérial. 11 Appartements privés. 12 Porte du Midi
13 Porte du Génie militaire.

1. Quel bâtiment est au centre de la Cité interdite ? Quelle est sa fonction ?

2. **Doc. 2 et 3** Comment l'organisation de la Cité rend-elle l'empereur inaccessible ?

4 La Cité interdite au XVe siècle

Portrait d'un personnage officiel devant la Cité interdite, attribuée à Zhu Bang, fin XVe siècle. Encre et couleurs sur rouleau de soie, hauteur 2,04 m, largeur 1, 148 m. British Museum, Londres.

1. Distinguez la porte de la Cité interdite et la salle de l'Harmonie suprême, siège de l'empereur.

2. Comment cette image rend-elle compte de la centralité de la Cité interdite dans l'administration de l'Empire ?

5 Pékin, une capitale d'abondance (v. 1550)

« À l'intérieur de ce vaste enclos de murailles, cette ville, à ce que les Chinois nous ont assuré, possède trois mille huit cents pagodes ou temples où l'on sacrifie continuellement une grande quantité d'oiseaux et d'animaux sauvages que l'on dit être plus agréables à Dieu que ne sont ceux qu'on apprivoise dans les maisons ; ce dont les prêtres donnent au peuple diverses explications pour le persuader de tenir un si grand abus pour un article de foi. […]

Les principales rues de cette ville sont toutes fort longues et larges, bordées de belles maisons d'un ou deux étages, et entourées de balustres de fer et de laiton. On y entre par des ruelles, aboutissant aux grandes rues, au bout desquelles on voit de grandes arcades avec des portes fort riches que l'on ferme la nuit. […]

Il y avait là une infinité de gens, tant à pied qu'à cheval, vendant dans des caisses pendues à leur cou toutes les choses imaginables, comme font chez nous les porte-balles [marchands ambulants] ; sans compter les boutiques ordinaires des riches marchands, rangées en bon ordre dans des rues particulières. Là se voyaient en abondance des pièces de soie, des brocarts, des toiles d'or, de lin et de coton, des peaux de martre, d'hermine, du musc, de l'aloès, […] du clou de girofle, de la muscade, du gingembre, du tamaris, de la cannelle, du poivre… »

Fernao Mendes Pinto (v. 1537-v. 1558), *Les Voyages aventureux de Fernand Mendez Pinto*, 1614, cité par Ninette Boothroyd et Muriel Détrie, *Le Voyage en Chine*, Calman-Lévy, 1992. ■

1. Relevez les signes de la richesse de la capitale.

2. Quelles activités s'y développent ?

3. Quel regard le Portugais Pinto porte-t-il sur les croyances religieuses chinoises ?

6 Un missionnaire italien en Chine, Matteo Ricci

Le missionnaire jésuite Matteo Ricci et le lettré chinois Xu Guangqi, baptisé en 1603, gravure colorisée tirée de *La Chine illustrée* d'Athanasius Kircher, 1667. Collection privée.

Matteo Ricci (1552-1610) est un jésuite et humaniste italien, envoyé comme prêtre en Inde. En 1583, il s'installe à Canton et, grâce à ses connaissances scientifiques, gagne la confiance des mandarins. Les autorités chinoises l'autorisent à prêcher la religion catholique à Macao.

▶ Que révèle cette peinture des échanges culturels entre la Chine et l'Europe ?

ORGANISER ET SYNTHÉTISER LES INFORMATIONS

Relevez puis classez les informations qui montrent que Pékin est le centre de l'Empire chinois sur le plan géographique, militaire, politique ou religieux.

La Renaissance du « royaume du Milieu » : l'ère des Ming

Quelle place occupe la Chine des Ming dans le monde du XVe siècle ?

1 La Chine, le « royaume du Milieu » (*Zhong-guo*)

● **La Chine des Ming.** Durant les trois siècles où règne la dynastie Ming (1368-1644), la Chine connaît une période de prospérité économique. Le gouvernement administre directement les territoires centraux, protégés au nord, avec une efficacité relative, par la Grande Muraille, et qui s'étendent, au sud, jusqu'à la mer de Chine et au sud-est, jusqu'au royaume indépendant du Tibet. Au-delà de la Grande Muraille, les souverains sont, en théorie, investis par l'empereur.

● **Un territoire convoité.** Les Mongols demeurent l'ennemi le plus pressant. Refoulés dans leur région d'origine, au-delà du désert de Gobi, ils n'ont pas perdu espoir de dominer la Chine. En 1450, ils assiègent Pékin et, au XVIe siècle, ils sont les maîtres de l'Asie du Nord-Ouest.

● **Une civilisation brillante.** Elle hérite des trois enseignements confucianiste, bouddhiste et taoïste qui ont en commun la quête d'une harmonie céleste. L'écrit y possède une valeur symbolique sans équivalent, comme le montre la monumentale encyclopédie de Yongle au début du XVe siècle **doc. 3**.

2 Un empire bureaucratique

● **L'empereur, « Fils du Ciel ».** L'empereur détient son pouvoir d'un mandat céleste **doc. 1**. Sa seule vertu est censée préserver l'équilibre social. Il est le sommet d'une pyramide strictement hiérarchisée et délègue son pouvoir dans les provinces à des fonctionnaires recrutés sur concours, les mandarins.

● **Une nouvelle capitale, Pékin.** L'empereur Yongle (1403-1424) déplace la capitale de Nankin, ville ouverte et cosmopolite, à Pékin, vers la frontière septentrionale de l'Empire. Il y fait édifier un palais royal, la Cité interdite. Réservée au personnel impérial, elle magnifie l'empereur. Son trône se trouve au centre de la salle de l'Harmonie préservée, elle-même située au centre du palais, de la capitale et de l'Empire. C'est de là qu'émane le pouvoir du « Fils du Ciel ».

● **Un lent déclin.** Les empereurs s'isolent peu à peu dans la Cité interdite. L'inflation et la corruption gangrènent les finances de l'État **doc. 2**. Au début du XVIIe siècle, les Mandchous, au nord-est de la Chine, se soulèvent au côté des Mongols et s'emparent du pouvoir.

3 De l'ouverture à la « fermeture des mers » (*haijin*)

● **D'ambitieuses expéditions maritimes.** En rupture avec l'isolement voulu par son père, Yongle ouvre la Chine vers la mer. L'amiral Zheng He se lance dans de grandes expéditions dans la mer du Sud (mer de Chine) et l'océan Indien. Il obtient de la majorité des royaumes du Sud-Est asiatique la reconnaissance de la suzeraineté Ming, mais n'a pas d'ambition coloniale.

● **Au XVe siècle, un commerce maritime dynamique.** Cette ouverture stimule l'économie chinoise. Le trafic porte sur les soieries, les porcelaines, les céramiques, les livres et les produits métallurgiques, notamment les armes. Des communautés chinoises émigrent dans les ports de l'Asie du Sud-Est.

● **La fermeture.** Les mandarins critiquent cette politique d'ouverture trop favorable aux commerçants, traditionnellement méprisés. En 1450, ils obtiennent une législation draconienne contre le commerce maritime ; elle n'empêche pas la contrebande de prospérer grâce à la diaspora chinoise. Dans ce contexte, les Portugais sont mal accueillis, regardés comme des pirates **doc. 4**. En 1557, ils fondent néanmoins un comptoir à Macao. En 1605, le jésuite Matteo Ricci (1552-1610) est autorisé à fonder la première église chrétienne chinoise des temps modernes.

■ **Au XVe siècle, la Chine, empire puissant dirigé depuis Pékin par une administration centralisée, renonce à rayonner dans le monde, pour se concentrer sur la menace mongole.**

ZENG HE

(1371-1433)

Eunuque impérial, favori de l'empereur Yongle, il est nommé amiral et est chargé d'explorer l'océan Indien. De 1405 à 1433, il commande sept expéditions d'exploration jusqu'en mer Rouge et jusqu'aux côtes orientales de l'Afrique.

DÉFINITIONS

Confucianisme
Philosophie de Confucius (551-479 av. J.-C.), qui consiste à exalter les capacités de l'homme à atteindre la sagesse par une réforme intérieure. L'ordre social, reflet de l'ordre spirituel, est hiérarchique : les hommes parfaits (empereurs), les hommes supérieurs (nobles), les hommes communs (peuple).

Bouddhisme
Philosophie et religion d'origine indienne fondée sur l'enseignement de Siddhartha Gautama (Bouddha), en Inde (VIe siècle av. J.-C.), visant à sortir du cycle des réincarnations pour atteindre la sagesse et la délivrance (Nirvana).

Taoïsme
Philosophie et religion fondée sur la doctrine de Lao-Tseu (VIe ou Ve siècle av. J.-C.) selon laquelle le but de tout homme est d'atteindre la sérénité en mettant en adéquation son comportement avec la loi universelle, l'ordre naturel des choses et l'unité fondamentale (le tao).

1 L'empereur Yongle, Fils du Ciel (1402-1424)

École chinoise, fac-similé d'un rouleau du XVᵉ siècle.

2 Les difficultés de l'administration impériale

Dans un roman du début du XVIᵉ siècle, Zeng Xiaoxu, chargé de l'inspection de la province de Shandong, dénonce à l'empereur des officiers cupides et incompétents.

« Votre serviteur sait que s'il appartient à Votre Majesté, Fils du Ciel, de parcourir les quatre orients et d'examiner les mœurs, la fonction de l'administration du censorat est de réprimer les abus mandarinaux et de promouvoir l'ordre et la juste loi. [...] Le commandant en second chargé de la gestion judiciaire, Ximen Qing, appartenait à l'origine aux milieux louches des bas quartiers de la ville. Il a frauduleusement obtenu sa promotion[1] et les mérites militaires qu'il affiche ne sont qu'imposture. Il est d'une rare incompétence, et ne serait capable de reconnaître le caractère le plus simple. Il laisse sa femme et ses concubines se promener en pleine rue ; aussi l'impureté règne derrière les rideaux de sa maison. Il traîne les filles de joie et se livre aux pires beuveries dans les établissements mal famés de la ville, portant ainsi atteinte aux normes qu'un mandarin se doit de respecter. Il est allé jusqu'à entretenir la femme d'un certain Han, l'entraînant dans la débauche et l'immoralité. Il a reçu nuitamment l'or corrupteur de Miao Qing pour se livrer à de basses manœuvres contre la justice. [...]

J'espère très respectueusement que Votre Majesté daignera y prêter une oreille attentive et décréter que nos services d'inspection mènent à nouveau une enquête fouillée. »

Jin Ping Mei, première édition vers 1610. ■

1. En principe les mandarins sont recrutés sur concours.

1. Par quels moyens l'empereur chinois gouverne-t-il ses provinces ?

2. Que dénonce Zeng Xiaoxu ? Pourquoi la morale est-elle si importante aux yeux de l'inspecteur impérial ?

3 L'encyclopédie de Yongle (XVᵉ siècle)

En 1403, l'empereur Yongle lance la mise en œuvre d'une encyclopédie compilant les connaissances de l'époque dans les sciences humaines et exactes. Deux mille savants travaillèrent à l'élaboration de plus de 20 000 rouleaux manuscrits répartis en 11 000 volumes.

▶ En quoi cette encyclopédie voulue par l'empereur révèle-t-elle la place et l'étendue du savoir scientifique dans la Chine du XVᵉ siècle ?

4 La méfiance chinoise à l'égard des étrangers

« Les Chinois ont honte d'apprendre quelque chose des livres des étrangers, ayant opinion que toutes les sciences se trouvent parmi eux seuls ; ils tiennent et appellent tous les étrangers ignorants ou barbares. Et si quelquefois en leurs écrits ils font mention des étrangers, ils en parlent comme s'ils n'étaient pas beaucoup différents des bêtes brutes. [...] Et si les ambassadeurs des royaumes voisins viennent pour faire office de leur sujétion au roi [empereur], ou pour payer le tribut ou pour traiter quelque autre affaire, à peine pourrait-on croire avec combien de soupçon ils sont traités. [...] Ils les enferment plusieurs fois à clé dans l'enclos du palais des étrangers comme dans des étables de bêtes. Il ne leur est jamais permis de voir le roi [...]. »

Matteo Ricci, *Histoire de l'expédition chrétienne au royaume de la Chine entreprise par les pères de la Compagnie de Jésus*, trad. N. Trigault, 1617. ■

1. Pourquoi les Chinois se considèrent-ils supérieurs aux étrangers ?

2. Quelle en est la conséquence ?

Lisbonne : capitale d'un empire maritime

Lisbonne, capitale du Portugal, connaît son apogée grâce au commerce atlantique. Manuel Ier (1495-1521) y établit la Casa de India qui contrôle le trafic maritime avec les comptoirs d'Afrique et d'Asie. Plaque tournante du commerce des épices et des esclaves, la ville atteint 100 000 habitants vers 1550.

? *Comment Lisbonne devient-elle le cœur du commerce entre l'Afrique, l'Orient et le Nouveau Monde ?*

REPÈRES

▶ **1487** : Bartelomeu Dias atteint le cap de Bonne-Espérance et entre dans l'océan Indien.

▶ **1498** : Vasco de Gama découvre une nouvelle route maritime vers l'Inde.

▶ **1500** : découverte du Brésil par Pedro Alvarez Cabral.

▶ **1521** : début de la traite négrière vers le Brésil.

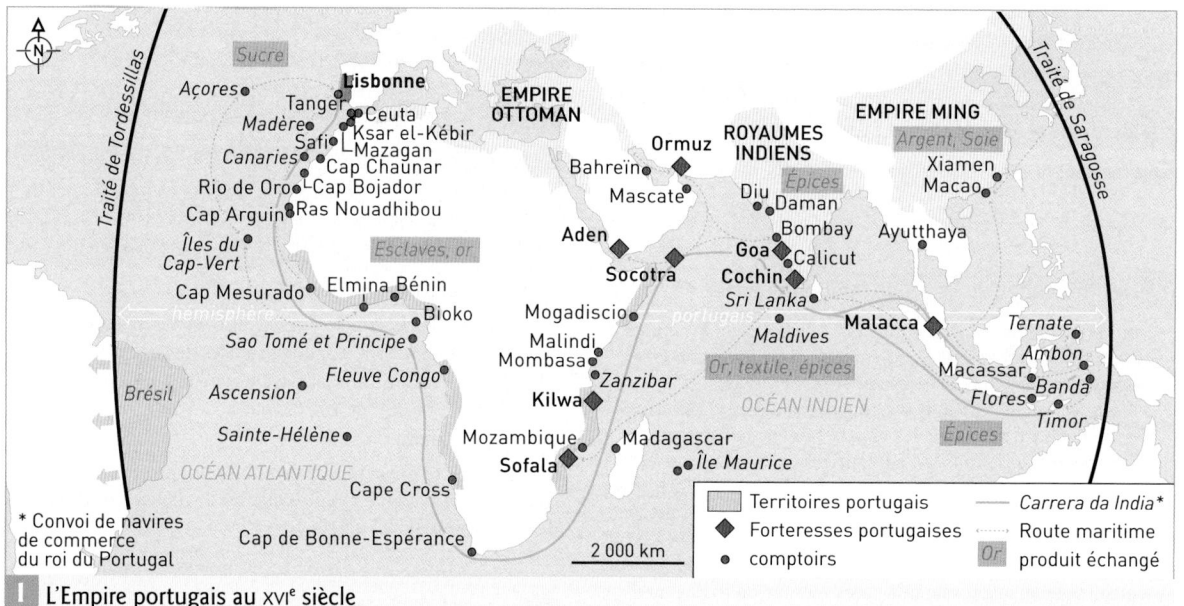

1 L'Empire portugais au XVIe siècle

▶ Quelles sont les caractéristiques de l'Empire portugais ?

2 L'installation d'un comptoir au Ghana (1486)

« Le Roi Dom Jean ordonna de faire construire une forteresse qui serait la première pierre de l'église orientale qu'il désirait édifier en l'honneur et à la gloire de Dieu, parce que par ce moyen il prenait possession réelle de tout ce qui avait été découvert et restait encore à découvrir, d'après les donations des Souverains Pontifes.

Et le Roi ayant su que là où avait lieu la traite de l'or, les Noirs se réjouissaient de recevoir des étoffes de soie, de laine, de lin et autres produits indispensables à la vie quotidienne et à l'entretien de la maison, qu'ils se montraient d'un abord plus facile que les autres Noirs de cette côte et que, dans leur façon de négocier et de s'entendre avec les nôtres, ils paraissaient prêts à recevoir facilement le baptême, il ordonna de faire construire cette forteresse à l'endroit où les nôtres faisaient ordinairement cette traite de l'or.

Et bien que le Roi eût rencontré dans son Conseil des opposants à la construction de cette forteresse, objectant soit la grande distance, soit la malignité de l'air qui serait pernicieux pour la santé des hommes qui y séjourneraient, soit les difficultés de l'approvisionnement et de la navigation, il pensa que le fait de gagner à la foi par le baptême ne serait-ce qu'une seule âme grâce à cette forteresse l'emportait sur tous les autres inconvénients, disant que Dieu y pourvoirait, parce que cet ouvrage se faisait en son honneur et aussi pour que ses vassaux pussent en retirer quelque profit et que le patrimoine de son royaume en fût accru. [...] »

A. Ca'da Mosto, *Relation de voyages à la côte occidentale d'Afrique*, 1457, cité dans Catherine Coquery, *La Découverte de l'Afrique*, © Éditions La Découverte, 1965. ■

▶ Quels motifs expliquent l'implantation d'un comptoir ?

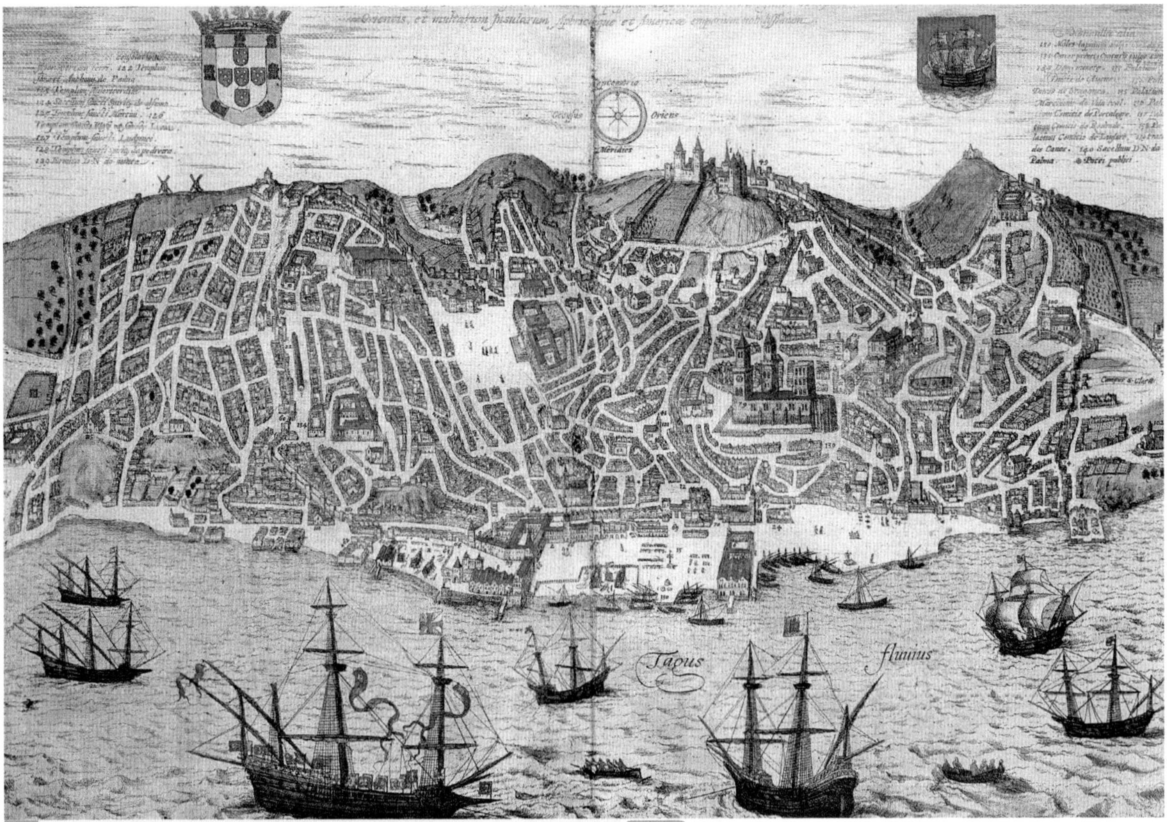

3 La place de la Ribeira, cœur de Lisbonne

Atlas de Georg Braun et Franz Hogenberg, *Vue de Lisbonne* (détail), XVIᵉ siècle. **DOC**

1. Montrez que la ville est tournée vers la mer.

2. Quelle conséquence la croissance du port a-t-elle sur le développement de la ville ?

4 La Tour de Belem (1515-1519)

Elle marque l'entrée du port de Lisbonne et célèbre le voyage de Vasco de Gama.

1. Décrivez les caractéristiques de ce que l'on appelle le style manuélien.

2. En quoi ce monument est-il le symbole de l'apogée du Portugal ?

5 L'importance des esclaves

Les esclaves noirs sont introduits en Europe par les Portugais dès le XVᵉ siècle ; au siècle suivant, ils sont envoyés au Brésil.

« Tout le service est assuré par des nègres et des maures captifs. À Lisbonne, rares sont les maisons entièrement dépourvues d'esclave. Généralement, il y a au moins une esclave par foyer, et c'est elle qui est chargée d'aller au marché acheter le nécessaire, qui lave le linge, balaie la maison, apporte l'eau et se débarrasse des déchets. Les plus riches ont des esclaves des deux sexes, et certains font des profits en vendant de jeunes esclaves nés chez eux. »

Témoignage de l'humaniste Nicolas Cleynaerts (1495-1542) en 1535, cité dans Gonçalves Cerejeira, *Clenardo e a sociedade portuguesa do seu tempo*, Coimbra, 1949. ∎

▶ Comment se traduit la prospérité de l'Empire portugais sur la population de Lisbonne ?

DÉCRIRE UNE SITUATION HISTORIQUE

Réalisez un schéma qui explique les causes, les manifestations et les conséquences de la puissance portugaise.

L'expédition de Magellan

En 1519, à la tête de cinq navires, le Portugais Magellan part à la recherche d'une route occidentale vers les îles productrices d'épices d'Indonésie. Un seul bateau revient, en 1522, en traversant l'océan Indien puis en contournant l'Afrique, sans Magellan, mort pendant le voyage. Cette expédition prouve la possibilité de faire le tour de la Terre par les océans.

? *En quoi l'expédition de Magellan témoigne-t-elle des différentes dimensions des Grandes Découvertes ?*

REPÈRES

▶ **1519** : départ d'Espagne de l'expédition de Magellan avec 5 navires et 237 hommes

▶ **1520** : découverte du détroit permettant de passer dans l'océan Pacifique

▶ **1521** : arrivée aux Philippines où Magellan meurt au cours d'un combat

▶ **1522** : un seul navire de 18 hommes, commandé par Elcano, rentre en Espagne

DÉFINITIONS

▶ **Circumnavigation**

Navigation autour du globe terrestre. L'expédition de Magellan prouve que les océans sont reliés entre eux et que le Nouveau Monde ne constitue pas une barrière infranchissable.

Portrait moderne de Magellan.
Musée de la Marine, Lisbonne.

1 Les causes du voyage

« Voici la cause et la raison du voyage de Magellan : voyant que leurs vassaux se mettaient à découvrir et à conquérir de nouveaux pays au-delà des mers et qu'ils étaient rivaux dans ces conquêtes, les rois de Castille [Espagne] et du Portugal décidèrent, pour qu'il n'y eût de discorde entre eux, de partager le monde, de l'Orient au Ponant [ouest], en deux hémisphères limités par des méridiens. [...] Chacun de ces rois prit la part qui lui revenait selon l'endroit où se trouvaient les territoires qu'il avait déjà conquis : le roi de Castille en direction du Ponant où se trouvèrent ses Antilles et la Nouvelle Espagne [Mexique], et le roi du Portugal vers l'Orient où se trouvent ses Indes. Les Portugais, parce qu'ils sont meilleurs marins et qu'ils ont une plus grande connaissance de l'art de naviguer, allèrent bien au-delà des limites de leur hémisphère, où ils trouvèrent de nombreux et riches pays comme le sont les îles de Maluco [Moluques], la Chine, le Japon et autres de grand profit. [...] Muni de cette licence [droit de servir un autre souverain que celui du Portugal], Fernand de Magellan quitta le Portugal et partit pour le royaume de Castille où régnait Charles Quint, auquel il fit part de ses idées sur la conquête de Maluco et sur leur situation exacte ; ce qui étant bien compris par l'empereur et son Conseil, ledit empereur ordonna que fussent donnés à Fernand de Magellan cinq navires dûment armés et équipés, grâce auxquels Fernand de Magellan pût découvrir l'itinéraire le plus commode pour atteindre Maluco. »

Fernando de Oliveira, *Manuscrit de Leyde* (récit du voyage de Magellan), v. 1560, d'après le récit d'un survivant de la *Trinidad*, cité dans Xavier de Castro *et al.*, *Le Voyage de Magellan (1519-1522)*, Éditions Chandeigne, 2007. ■

1. Distinguer dans le premier paragraphe deux types de causes aux Grandes Découvertes.

2. Quel est l'enjeu, pour les Espagnols, de l'expédition de Magellan ?

2 Le trajet de Magellan

« Nos hommes continuèrent leur course en longeant ces côtes, qui s'étendent très loin vers le sud – étendue que l'on doit maintenant nommer à mon avis "celle qui se situe sous le pôle austral" – et inclinent un peu vers l'Occident, de sorte qu'ils franchirent de plusieurs degrés le tropique du Capricorne. [...] Ils arrivèrent à la fin du mois de mars de l'année suivante [1520] à un golfe auquel ils donnèrent le nom de "San Julian", calculant avec soin la latitude où ils se trouvaient dans ce golfe. [...] Quant à la longitude, ils la rapportèrent à 56° vers l'ouest par rapport aux îles Fortunées. [...] Quelle que soit la valeur de ces calculs, il ne faut pas les rejeter mais plutôt les admettre jusqu'à ce qu'on en trouve de plus sûrs. »

Lettre relatant le voyage de Magellan, rédigée quelques jours après l'arrivée du navire *La Victoria* à Séville, le 8 septembre 1522, cité dans Xavier de Castro *et al.*, *Le Voyage de Magellan (1519-1522)*, Éditions Chandeigne, 2007. ■

1. Comment Magellan cherche-t-il la route de l'ouest ?

2. Quelles mesures opèrent-ils au cours du voyage et dans quel but ?

3 La découverte du détroit de Magellan

« Ils pénétrèrent enfin dans un chenal large parfois de trois, deux et une lieue, et parfois d'une demi-lieue. Il y navigua tant qu'il fit jour et mouilla l'ancre à la nuit tombée. Il envoya les chaloupes au devant, et les nefs les suivirent jusqu'à ce qu'elles vinssent enfin annoncer qu'il y avait une passe et que l'on apercevait l'océan. Magellan fit tonner l'artillerie avec beaucoup de contentement. »

Carnet de bord d'un membre de l'expédition de Magellan, attribué à Leone Pancaldo, cité dans Xavier de Castro *et al.*, *Le Voyage de Magellan (1519-1522)*, Chandeigne, 2007. ■

▶ Pourquoi la découverte du chenal est-elle décisive dans l'expédition de Magellan ?

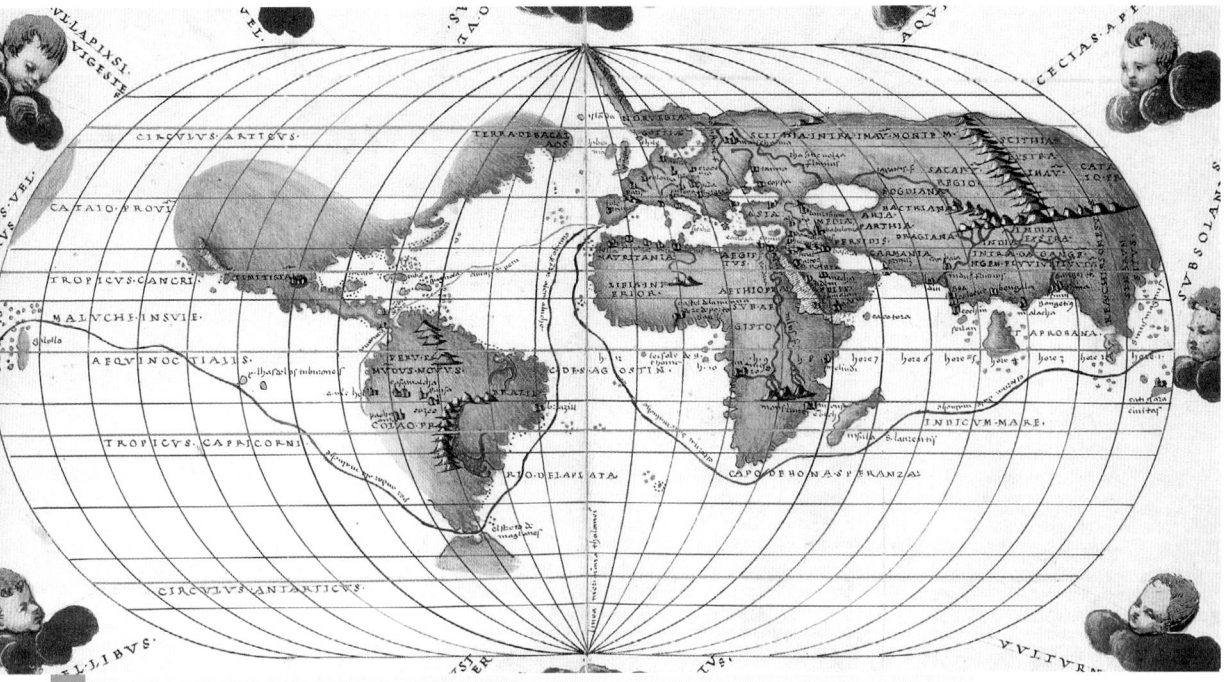

4 La route suivie par l'expédition de Magellan

Atlas de Battista Agnese, 1543. British Library, Londres.

▶ Que vient confirmer l'expédition de Magellan dans la connaissance du monde des Européens ? Quelle connaissance nouvelle permet-elle ?

5 La « découverte » des Moluques

Le *Victoria*, navire de Magellan. Détail de l'atlas *Theatrum Orbis Terrarum*, 1580.

« Le roi de Bachian [île des Moluques] annonce "qu'il serait toujours prêt à se vouer au service du roi d'Espagne ; qu'il garderait pour lui seul tous les clous de girofle que les Portugais avaient laissés dans son île, jusqu'à l'arrivée d'une autre escadre espagnole, et ne les céderait à personne sans son consentement" […]. Toutes les îles Malucco [Moluques] produisent des clous de girofle, du gingembre, du sagou (qui est le bois dont on fait le pain), du riz, des noix de coco, des figues, des bananes, des amandes plus grosses que les nôtres, des pommes de grenade douces et acides, des cannes à sucre, des melons, des concombres, des citrouilles, d'un fruit qu'on appelle *comilicai* [sorte d'ananas] très rafraîchissant, gros comme un melon d'eau, un autre fruit qui ressemble à la pêche, et qu'on appelle guave [goyave] et autres végétaux bon à manger […]. Il y a à peine cinquante ans que les Maures ont conquis et habitent les îles Malucco, où ils ont aussi apporté leur religion. »

La relation d'Antonio Pigafetta, cité dans Xavier de Castro *et al.*, *Le Voyage de Magellan (1519-1522)*, Éditions Chandeigne, 2007. ▪

1. **Doc. 4 et 5** Situez les Moluques.

2. Les Espagnols sont-ils les premiers à commercer avec les royaumes Moluques ?

3. Que viennent-ils y chercher ?

6 Les conditions du voyage

« Le mercredi, 28 novembre, nous débouquâmes du détroit pour entrer dans la grande mer, à laquelle nous donnâmes ensuite le nom de mer Pacifique, dans laquelle nous naviguâmes pendant le cours de trois mois et vingt jours, sans goûter d'aucune nourriture fraîche. Le biscuit que nous mangions n'était plus du pain, mais une poussière mêlée de vers qui en avaient dévoré toute la substance, et qui de plus était d'une puanteur insupportable, étant imprégnée d'urine de souris. L'eau que nous étions obligés de boire était également putride et puante. »

Antonio Pigafetta, Journal de bord, XVIᵉ siècle. ▪

▶ À quelles difficultés les membres de l'expédition sont-ils confrontés ? Pourquoi ?

EXPLIQUER UNE SITUATION HISTORIQUE

En vous aidant de l'exemple de l'expédition de Magellan, complétez le tableau ci-dessous :	
Quels facteurs ont favorisé les Grandes Découvertes ?	
Quelles furent les modalités des Grandes Découvertes	
Quelles en furent les conséquences ?	

Grandes Découvertes et représentations du monde

Les Grecs sont les premiers à se représenter la Terre comme une sphère (VIᵉ siècle av. J.-C.). Au Moyen Âge, c'est une vision théologique du monde qui est privilégiée. L'image de la Terre telle que nous la connaissons aujourd'hui se fixe peu à peu au gré de l'accroissement des connaissances et des progrès de la navigation qui vont permettre aux Européens de découvrir l'océan mondial.

? *Comment les Grandes Découvertes transforment-elles la perception et la représentation de la Terre ?*

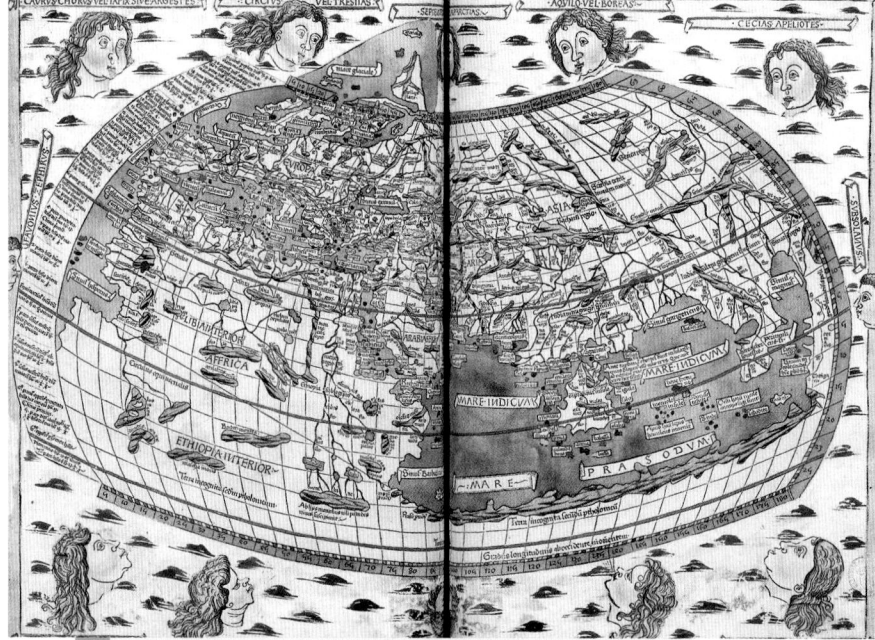

1 Carte de Ptolémée (astronome grec, 90-168 apr. J.-C.)

N. Germanus, dans *Cosmographie de Ptolémée*, Florence, vers 1460-1470.

1. Quand cette carte a-t-elle été réalisée ?
2. D'après un géographe de quelle époque ?
3. Quelles erreurs peut-on y relever ?

2 L'erreur féconde de Christophe Colomb

« De l'extrémité de l'Occident, c'est-à-dire du Portugal, à l'extrémité de l'Orient, c'est-à-dire de l'Inde, par voie de terre la route est très longue [...]. Il y a bien plus de la moitié de la terre, bien plus de 180 degrés…

La fin des terres habitables vers l'Orient et le début des terres habitables vers l'Occident sont relativement proches. [...] Entre l'Espagne et l'Inde, il n'y a pas beaucoup d'espace [...]. Un simple bras de mer [...]. Il est évident que cette mer est navigable et peut être franchie en quelques jours par un bon vent. »

Notes de Christophe Colomb en marge de son exemplaire de l'*Imago Mundi* de Pierre d'Ailly (1480), citées dans J. Heers *Christophe Colomb*, Hachette 1981. ▪

▶ Que déduit Christophe Colomb de cette vision erronée du monde ?

3 Globe de Behaim (1492)

Bibliothèque nationale de France, Paris.

▶ Que montrent ces documents des connaissances géographiques des Européens à la fin du XVᵉ siècle ?

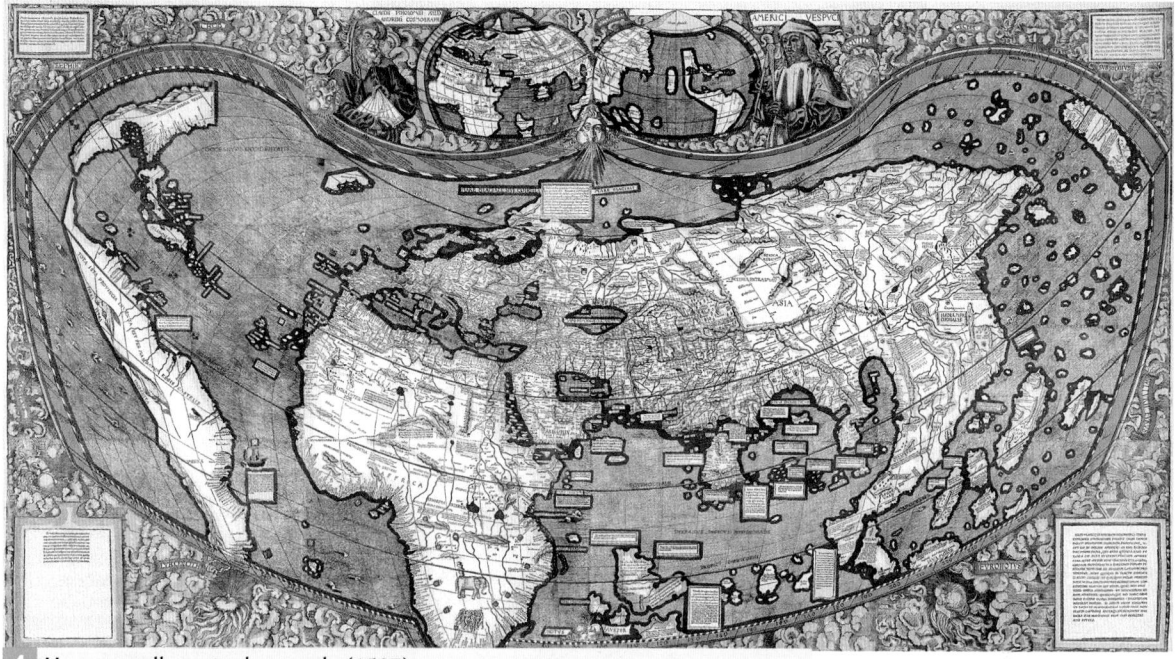

4 Une nouvelle carte du monde (1507)

Carte de Waldseemüller (1507).

▶ Dans quelle mesure cette carte rectifie-t-elle les erreurs relevées dans le doc. 1 ?

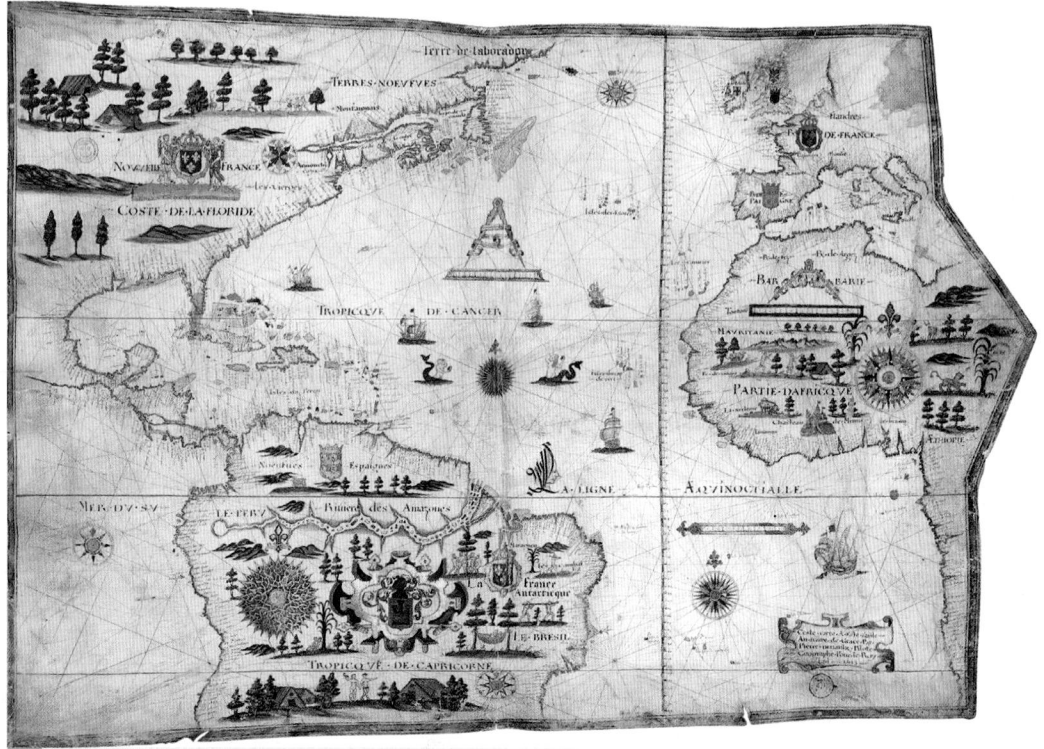

5 Carte de l'Atlantique (1613)

Carte de Pierre de Vaux. Bibliothèque nationale de France, Paris.

▶ En quoi cette carte témoigne-t-elle des évolutions
de la représentation du Nouveau Monde par les Européens ?

CONFRONTER
DES SITUATIONS HISTORIQUES

Établissez les différentes étapes de la progression
de la connaissance géographique du monde
par les Européens (voir la frise chronologique p. 163).

De Tenochtitlan à Mexico

Tenochtitlan, capitale de l'Empire aztèque,
atteint 200 000 habitants au début du XVIᵉ siècle.
Lorsque Hernan Cortès l'atteint, il ne dispose
que de 600 hommes, mais sa supériorité en
matière d'armement et le renfort de plusieurs
milliers d'indiens tlaxcaltèques permettent
la conquête de la cité, ouvrant la voie
à la colonisation espagnole.

  **Comment passe-t-on de la découverte
à la conquête puis à l'exploitation ?**

REPÈRES

▶ Avril 1519 : Cortès débarque au Mexique.

▶ 30 juin 1520 : *Noche triste* (révolte des Aztèques contre Cortès).

▶ Août 1521 : prise de Tenochtitlan.

▶ 1525 : Mexico devient la capitale de la Nouvelle Espagne.

▶ 1550 : controverse de Valladolid à propos du sort que les Espagnols doivent réserver aux Indiens.

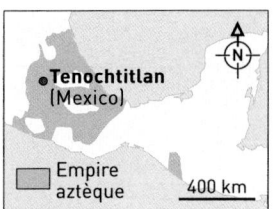
Tenochtitlan (Mexico) — Empire aztèque — 400 km

1 La découverte de Tenochtitlan

« Cette grande ville de Temistitan [Tenochtitlan] est édifiée dans la partie du lac dont l'eau est salée, non pas au milieu mais à environ un quart de lieue de la terre ferme, au plus près ; cette ville doit avoir plus de deux lieues et demie et peut-être trois, plus ou moins de tour. La plupart des gens qui l'ont vue jugent que sa population dépasse soixante mille habitants et qu'il y en a plutôt plus que moins. [...]
Temistitan avait et a beaucoup de belles rues larges ; à l'exception de deux ou trois rues principales, toutes les autres étaient pour la moitié de terre, comme pavées de briques, pour moitié d'eau, et ils circulent sur la terre, et sur l'eau dans leurs barques et leurs canots qui sont faits d'un tronc creux, bien qu'il y en ait d'assez grands pour que cinq personnes puissent y tenir à l'aise, et les gens se promènent tranquillement les uns sur l'eau dans leurs barques les autres sur terre tout en bavardant ensemble. »

Le Conquistador anonyme, 1556, traduction Jean Rose, Institut français d'Amérique latine, Mexico, 1970. ■

1. Quel sentiment éprouve l'auteur du texte en découvrant la ville ?
2. Relevez les différents aspects qui rendent la ville remarquable. Que peut-on en déduire sur le niveau technique atteint par la culture aztèque ?

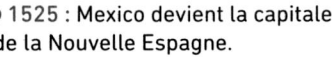

Lienzo de Tlaxcala, manuscrit mexicain, 1552.

L'empereur aztèque Moctezuma II offre des cadeaux à Cortès qui parlemente par l'intermédiaire de La Malinche, une indienne qu'il a épousée.

▶ Décrivez les deux camps en présence. La rencontre est-elle pacifique ?

3 La vision des Espagnols par les Aztèques

Moctezuma II accueille Cortés (novembre 1519).

« Quelques-uns nous ont assuré que vous étiez des dieux, que des bêtes farouches vous obéissaient, que vous teniez les foudres entre vos mains, et que vous étiez assoiffés d'or. Cependant je reconnais que vous êtes des hommes comme nous. Ces bêtes qui vous obéissent sont, à mon avis, de grands cerfs que vous avez apprivoisés. Ces armes qui ressemblent à la foudre sont des tuyaux d'un métal que nous ne connaissons pas, dont l'effet est pareil à celui de nos sarbacanes. Nous savons que le prince à qui vous obéissez descend de notre dieu Quetzalcoatl. Une prophétie dit qu'il est allé conquérir de nouvelles terres à l'est et qu'il a promis que ses descendants reviendraient. »

Hernan Cortès, *La Conquête du Mexique d'après les lettres à Charles Quint, in La Conquête du Mexique*, La Découverte, 2007. ■

▶ Quelle vision les Aztèques ont-ils d'abord eue des Espagnols. Comment apprivoisent-ils cette nouveauté ?

4 La résistance des Aztèques face à la conquête espagnole

Les Espagnols se retrouvent assiégés dans Tenochtitlan.

« Nous avons vu dans quelle situation et dans quelle peine le Marquis [Cortés] et tous les autres Espagnols étaient tenus par les Mexicains ; comme on dit : "le chagrin lui quittait la raison" et il s'acharnait sans succès à trouver un moyen, une idée pour se sortir de là et délivrer ses compagnons d'une aussi terrible angoisse. Tous se voyaient sans autre perspective que celle d'être tués puis mangés par ceux qui les assiégeaient avec tant de fureur et de passion, et qui, tous les jours, leur promettaient de manger leurs corps sans que personne n'en réchappe. Beaucoup d'Espagnols pleuraient amèrement, et se plaignaient de Pedro de Alvarado [le principal lieutenant de Cortés] qu'ils rendaient responsables de leur mauvais sort, conséquence du massacre de la fine fleur de Mexico et de ses environs. »

D'après Diego Durán, *Histoire des Indes de la Nouvelle Espagne et des îles de la terre ferme*, 1581. ◾

1. Dans quelle situation se trouvent les Espagnols ? Pourquoi ?
2. Comment les Indiens sont-ils décrits ?

5 La défense des Indiens par un Espagnol

Le moine dominicain Las Casas rédige un texte contre les excès des conquistadores.

« Vous êtes en état de péché mortel. De quel droit avez-vous engagé une guerre atroce contre des gens qui vivaient pacifiquement dans leur pays ? Pourquoi les laissez-vous dans un tel état d'épuisement sans les nourrir suffisamment ? Car le travail excessif que vous exigez d'eux les accable et les tue. Ne sont-ils pas des hommes ? N'ont-ils pas une raison, une âme ? […] Toutes les nations du monde sont composées d'hommes : tous ont leur intellect, leur volonté et leur libre arbitre, puisqu'ils sont faits à l'image de Dieu. »

Bartolomé de Las Casas, *Très Brève Relation de la Destruction des Indes*, 1552. ◾

1. En quoi consiste la colonisation espagnole d'après ce texte ?
2. Sur quel plan se place l'auteur pour montrer que l'action des Espagnols n'est pas légitime ? Cet argument est-il susceptible de convaincre ceux à qui il s'adresse ?

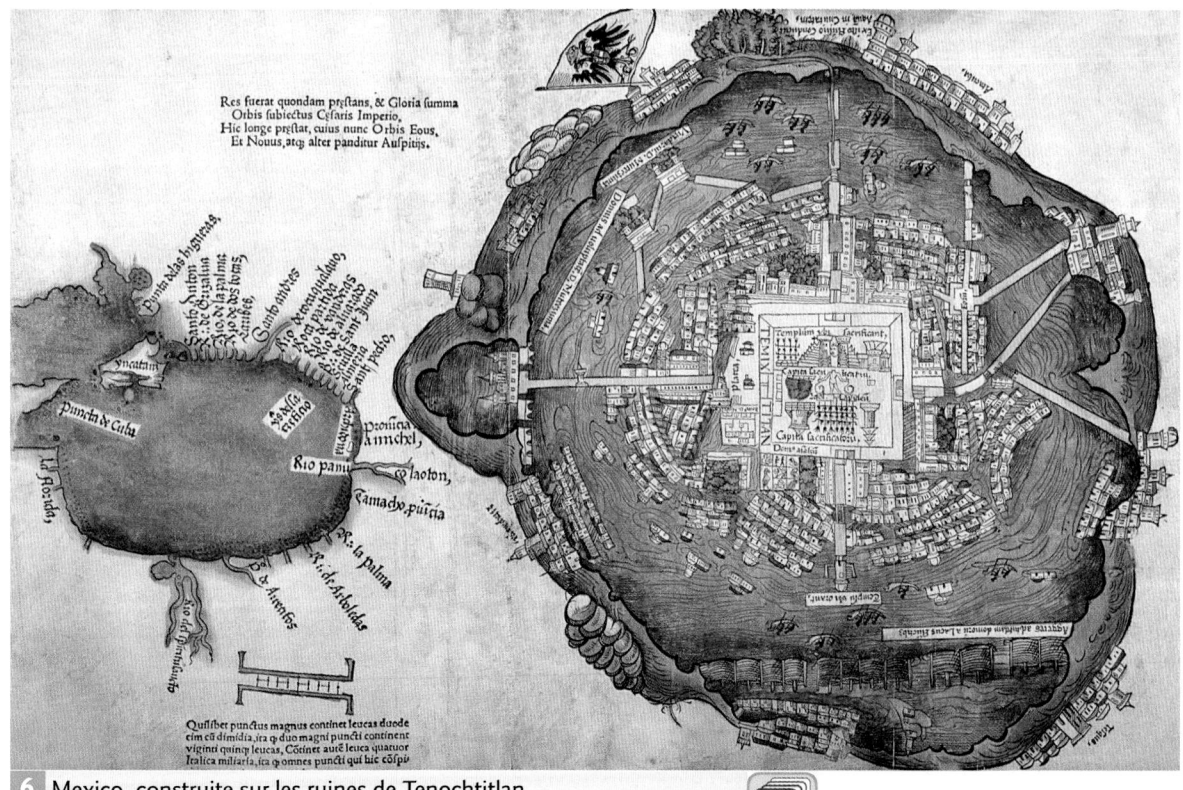

6 Mexico, construite sur les ruines de Tenochtitlan

P. Savorgnano, *Praeclara F. Cortesi de nova maris oceani Hispania narratio*, 1524, Nuremberg.

DOC

▶ Relevez les éléments qui rappellent la ville aztèque et ce qui montre la colonisation de la cité.

ORGANISER ET SYNTHÉTISER

À l'aide des documents, décrivez les différentes étapes de la relation entre Espagnols et Aztèques.

Des Grandes Découvertes à l'exploitation du Nouveau Monde

Comment les voyages de découverte des Européens ont-ils transformé la place de l'Europe dans le monde ?

1 Les moteurs de la « découverte » du monde par les Européens

● **Le poids de mythes.** Les récits de voyages se multiplient à la fin du Moyen Âge et alimentent un imaginaire mythique de terres lointaines et inconnues. La redécouverte de la *Géographie* antique de Ptolémée remet à l'honneur l'idée que la Terre est une sphère qu'on peut explorer.

● **Le désir d'évangélisation.** L'esprit de croisade, très présent dans la péninsule Ibérique en raison de la longue lutte contre les musulmans, et le désir de convertir de nouvelles populations au christianisme, animent les souverains et les explorateurs européens.

● **La quête des richesses de l'Asie.** La domination du trafic très rentable des épices d'Asie par les Turcs musulmans et leurs intermédiaires, les marchands italiens, pousse à rechercher une voie maritime par le sud ou l'ouest permellant de contourner ces monopoles.

● **Des progrès techniques décisifs.** La boussole et l'astrolabe, appris des Arabes, facilitent la navigation tandis qu'un nouveau type de navire, la caravelle, permet la navigation océanique.

2 Les voyages de découverte ibériques

● **De nouvelles voies maritimes par l'Atlantique.** À la recherche d'une nouvelle route vers l'Inde, le Portugais Vasco de Gama contourne l'Afrique et atteint le sud de l'Inde en 1498. De son côté, le Génois Christophe Colomb navigue au nom de l'Espagne vers l'ouest et découvre les Antilles en 1492, croyant avoir atteint les Indes **doc. 2**.

● **La concurrence entre Espagnols et Portugais.** Ils s'affrontent pour le monopole du trafic asiatique. Des côtes africaines à l'Inde, les conquêtes sont portugaises ainsi que le Brésil découvert par Cabral en 1500 ; elles sont espagnoles à l'ouest des Açores (traité de Tordesillas en 1494). Le pape légitime ce partage à condition que les *conquistadores* évangélisent les autochtones.

● **Le tour du monde de Magellan.** En 1519, ce navigateur portugais convainc Charles Quint que l'on peut accéder par l'ouest à l'île des Moluques, la seule à produire l'épice du clou de girofle. Il parvient à contourner l'Amérique par le sud, et à atteindre sa destination ; après sa mort, une partie de son équipage réussit à regagner l'Espagne. Les espaces atlantiques, pacifiques et indiens sont désormais reliés.

3 L'exploitation du Nouveau Monde

● **La conquête de nouveaux territoires.** Alors que les Portugais édifient une chaîne de comptoirs sur les côtes africaines et dans l'océan Indien, les Espagnols font la conquête de vastes territoires sur le continent américain. Les *conquistadores* Cortès et Pizzare détruisent l'empire des Aztèques au Mexique et celui des Incas au Pérou jouant de la supériorité technique de leurs armes et de la division des populations locales.

● **La destruction des Amérindiens.** La population du Nouveau Monde, estimée à 100 millions d'habitants avant la conquête, chute de 90 % **doc. 4**. Le choc microbien ainsi que la violence de la conquête et de l'exploitation expliquent cet effondrement, comblé par la traite d'esclaves d'Afrique noire. La violence de la colonisation suscite de virulentes dénonciations en Europe **doc. 1**.

● **L'afflux des richesses outre-mer en Europe.** Le monopole portugais du trafic des épices et le commerce des métaux précieux américains par les Espagnols provoquent l'essor de villes portuaires comme Séville ou Lisbonne qui redistribuent les produits importés dans toute l'Europe **doc. 3**. Français, Anglais et Hollandais tentent de rattraper leur retard puis se lancent dans la guerre de course pour prendre part au butin du commerce atlantique.

■ **Les voyages de découvertes des Européens entraînent l'ouverture du monde et leur permettent la conquête et l'exploitation d'un nouveau continent.**

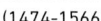

(1474-1566)

Missionnaire espagnol en Amérique, il dénonce les cruautés commises par les *conquistadores*. Il parvient à convaincre Charles Quint de réformer le système de l'*encomienda*, mais sans résultat tangible. En 1552, il publie la *Destruction des Indes*, ouvrage anticolonial qui connaît un retentissement dans toute l'Europe.

DÉFINITIONS

Conquistadores
Nom donné aux nobles castillans et andalous partis à la conquête de l'Amérique.

Nouveau Monde
Expression utilisée en 1503 par le navigateur italien Amerigo Vespucci, persuadé que les Indes occidentales sont en réalité un nouveau continent. En 1507, ce continent est baptisé Amérique en son honneur.

1 La conquête du Nouveau Monde

Jan Mostaert, *Paysage avec un épisode de la conquête de l'Amérique*, vers 1520-1530. Huile sur panneau de bois, largeur 152,5 cm, hauteur 86,5 cm. Rijkmuseum, Amsterdam.

1. Quels sont les éléments exotiques du paysage ? Qui sont les hommes à droite du tableau et que font-ils ?
2. Pourquoi ce tableau est-il un plaidoyer en faveur des indigènes ?

2 Christophe Colomb annonce sa découverte

« Je vous écris, Seigneur [Luis de Santangel, conseiller d'Isabelle de Castille], sachant le grand plaisir que vous aurez en apprenant que Notre Seigneur a donné une issue triomphale à mon voyage. Apprenez donc qu'en trente-trois jours, je suis arrivé aux Indes avec l'armada que me donnèrent mes illustres seigneurs, le roi et la reine. [...]

Les gens de toutes les îles que j'ai vues, vivent tout nus, aussi bien hommes que femmes, tels que leurs mères les ont mis au monde. Ils n'ont ni fer ni acier ; d'armes ils n'en connaissent pas. [...]

Ils n'ont aucune secte ni idolâtrie ; ils croient seulement que la puissance et le bien résident dans le ciel ; et ils croyaient que moi et mes gens nous venions du ciel avec nos navires. [...]

Dans une île qui est la seconde quand on arrive aux Indes habitent des hommes qui sont réputés pour très féroces et qui mangent de la chair humaine. [...] Ils s'unissent à certaines femmes qui habitent, seules, dans une autre île appelée Matenin [la Martinique].

Pour conclure et parler seulement de ce qui a été fait dans ce voyage, je peux assurer leurs Altesses que je leur donnerai autant d'or qu'il leur sera nécessaire, si elles me prêtent un léger concours, ainsi que des épices, [...] également des esclaves que l'on pourra prendre parmi les idolâtres. »

Lettre de Christophe Colomb annonçant la découverte du Nouveau Monde, datée du 14 février 1493. ■

1. Relevez les motivations du voyage de Colomb.
2. Quelle représentation se fait-il de ce territoire et de ses habitants ?

3 Les importations des produits d'Asie (en kg) au port de Lisbonne

Denrée	1505	1518
Poivre	1 074 003	2 128 962
Cannelle	8 789	1 342
Clous de girofle	7 145	5 584
Indigo	1 336	–
Fleur de muscade	–	986
Gomme laque	411	66 443
Bois de santal rouge	–	27 978
Encens	–	2 589
Soie	–	2 660

Source : Sanjay Subrahmanyam, *L'Empire portugais d'Asie, une histoire politique et économique, 1500-1700*, Maisonneuve et Larose, 1999.

1. Pourquoi Lisbonne est-elle considérée comme la capitale des épices ?
2. Que traduit la croissance des importations d'Asie ?
3. Quelle est la conséquence des Grandes découvertes pour Lisbonne ?

4 L'évolution de la population indienne au Mexique central au XVIᵉ siècle

1520	25 millions
1540	15 millions
1560	10 millions
1590	2,5 millions
1605	1 million

▶ Calculez en pourcentage la diminution de la population du Mexique central au XVᵉ siècle. Quelles peuvent en être les causes ?

Exercices *et* MÉTHODES

❶ Rédiger la réponse à une question

▶ **Comment les voyages de découverte modifient-ils la place de l'Europe dans le monde ?**

MÉTHODE

1. Comprendre la question

Attention : le mot ne porte pas ici sur les modalités des voyages de découverte mais sur **la manière** dont ils ont modifié le poids mondial de l'Europe ; il s'agit donc de s'intéresser aussi à leurs **conséquences**.

Il faut **comparer** cette place **avant et après** les Grandes Découvertes pour pouvoir mesurer en quoi cette place a été modifiée, d'où l'importance des dates choisies.

Il s'agit de définir rapidement cet espace 1) à l'époque et 2) globalement, par rapport au reste du monde.

Comment les voyages de découverte modifient-ils la place de l'Europe dans le monde ?

Cette expression renvoie à un phénomène historique étudié en cours qu'il s'agit de définir brièvement dans l'introduction, notamment sur le plan chronologique puisque le sujet ne le précise pas : à quelles dates ou à quelle période se sont-elles déroulées ?

Il faut définir des critères qui permettent de définir cette place :
- place dans les courants d'échange ?
- place sur le plan politique et militaire ?
- place démographique ?
- place sur le plan géographique ?

Il faut s'interroger sur l'état du monde avant les Grandes Découvertes (cf. cartes p.162-164) ; quelles sont les puissances qui apparaissent dominantes au xvᵉ siècle ?

2. Reformuler la question

Il s'agit de comprendre en quoi les Grandes Découvertes ont pu modifier le poids démographique, économique, politique et militaire de l'Europe par rapport aux autres parties du monde aux xvᵉ et xvIᵉ siècles.

3. Structurer la réponse

Première idée
L'Europe n'est pas la partie la plus avancée du globe avant les Grandes Découvertes

Deuxième idée
Les voyages des Grandes Découvertes mettent l'Europe en contact avec toutes les parties du monde

Troisième idée
L'Europe se trouve en position dominante à l'issue des Grandes Découvertes

4. Rédiger les paragraphes

La rédaction doit suivre le plan choisi précédemment en 3 paragraphes.
• Structurez vos paragraphes : l'idée générale est exprimée au départ puis justifiée ensuite par des arguments illustrés d'exemples avant que la dernière phrase fasse le bilan du paragraphe et la transition vers le suivant.

• Utilisez des mots ou expressions de liaison (*ainsi, par ailleurs, donc, certes, mais*) qui articulent les phrases et les idées entre elles, pour conduire un raisonnement et non énumérer des faits sans établir de liens entre eux.

I. L'Europe n'est pas la partie du globe la plus avancée avant les Grandes Découvertes.
Au milieu du xvᵉ siècle, l'Europe n'est dans le monde qu'une puissance parmi d'autres, lesquelles la dépassent parfois en certains domaines. Ainsi, sur le plan géographique ou économique, elle n'occupe pas une place centrale dans les courants d'échanges. Elle est éloignée de l'océan Indien, espace économique dynamique, dont elle est séparée par un monde musulman rival. Ce dernier commande ses relations avec le monde indien. L'une de motivations des voyages océaniques est ainsi de contourner cet obstacle. Par ailleurs, nombre de techniques que l'Europe commence à découvrir ou à utiliser trouvent leur origine sur d'autres continents, comme la boussole, la poudre ou l'imprimerie, déjà présentes dans le monde chinois. Au sortir du Moyen Âge, l'Europe est donc certes un espace dynamique et en pleine ouverture ; mais elle n'est pas le seul et, surtout, elle n'est pas aussi avancée que d'autres espaces comme l'Empire ottoman ou la Chine.

EXERCICE

En vous appuyant sur cet exemple et les pages de votre manuel, rédigez les paragraphes suivants.

EXERCICE D'APPLICATION

En vous appuyant sur la méthode précédente, répondez à la question suivante :

En quoi Lisbonne/Pékin/Istanbul [ville au choix en fonction de celle qui a été traitée en cours] est-elle le lieu d'une première mondialisation aux xvᵉ et xvIᵉ siècles ?

② Confronter deux textes

▶ Après avoir présenté les documents, vous montrerez en quoi ils tirent des conséquences opposées des Grandes Découvertes.

Juan Sepulveda[1] et les Indiens

« Les Indiens demandent, de par leur nature et dans leur propre intérêt, à être placés sous l'autorité des princes ou d'États civilisés et vertueux dont la puissance, la sagesse et les institutions leur apprendront une morale plus haute et un mode de vie plus digne. Comparez ces bienfaits dont jouissent les Espagnols – prudence, invention, magnanimité, tempérance, humanité et religion – avec ceux de ces hommelets si médiocrement humains, dépourvus de toute science et de tout art, sans monument du passé autre que certaines peintures aux évocations imprécises. Ils n'ont pas de lois écrites mais seulement des coutumes, des traditions barbares. Ils ignorent même le droit de propriété. »

Juan Gines Sepulveda, *Des Justes Causes de la guerre*, 1541. ▪

1. Théologien humaniste espagnol proche de Charles Quint. Il rédige à la fin des années 1540 un traité sur la justification des conquêtes espagnoles en Amérique.

Bartolomé de Las Casas et les Indiens

« À ceux qui prétendent que les Indiens sont des barbares, nous répondons que ces gens ont des villages, des cités, des rois, des seigneurs et leur organisation politique est parfois meilleure que la nôtre. Si l'on n'a pas longuement enseigné la doctrine chrétienne aux Indiens, c'est une grande absurdité que de prétendre leur faire abandonner leurs idoles. Car personne n'abandonne de bon cœur les croyances de ses ancêtres. Que l'on sache que ces Indiens sont des hommes et qu'ils doivent être traités comme des hommes libres. »

Bartolomé de Las Casas, *Très Brève Relation de la destruction des Indes*, 1552. ▪

Aide

> Le système d'exploitation des Amérindiens par les Espagnols suscita de violentes critiques en Europe. Charles Quint dut inviter un partisan du maintien de ce système et l'un de ses opposants à confronter leur thèse devant un jury compétent réuni à Valladolid en 1550. Chacun des deux protagonistes publia par la suite les idées qu'il y avait exprimées.

MÉTHODE

1. Identifier et présenter les documents

Présentez la nature de chaque texte, son auteur, son objet et son contexte (date et lieu) sans recopier le titre ou la légende.
- *Les informations sur les auteurs étant importantes, il s'agit ici de ne les présenter que brièvement, et de réserver pour le développement les informations qui permettront d'expliquer leurs arguments.*

2. Relever et classer les arguments

Comme il y a deux textes et que ceux-ci ne suivent pas forcément le même ordre, il ne s'agit pas ici de dégager leur plan mais plutôt de mettre en évidence leurs correspondances en procédant à des regroupements de leurs arguments.

3. Confronter deux documents

Lorsque deux textes défendent chacun une thèse opposée, il faut dégager les points précis sur lesquels ils s'opposent.

EXERCICE Complétez le tableau proposé.
Attention : comme la symétrie entre les deux textes n'est pas forcément complète, il se peut que certaines cases soient vides puisqu'un texte peut évoquer des choses que n'aborde pas l'autre texte.

	THÈSE DE .... Les Indiens sont des barbares par rapport aux Espagnols		THÈSE DE .... Les Indiens sont civilisés
	Les Espagnols	Les Indiens	
Organisation politique			
Organisation sociale / mode de vie			
Art			
Religion			

③ Comprendre et analyser un texte

▶ Après avoir présenté ce texte, vous montrerez en quoi il témoigne à la fois des causes et des conséquences des Grandes Découvertes.

Un bilan des Grandes Découvertes dressé par un humaniste

« Notre monde vient d'en trouver un autre. [...] Je crains que nous ayons fort hâté son déclin et sa ruine par notre contagion et que nous lui ayons vendu bien cher nos opinions et nos arts. C'était un monde enfant et pourtant nous ne l'avons pas dompté et soumis à notre discipline par notre valeur [...]. Ce qui les a vaincus, ce sont les ruses et les mensonges avec lesquels les conquérants les ont trompés, et le juste étonnement qu'apportait à ces nations-là l'arrivée inattendue de gens barbus, si différents par la langue, la religion, l'apparence et le comportement, [...] montés sur de grands monstres inconnus, alors qu'eux-mêmes n'avaient jamais vu de cheval [...] ; protégés par une peau luisante et dure et une arme tranchante et resplendissante, alors que les Indiens [...] n'avaient eux-mêmes d'autres armes que des arcs, des pierres, des bâtons et des boucliers de bois [...]. Ôtez, dis-je, cette disparité et les conquérants n'auraient eu aucune chance de victoire. [...] Nous nous sommes servis de leur ignorance et de leur inexpérience [...]. Le commerce et le trafic étaient-ils à ce prix ? Tant de villes rasées, tant de nations exterminées, tant de millions d'hommes passés au fil de l'épée, la plus riche et la plus belle partie du monde bouleversée, pour le négoce des perles et du poivre. Méprisables victoires. »

Michel de Montaigne, *Essais*, Livre III, chapitre VI, 1588. ■

④ Expliquer un processus historique par un schéma

▶ En vous appuyant sur la fiche « L'expansion espagnole », page ci-contre, et sur le modèle proposé, réalisez un schéma permettant d'expliquer :
– Les motivations des Espagnols à parcourir les océans
– L'expansion de l'Empire espagnol qui en découle
– Les conséquences de cette conquête sur les civilisations et pour l'empire espagnol

Donnez un titre à votre schéma.

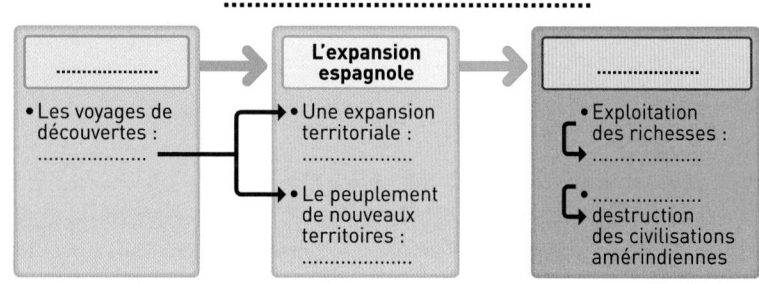

- Les voyages de découvertes : ....

L'expansion espagnole

- Une expansion territoriale : ....
- Le peuplement de nouveaux territoires : ....

- Exploitation des richesses : ....
- .... destruction des civilisations amérindiennes

⑤ Exercice TICE : la découverte du monde par les cartes

L'âge d'or des cartes marines

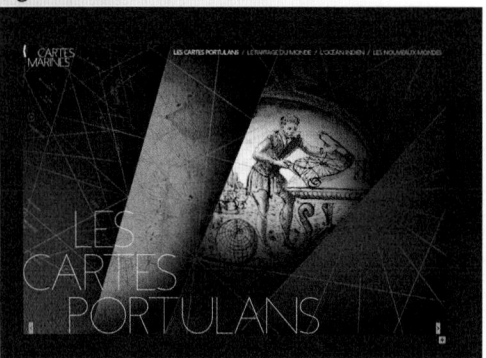

La BNF présente une exposition virtuelle de cartes marines **http://expositions.bnf.fr/marine/expo/salle1/index.htm**.

Cliquez sur « Le partage du monde ». Circulez à l'aide de la flèche en bas à droite de l'écran. Lisez les textes et observez les documents présentés pour répondre aux questions.

1. Qu'est-ce qu'une carte portulan ?

2. Quels sont les territoires découverts et les acteurs présentés dans l'exposition ? Dressez un tableau.

3. Quelles sont les motivations des Européens à parcourir les océans ?

4. Que révèlent les cartes de la perception européenne du Nouveau Monde ?

MÉMO ET RÉVISIONS

À retenir

L'EXPANSION PORTUGAISE

▶ **Causes :** voyages de découvertes le long des côtes de l'Afrique au xvᵉ siècle
  – Dias atteint le Cap de Bonne-Espérance (1487)
  – Vasco de Gama atteint l'Inde (1498)
  – Cabral découvre le Brésil (1500)

▶ **Caractéristiques de l'Empire portugais :** empire maritime constitué d'une chaîne de comptoirs installés :
  – le long des côtes de l'Afrique
  – sur la côte brésilienne
  – autour de l'océan Indien (Inde et actuelle Indonésie)

  → empire centré sur le commerce des épices et bientôt des esclaves

▶ **Conséquences :**
  – partage des espaces avec l'Espagne (traité de Tordesillas)
  – essor et prospérité de Lisbonne (style manuélien)
  – début de la traite des esclaves d'Afrique noire

L'EXPANSION ESPAGNOLE

▶ **Causes :** voyages de découvertes
  – dans l'espace atlantique (Christophe Colomb à partir de 1492)
  – circumnavigation de Magellan (1519-1522) qui permet de connecter les différents espaces maritimes du globe

▶ **Caractéristiques de l'Empire espagnol :**
  – empire qui s'étend en majorité sur le continent américain
  – empire essentiellement continental à la différence de l'Empire portugais qui est maritime
  – émigration espagnole vers le Nouveau Monde

▶ **Conséquences :**
  – destruction des civilisations amérindiennes notamment aztèque et inca
  – énorme afflux de métaux précieux en Europe
  – apogée de l'Espagne (le « Siècle d'or ») qui devient la plus grande puissance d'Europe

Schéma explicatif

La première mondialisation

Continent américain

Interconnexion entre l'Europe et l'Amérique assurée par les Européens après le voyage de Colomb

Océan Atlantique

Europe

Empire ottoman

Continent africain

Continent eurasiatique

Monde indien

Monde chinois

Océan Indien

Océan Pacifique

Interconnexion entre l'océan Atlantique et l'océan Indien assurée par les Portugais

Interconnexion entre l'océan Pacifique et l'océan Indien permise par le voyage de Magellan

Pôle de puissance aux XVᵉ et XIᵉ siècles

Espaces continentaux

Espaces océaniques

Interconnexions entre différents espaces d'échanges établis aux XVᵉ et XVIᵉ siècles par l'Europe

Faire une fiche de révision

Réalisez vos fiches de révision en développant les idées suivantes :

• La puissance de la Chine aux xvᵉ et xviᵉ siècles ?

• La puissance de l'Empire ottoman au xviᵉ siècle ?

• Quelles transformations connaît le continent américain aux xvᵉ et xviᵉ siècles ?

Chapitre 8

Les hommes de la Renaissance (XVe-XVIe siècle)

Les hommes de l'Humanisme et de la Renaissance, inventeurs du livre imprimé en Europe et découvreurs de formes artistiques, imposent une nouvelle culture. L'Homme, image de Dieu, s'affirme, mais au risque de la division de la chrétienté.

Le rêve humaniste : un idéal d'harmonie et d'équilibre

Attribuée à Francesco di Giorgio Martini, *La Cité idéale* (détail), huile sur toile, largeur : 200 cm, hauteur : 60 cm, vers 1470. Galerie nationale des Marches, Urbino.

De nouvelles divisions : les déchirements politiques et religieux

Pieter Brueghel, *La « Grande » Tour de Babel*, huile sur panneau de bois, largeur : 155 cm, hauteur : 114 cm, vers 1563. Kunst historisches Museum, Vienne.

Sommaire

La diffusion des idées nouvelles

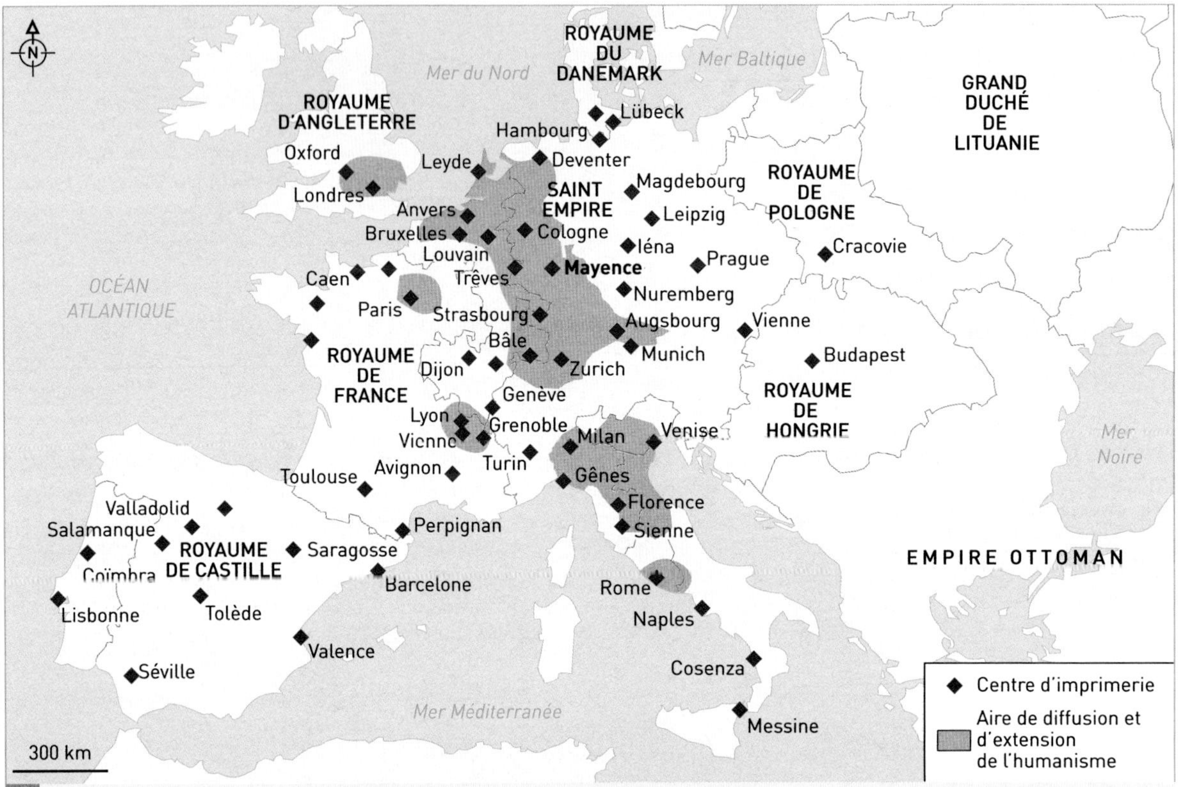

1 La diffusion de l'imprimerie (XVe-XVIe siècle)

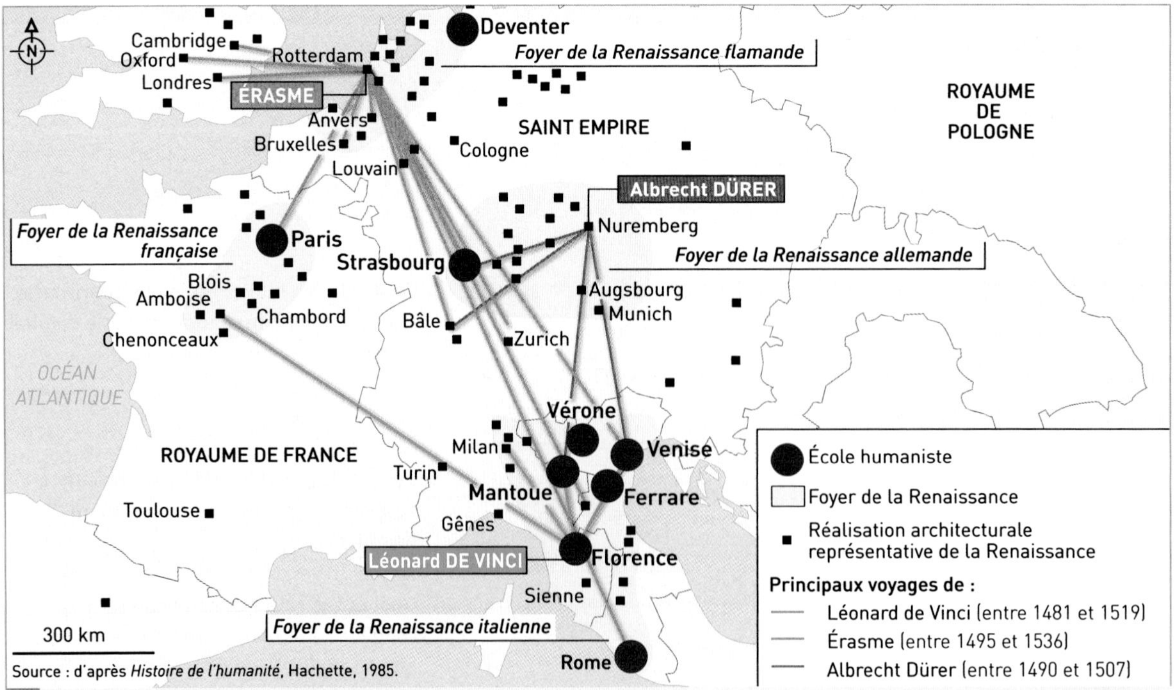

Source : d'après *Histoire de l'humanité*, Hachette, 1985.

2 Les voyages d'Érasme, de Dürer et de Vinci

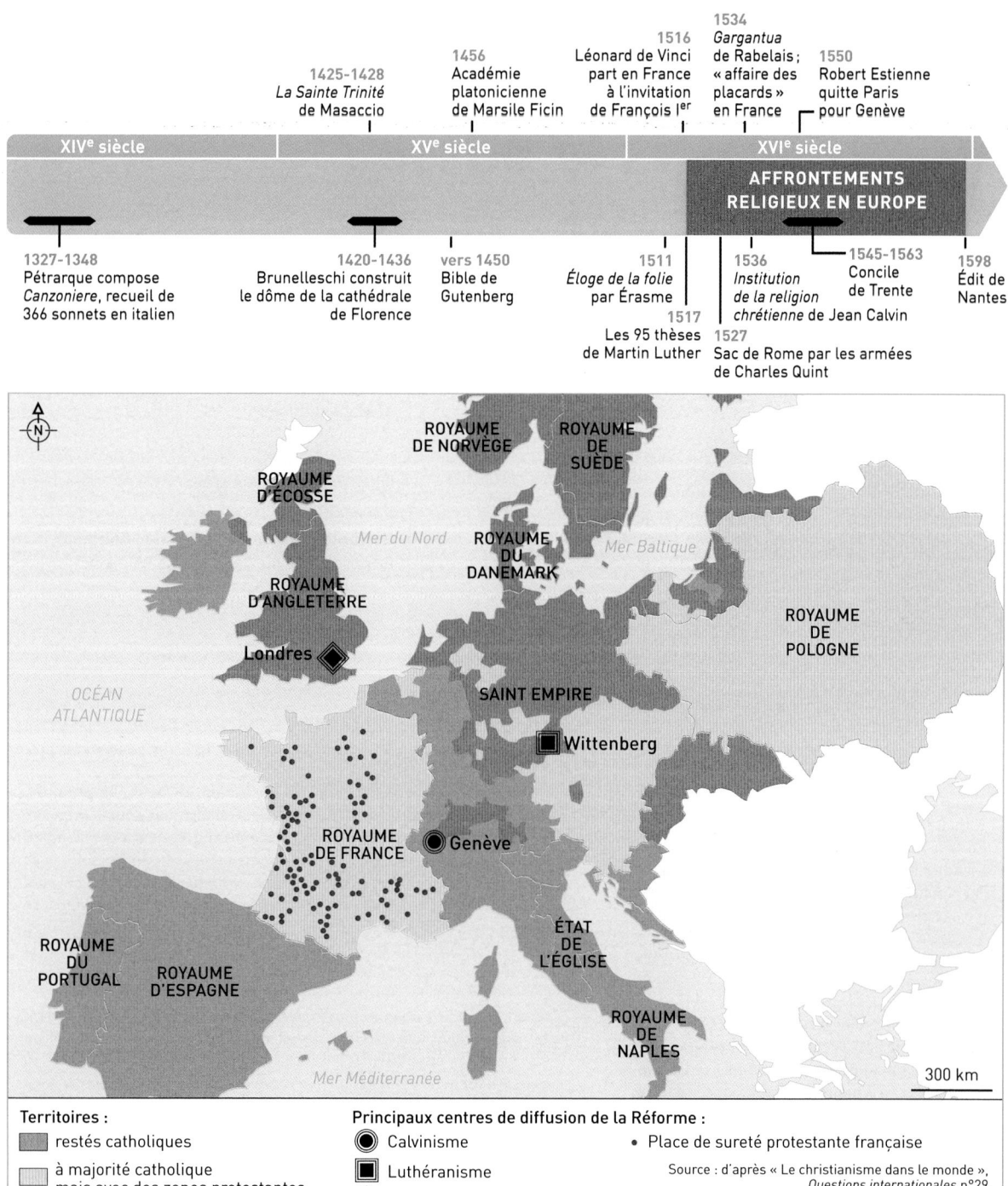

1327-1348
Pétrarque compose
Canzoniere, recueil de
366 sonnets en italien

1425-1428
La Sainte Trinité
de Masaccio

1456
Académie
platonicienne
de Marsile Ficin

1516
Léonard de Vinci
part en France
à l'invitation
de François Ier

1534
Gargantua
de Rabelais ;
« affaire des
placards »
en France

1550
Robert Estienne
quitte Paris
pour Genève

XIVe siècle

XVe siècle

XVIe siècle

AFFRONTEMENTS
RELIGIEUX EN EUROPE

1420-1436
Brunelleschi construit
le dôme de la cathédrale
de Florence

vers 1450
Bible de
Gutenberg

1511
Éloge de la folie
par Érasme

1517
Les 95 thèses
de Martin Luther

1536
*Institution
de la religion
chrétienne* de Jean Calvin

1527
Sac de Rome par les armées
de Charles Quint

1545-1563
Concile
de Trente

1598
Édit de
Nantes

Territoires :

▨ restés catholiques

▢ à majorité catholique
mais avec des zones protestantes

▨ devenus protestants

Principaux centres de diffusion de la Réforme :

◉ Calvinisme

▣ Luthéranisme

◈ Anglicanisme

• Place de sureté protestante française

Source : d'après « Le christianisme dans le monde »,
Questions internationales n°29,
janvier-février 2008,
La Documentation française.

3 La diffusion du protestantisme (XVIe siècle)

QUESTIONS

1. Comment se diffuse l'imprimerie en Europe (doc. 1) ?
2. Quels sont les principaux chantiers artistiques de la Renaissance (doc. 2) ?
3. Où voyagent Érasme, Dürer et Vinci (doc. 2) ?
4. Quels sont les foyers de la Réforme (doc. 3) ?
5. Dans quels territoires se diffuse-t-elle (doc. 3) ?
6. **Doc. 1 à 3** Pourquoi peut-on dire de la Renaissance, de l'Humanisme et de la Réforme
qu'ils furent des phénomènes européens ?

La Renaissance, rupture ou retour vers le passé ?

Le terme « Renaissance » est inventé dès le XVIe siècle pour désigner le renouveau culturel européen des XVe et XVIe siècles. Il s'agit d'opposer cette période à un « sombre » Moyen Âge, présenté comme une époque d'ignorance et de ténèbres.

REPÈRES

▶ **1453** : prise de Constantinople par les Turcs qui entraîne un afflux de manuscrits anciens en Italie.

▶ **1455** : première Bible imprimée de Gutenberg.

▶ **1460** : création de l'Académie platonicienne à Florence par Laurent de Médicis et Marsile Ficin.

DÉFINITIONS

▶ **Anciens**
Les auteurs et les artistes de l'Antiquité auxquels les humanistes se réfèrent.

1 Vasari et le mot Renaissance

« Les chefs-d'œuvre ensevelis sous les ruines de l'Italie restaient ignorés. [...] Cependant, après les pillages, les bouleversements et les incendies de Rome, il restait encore assez d'arcs de triomphe, de statues et de colonnes, mais personne ne fut en état de les apprécier et de les utiliser. Enfin, l'an 1250, le ciel touché de compassion, ouvrit les yeux aux Toscans, et leur envoya des hommes capables de discerner le bon du mauvais, de secouer le joug des vieux maîtres et de prendre les Anciens pour modèles. Par Anciens, j'entends les artistes qui travaillèrent avant Constantin à Corinthe, à Athènes, à Rome et dans d'autres fameuses villes, jusqu'aux règnes des Néron, des Vespasien, des Trajan, des Adrien et des Antonin [...].

En leur montrant [aux artistes] que, semblable à l'homme, l'art naît, grandit, vieillit et meurt, j'ai voulu les mettre à même de comprendre plus facilement sa renaissance et la perfection à laquelle il est arrivé de nos jours. J'ai encore voulu que, si, par l'incurie des hommes, la malignité des siècles ou l'ordre des cieux, l'art venait à éprouver les désastres dont il a déjà été victime, mes travaux pussent servir à arrêter sa ruine ou au moins à relever le courage des artistes et à les aider, en leur rappelant les exemples et les procédés des grands maîtres que personne, s'il m'est permis de parler avec franchise, n'a pris le soin de recueillir jusqu'à présent. »

Giorgio Vasari, artiste et historien de l'art, préface de *Les Vies des meilleurs peintres, sculpteurs et architectes*, 1550. ■

1. Quels sont les chefs-d'œuvre ensevelis puis retrouvés évoqués par Vasari ?
2. Que permet cette redécouverte ?

1. De quelle manière la langue grecque est-elle redécouverte à Florence ?
2. Que va favoriser cette nouvelle connaissance du grec ?
3. Pourquoi, d'après l'auteur, est-ce fondamental ?

2 La redécouverte du grec à Florence

Manuel Chrysoloras (1355-1415) est un lettré byzantin, envoyé en ambassade en Italie. Arrivé à Florence en 1397, il enseigne le grec jusqu'à son départ en 1400.

« Durant les intervalles de ces guerres, les lettres se développèrent en Italie de manière admirable. C'est alors que se répandit pour la première fois la connaissance de ces lettres grecques qui avaient cessé pendant 700 ans d'être en usage chez nos compatriotes. C'est à Chrysoloras de Byzance, homme d'une bonne noblesse et remarquablement fait aux lettres grecques, que nous devons cette restauration de la connaissance du grec. Sa patrie assiégée par les Turcs, il fit d'abord voile vers Venise, puis [...] il vint à Florence pour communiquer aux jeunes gens toute la richesse de son savoir. J'étudiais à cette époque le droit civil, sans négliger pour autant les autres matières. [...] L'arrivée de Chrysoloras me rendit perplexe ; abandonner l'étude de mon droit me paraissait dangereux, négliger une telle occasion d'apprendre le grec me semblait un vrai crime. Je ne cessais de me répéter, de manière un peu juvénile ; tu as la possibilité de voir Homère, Platon et Démosthène, de parler avec tous ces poètes, ces philosophes, ces orateurs qu'entoure une réputation exceptionnelle et si merveilleuse, de t'imprégner de leur admirable enseignement ; vas-tu les laisser et les abandonner ? Une occasion qui t'est si providentiellement offerte, tu vas la négliger ? Sept cents ans durant, personne en Italie n'a possédé les lettres grecques et pourtant nous avouons que toute connaissance vient d'eux.

Quel profit pour ta culture, quel éclat pour ta réputation, quel bénéfice pour ton plaisir personnel que d'apprendre cette langue ! Des docteurs en droit civil, on en trouve partout, en grand nombre ; l'occasion de s'instruire en la matière ne te fera jamais défaut, lui au contraire est absolument le seul Docteur en lettres grecques ; s'il s'éloigne, tu ne trouveras après lui plus personne auprès de qui t'instruire. Ces raisons finalement l'emportèrent : je rendis les armes à Chrysoloras. [...]. »

L. Bruni, *Rerum suo tempore gestarum commentarii*, éd. Di Pierro, 19, Bologne 1926, trad. C.-M. De La Roncière, P. Contamine et R. Delort, *L'Europe au Moyen Âge. Documents expliqués*, 3 (fin XIIIe siècle-fin XIVe siècle), Armand Colin, 1971. ■

3 La fascination pour les Anciens

Raphaël, *L'École d'Athènes*, 1508-1511, fresque, largeur 7,70 m, hauteur 4,40 m. Chambre de la signature, Vatican.

DOC

1 Épicure. 2 Averroès. 3 Socrate.
4 Pythagore. 5 Platon. 6 Michel-Ange.
7 Aristote. 8 Zoroastre. 9 Diogène.
10 Euclide. 11 Raphaël. 12 Ptolémée.
13 Alexandre.

1. Dans quel cadre Raphaël a-t-il placé les personnages de sa composition ?
2. Classez les personnages par époque. Que signifie leur association ?

4 La Bible offerte à tous

Les chrétiens utilisent, depuis le IVe siècle, une traduction latine de la Bible due à saint Jérôme. La première version imprimée est l'œuvre de Gutenberg (1455). De nombreuses autres versions en langue vulgaire vont suivre dans toute l'Europe.

« Le soleil est un bien commun, offert à tout le monde. Il n'en va pas autrement avec la science du Christ ; elle ne repousse personne, sinon celui qui se repousse lui-même par haine de lui-même. Je suis tout à fait opposé à l'avis de ceux qui ne veulent pas que la Bible soit traduite en langue commune pour être lue par les gens du peuple, comme si l'enseignement du Christ était si voilé que seule une poignée de théologiens pouvait le comprendre, ou comme si la religion chrétienne se fondait sur l'ignorance. Je voudrais que les plus humbles des femmes lisent les Évangiles, les épîtres de Paul. Puisse ce livre être traduit en toutes les langues de sorte que les Écossais, les Irlandais, mais aussi les Turcs et les Sarrasins soient en mesure de le lire et de le connaître. »

Érasme, Préface à la traduction du Nouveau Testament, 1516. ■

1. Quelle idée défend Érasme ?
2. Dans quel but ?

METTRE EN RELATION

À partir de l'analyse des documents, proposez une définition de Renaissance.

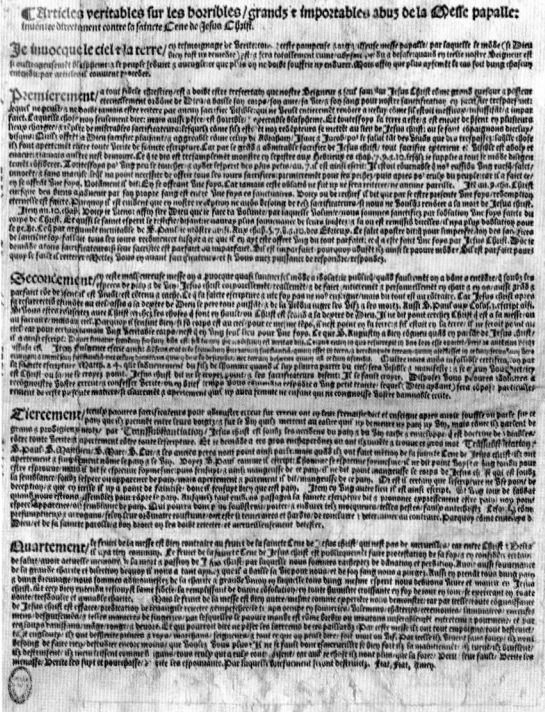

5 L'imprimerie au service de nouvelles idées religieuses

Antoine Marcourt, Placard contre la messe, Pierre de Vingle, Neuchâtel, 1534. Musée de l'Imprimerie, Lyon.

Le 18 octobre 1534, des protestants français placardent des proclamations contre la messe en différents lieux du pays et jusque sur la porte de la chambre de François Ier, à Amboise.

Robert Estienne (1503-1559), imprimeur et humaniste

Dans la deuxième moitié du xvᵉ siècle, la diffusion du livre permet à un public plus important d'accéder à la lecture. L'imprimerie devient une industrie, animée par des dynasties d'imprimeurs-éditeurs qui contribuent à standardiser le livre typographié. Ces derniers disposent de privilèges leur accordant l'exclusivité de l'impression d'un ouvrage mais aussi la propriété des nouveaux caractères qu'ils mettent au point.

 Quel est le rôle des imprimeurs dans la diffusion du savoir et des idées humanistes ?

▶ Typographe

Artisan en charge de la composition et de l'impression des textes grâce à l'usage de caractères mobiles dont il peut être le créateur.

▶ Lexicographe

Personne qui recense les mots, les classe et les définit afin de constituer un dictionnaire.

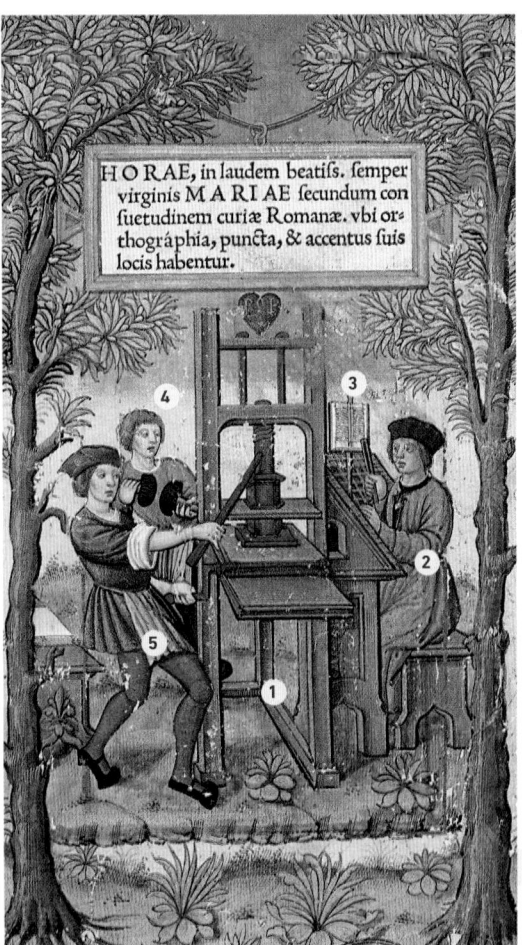

1 La presse à vis. **2** Le compositeur choisit les types mobiles et les insère dans les composteurs. **3** Le manuscrit original accroché au lutrin. **4** L'ouvrier encre les caractères. **5** Le pressier procède à l'impression.

1 Chronologie

1455 Impression de la Bible de Gutenberg en caractères gothiques.

1470 Installation de la première imprimerie à Paris.

1476 Parution de la première grammaire grecque à Milan.

1494 Fabrication des premiers types grecs et romains à Venise par Alde Manuce.

1508 Première grammaire hébraïque.

1526 Robert Estienne établit sa propre imprimerie à Paris, succédant à son père Henri.

1527-1536 Édition de nombreux auteurs romains (Cicéron, Plaute, Virgile, etc.).

1528 Bible en latin.

1537 François Iᵉʳ crée le dépôt légal : chaque imprimeur doit déposer un exemplaire de ses publications à la Bibliothèque royale.

1539 Estienne est nommé imprimeur du roi pour le latin et l'hébreu. Premier dictionnaire de langue française.

1540 La Sorbonne critique son édition de la Bible.

1544 Imprimeur du roi pour le grec.

1547 Mort de François Iᵉʳ : Estienne perd son protecteur.

1550 Exil à Genève où il est accueilli par le réformateur protestant Jean Calvin.

1552 Conversion au calvinisme.

1553 Première Bible en français présentée selon un nouveau système de division en versets.

1559 Estienne publie l'*Institution de la religion chrétienne* de Calvin.

2 L'imprimerie célébrée

Geoffroy Tory, *Heures de la Vierge*, 1525. Bibliothèque nationale de France, Paris.

L'imprimeur Simon de Colines, en commandant cette image, célèbre le mariage de son beau-fils, Robert Estienne et de Perette Bade (R et P dans le cœur rouge), héritière de l'imprimeur Josse Bade.

1. Décrivez les différentes étapes de l'impression d'un livre.

2. En quoi le mariage de Robert Estienne peut-il favoriser son activité ?

3 Robert Estienne s'adresse à ses lecteurs

« Ô merveilleuse libéralité de notre roi, le meilleur et le plus grand des princes ! Il a vu qu'il manquait à l'imprimerie des caractères grecs de petites dimensions, et il a voulu que l'on en exécutât de nouveaux aussi élégants que les premiers, qui étaient déjà de la plus grande beauté. Grâce à mon titre d'imprimeur royal, ces caractères m'ont été confiés pour le service public. J'ai apporté à cette édition le même soin qu'à tous mes autres ouvrages, et même une attention plus religieuse encore. J'ai revu le texte avec une telle exactitude, que je n'ai pas laissé passer une seule lettre sans qu'elle eût obtenu, pour ainsi dire, la sanction et le témoignage du plus grand nombre de manuscrits. »

Allocution aux lecteurs du Nouveau Testament, 1546. ∎

1. Comment Estienne présente-t-il sa mission d'imprimeur du roi ?
2. Que nous apprennent ces textes sur sa méthode de travail ?

4 Estienne répond aux théologiens de la Sorbonne

Page de titre de l'ouvrage *Les Censures des Théologiens de Paris, par lesquelles ils ont faussement condamné les Bibles imprimées par Robert Estienne*, 1552. Bibliothèque nationale de France, Paris.

Les éditeurs, afin d'être identifiés par leur clientèle, s'attribuent des signes distinctifs. Estienne choisit l'olivier et la devise *Noli altum sapere sed time* (« Garde-toi de connaître le Très-Haut mais crains-le. »), qui apparaissent en page de titre de ses ouvrages.

1. Que nous révèle la devise choisie par Estienne de sa conception de la religion et du savoir ?
2. À quelles difficultés est-il confronté ?

5 Robert Estienne, imprimeur du roi

Estampe, 1559. Bibliothèque nationale de France, Paris.

1. **Doc. 3 et 5** Que signifie pour Estienne l'obtention du titre d'imprimeur royal ?
2. **Doc. 3** Qu'est-ce que le roi attend de lui ?
3. **Doc. 3 et 5** Quel est le rôle de François Ier dans la promotion des lettres ?

6 Lettrine de Robert Estienne

▶ En quoi ce document illustre-t-il la dimension esthétique du travail de l'imprimeur ?

METTRE EN RÉCIT

> Qu'est-ce qu'un imprimeur au XVIe siècle ?

En quoi les humanistes sont-ils porteurs d'une nouvelle conception de l'Homme ?

1 La redécouverte des Anciens

● **Le rejet de la culture du Moyen Âge.** Dès le XIVe siècle, les lettrés pensent leur époque en rupture avec celle qui précède. Le poète florentin Pétrarque (1304-1374), considéré comme le père des humanistes, est le premier à séparer l'époque ancienne (« *antiqua* ») et la moderne. Il appelle à renouer avec les auteurs de l'Antiquité, les Anciens, l'université médiévale se limitant selon lui à des commentaires d'après des manuscrits erronés.

● **Le modèle antique.** À partir du XVe siècle, les humanistes redécouvrent de nombreux manuscrits originaux, enfouis dans les bibliothèques des monastères européens et apportés par les émigrés byzantins. Des textes oubliés, comme ceux du philosophe Platon ou les discours de Cicéron, sont traduits. Au contact des érudits byzantins qui fuient Constantinople conquise par les Turcs en 1453, les humanistes accroissent leur goût pour l'Antiquité grecque, l'hellénisme.

● **Retrouver la pureté des langues anciennes.** Pour les humanistes, la recherche sur les langues est fondamentale, car le langage distingue l'homme de l'animal. Le latin, le grec, mais aussi l'hébreu, parce qu'elle est la langue de l'Ancien Testament, doivent être maîtrisés. Laurent Valla invente la philologie qui consiste à revenir à la version la plus ancienne du manuscrit, signe de vérité.

2 La « République des Lettres »

● **Un mouvement européen.** Les humanistes forment un réseau européen, une véritable « République des Lettres ». Grands voyageurs, ils inventent une première forme de tourisme par le voyage obligé en Italie – *peregrinatio academica* – et entretiennent une intense correspondance. Érasme séjourne ainsi à Rotterdam, Londres, Paris, Rome, Bâle et échange plus de 6 000 lettres.

● **L'homme, la mesure de toute chose.** Les humanistes ont une conception optimiste de l'homme rompant avec le pessimisme chrétien qui insiste sur la malédiction du péché **doc. 1**. Cependant, ils restent des chrétiens sincères. Pour Pic de la Mirandole, tous les savoirs antiques (même la magie ou l'alchimie) sont des clés pour accéder à Dieu **doc. 2**.

● **Une nouvelle éducation.** L'homme peut devenir meilleur, à condition qu'il soit éduqué **doc. 3** et **doc. 4**. Beaucoup d'humanistes sont professeurs dans les collèges. Ces lieux deviennent des laboratoires de pédagogie humaniste. Les textes des Anciens sont à la base de l'enseignement. Ils concurrencent avec succès les universités, plus réticentes aux nouveautés.

3 La civilisation du livre

● **L'invention de l'imprimerie.** Avant 1450, seuls les manuscrits existent. Ils sont rares, chers et contiennent de nombreuses fautes de copie. Gutenberg, un entrepreneur allemand audacieux, met au point l'imprimerie. Sa technique s'appuie sur l'usage du papier qui servait déjà à l'impression de la gravure sur bois. Mais, au lieu de graver une nouvelle planche pour chaque texte ou chaque image, Gutenberg emploie des caractères typographiques en métal, mobiles et donc réutilisables.

● **Une nouvelle activité industrielle.** Plus de 300 imprimeries se développent dans les cités allemandes et en Italie du Nord. Si, à l'origine, la majorité des ouvrages imprimés sont religieux, après 1500, l'édition des textes humanistes en latin augmente, puis, à partir de 1550, en langues nationales.

● **L'imprimerie au service des humanistes.** Les imprimeurs permettent aux humanistes d'élargir leur audience. Ils ont besoin des compétences de ces érudits pour l'édition des textes : ils leur assurent un revenu en les employant comme correcteurs.

■ **L'Humanisme constitue ainsi une nouvelle culture européenne, fondée sur la connaissance des Anciens, une meilleure maîtrise des langues antiques et l'échange d'idées.**

1 Une « armée de lettrés »

Philologue et éditeur à Lyon, Étienne Dolet (1509-1546) est l'auteur d'une quinzaine d'ouvrages, et le traducteur de nombreux auteurs grecs et latins. Arrêté pour avoir publié des livres interdits, il est condamné et brûlé avec ses livres place Maubert, le 3 août 1546.

« Il y a un siècle, la barbarie régnait partout en Europe. Mais une armée de lettrés, levée de tous les coins de l'Europe, maîtres dans les deux langues grecque et latine, fait de tels assauts au camp ennemi, qu'enfin la barbarie n'a plus de refuge ; elle a depuis longtemps disparu d'Italie ; elle est sortie d'Allemagne ; elle s'est sauvée d'Angleterre ; elle a fui hors d'Espagne ; elle est bannie de France. Il n'y a plus une ville qui donne asile au monstre. Maintenant l'homme apprend à se connaître ; maintenant il marche à la lumière du grand jour, au lieu de tâtonner misérablement dans les ténèbres. Maintenant, l'homme s'élève vraiment au-dessus de l'animal par son âme et par son langage qu'il perfectionne. Les lettres ont repris leur véritable mission qui est de faire le bonheur de l'homme, de remplir sa vie de tous les biens. Courage ! elle grandira cette jeunesse qui, en ce moment, reçoit une bonne instruction : elle fera descendre de leur siège les ennemis du savoir ; elle entrera dans le conseil des rois ; elle administrera les affaires de l'État. Son premier acte sera d'instituer partout ces bonnes études qui apprennent à fuir le vice et engendrent l'amour de la vertu. »

Étienne Dolet, *Commentaire sur la langue latine*, 1536. ∎

1. Qui sont les lettrés mentionnés au début du texte ? De quelle connaissance se sont-ils enrichis ?
2. D'après Dolet, quelle est leur fonction dans la société ?
3. Quel est, selon lui, le rôle de l'instruction ? Comment les humanistes ont-ils cherché à en transformer les pratiques ?
4. Pourquoi peut-on dire de Dolet qu'il est une figure représentative de l'Humanisme ?

2 Une nouvelle vision de l'homme

« L'Architecte suprême a choisi l'homme, créateur d'une nature imprécise et, le plaçant au centre du monde, s'adressa à lui en ces termes : "Nous ne t'avons donné ni place précise, ni fonction particulière, Adam, afin que, selon tes envies et ton discernement, tu puisses prendre et posséder la place, la forme et les fonctions que tu désireras. La nature de toutes les autres choses est limitée et tient dans les lois que nous leur avons prescrites [...]. Nous t'avons mis au centre du monde pour que, de là, tu puisses en observer plus facilement les choses. Nous ne t'avons créé ni du ciel ni de la terre, ni immortel ni mortel, afin que, par ton libre arbitre, tu puisses choisir de te façonner dans la forme que tu choisiras. Par ta propre puissance, tu pourras dégénérer, prendre les formes les plus basses de la vie, qui sont animales. Par ta propre puissance, tu pourras grâce au discernement de ton âme, renaître dans les formes les plus hautes, qui sont divines." »

Pic de la Mirandole, *De la Dignité de l'homme*, 1486. ∎

1. Qui est « l'Architecte suprême » évoqué au début du texte ?
2. Quelle place, d'après Pic de la Mirandole, a-t-il donné à l'homme dans la Création ?
3. Pourquoi cette conception est-elle radicalement nouvelle ?

3 L'instruction du Prince

Prince apprenant la physique, la philologie, la religion et le maintien, illustration dans *De l'Instruction d'un Prince* par Guillaume Budé.

▶ **Doc. 3 et 4** À qui la culture humaniste est-elle réservée ?

4 L'éducation humaniste

« J'entends et je veux que tu apprennes parfaitement les langues : premièrement le grec, comme le veut Quintilien[1] ; deuxièmement le latin ; puis l'hébreu pour l'Écriture sainte, le chaldéen et l'arabe pour la même raison ; et que tu formes ton style sur celui de Platon pour le grec, sur celui de Cicéron pour le latin. Qu'il n'y ait pas d'étude scientifique que tu ne gardes présente en ta mémoire et pour cela tu t'aideras de l'Encyclopédie universelle[2] des auteurs qui s'en sont occupés. Des arts libéraux : géométrie, arithmétique et musique, je t'en ai donné le goût quand tu étais encore jeune, à cinq ou six ans ; continue ; de l'astronomie, apprends toutes les règles, mais laisse-moi l'astrologie, comme autant d'abus et de futilités [...]. Puis relis soigneusement les livres des médecins grecs, arabes et latins et, par de fréquentes dissections, acquiers une connaissance parfaite de l'autre monde qu'est l'homme. Et quelques heures par jour commence à lire l'Écriture sainte : d'abord le Nouveau Testament et les Épîtres des apôtres, écrits en grec, puis l'Ancien Testament, écrit en hébreu. En somme, que je voie en toi un abîme de science car, maintenant que tu deviens homme et te fais grand, il te faudra quitter la tranquillité et le repos de l'étude pour apprendre la chevalerie et les armes afin de défendre ma maison. »

Rabelais, *Pantagruel*, 1532. ∎

1. Romain du Ier siècle av. J.-C. connu pour son enseignement de l'art du discours.
2. Les Encyclopédistes étaient, au Moyen Âge, des ecclésiastiques qui compilaient les connaissances héritées des Anciens.

1. Classez par discipline les matières indispensables à une bonne éducation humaniste d'après Rabelais.
2. Quels moyens d'apprentissage Rabelais propose-t-il ?

Piero della Francesca et son mécène

Federico da Montefeltro (1422-1482), duc d'Urbino et comte de Montefeltro, est le type même du prince humaniste et du mécène. Comme *condottiere* (chef de guerre louant ses services), il travaille pour le pape Pie II, la commune de Florence ou les Sforza de Milan. Érudit, passionné de livres, il anime une cour brillante dans son palais d'Urbino dont il veut faire une « cité idéale et rationnelle, bien protégée, riche, tournée vers les arts et le bonheur ». Sa bibliothèque est l'une des plus importantes d'Europe. Il fait travailler de nombreux artistes parmi lesquels le peintre Piero della Francesca.

VOCABULAIRE DES ARTS

Retable
Dans une église, construction verticale portant un décor peint ou sculpté, placé sur un autel ou en retrait de celui-ci.
Perspective géométrique
Dispositif par lequel l'artiste fait converger les lignes de composition vers un point de fuite, produisant un rapport d'échelle cohérent des personnages et des objets aux lieux.
Composition
L'organisation des parties constituant une peinture en un ensemble signifiant.

L'artiste

Piero della Francesca (v. 1416-1492)

Artiste toscan. Son art fait la synthèse entre les apports mathématiques dans la représentation de l'espace peint et la science des couleurs. Son intérêt pour les détails lui vient sans doute de ses contacts avec le Flamand Roger Van der Weyden qui l'initie au réalisme de la peinture du Nord. Piero veut reproduire aussi parfaitement que possible ce que l'œil humain capte du monde qui l'entoure. Il utilise la géométrie comme un instrument technique au service de l'art en cherchant à réduire les formes naturelles à un assemblage de formes géométriques.

I Un artiste dans son siècle

« Piero naquit au Borgo-San-Sepolcro et fut appelé della Francesca, du nom de sa mère [...]. Dans sa jeunesse, Piero s'appliqua aux mathématiques qu'il n'abandonna jamais, bien que dès l'âge de quinze ans il se fût consacré à la peinture. [...] Ses talents ne tardèrent pas à être utilisés par le duc Guidobaldo Feltro. Il exécuta pour ce prince divers petits tableaux d'une remarquable beauté [...]. On conserve [...] encore dans ce pays plusieurs de ses écrits sur la géométrie et la perspective, sciences dans lesquelles il ne fut inférieur à aucun de ses contemporains [...] comme le prouvent ses ouvrages qui renferment une foule d'admirables perspectives. Nous citerons entre autres un vase qu'il avait formé en surfaces carrées, de manière que l'on voit de derrière, de devant et de chaque côté, le fond et les bords ; ce qui est assurément merveilleux, d'autant que les moindres détails sont exactement représentés, et que les lignes des contours se raccourcissent avec beaucoup de grâce.

[...] Les ouvrages de Piero della Francesca datent de l'an 1458 environ. Il avait quatre-vingt-six ans lorsqu'il mourut, mais à l'âge de soixante ans il perdit la vue. Il laissa dans sa patrie de grands biens et plusieurs maisons qu'il avait bâties lui-même [...]. La plupart des livres de Piero sont aujourd'hui dans la bibliothèque de Federico II, duc d'Urbino. Ils ont justement valu à leur auteur la réputation du meilleur géomètre de son temps. »

Giorgio Vasari, *Les Vies des meilleurs peintres, sculpteurs et architectes*, 1568. ■

QUESTIONS

Décrire
1. Dans quel cadre cette scène prend-elle place ? Décrivez l'architecture.
2. Combien de personnages entourent la Vierge à droite et à gauche ? Comment sont-ils placés ?
3. Comment l'artiste rend-il la profondeur du décor ?
4. Montrez comment il met ses connaissances mathématiques au service de son art (doc. 1).

Interpréter
5. Qui a commandé cette œuvre à Piero della Francesca ?
6. Où se situe Federico par rapport à l'ensemble des personnages ? Dans quelle attitude est-il représenté ?
7. Quels éléments du portrait de Federico nous renseignent sur son statut de *condottiere* ?
8. S'agit-il d'une scène réaliste ? Justifiez votre réponse.
9. Que nous enseigne le doc. 1 sur le statut social de Piero della Francesca et sur les rapports qu'il entretient avec son mécène ?
10. Montrez que cette œuvre témoigne de la volonté de Piero della Francesca de proposer un nouveau langage pictural.

2 *La Conversation sacrée*

Aussi appelé *La Vierge et l'Enfant
en majesté avec six saints,
quatre anges et le duc Frederico II
de Montefeltro.*

Fiche d'identité de l'œuvre

Nature : huile sur bois.

Dimensions : largeur 150 cm, hauteur 248 cm.

Auteur : Piero della Francesca.

Date : 1472-1474.

Lieu de conservation : Pinacothèque de Brera, Milan (Italie).

À savoir : En 1472, le duc d'Urbino commande au peintre Piero della Francesca une conversation sacrée, thème iconographique classique, représentant une Vierge à l'Enfant en majesté, entourée de personnages sacrés (ici saint François d'Assise, saint Jean l'Évangéliste, saint Pierre martyr, saint Jérôme, saint Jean-Baptiste, saint Bernardino ainsi que des anges) et du commanditaire.

La Renaissance artistique : une révolution du regard

Pourquoi peut-on parler de révolution artistique à la Renaissance ?

1 Un nouveau cadre pour les artistes

● **La Renaissance s'affirme dès le xvᵉ siècle** (*Quattrocento*). L'essor des villes en Italie et en Flandre fait fleurir de nombreux chantiers. Marchands, banquiers et princes territoriaux y rivalisent en favorisant les artistes à qui ils commandent des œuvres pour embellir les cités et les églises. À Florence, les Médicis se constituent une collection artistique prestigieuse ; les ducs de Bourgogne favorisent l'épanouissement des primitifs flamands dans des villes comme Bruges et Gand.

● **De nouveaux types d'édifices.** Les architectes publient des traités théoriques qui s'inspirent des modèles antiques. Dans son *De Re Aedificatoria* (1485), Léon Batista Alberti énonce la théorie des proportions qui repose sur une conception harmonieuse des bâtiments. Pour les églises, le plan en croix grecque est privilégié car il s'inscrit aisément dans un cercle, figure géométrique idéale, au-dessus duquel s'élève une immense coupole. À Florence, la coupole de la cathédrale, édifiée en 1436 par Filippo di Brunelleschi **doc. 1**, s'inspire du Panthéon de Rome.

● **Un nouveau** mécénat **urbain.** Dans les villes, les ateliers (« *botthega* ») où se forment les jeunes artistes se développent. Ces derniers s'initient à tous les métiers d'un artiste complet : dessin, préparation des couleurs, encadrement des tableaux, etc.

2 L'imitation de la réalité

● **La rupture avec le symbolisme médiéval.** Les artistes de la Renaissance cherchent à représenter la réalité avec l'homme en son centre. Persuadés que leur tache est d'imiter l'ordre divin, ils améliorent leur connaissance de la nature en dessinant plantes et animaux. Ils dissèquent les cadavres pour connaître le fonctionnement du corps **doc. 4** et s'initient aux mathématiques.

● **Donner vie aux œuvres.** Leur approche de la réalité amène les artistes à redéfinir la représentation de l'espace peint : c'est ainsi qu'est élaborée la perspective. Les peintres flamands et italiens parviennent à représenter l'espace en trois dimensions. Grâce à la peinture à l'huile, les premiers sont reconnus pour l'attention portée à la matière. Les seconds appliquent à la peinture les règles de la perspective mathématique. S'inspirant du réalisme antique, les sculpteurs façonnent des statues qui cherchent à rivaliser avec leurs modèles **doc. 3**.

● **Le renouvellement des sujets artistiques.** Les scènes d'histoire antique ou mythologique servent d'allégorie pour exprimer les idéaux humanistes. Le portrait se répand également **doc. 2**. C'est pour répondre à la commande d'un marchand de soie florentin, désirant un portrait de son épouse Mona Lisa, que Vinci peint *La Joconde*.

3 De l'artisan à l'artiste

● **Une nouvelle figure, l'artiste humaniste.** Les artistes ne subissent plus le mépris traditionnel lié aux activités manuelles. Nombre d'entre eux complètent leur formation auprès des érudits de leur époque. Michel Ange fréquente l'académie platonicienne de Marsile Ficin, à Florence. Dans ses carnets, Vinci se présente comme ingénieur, anatomiste et architecte.

● **L'importance des mécènes.** Les artistes sont des nomades dépendant de leur commanditaire qui avance l'argent pour les matières premières, souvent coûteuses (or, argent, pigments venus d'Orient, marbre). Vinci se met ainsi successivement au service des Médicis à Florence et à Rome, du duc de Milan, Ludovico Sforza, puis du roi de France, François Iᵉʳ.

● **Une gloire sans précédent.** Les artistes sont désormais des personnalités reconnues ; ils signent leurs œuvres, réalisent des autoportraits. Ils sont traités avec le plus grand respect par les princes qui les accueillent au sein de leur cour.

■ **La nouvelle conception de l'homme à la Renaissance engage un profond renouvellement esthétique et une mutation du statut de l'artiste.**

MICHEL-ANGE

(1475-1564)

Peintre, sculpteur, architecte et poète toscan. Il est notamment l'auteur d'une statue de David, à Florence, des fresques de la chapelle Sixtine à Saint-Pierre de Rome et du tombeau du pape Jules II.

« Il y a dans les blocs de marbre des images somptueuses ou fondamentales si tant est que notre génie soit capable de les en arracher. »

DÉFINITIONS

Renaissance
Terme inventé par Vasari pour désigner la révolution formelle qui s'opère grâce à la redécouverte de l'art antique.

Mécène
Le terme (forgé à partir du nom de Caius Cilnius Maecenas [70-8 av. J.-C.], homme politique romain qui consacra sa fortune à promouvoir les lettres et les arts) désigne une personne soutenant matériellement les artistes.

1 Une prouesse technique :
la coupole de Santa Maria del Fiore

Filippo Brunelleschi (1377-1446), 1436, Florence.

▶ En quoi ce monument est-il une prouesse technique ?

2 Le portrait d'une réussite sociale

Jan Van Eyck, *Les Époux Arnolfini*, 1434. Huile sur panneau de chêne, largeur 60 cm, hauteur 82 cm. National Gallery, Londres.

1. Décrivez l'intérieur des époux Arnolfini et leurs vêtements. À quel groupe social appartiennent-ils ?

2. Comment Jan Van Eyck rend-il la perspective ?

3 Le corps exalté

Michel-Ange, *Esclave rebelle*, marbre, 1513-1516. Musée du Louvre, Paris.

▶ Comment Michel-Ange donne-t-il l'impression de réalité à sa sculpture ?

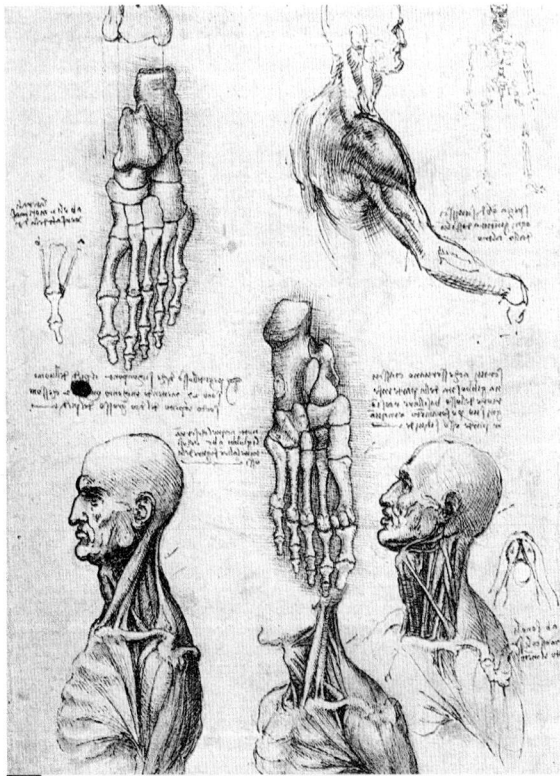

4 L'homme exploré

Léonard de Vinci, études anatomiques : os du pied, muscles et tendons du cou et des épaules, 1500. Dessin à la plume passé au lavis. The Royal Collection, Windsor.

Luther, réformateur religieux

Au nom de l'autorité suprême de la Bible, le moine allemand Martin Luther choisit la rupture avec le pape. Il défend une relation directe avec Dieu. Selon lui, seule la foi peut sauver et il refuse la médiation du clergé et des œuvres – actions humaines – pour obtenir le salut. Il initie ainsi ce que l'on a appelé la Réforme. Le pape l'excommunie pour hérésie en 1520.

 Comment Luther cherche-t-il à redéfinir le rapport de l'homme à Dieu ?

REPÈRES

▶ **1517** : Publication des 95 thèses de Luther contre les indulgences à Wittenberg.

▶ **1520** : excommunication de Luther.

1521 : Luther est mis au ban de l'empire à la diète de Worms.

▶ **1525** : Première célébration officielle du culte luthérien en Saxe.

▶ **1530** : présentation de la confession d'Augsbourg à l'empereur Charles Quint.

▶ **1546** : mort de Luther.

---

1 La défense du sacerdoce universel et de la justification par la foi

« De plus nous sommes prêtres [laïcs et ecclésiastiques], ce qui est bien davantage que d'être rois, car le sacerdoce nous rend digne, de nous présenter devant Dieu et de prier pour les autres. En effet, se tenir devant les yeux de Dieu et prier n'appartient à personne qu'aux prêtres. Ainsi, le Christ nous a acquis le droit d'intervenir spirituellement et de prier les uns pour les autres, comme le prêtre [ecclésiastique] paraît corporellement devant le peuple et prie pour lui. [...] Par sa royauté, [le chrétien] a pouvoir sur toute chose ; par son sacerdoce, il a pouvoir sur Dieu, car Dieu fait ce qu'il demande et ce qu'il veut. [...] Cette dignité, le chrétien n'y accède que par la foi seule, sans le concours d'aucune œuvre [pratique religieuse]. On voit clairement par là comment le chrétien est libre à l'égard de toutes choses et se situe au-dessus d'elles, en sorte qu'en plus de sa foi, il n'a besoin d'aucune bonne œuvre pour parvenir à la justice et au salut ou pour être chrétien ; c'est la foi qui lui apporte tout en surabondance. S'il était assez fou pour prétendre qu'une bonne œuvre serait capable de le rendre juste et libre, de le sauver ou de faire de lui un chrétien, il perdrait la foi avec tout le reste, comme ce chien qui tenait un morceau de viande dans sa gueule et qui, cherchant à attraper son image dans l'eau, perdit ainsi la viande et l'image. »

Martin Luther, *De la Liberté du chrétien*, 1520 *in Œuvres*, © Éditions Gallimard, Bibliothèque de la Pléiade, 1999. ■

1. Pourquoi les ecclésiastiques ne sont-ils pas supérieurs aux laïcs d'après Luther ?

2. Qu'est-ce qui donne le salut au chrétien ?

3. Qu'est-ce que la « liberté » du chrétien ?

2 Luther et Cranach au pied du Christ crucifié et ressuscité

Lucas Cranach, retable de Weimar, 1555. Huile sur panneau de bois. Église Saint-Pierre et Saint-Paul, Weimar.

Cranach l'Ancien, protestant et ami proche de Luther, commença ce tableau qui fut achevé par son fils, Cranach le Jeune.

1. Expliquez les symboles représentés par Cranach.

2. Que fait Luther et que signifie son geste ?

3 La vision des luthériens par un diplomate au service de l'Espagne

« Nous attcignons Augsbourg, première ville d'Allemagne où nous rencontrons une religion différente de celle du pontife romain. En effet cette cité avait embrassé peu de temps auparavant la doctrine d'un personnage appelé Martin Luther [...]. Ces hommes ne se conforment à aucun usage correspondant ou ressemblant aux pratiques de notre Église. En ce qui concerne le symbole de la foi, ils n'apportent, certes, aucune innovation, mais pour ce qui est des traditions ecclésiales, ils diffèrent avec nous du tout au tout, rejetant l'ensemble de nos pratiques ; ils n'admettent ni les commémorations ni le culte des saints [...] ils n'acceptent ni les décrets des conciles œcuméniques [...]. Pour le dire d'un mot, ils ne tolèrent pour eux-mêmes aucun des usages admis dans notre Église. Ils travaillent tous les jours de la semaine, mais ils honorent suprêmement le jour qui tire son nom de Notre Seigneur. Ils s'interdisent toutefois d'admettre des images ou des statues de saints dans des temples ou dans leurs demeures ; de plus, ils ont banni dans leur totalité l'ordre des moines et celui des nonnes, ramenant la société de leurs clercs à un état laïc. [...]
Le jour du Seigneur, comme je l'ai dit, ils rassemblent dans leurs églises, et là, hommes et femmes mêlés sans distinction d'âge, ils s'asseyent en rang. L'un d'eux, qui passe pour être bien versé dans l'Écriture, monte en chaire pour y instruire sans tarder de l'Évangile ses coreligionnaires, qui l'écoutent tous avec respect. [...] Quant à la Sainte Communion, ils la célèbrent de la façon que voici : s'étant approchés de la Sainte Table et après avoir rompu le pain, ils se distribuent en fractions égales, comme ils partagent le vin dans le calice, affirmant qu'ils accomplissent ces rites en commémoration de notre Sauveur. »

Nicandre de Corfou, *Journal de voyage*, 1546-1547. ▪

1. Quelles sont les pratiques catholiques qu'ont abandonnées les luthériens ? Pourquoi ?
2. Que font les luthériens lors du culte dominical ?
3. Comment célèbrent-ils la communion ?

4 « Le pape abuse les fidèles »

Gravure sur bois, Lucas Cranach l'Ancien, *Le pape-antéchrist vend des indulgences*, 1521.

Vingt-et-unième thèse de Martin Luther (1517) : « Ils errent donc, les prédicateurs des indulgences qui disent que par les indulgences du pape, l'homme est quitte de toute peine et qu'il est sauvé. »

1. En quoi ce document montre ce que sont les indulgences ?
2. Que cherche le pape à travers la pratique des indulgences ?
3. Pourquoi est-ce un scandale pour Martin Luther ?

5 Luther traduit la Bible en allemand

Bible de Luther, Wittenberg, 1561.
Alliance biblique française, Villiers-le-Bel.

La Bible traduite en allemand par Luther connaît un vif succès dans les pays germaniques.

1. Quels liens peut-on établir entre l'Humanisme et cet ouvrage de Luther ?
2. Pourquoi cette entreprise a-t-elle contribué à diffuser la réforme protestante ?

CONFRONTER DES DOCUMENTS

Quelles formes prend la réforme religieuse lancée par Luther ?

La rupture protestante dans l'Europe chrétienne (XVIe siècle)

Quel est le rôle des réformateurs dans les bouleversements religieux que connaît l'Europe au XVIe siècle ?

1 Une Église contestée

● **La crise de l'Église chrétienne.** Au XVe siècle, les princes et les évêques contestent l'autorité du pape. Une grande partie du clergé s'intéresse plus à ses revenus financiers qu'à sa vocation spirituelle. Le message ecclésiastique, trop érudit, est mal compris. Effrayés par le Jugement dernier, les fidèles préfèrent une religion populaire plus rassurante, mais accusée de verser dans la superstition.

● **Des tentatives de reprise en main.** Face à des critiques de plus en plus violentes, des initiatives sont prises. Certains ordres religieux reviennent à une discipline stricte. Après leur séjour en Avignon, les papes se réinstallent à Rome (1420) et s'efforcent de restaurer leur autorité politique dans leurs territoires et religieuse sur l'ensemble de l'Église.

● **L'aspiration à une religion plus intérieure.** De leur côté, des humanistes, tel Érasme, exigent un retour à l'authenticité de la Bible et à la simplicité du message évangélique. Afin de satisfaire des laïcs en quête d'une dévotion plus personnelle, l'imprimerie diffuse des traités religieux en langues nationales.

2 La rupture luthérienne

● **La contestation de l'autorité de l'Église romaine au nom de la Bible.** Comme beaucoup de ses contemporains, Martin Luther, un moine allemand, est torturé par son devenir après la mort : est-il digne d'aller au Paradis ? À condition d'avoir la foi, Dieu accorde gratuitement le salut, répond-il. C'est la « justification par la foi seule ». Par la lecture de la Bible, le chrétien entre en contact personnel avec Dieu et approfondit sa foi **doc. 1**.

● **La rupture avec Rome.** D'après Luther, l'Église romaine usurpe le pouvoir d'offrir le salut que seul Dieu possède. À Wittenberg, en 1517, il rédige Quatre-vingt-quinze thèses contre les indulgences que des disciples affichent par provocation. Il se rend très vite populaire dans toute l'Allemagne grâce aux « feuilles volantes » qui diffusent ses idées religieuses. Excommunié par le pape et condamné par l'empereur Charles Quint en 1521, il reçoit le soutien de nombreux princes et villes germaniques qui l'aident à organiser une nouvelle Église.

● **La diffusion de la Réforme.** Influencés par le Zurichois Ulrich Zwingli (1484-1531), puis par le Français Jean Calvin (1509-1564) **doc. 2**, les États de l'Europe du Nord-Ouest rompent également avec Rome. Genève, où Calvin a été contraint de fuir, devient la nouvelle capitale de la Réforme. L'opposition avec les catholiques, notamment autour du dogme de la prédestination, y est accentuée.

3 L'établissement du pluralisme religieux

● **La rénovation de l'Église catholique.** Le pape parvient à réunir un concile à Trente, en Italie (en trois sessions de 1545 à 1563), où il lance la réforme catholique. Il réaffirme l'importance de la hiérarchie ecclésiastique dans son rôle d'intermédiaire entre Dieu et le simple fidèle et crée des séminaires pour mieux former les prêtres.

● **De nouveaux ordres religieux.** La Compagnie de Jésus, créée par Ignace de Loyola (1491-1556), fonde des collèges pour la haute société européenne. À la fin du XVIe siècle, la reconquête catholique remporte ses premiers succès en Europe centrale et en France.

● **Des guerres de religion à la coexistence religieuse.** Les protestants, souvent minoritaires, se soulèvent pour obtenir la liberté de conscience et de culte. Des guerres civiles éclatent en Allemagne (1547-1552), puis en France (1562-1598) et aux Pays-Bas espagnols (1566-1609). Les souverains tentent d'instaurer une coexistence entre catholiques et protestants. En France, Henri IV publie l'édit de Nantes (1598) qui reconnaît l'Église réformée **doc. 3**.

■ **La Réforme bouleverse l'Europe et entraîne la mise en place d'un partage confessionnel du continent.**

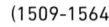

JEAN CALVIN

(1509-1564)

Humaniste français, il établit la Réforme à Genève d'où il guide le protestantisme européen, à partir des années 1540.

« Ma messe, la voici ! C'est la Bible, et je n'en veux pas d'autre. »

DÉFINITIONS

Indulgence
Le pardon exceptionnel accordé par l'Église à un pécheur repenti moyennant finance. L'indulgence permet d'abréger les souffrances après la mort, dans l'au-delà.

Réforme
La rupture avec l'Église de Rome initiée par Luther qui défend la justification par la foi seule et un rapport plus personnel de l'homme à Dieu.

Prédestination
Dieu destine tout homme à l'Enfer ou au Paradis avant même sa naissance.

Réforme catholique (ou Contre-Réforme)
Le mouvement de réforme institutionnelle et religieuse de l'Église catholique pour réagir à la menace que représente pour elle la réforme protestante.

Protestants
Nom donné, à l'origine, à des dignitaires allemands qui protestèrent en 1529 contre la législation impériale anti-luthérienne.

1 La critique de l'Église catholique par les réformateurs religieux

Le Poids de la Bible, gravure de Huijeh Allardt, 1562. Musée protestant, Genève.

1. Décrivez les deux camps en présence.

2. Quel message veulent faire passer les protestants sur eux-mêmes et sur leurs adversaires ?

2 Calvin explique son parcours religieux

« Et puis premièrement, comme ainsi soit que je fusse si obstinément adonné aux superstitions de la papauté, qu'il était bien malaisé qu'on me pût tirer de ce bourbier si profond, par une conversion subite, il dompta et rangea à docilité mon cœur, lequel, eu égard à l'âge, était par trop endurci en telles choses. Ayant donc reçu quelque goût et connaissance de la vraie piété, je fus incontinent enflammé d'un si grand désir de profiter, qu'encore que je ne quittasse pas du tout les autres études, je m'y employais toutefois plus lâchement.

Or je fus tout ébahi que devant que l'on passât, tous ceux qui avaient quelque désir de la pure doctrine se rangeaient à moi pour apprendre, combien que je ne fisse que commencer moi-même. [...] Cependant que j'avais toujours ce but de vivre en privé sans être connu, Dieu m'a tellement promené et fait tournoyer par divers changements que toutefois il ne m'a jamais laissé de repos en lieu quelconque jusqu'à ce que, malgré mon naturel, il m'a produit en lumière. [...] Et de fait, laissant le pays de France, je m'en vins en Allemagne de propos délibéré, afin que là je puisse vivre à recoi en quelque lieu inconnu, comme j'avais toujours désiré. Mais voici, pour ce que cependant que je demeurais à Bâle, étant là comme caché et connu de peu de gens, on brûla en France plusieurs fidèles et saints personnages, et que le bruit en étant venu aux nations étranges, ces brûlements furent trouvés fort mauvais par une grande partie des Allemands, tellement qu'ils conçurent un dépit contre les auteurs de telle tyrannie ; pour l'apaiser, on fit courir certains petits livres malheureux et pleins de mensonges, qu'on ne traitait ainsi cruellement autres qu'ana-baptistes et gens séditieux, qui par leurs rêveries et fausses opinions renversaient non seulement la religion, mais aussi tout ordre politique. »

Jean Calvin, préface au *Commentaire des Psaumes* (10 août 1557). ■

3 Intérieur d'un temple protestant au XVIᵉ siècle

TEMPLE DE LYON, NOMMÉ PARADIS.

« Temple de Paradis » construit à Lyon en 1564 et attribué à l'architecte Jean Perissin. Peinture du XVIᵉ siècle. Bibliothèque publique et universitaire, Genève.

1. En quoi l'architecture intérieure du temple se démarque-t-elle de celle des églises catholiques.

2. Comment traduit-elle les pratiques religieuses inaugurées par le protestantisme ?

1. Retracez les étapes de l'évolution religieuse de Calvin.

2. Par quels mots qualifie-t-il le catholicisme et le protestantisme ?

Exercices et MÉTHODES

❶ Mettre en récit un personnage et son rôle

▶ Dressez le portrait d'un imprimeur/artiste/réformateur en montrant son rôle dans les transformations de la Renaissance.

MÉTHODE

1. Analyser la consigne

Les éléments biographiques d'une personnalité (à partir de l'exemple développé en cours).

Il ne s'agit pas de raconter une vie mais de présenter un itinéraire intellectuel/artistique/religieux caractéristique (moments clés, œuvres clés), pour faire comprendre son importance dans l'histoire d'une période.

Dressez le portrait d'un imprimeur/artiste/réformateur en montrant son rôle dans les transformations de la Renaissance.

Mot de liaison : il faut montrer l'importance du personnage pour comprendre l'esprit d'une époque.

Les xve et xvie siècles européens correspondent à une période charnière de bouleversements intellectuels/artistiques/religieux.

2. Dégager un fil directeur

À partir de l'exemple de Robert Estienne (dossier p. 196), on peut formuler le fil directeur suivant :

Comment l'imprimeur Robert Estienne participe-t-il à la révolution intellectuelle des xve et xvie siècles européens ?

3. Bâtir le plan du portrait

Complétez le plan proposé.

I. Estienne, une dynastie d'imprimeurs
1. Estienne établit sa propre imprimerie à Paris, succédant à son père Henri
2. Mariage avec la fille de l'imprimeur Josse Bade

II. Estienne, un imprimeur reconnu
1. ....
2. ....

III. Estienne au service des idées nouvelles
1. Estienne, éditeur de la Bible est critiqué par la Sorbonne
2. Estienne s'exile à Genève et se convertit au calvinisme

4. Rédiger la mise en récit

Chaque paragraphe du récit développe une idée générale justifiée par des arguments illustrés par un ou des exemples.

Exemple de rédaction

Estienne se met au service des idées nouvelles.

Éditeur de la Bible, il est critiqué par la Sorbonne. Comme imprimeur et humaniste, Estienne s'attache à rétablir et à corriger la vérité des textes. Sa méthode, qu'il décrit dans les préfaces de ses ouvrages, consiste à croiser les sources et à comparer plusieurs versions d'un même texte pour s'approcher au plus près de la version originale. Il se lance ainsi dès 1524 dans une nouvelle traduction de la Bible en latin, qui paraît en 1528. Elle est le fruit de la comparaison de plusieurs manuscrits et lui permet de préciser ou corriger les erreurs de la Vulgate. Mais cette traduction irrite les théologiens de la Sorbonne. Malgré cela, il publie de nombreuses éditions de la Bible en hébreu, latin et français, du Nouveau Testament en grec, latin et français.

EXERCICE 1

Identifiez dans l'exemple de rédaction proposé les différents éléments qui la structurent : idée générale, arguments, exemples.

EXERCICE 2

En vous appuyant sur l'exemple ci-dessus, rédigez le paragraphe suivant.

② Confrontez deux documents

▶ **Présentez les documents. En quoi témoignent-ils de la révolution artistique à l'œuvre et de la nouvelle place acquise par les artistes dans la société de la Renaissance ?**

1 Un éloge de Michel-Ange

« Le Toscan Michel-Ange Buonarotti est, dans la peinture comme dans la sculpture en marbre, le plus près d'atteindre le rang des artistes antiques […]. Appelé par Jules II avec une grande dépense pour la voûte de la Chapelle Sixtine, il donna la preuve de son art parfait, terminant en peu de temps l'œuvre immense. Il la peignit, comme c'était nécessaire, penché en arrière, représentant certaines parties en retrait et comme enfoncées, avec la lumière doucement décroissante […].

Avec une habileté encore plus réussie, il fit, de marbre de Gênes, un géant brandissant la fronde que l'on voit à Florence, à l'entrée du palais. On lui confia ensuite le tombeau de Jules II pour lequel, ayant reçu des milliers de pièces d'or, il fit plusieurs statues colossales, si applaudies qu'il est admis que personne après les anciens n'a sculpté le marbre plus savamment et plus vite, ni fait des peintures plus proportionnées et plus gracieuses. »

Paul Jove, *Éloge de Michel-Ange*, v. 1525. ▪

2 La création d'Adam

Michel Ange (1475-1564), détail de la fresque de la voûte
de la chapelle Sixtine, Rome, 1508-1512.

MÉTHODE

1. Présenter les documents

Identifiez pour chacun la nature, l'auteur et la date.
Michel-Ange est-il encore vivant quand Paul Jove écrit son éloge ?

2. Prélever des informations

Il s'agit ici de rapprocher deux documents complémentaires.

Que nous apprend le doc. 1 sur :
- *les différentes facettes du travail de Michel-Ange ?*
- *sa technique ?*
- *ses mécènes ?*
- *son statut dans la société de son temps ?*

Pour le doc. 2
- *Où cette fresque a-t-elle été peinte ?*
- *Quel en est le sujet ?*
- *Décrivez le détail et comparez cette description à celle de Jove.*

3. Répondre à la consigne

EXERCICE

Appuyez-vous sur vos réponses précédentes pour compléter le tableau.

La révolution artistique	La nouvelle place acquise par l'artiste

❸ Étudier un témoignage écrit

▶ **Présentez le document. Montrez en quoi il témoigne de l'apparition d'une « République des Lettres » dans l'Europe du XVIe siècle et du rôle des imprimeurs dans la diffusion des idées des humanistes.**

Lettre d'Érasme à Alde Manuce (Bologne, 28 octobre 1507)

« J'ai souvent souhaité dans mon cœur, très savant Manuce, que tout l'éclat apporté par toi aux deux littératures [grecque et latine], grâce non seulement à ton art et à tes impressions d'une finesse sans égale, mais aussi à ton génie et à ton éminente science, revienne vers toi pour te rendre l'équivalent de ce que tu as donné. Car pour ce qui concerne la gloire, il n'y a aucun doute que le nom d'Alde Manuce volera jusque dans le plus lointain avenir dans les bouches de tous ceux qui sont initiés au culte des lettres [...]. J'apprends que Platon, que tous les lettrés attendent déjà avec impatience, s'imprime chez toi en caractères grecs. J'aimerais savoir quels ouvrages de médecine tu vas imprimer [...]. Je me demande ce qui t'empêche de nous avoir donné depuis longtemps le Nouveau Testament, ouvrage capable, si je ne me trompe, de plaire à tous [ ] Je t'adresse deux tragédies traduites par moi avec grande audace : tu jugeras toi-même si c'est avec assez de bonheur [...]. Les Italiens à qui je les ai montrées jusqu'à présent ne blâment point ma tentative. Josse Bade[1] les a imprimées, assez heureusement, en ce qui le concerne, car, à l'entendre, il a déjà vendu tous les exemplaires. À vrai dire, ma réputation n'a pas été suffisamment prise en considération, car les fautes abondent et Bade se déclare prêt à réparer par une seconde édition les erreurs de la première. Mais je crains que, selon la formule de Sophocle, il ne répare le mal par le mal. J'estimerais l'immortalité accordée à mes œuvres, si elles venaient au jour imprimées dans tes caractères, de préférence ceux qui, assez petits, sont les plus jolis de tous. Le volume ainsi serait des plus minces, et la chose réalisée à peu de frais. S'il te paraît opportun d'entreprendre l'affaire, je te fournirai gratuitement l'exemplaire corrigé que je t'envoie par ce jeune homme, à moins que tu souhaites quelques volumes en cadeau à des amis. Je ne craindrais pas d'entreprendre la chose à mes frais et à mes risques si je ne devais, dans peu de mois, quitter l'Italie [...]. Si tu as dans ta boutique quelque chose d'auteurs peu connus, tu me feras plaisir en me le faisant savoir, car ces grands savants anglais m'ont chargé de m'en informer. »

In La Correspondance d'Érasme, t. I, 1484-1514, textes traduits et annotés par Marie Delcourt, Presses académiques européennes, 1967. D. R. ■

1. Josse Bade (1462-1535) : Imprimeur et humaniste flamand, installé en France. Il fut le premier dont les éditions valaient autant par l'exécution typographique que par la correction du texte et les commentaires savants.

Aide

> La « République des Lettres » désigne les multiples contacts noués entre les humanistes européens à travers leurs voyages, la fréquentation des collèges, des Académies ou des cours princières. Ces contacts sont aussi marqués par l'échange d'une riche correspondance. Ces hommes lettrés partagent une même passion pour les livres et les écrits des Anciens.
> Ici l'humaniste flamand Erasme (1469-1536), auteur de nombreux ouvrages, écrit à son ami, l'éditeur vénitien Aldu Manuce (1449-1515).

❹ Exercice TICE : l'art de la Renaissance

www.

Le site du musée national de la Renaissance

Rendez-vous sur les sites :
• www.aparences.net
• www.musee-renaissance.fr
• www.louvre.fr

À partir des entrées proposées sur ces sites, préparez un exposé au choix sur :
– un artiste de la Renaissance ;
– un courant artistique ;
– un mécène.

Mémo et Révisions

À retenir

LA RÉVOLUTION DE L'IMPRIMERIE

L'imprimerie permet :

– la massification du livre

– la publication de textes érudits

– la diffusion des idées des humanistes

LA RÉVOLUTION DU REGARD

La Renaissance rompt avec la représentation médiévale par :

– la volonté de représenter la réalité au plus près

– l'invention de la perspective mathématique

– le renouvellement des sujets

LA RÉVOLUTION RELIGIEUSE

La Réforme constitue une rupture majeure par :

– la contestation de l'Église

– la définition d'un nouveau rapport de l'homme à Dieu

– l'instauration de nouvelles Églises

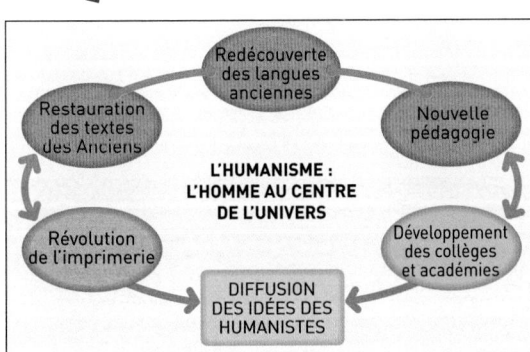

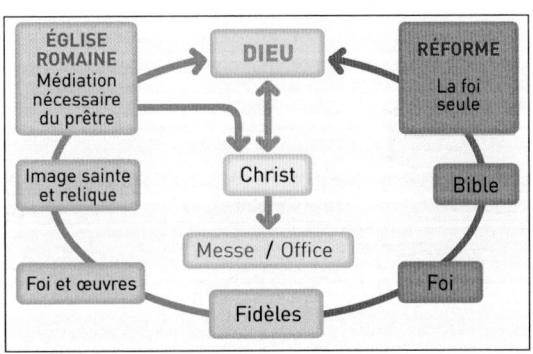

Schéma explicatif

UNE NOUVELLE CULTURE

XVe ET XVIe SIÈCLES

RENAISSANCE ARTISTIQUE — **HUMANISME**

- Nouvelles formes
- Nouvelles techniques
- Promotion de l'artiste

- Nouveaux savoirs
- Nouvelle vision du monde
- Diffusion de la connaissance grâce au livre

Faire une fiche de révision

Réalisez vos fiches de révision parmi les trois thèmes suivants :

- La civilisation du livre
- Un nouveau cadre et un nouveau statut pour les artistes
- La rupture protestante

Appuyez-vous sur l'homme de la Renaissance traité en classe et sur les informations du manuel (cours et blocs de cette page).

Chapitre 9

Un nouvel esprit scientifique

(XVIᵉ-XVIIIᵉ siècle)

*De la Renaissance au XVIIIᵉ siècle, les savants font
des découvertes déterminantes pour le développement
économique et technique de l'Europe.*

Expérience scientifique et ...

Joseph Wright of Derby (1734-1797), *Expérience de l'oiseau avec la pompe à air*, 1768.
Huile sur toile, largeur : 244 cm, hauteur : 183 cm. National Gallery, Londres.

... Innovation technique

L'envol du ballon des frères Montgolfier, le 19 octobre 1783.
Gravure colorisée d'après Claude Louis Desrais (1746-1816), XVIIIᵉ siècle.

Sommaire

▷ **En quoi les nouveaux savoirs bousculent-ils les vieilles croyances ?**

▷ **Comment les connaissances sont-elles diffusées ?**

▷ **Comment les progrès techniques ont-ils contribué au développement économique de l'Europe ?**

La communauté savante en Europe au XVIIIᵉ siècle

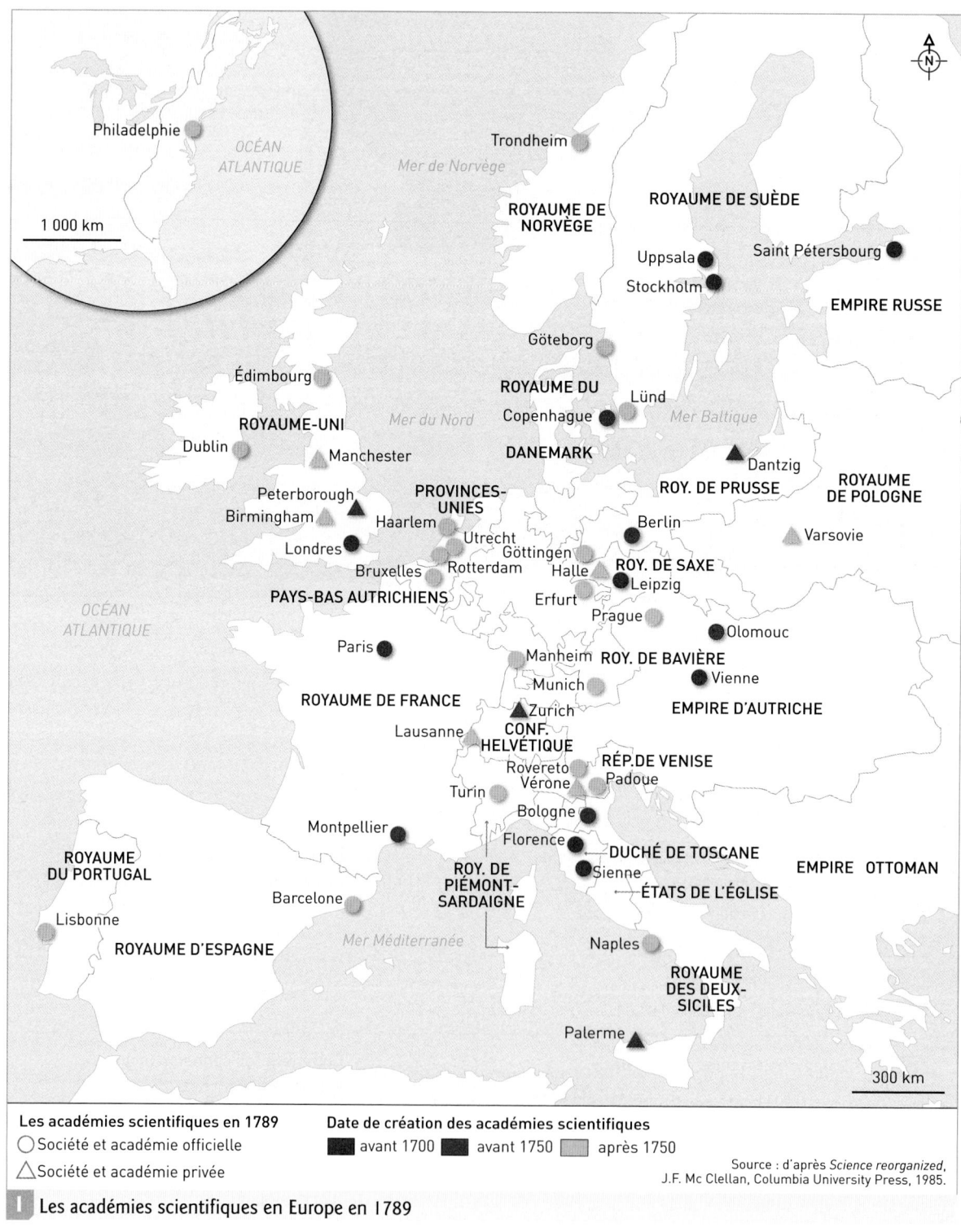

Philadelphie — OCÉAN ATLANTIQUE — 1 000 km

Trondheim

ROYAUME DE SUÈDE
ROYAUME DE NORVÈGE

Uppsala — Saint Pétersbourg
Stockholm — EMPIRE RUSSE

Göteborg

ROYAUME DU DANEMARK
Lünd
Copenhague — Mer Baltique

Édimbourg — Mer du Nord
ROYAUME-UNI
Dublin — Manchester
Dantzig
ROY. DE PRUSSE — ROYAUME DE POLOGNE

Peterborough — PROVINCES-UNIES
Birmingham — Haarlem — Berlin — Varsovie
Londres — Utrecht — Göttingen
Bruxelles — Rotterdam — Halle — ROY. DE SAXE
PAYS-BAS AUTRICHIENS — Erfurt — Leipzig
Prague
Olomouc

Paris — Manheim — ROY. DE BAVIÈRE
Munich — Vienne
ROYAUME DE FRANCE — Zurich — EMPIRE D'AUTRICHE
Lausanne — CONF. HELVÉTIQUE
Rovereto — RÉP. DE VENISE
Vérone — Padoue
Turin
Montpellier — Bologne
Florence
ROYAUME DU PORTUGAL — Sienne — DUCHÉ DE TOSCANE — EMPIRE OTTOMAN
Barcelone — ROY. DE PIÉMONT-SARDAIGNE — ÉTATS DE L'ÉGLISE
Lisbonne
ROYAUME D'ESPAGNE — Mer Méditerranée — Naples
ROYAUME DES DEUX-SICILES
Palerme — 300 km

Les académies scientifiques en 1789
○ Société et académie officielle
△ Société et académie privée

Date de création des académies scientifiques
■ avant 1700 ■ avant 1750 ■ après 1750

Source : d'après *Science reorganized*, J.F. Mc Clellan, Columbia University Press, 1985.

I Les académies scientifiques en Europe en 1789

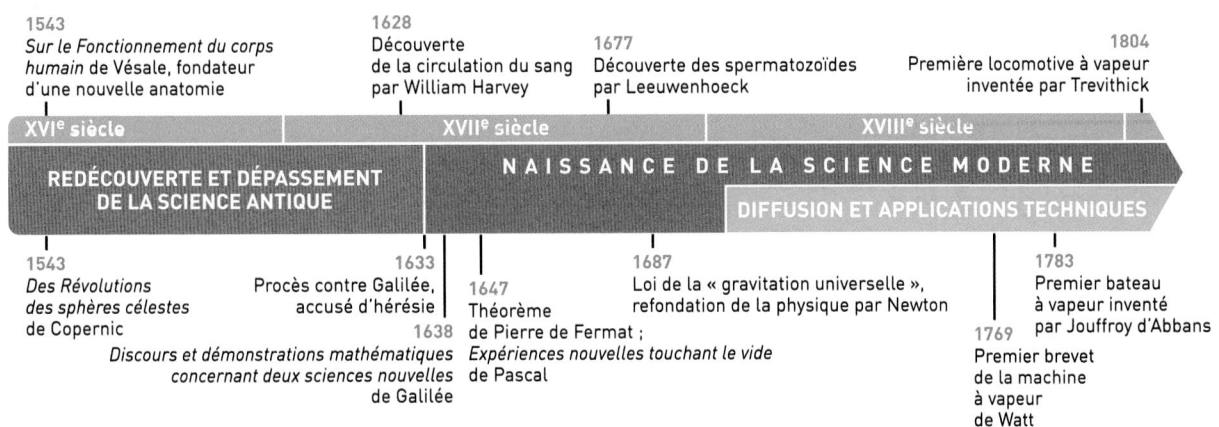

1543
*Sur le Fonctionnement du corps
humain* de Vésale, fondateur
d'une nouvelle anatomie

1628
Découverte
de la circulation du sang
par William Harvey

1677
Découverte des spermatozoïdes
par Leeuwenhoeck

1804
Première locomotive à vapeur
inventée par Trevithick

| XVIᵉ siècle | XVIIᵉ siècle | XVIIIᵉ siècle |

**REDÉCOUVERTE ET DÉPASSEMENT
DE LA SCIENCE ANTIQUE**

NAISSANCE DE LA SCIENCE MODERNE

DIFFUSION ET APPLICATIONS TECHNIQUES

1543
*Des Révolutions
des sphères célestes*
de Copernic

1633
Procès contre Galilée,
accusé d'hérésie
1638
*Discours et démonstrations mathématiques
concernant deux sciences nouvelles*
de Galilée

1647
Théorème
de Pierre de Fermat ;
Expériences nouvelles touchant le vide
de Pascal

1687
Loi de la « gravitation universelle »,
refondation de la physique par Newton

1783
Premier bateau
à vapeur inventé
par Jouffroy d'Abbans
1769
Premier brevet
de la machine
à vapeur
de Watt

Nombre d'astronomes

- 400
- 100 et plus
- 10 et plus
- 1 et plus

Les observatoires

- observatoire
  avec date de création

Uppsala (1741)
Stockholm (1749)
Uraniborg (1572)
Lünd (1749)
Vilnius (1753)
Dublin (1785)
Leyde (1633)
Oxford (1772)
Greenwich (1675)
Berlin (1711)
Paris (1667)
Vienne (1753)
Genève (1772)
Milan (1764)
Turin (1759)

Mer de Norvège
Mer du Nord
Mer Baltique
OCÉAN ATLANTIQUE
Mer Méditerranée

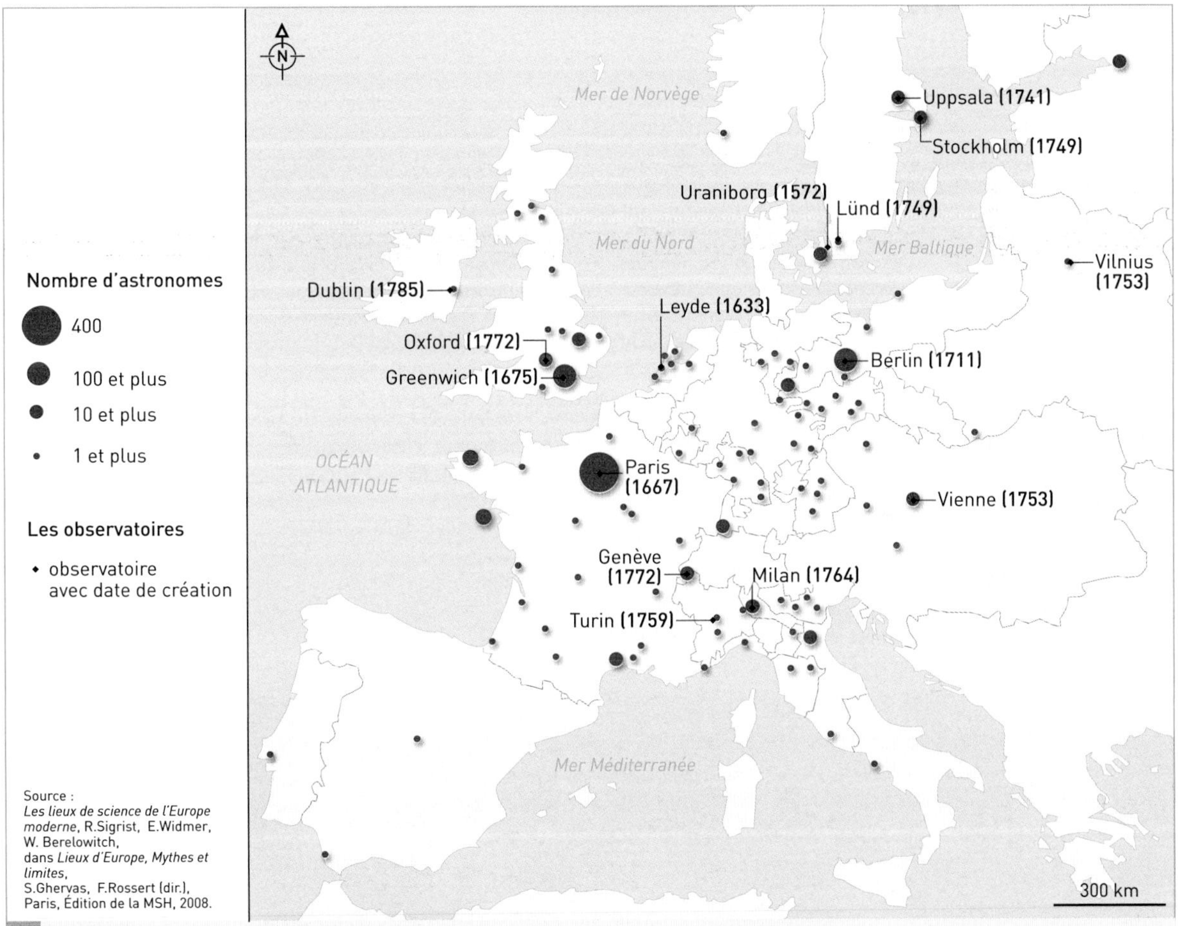

Source :
*Les lieux de science de l'Europe
moderne*, R.Sigrist, E.Widmer,
W. Berelowitch,
dans *Lieux d'Europe, Mythes et
limites*,
S.Ghervas, F.Rossert (dir.),
Paris, Édition de la MSH, 2008.

300 km

2 Répartition des astronomes européens au XVIIIᵉ siècle

QUESTIONS

1. Où sont implantées les premières académies scientifiques en Europe (doc. 1) ?
2. À quelle période les fondations sont-elles les plus nombreuses (doc. 1) ?
3. Quels pays sont concernés par la présence d'académies privées (doc. 1) ?
4. En comparant les cartes 1 et 2, quel lien peut-on établir entre la présence d'une académie officielle
et celle d'un observatoire ?
5. Quels sont les pays qui participent à la compétition astronomique au XVIIIᵉ siècle (doc. 2) ?

Qu'est-ce que la démarche scientifique ?

À partir du début du XVIIᵉ siècle, une nouvelle pratique scientifique apparaît. Elle fait appel à des instruments et se fonde sur l'expérimentation publique et reproductible. Les savants considèrent désormais qu'aucun savoir théorique ne peut se dispenser d'une validation expérimentale et mettent en œuvre les protocoles permettant de tester leurs hypothèses.

DÉFINITIONS

▶ Protocole
L'énoncé des règles du déroulement d'une expérience.

▶ Méthode expérimentale
Démarche scientifique qui s'appuie sur la répétition d'expériences afin de valider une hypothèse.

La lunette astronomique de Galilée

1 La découverte des satellites de Jupiter (1610)

« Ainsi donc le 7 janvier de la présente année 1610, à une heure de la nuit, comme j'observais les astres du ciel avec ma lunette, Jupiter se présenta, et comme je m'étais procuré un instrument tout à fait excellent, je reconnus que trois petites étoiles, assurément menues mais très brillantes, étaient près de lui [...] ; ces étoiles, bien que je les aie crues au nombre des fixes, me causèrent cependant quelque étonnement parce qu'elles me semblaient situées exactement sur une ligne droite et parallèle à l'écliptique[1], et qu'elles avaient plus d'éclat que toutes les autres de même grandeur ; et telle était leur disposition, entre elles et par rapport à Jupiter : c'est-à-dire que deux étoiles se trouvaient à l'est, et une vers l'ouest. La plus orientale et l'occidentale paraissaient un peu plus grande que la troisième [...].
Mais comme le 8, conduit par je ne sais quel destin, j'étais retourné à la même observation, je trouvai une disposition fort différente : les trois petites étoiles étaient en effet toutes à l'ouest de Jupiter, et elles étaient plus proches entre elles que la nuit précédente [...].
Il était donc établi et tranché par moi sans aucun doute qu'il y avait dans le ciel trois étoiles errant autour de Jupiter, à la façon de Vénus et de Mercure autour du Soleil [...]. Je m'aperçus qu'elle n'était pas trois mais bien quatre. Les révolutions de ces planètes sont rapides au point qu'il est généralement possible de percevoir des différences d'heure en heure. »

Galilée, *Le Messager céleste*, 1610.

1. Plan de l'orbite de la Terre dans son mouvement autour du Soleil.

1. Quelle invention a permis à Galilée de découvrir les satellites de Jupiter ?
2. Comment découvre-t-il que les astres observés autour de Jupiter sont des satellites de cette planète et non des étoiles fixes ?

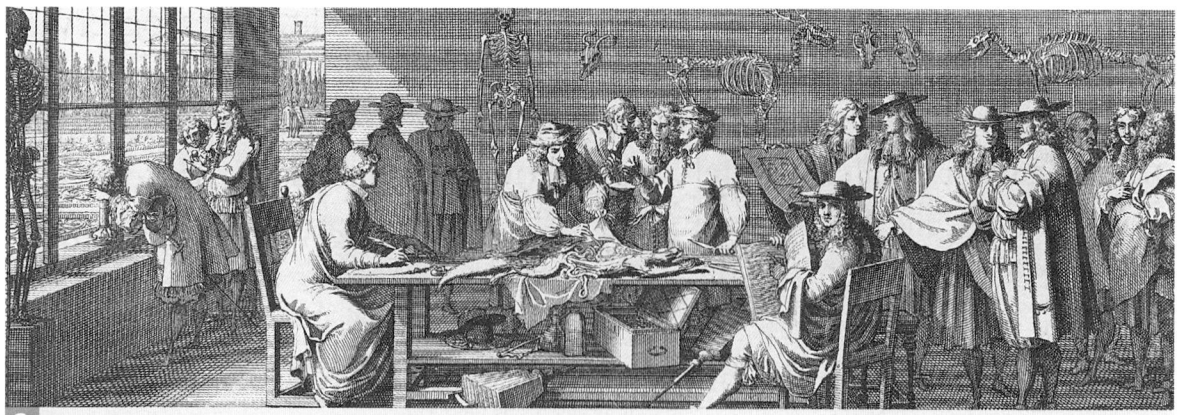

2 Dissection d'un renard à l'Académie des sciences de Paris (1671)

Estampe de Sébastien Le Clerc l'Ancien, extraite de Claude Perrault, *Mémoires pour servir à l'histoire naturelle des animaux*, 1671. Bibliothèque centrale du Muséum national d'histoire naturelle, Paris.

1. Où a lieu la dissection ? Qui y participe ?
2. Quels sont les instruments utilisés ?
3. Précisez le rôle des différents participants. Pourquoi peut-on dire qu'il s'agit d'un savoir produit collectivement ?

3 Une expérience avec la pompe à air de Boyle (1667)

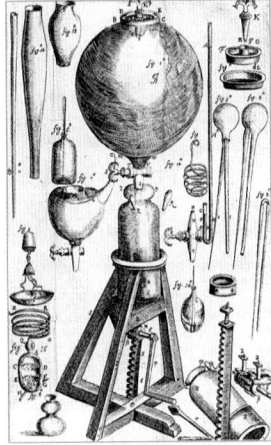

La pompe à air de Boyle

Robert Boyle (1627-1691), physicien et chimiste irlandais, met au point une pompe à air afin d'effectuer des expériences sur l'élasticité des gaz.

« Nous prîmes deux rondelles de marbre, chacune d'entre elles de 2 pouces ¾ de diamètre[1], puis, après avoir mis une goutte d'huile entre elles pour empêcher l'air de s'immiscer, nous accrochâmes un poids à la rondelle du bas afin de compenser l'adhésion que la viscosité de l'huile et l'imparfaite étanchéité de la cloche pourraient engendrer. Ensuite, [...] ayant commencé à pomper l'air vers l'extérieur, nous observâmes que le marbre continuait d'adhérer, jusqu'à en avoir aspiré une quantité telle que nous finîmes par douter qu'elles se séparassent jamais. Mais, à la 16e aspiration, [...] les secousses de la machine ayant presque, si ce n'est entièrement, cessé et la pression de l'air qui les faisait auparavant tenir ensemble venant à manquer, les rondelles de marbre se séparèrent spontanément l'une de l'autre. Chose si remarquable non seulement parce qu'elles pendaient parallèlement à l'horizon mais encore parce qu'elles adhéraient si fermement l'une à l'autre, lorsqu'on les mit sous cloche, qu'ayant fait l'essai de les séparer et observer qu'elles étaient fort bien collées ensemble, je pronostiquais qu'il faudrait produire un grand effort pour évacuer l'air et les amener à se disjoindre. »

Robert Boyle, *Continuation of New Experiments physico-mechanical*, 1669 (traduction L.-H. Vignaud). ∎

1. Environ 7 cm.

4 Une définition de la science expérimentale par d'Alembert (1756)

« EXPÉRIMENTAL, adj. (Philosophie natur.) On appelle Philosophie expérimentale, celle qui se sert de la voie des expériences pour découvrir les lois de la Nature. Voyez Expérience. [...]
Le premier objet réel de la physique expérimentale sont les propriétés générales des corps, que l'observation nous fait connaître, pour ainsi dire, en gros, mais dont l'expérience seule peut mesurer et déterminer les effets ; tels sont, par exemple, les phénomènes de la pesanteur. Aucune théorie n'aurait pu nous faire trouver la loi que les corps pesants suivent dans leur chute verticale ; mais cette loi une fois connue par l'expérience, tout ce qui appartient au mouvement des corps pesants, soit rectiligne soit curviligne, soit incliné soit vertical, n'est plus que du ressort de la théorie ; et si l'expérience s'y joint, ce ne doit être que dans la même vue et de la même manière que pour les lois primitives de l'impulsion.
L'observation journalière nous apprend de même que l'air est pesant, mais l'expérience seule pouvait nous éclairer sur la quantité absolue de sa pesanteur : cette expérience est la base de l'Aérométrie, et le raisonnement achève le reste. Voyez Aérométrie. »

Article « Expérimental » de l'*Encyclopédie* de Diderot et d'Alembert, 1756. ∎

1. Doc. 3 et 4 À quoi sert l'expérimentation ?

2. Quelles en sont les limites ?

5 Le fardier de Cugnot

Modèle de 1771. Musée des Arts et Métiers, Paris.

Ingénieur militaire, Nicolas-Joseph Cugnot (1725-1804) construit le premier fardier automobile, un véhicule à roues très basses servant au transport de lourdes charges.

1. Doc. 3 et 5 Quels liens peut-on établir entre les recherches de Boyle sur le vide et l'invention de la machine à vapeur ?

2. Quelles autres utilisations de cette force motrice pouvez-vous citer ?

SYNTHÉTISER DES INFORMATIONS

Expliquez les conditions de production d'un savoir scientifique et de ses applications aux XVIIe et XVIIIe siècles.

Le rhinocéros gravé par Dürer

▶ À partir de la fin du XVᵉ siècle, les voyages d'exploration qui suivent les Grandes Découvertes ont confronté les savants occidentaux à des espèces animales et végétales encore inconnues en Europe. Les naturalistes de la Renaissance, qui appuient encore largement leur savoir sur les textes des savants antiques, doivent satisfaire deux exigences contradictoires : représenter fidèlement la nature qu'ils observent mais ne pas contredire les Anciens qu'ils considèrent comme leurs maîtres. La présentation d'un rhinocéros indien en 1515, à Lisbonne, permit à Dürer, un graveur allemand, de diffuser une représentation qui resta longtemps l'image officielle de l'animal.

1 Le rhinocéros décrit par un naturaliste romain

« [Le rhinocéros] est le second ennemi de l'éléphant[1]. Il aiguise sa corne contre des pierres pour se préparer au combat, et dans le duel, il vise surtout le ventre, où il sait que la peau est plus tendre. Il a la longueur de l'éléphant, les pattes beaucoup plus courtes, la couleur du buis. »

Pline l'Ancien (23-79), *Histoire naturelle*,
© Les Belles Lettres, Paris, 1952. ∎

1. Le premier étant le dragon ou serpent.

VOCABULAIRE DES ARTS

Esquisse
Première forme (dessin, moulage, peinture) d'un projet d'une œuvre d'art.
Estampe (ou gravure)
Image imprimée, le plus souvent sur papier, après avoir été gravée sur bois, métal, etc.

2 Légende de la gravure par Dürer

« En l'année 1513[1] après la naissance du Christ, on apporta à Lisbonne de l'Inde à Manuel, le grand et puissant roi de Portugal, cet animal vivant. Ils l'appellent rhinocéros. Il est représenté ici dans sa forme complète. Il a la couleur d'une tortue tachetée, et est presque entièrement couvert d'épaisses écailles. Il est de la taille d'un éléphant mais plus bas sur ses jambes et presque invulnérable. Il a une corne forte et pointue sur le nez, qu'il se met à aiguiser chaque fois qu'il se trouve près d'une pierre. Le stupide animal est l'ennemi mortel de l'éléphant. Celui-ci le craint terriblement car lorsqu'ils s'affrontent, le rhinocéros court la tête baissée entre ses pattes avant et éventre fatalement son adversaire incapable de se défendre. Face à un animal si bien armé, l'éléphant ne peut rien faire. Ils disent aussi que le rhinocéros est rapide, vif et intelligent. »

Albrecht Dürer cité dans Bruno Faidutti, *Images et connaissances de la licorne (fin du Moyen Âge-XIXᵉ siècle)*, thèse de doctorat de l'université Paris XII, 1996. ∎

1. L'erreur de date est imputable à Dürer, lorsqu'il a recopié en allemand le texte de son correspondant portugais.

3 Une corne de licorne ?

Musée du trésor impérial, Vienne.

« Corne de licorne » offerte à l'empereur Ferdinand Iᵉʳ en 1540. Il s'agit en réalité de la dent d'un mammifère marin, le narval, étudié seulement au XVIIIᵉ siècle.

QUESTIONS

Décrire

1. L'animal représenté par Dürer est-il un rhinocéros d'Asie ou d'Afrique (doc. 1) ?

2. Indiquez les détails anatomiques qui ne sont pas réalistes dans l'esquisse et la gravure de Dürer (doc. 4 et 5).

3. À quoi ressemble la corne placée au-dessus des épaules ?

4. À quel animal fabuleux le rhinocéros a-t-il pu être assimilé (doc. 3) ?

Interpréter

5. Par quel procédé l'image savante du rhinocéros se diffuse-t-elle ?

6. Qu'est-ce qui dans l'image produite par Dürer renvoie à la représentation traditionnelle du rhinocéros comme animal dangereux et agressif ?

7. Que peut-on déduire de cette image sur la dépendance des naturalistes de la Renaissance à l'égard des savants antiques et des croyances des Anciens ?

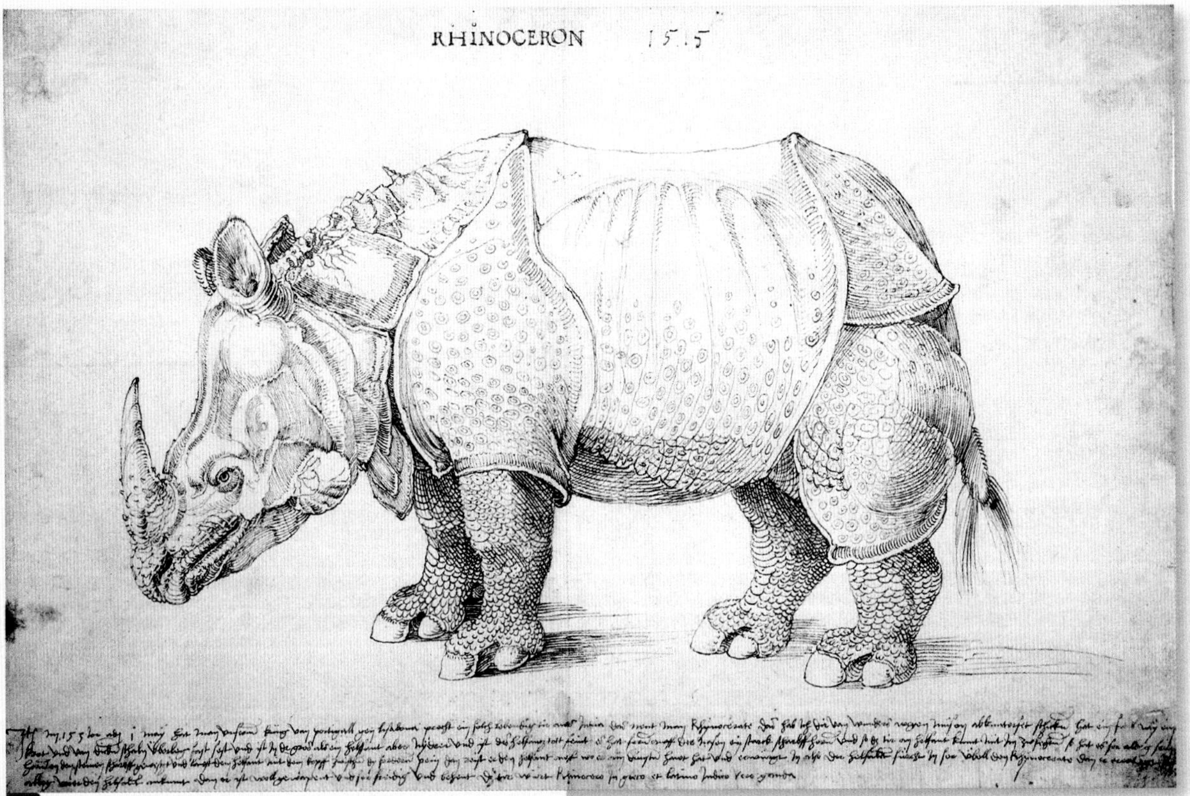

RHINOCERON *1515*

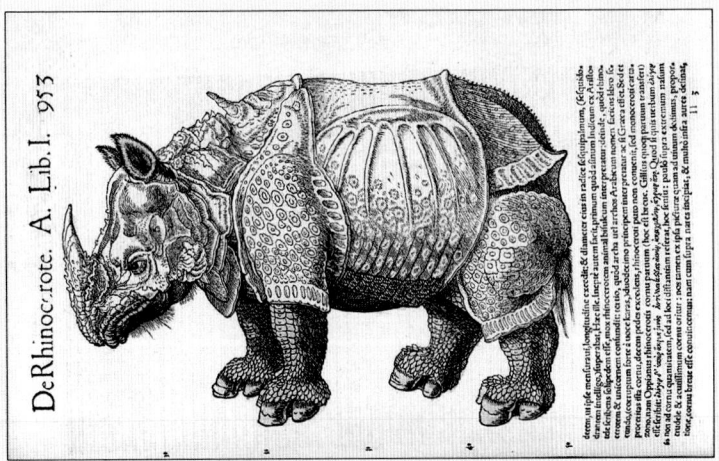

4 Le rhinocéros de Dürer

Dessin à la plume attribué à Dürer, 1515. British Museum, Londres.

5 Une image diffusée grâce à l'imprimerie

Gravure de Dürer reproduite dans l'*Histoire des animaux quadrupèdes* (1551) de Conrad Gesner.

DeRhinoc.rote. A. Lib. I. 953

Fiche d'identité de l'œuvre

Auteur : Albrecht Dürer (1471-1528), peintre et graveur allemand, célèbre notamment pour ses xylographies (gravure sur bois).

Nature : dessin à la plume.

Dimensions : largeur 29,8 cm, hauteur 21,4 cm.

Date : 1515.

Contexte : Offert par le sultan de Cambray (Inde) au roi du Portugal Manuel Ier, un rhinocéros fut débarqué à Lisbonne en mai 1515. La même année, le graveur allemand Albrecht Dürer se procura un croquis de l'animal réalisé sur place et dessina sa première esquisse en vue de produire une estampe. L'image, une fois gravée, se vendit à la pièce en Allemagne puis fut reproduite dans divers traités zoologiques de l'époque, dont l'*Histoire des animaux quadrupèdes* (1551) du Suisse Conrad Gesner.

Le procès contre Galilée

Depuis l'interdiction par l'Église de Rome du livre de Copernic en 1616, il est défendu à tout catholique de professer l'héliocentrisme. Galilée poursuit néanmoins ses recherches et court le risque de publier en 1632, en italien, un *Dialogue sur les deux grands systèmes du monde* où il soutient des idées coperniciennes.

Traduction en latin, 1663.

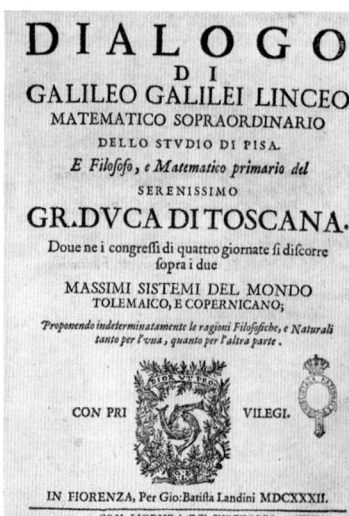

Frontispice en italien, édition originale de 1632.

REPÈRES

▸ 1543 : *Des Révolutions des sphères célestes* de Copernic.

▸ 1616 : interdiction de l'ouvrage de Copernic par l'Église catholique romaine.

▸ 1632 : publication à Florence en italien du *Dialogue sur les deux systèmes du monde* de Galilée.

▸ Juin 1633 : procès et condamnation de Galilée, accusé d'hérésie.

▸ 1638 : publication des *Discours et démonstrations mathématiques concernant deux sciences nouvelles* de Galilée.

▸ 8 janvier 1642 : mort de Galilée.

? Quels sont les enjeux du procès de Galilée ?

1 *Dialogue sur les deux grands systèmes du monde* (frontispice)

1. Quelle est l'attitude des différents personnages ?
2. Pourquoi Copernic est-il figuré légèrement à l'écart ?

2 Le dialogue imaginé par Galilée

« SAGREDO : Ce qui a été dit jusqu'à présent nous met en mesure d'estimer quelle est la plus probable des deux théories en présence, celle d'Aristote ou celle du Signor SALVIATI. D'un côté, Aristote veut nous persuader qu'en raison de la diversité de leurs mouvements simples, les corps sublunaires[1] sont par nature engendrables, corruptibles, etc., et donc essentiellement différents des corps célestes, ceux-ci étant impassibles, inengendrables, incorruptibles, etc. ; de l'autre, le Signor SALVIATI, supposant les parties intégrales du monde constituées dans le meilleur état, [...] reconnaît dans la Terre un corps céleste comme les autres, jouissant des mêmes prérogatives que les autres. Jusqu'à présent, je me sens bien plus en accord avec cette seconde théorie qu'avec la première. Qu'il plaise donc au Signor SIMPLICIO de produire toutes les raisons, expériences et observations particulières, tant naturelles qu'astronomiques, propres à nous persuader que la Terre diffère des corps célestes, qu'elle est immobile, située au centre du monde ; et aussi les raisons, s'il s'en trouve, en vertu desquelles elle ne peut pas être mobile comme une planète, comme Jupiter ou la Lune, etc. Le Signor SALVIATI voudra bien ensuite être assez bon pour répondre point par point. »

Galilée, *Dialogue sur les deux grands systèmes du monde*, 1632, Première journée, éd. et trad. P. H. Michel, Hermann, 1966. ▪

1. Les corps qui se trouvent sous la Lune, c'est-à-dire sur la Terre.

1. Quel est l'avantage de présenter le débat astronomique sous forme de dialogue ?

2. Vers quelle opinion Sagredo penche-t-il au sujet de la place de la Terre dans l'Univers ?

3 Le procès de Galilée (1633)

Anonyme, école italienne, XVIIᵉ siècle, huile sur toile, collection privée.

1. Où se situe la scène ?
2. Où se trouve Galilée ?
3. Que fait le personnage assis derrière lui ?

4. **Doc. 3 et 4** Qui sont ses juges ?
5. L'ambiance du procès paraît-elle sereine ?

4 La sentence prononcée contre Galilée (1633)

« Nous disons, prononçons, sentencions et déclarons que toi Galilée [...] t'es rendu envers ce Saint-Office[1] véhémentement suspect d'hérésie[2], ayant tenu cette fausse doctrine et contraire à l'Écriture Sainte et Divine, que le Soleil soit le centre du monde et qu'il ne se meut pas de l'Orient à l'Occident, et que la Terre se meuve et ne soit pas le centre du monde [...] ; et conséquemment tu as encouru toutes les censures et peines imposées et promulguées par les Sacrés Canons[3] et les autres constitutions générales et particulières contre de tels délinquants.

De celles-ci, Nous sommes contents de te délier[4], à condition que dès maintenant, avec un cœur sincère et une foi non feinte, tu abjures, maudisses et détestes devant nous les susdites erreurs et hérésies, et toute autre erreur et hérésie contraire à l'Église Apostolique et Catholique, de la manière et sous la forme prescrite par Nous.

Et toutefois afin que ta grande faute, pernicieuse erreur et transgression que tu as faite ne demeure tout à fait impunie, afin que tu sois à l'avenir plus retenu et serves d'exemple aux autres pour qu'ils s'abstiennent de semblables délits, Nous ordonnons que, par un édit public, le livre des Dialogues de Galileo Galilei soit prohibé[5].

Nous te condamnons à la prison formelle de ce Saint-Office, à Notre arbitre, et pour pénitence salutaire t'enjoignons de dire trois ans durant une fois la semaine les sept Psaumes de la pénitence, Nous réservant la faculté de modérer, changer ou lever, en tout ou en partie, les susdites peines et pénitences. [...] Nous, cardinaux soussignés, avons ainsi prononcé. »

Sentence prononcée par le tribunal du Saint-Office contre Galilée à l'issue de son procès, juin 1633, trad. dans Giorgio de Santillana, *Le Procès de Galilée*, 1955. ∎

1. Tribunal de l'Inquisition servant à juger les hérétiques.
2. Doctrine contraire à la foi catholique, généralement punie de mort.
3. Législation de l'Église catholique romaine.
4. Relaxer.
5. Interdit.

1. Pourquoi Galilée est-il considéré comme hérétique ?
2. À quoi est-il condamné ?

EXPLOITER DES INFORMATIONS

Que nous apprend le procès de Galilée sur les rapports entre les sciences et la religion au XVIIᵉ siècle ?

Cours 1

Une nouvelle conception de l'univers (XVIᵉ-XVIIᵉ siècle)

Pourquoi les bouleversements que connaît l'astronomie aux XVIᵉ et XVIIᵉ siècles entraînent-ils de vifs débats ?

NICOLAS COPERNIC

(1473-1543)

Astronome polonais qui a émis l'hypothèse du mouvement de la Terre et des autres planètes autour du Soleil dans son ouvrage *De Revolutionibus Orbium Coelestium* (1543). Il s'oppose ainsi à l'idée jusque-là admise selon laquelle la Terre occupe le rôle principal dans l'Univers.

DÉFINITIONS

Géocentrisme Du grec *gê*, qui signifie Terre. Ancienne théorie astronomique qui faisait de la Terre le centre de l'Univers autour duquel les autres planètes, y compris le Soleil, étaient censées tourner.

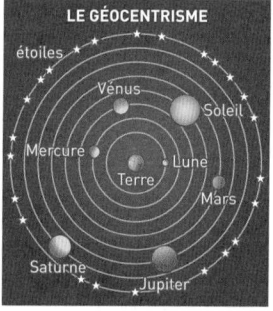

Héliocentrisme Du grec *hêlios*, qui signifie Soleil. Description du système solaire qui fait du Soleil l'astre autour duquel tournent les planètes, y compris la Terre.

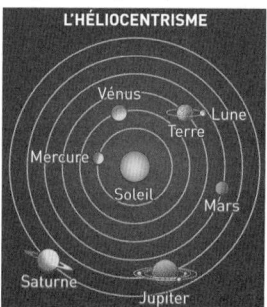

1 Copernic et l'hypothèse héliocentrique

● **Le modèle physique ancien : le géocentrisme.** Depuis l'Antiquité, les savants assurent que la Terre est ronde et qu'elle est immobile au centre du monde. Les Anciens pensent que les planètes (« astres errants » en grec) tournent autour de la Terre, entraînées chacune par une sphère constituée d'éther, une matière subtile et invisible. Au IIᵉ siècle, un astronome grec d'Alexandrie, Ptolémée, perfectionne le modèle géocentrique. Son système, permettant des calculs assez précis, comme celui de la circonférence de la Terre, reste en vigueur jusqu'au XVIᵉ siècle.

● **Copernic et l'héliocentrisme.** En 1543, le Polonais Copernic fait l'hypothèse que le Soleil est immobile au centre du monde et que les planètes tournent autour de lui **doc. 1** et **doc. 2**. L'héliocentrisme explique plus simplement les phénomènes observés et produit des calculs plus exacts de l'orbite des planètes. Copernic meurt alors que son ouvrage, *Des Révolutions des sphères célestes*, est sous presse.

2 Galilée, défenseur de Copernic

● **Une théorie réfutée par l'Église.** Le système copernicien fait des adeptes parmi les astronomes européens, malgré l'opposition des théologiens. En effet, pour les Églises chrétiennes, le modèle géocentrique s'accorde mieux avec le récit de la Création tel qu'il figure dans la Bible.

● **Les découvertes de Galilée.** Galilée, astronome florentin, affirme que l'hypothèse héliocentrique est vraie. Par ses observations, il confirme les calculs mathématiques de Copernic **doc. 3**. Sa découverte des satellites de Jupiter confirme que la Terre n'est pas la seule à avoir une lune. Ses observations du relief lunaire et des taches qui maculent la surface du Soleil montrent que les astres ne sont pas purs et homogènes. Si certaines planètes, comme Vénus, ont des « phases » d'ombre et de lumière comme la Lune c'est qu'elles tournent, comme la Terre, autour du Soleil et non autour de la Terre.

● **La méthode de Galilée.** Toutes ces observations inédites sont menées grâce à l'invention d'un nouvel instrument : la lunette astronomique, perfectionnée par Galilée lui-même. Galilée publie le résultat de ses observations dans le *Messager céleste* (1610).

3 Le procès contre Galilée (1633)

● **Un manifeste copernicien.** Galilée estime que le public doit être informé des arguments sérieux en faveur de l'héliocentrisme : en 1632, il publie *Il Dialogo* (« Le Dialogue ») en italien et non en latin pour être compris du plus large public. *Le Dialogue* est découpé en quatre journées au cours desquelles s'affrontent trois personnages : Salviati défend les idées coperniciennes de l'auteur ; Simplicio défend le géocentrisme d'Aristote et Ptolémée ; Sagredo, un noble vénitien, écoutant les différents arguments, se laisse peu à peu convaincre par les idées de Salviati.

● **L'Église contre Galilée.** Parce qu'il a rompu le silence sur ces questions, imposé depuis 1616 par l'Église de Rome, Galilée est convoqué devant le tribunal de l'Inquisition. On lui reproche d'avoir défendu l'opinion hérétique, contradictoire avec le texte biblique, « que le Soleil est le centre du monde et immobile et que la Terre ne l'était pas ».

● **La condamnation de Galilée.** Le 22 juin 1633, Galilée est contraint d'abjurer l'héliocentrisme pour éviter la mort. Il doit renoncer publiquement et solennellement aux thèses coperniciennes. Le tribunal du Saint-Office le condamne à la résidence surveillée à Arcetri, près de Florence. Il y publie un dernier ouvrage important, *Discours concernant deux sciences nouvelles* (1638), qui fonde les principes de la science mécanique.

■ **En remettant en cause la vision chrétienne de la Création, Copernic puis Galilée bouleversent les anciennes croyances établies. Leurs théories, interdites par l'Église, parviennent néanmoins à se diffuser.**

222

1 Copernic et l'hypothèse héliocentrique

Portrait de Copernic par Jan Matejko (1838-1893), huile sur toile, largeur 315 cm, hauteur 221 cm, 1872. Université jagellonne de Cracovie.

1 Lanterne. **2** Schéma de l'héliocentrisme. **3** Compas.
4 Vieux livres et manuscrits. **5** Quart-de-cercle (instrument astronomique servant à positionner le regard).

1. Où et quand se situe la scène ?
2. Vers quoi le regard de Copernic se tourne-t-il ?
3. De quoi dispose-t-il pour réfléchir à son hypothèse ?

2 Une démarche scientifique

« L'occasion m'étant ainsi donnée, j'ai commencé, moi aussi, à songer à mettre la Terre en mouvement. Et bien que l'opinion semblât absurde, néanmoins, dès lors que je savais que d'autres avaient eu la liberté d'imaginer n'importe quels cercles en vue d'expliquer les phénomènes célestes, j'estimais qu'on me permettrait sûrement à moi aussi d'examiner si, en supposant quelque mouvement pour la Terre, on pouvait trouver des explications de la révolution des orbes célestes plus solides que celles de mes prédécesseurs.

Ainsi ayant posé les mouvements que, plus bas dans mon ouvrage, j'assigne à la Terre, j'ai enfin découvert, au terme d'un examen soutenu et long, que si l'on mettait en rapport les mouvements des autres planètes avec un mouvement circulaire de la Terre, et que si l'on calculait ces mouvements pour la révolution, non seulement leurs apparences[1] s'en déduisent, mais aussi l'ordre de tous les astres et de tous les orbes[2] et leurs dimensions ; et le ciel lui-même est si bien agencé qu'on ne peut rien changer dans aucune de ses parties sans introduire une confusion dans les autres parties de l'Univers tout entier. »

Copernic, lettre au pape Paul III dans la préface de *De Revolutionibus Orbium Coelestium*, 1543, trad. A. Segonds, M.-P. Lerner et J.-P. Verdet, cité dans *Galilée. Écrits coperniciens*, Le Livre de poche, 2004. D. R. ■

1. Leurs positions observées depuis la Terre.
2. La trajectoire d'une planète.

1. Quelle est l'hypothèse formulée par Copernic ?
2. Comment procède-t-il pour la confirmer ?
3. Quel résultat obtient-il ?

3 Galilée copernicien

« Depuis plusieurs années déjà, je me suis converti à la doctrine de Copernic, grâce à laquelle j'ai découvert les causes d'un grand nombre d'effets naturels dont il est hors de doute que l'hypothèse commune[1] ne peut rendre compte. J'ai écrit sur cette matière bien des considérations, des raisonnements et des réfutations que jusqu'à présent je n'ai pas osé publier, épouvanté par le sort de Copernic lui-même, notre maître, qui, s'il s'est assuré une gloire immortelle auprès de quelques-uns, s'est exposé d'autre part (si grand est le nombre des sots) à la dérision et au mépris de beaucoup d'autres. Sans doute m'enhardirais-je à produire au grand jour mes réflexions s'il y avait beaucoup d'hommes comme toi, mais comme il en est peu, j'aime mieux remettre à plus tard pareille entreprise. »

Lettre de Galilée à l'astronome Kepler, 4 août 1597, trad. A. Segonds, M.-P. Lerner et J.-P. Verdet, cité dans *Galilée. Écrits coperniciens*, Le Livre de poche, 2004. D. R. ■

1. Le géocentrisme.

1. Galilée a-t-il conscience que ses idées coperniciennes pourraient lui attirer des ennuis ?
2. Pourquoi les maintient-il ?

Les femmes savantes au XVIIIe siècle

Raillées par Molière un siècle plus tôt, les femmes savantes s'affirment dans la société du XVIIIe siècle. Certains philosophes des Lumières songent à leur instruction, et quelques-unes parviennent à acquérir une réputation dans le milieu très masculin des sciences. Les salons, souvent tenus par des femmes, permettent d'informer des découvertes scientifiques les mondains et mondaines qui les fréquentent.

REPÈRES

▶ **1687** : Isaac Newton expose sa théorie de la « gravitation universelle » dans ses *Principia*.

▶ **1738** : traduction française du *Newtonianisme pour les dames*.

▶ **1759** : *Principes mathématiques de la philosophie naturelle par feue Mme la marquise du Châtelet* (traduction française des *Principia* de Newton).

▶ **1787** : traduction de l'*Essay on Phlogiston* du chimiste irlandais Richard Kirwan par Mme Lavoisier.

A Femmes et science

1 Les époux Lavoisier procédant à une expérience sur la respiration

D'après le dessin de Mme Lavoisier, XVIIIe siècle.

1. Décrivez l'expérience de Lavoisier ?
2. Que fait Madame Lavoisier et qu'est-ce que cette position symbolise par rapport à celle de son mari ?

2 L'instruction pour les mondaines

« Quoi qu'il en soit, nos dames, pour qui j'ai fait cet ouvrage, devront me savoir bon gré, si du moins je leur ai procuré un nouveau genre de plaisir, qui pourra dans la suite être beaucoup mieux assaisonné ; mon travail ne sera pas perdu, s'il peut leur inspirer le goût de se cultiver l'esprit, plutôt que de se friser avec tant de soin. [...] [Q]ue le savoir serve, s'il est possible, à polir et à orner la société, au lieu de rendre l'esprit sec, et de faire naître sur une vieille phrase des disputes frivoles, qui ne finissent point ! Au moins, j'aurai le contentement d'avoir fait quelque chose, qui n'est ni Grammaire, si Sonnet, et je me flatterai d'avoir fait beaucoup plus, si vous daignez approuver l'idée que m'a suggérée l'envie d'instruire les dames en les amusant. »

Francesco Algarotti, *Le Newtonianisme pour les dames,* ou *Entretiens sur la lumière, sur les couleurs et sur l'attraction,* traduits de l'italien par M. Duperron de Castera, 1738, préface à M. de Fontenelle. ▪

1. Comment Algarotti envisage-t-il l'instruction des jeunes femmes ?
2. Quel peut être l'intérêt de cette instruction pour son projet de diffusion du « newtonianisme » ?

B Émilie du Châtelet, introductrice de Newton en France

3 Émilie, enceinte, travaille à la traduction de Newton

Émilie le Tonnelier de Breteuil, marquise du Châtelet (1706-1749), est une aristocrate française qui s'est passionné pour la physique et les mathématiques. Elle meurt à 43 ans des suites d'un accouchement difficile.

« Savez-vous la vie que je mène depuis le départ du roi[1] ? Je me lève à 9 heures, quelquefois à huit, je travaille jusqu'à trois, je prends mon café à 3 heures ; je reprends le travail à quatre, je le quitte à dix pour manger un morceau seule, je cause jusqu'à minuit avec M. de Voltaire, qui assiste à mon souper, et je reprends le travail à minuit jusqu'à cinq heures. Quelquefois j'attends après M. Clairaut[2], et j'emploie mon temps à mes affaires et à revoir mes épreuves[3]. [...] Tout le monde sans exception est refusé pour souper, et je me suis fait une loi de ne plus souper dehors pour pouvoir finir. Je conviens que si j'avais mené cette vie depuis que je suis à Paris, j'aurais fini à présent. Ma santé se soutient merveilleusement. Je suis sobre et je me noie d'orgeat, cela me soutient. Mon enfant remue beaucoup et se porte, à ce que j'espère, aussi bien que moi. »

Lettre de Mme du Châtelet au marquis de Saint-Lambert, Paris, 21 mai 1749, dans Émilie du Châtelet, *Lettres d'amour au marquis de Saint-Lambert*, éd. Anne Soprani, 1997. ▪

1. Le duc de Lorraine et roi de Pologne qui vient de quitter la cour de Versailles le 28 avril.
2. Alexis Clairaut, mathématicien et physicien, qui aide Mme du Châtelet dans sa traduction et son commentaire de Newton.
3. Le manuscrit de sa traduction des *Principia*.

1. À quoi Émilie du Châtelet travaille-t-elle ?
2. Pourquoi est-elle si pressée de terminer sa traduction ?
3. Comment divise-t-elle sa journée ?
4. Comment son absence de vie mondaine risque-t-elle d'être ressentie par ses contemporains ?

METTRE EN RÉCIT

À l'aide des doc. 3 à 5, dressez le portrait d'Émilie du Châtelet en montrant si elle est représentative ou non de son temps.

4 Émilie du Châtelet par Maurice Quentin de La Tour

XVIIIe siècle. Huile sur toile, largeur 100 cm, hauteur 120 cm.
Collection privée, château de Breteuil.

1. Dans quelle attitude Quentin la Tour a-t-il représenté son modèle ?
2. Quels éléments du tableau nous renseignent sur les activités d'Émilie du Châtelet ?

5 L'éloge d'Émilie du Châtelet par Voltaire

En 1759 paraît la traduction française du traité de Newton, Principes mathématiques de la philosophie naturelle par feue Mme la marquise du Châtelet. *L'ouvrage est préfacé par Voltaire.*

« Cette traduction que les plus savants hommes de France devaient faire et que les autres doivent étudier, une femme l'a entreprise et achevée à l'étonnement et à la gloire de son pays. [...] On a vu deux prodiges : l'un, que Newton ait fait cet ouvrage[1] ; l'autre, qu'une dame l'ait traduit et l'ait éclairci. [...]
Madame du Châtelet a rendu un double service à la postérité en traduisant le *Livre des Principes* et en l'enrichissant d'un commentaire. Il est vrai que la langue latine, dans laquelle il est écrit, est entendue[2] de tous les savants ; mais il en coûte toujours quelques fatigues à lire des choses abstraites dans une langue étrangère : d'ailleurs le latin n'a pas de termes pour exprimer les vérités mathématiques et physiques qui manquaient aux Anciens. [...] Le français qui est la langue courante de l'Europe et qui s'est enrichi de toutes ces expressions nouvelles et nécessaires est beaucoup plus propre que le latin à répandre dans le monde toutes ces connaissances nouvelles. »

Voltaire, préface aux *Principes mathématiques de la philosophie naturelle par feue Mme la marquise du Châtelet*, Paris, 1759. ▪

1. L'ouvrage d'Isaac Newton publié en latin en 1687 : *Philosophiae Naturalis Principia Mathematica*.
2. Comprise.

1. Quel est l'apport d'Émilie du Châtelet à la science du XVIIIe siècle ?
2. Selon Voltaire, pourquoi fallait-il traduire Newton ?

La naissance d'une culture scientifique au XVIIIᵉ siècle

1 L'enseignement des sciences

● **Un enseignement traditionnel pauvre en disciplines scientifiques.** L'enseignement universitaire hérité du Moyen Âge est quasiment dénué de matières scientifiques. Dans la formation qui précède l'entrée dans les trois grandes facultés (médecine, droit et théologie), seules les deux dernières années de « philosophie » intègrent quelques rudiments de sciences mathématiques, physiques ou naturelles.

● **De nouveaux collèges.** Les nouvelles congrégations religieuses enseignantes accordent de l'importance aux sciences. Les jésuites ou les oratoriens enseignent notamment dans leurs collèges les sciences appliquées, très appréciées des familles nobles et bourgeoises dont les enfants se destinent au commerce, à la navigation ou à l'armée.

● **La promotion d'un savoir scientifique parmi les élites.** Dans les familles riches, on a également recours à des leçons privées données par un précepteur **doc. 3**. Cet enseignement concerne aussi bien les filles que les garçons, bien que ces derniers soient éduqués en priorité.

2 La vulgarisation scientifique à la mode

● **Un engouement général pour les sciences.** Les philosophes du XVIIIᵉ siècle valorisent les connaissances sur la nature pour combattre la superstition. Des ouvrages tels que l'*Encyclopédie* (1751-1772) de Diderot et d'Alembert offrent un résumé de la science du temps à un public instruit. Quelques salons sont tenus ou fréquentés par des savants. Des amateurs constituent des cabinets de curiosités **doc. 1**, de physique ou de chimie. Il n'est pas rare d'assister chez un particulier à une démonstration pneumatique, pyrotechnique ou électrique.

● **Des ouvrages de vulgarisation.** En 1686, les *Entretiens sur la pluralité des mondes* de Fontenelle connaissent un large succès. C'est la même volonté de vulgarisation qui préside à la rédaction des *Leçons de physique expérimentale* (1743) de l'abbé Nollet, dont les démonstrations étaient courues par le Tout-Paris. On y promet une « géométrie riante » et une « physique sans larmes ». L'Italien Algarotti se rend célèbre par son *Newtonianisme pour les dames* (1738).

3 La formation d'une communauté savante

● **Des établissements spécialisés.** Les souverains fondent des établissements où sont donnés des cours de sciences. Le Jardin du roi, futur Muséum d'histoire naturelle, créé en 1626, dispense aux spécialistes des cours de botanique, d'anatomie animale et de chimie. L'Académie des sciences, fondée par Colbert en 1666 à l'imitation de la *Royal Society* anglaise, réalise des expériences et publie des comptes-rendus qui connaissent une large diffusion. Au XVIIIᵉ siècle, l'enseignement de la chirurgie et de la pharmacie est réorganisé, tandis qu'apparaissent les premières écoles d'ingénieurs : l'École des ponts et chaussées (1747), l'École du génie de Mézières (1748), l'École polytechnique (1794) fondée par Gaspard Monge, un ancien élève des oratoriens.

● **Des académies des sciences créées dans toutes les grandes capitales d'Europe.** Une « République des Lettres » de scientifiques s'élabore au XVIIIᵉ siècle : les savants s'écrivent pour obtenir des protections ou des informations **doc. 2**. Des journaux spécialisés sont imprimés, tel le *Journal de physique* de l'abbé Rozier, ou les *Annales de Chimie* fondées en 1789 par Lavoisier.

● **Le français, la langue scientifique internationale.** Le latin recule peu à peu au profit du français. En 1744, Émilie du Châtelet, amie de Voltaire, traduit les *Principia* de Newton pour accélérer la diffusion de ses idées en France. Cette traduction est publiée en 1759, à titre posthume, avec une préface élogieuse de Voltaire.

■ Au XVIIIᵉ siècle, les connaissances scientifiques se diffusent grâce à la création des **académies de sciences, à la constitution d'une communauté de savants et au succès des ouvrages de vulgarisation.**

ISAAC NEWTON

(1642-1727)

Savant anglais qui révolutionne la science moderne par ses travaux sur la gravitation. En 1687, dans ses *Principia*, il expose la théorie de la « gravitation universelle » : ce sont les mêmes forces qui régissent la chute des corps sur Terre et la révolution des planètes autour du Soleil.

DÉFINITIONS

Collège
Établissement généralement tenu par une congrégation religieuse, dans lequel on accueille les enfants âgés d'une dizaine d'années jusqu'à leur entrée éventuelle à l'université.

Salon
Aux XVIIᵉ et XVIIIᵉ siècles, réunion de personnalités des lettres, des arts et de la politique, tenue le plus souvent par une femme de l'aristocratie, et où l'on discute de littérature, de philosophie, de politique, de sciences, etc.

Cabinet de curiosités
Lieu dans lequel on collectionne et présente une multitude d'objets rares ou étranges dans des domaines variés.

Académie des sciences
Société savante qui promeut la recherche scientifique en réunissant des savants éminents dont on présente les travaux et en publiant des revues scientifiques.

1 Un cabinet de curiosités

Cabinet de curiosités de Joseph Bonnier de la Mosson (1702-1744). Dessin au crayon et à l'encre de Jean-Baptiste Courtonne, 1739. Bibliothèque de l'Institut national d'histoire de l'art, Paris.

2 Un réseau européen de scientifiques

« Très illustre Monsieur, vos mérites en mathématique sont si grands et vous enrichissez quotidiennement la géométrie de découvertes si nombreuses et si excellentes, que vous devez avec raison vous attendre à la profonde reconnaissance de tous ceux qui apprécient la valeur de ce genre d'études. [...] Souffrez donc, très honoré Monsieur, qu'occasionnellement, par mes lettres, je vous signale ce qui pourrait se passer ici et qui mériterait votre attention. Je vous serais également infiniment reconnaissant et obligé si en retour vous m'honoriez de temps à autre de vos lettres et s'il ne vous déplaisait pas de m'informer de ce que vous ou l'un des membres de votre Académie[1] en plein développement a réalisé pour l'avancement des sciences. [...] En outre, je vous serais fort reconnaissant de bien vouloir me renseigner sur vos recherches en matière d'électricité, lesquelles, à ce que j'apprends, connaîtraient un véritable essor chez vous : vous auriez réussi à embraser divers objets inflammables par le biais du feu électrique ! J'ai aussi entendu que vous auriez simplifié et rendu plus accessible la méthode établie par Newton pour calculer l'orbite d'une comète. J'espère bien que vous ne refuserez pas à rendre publique cette découverte. Je souhaiterais tant être instruit de cette méthode qui – venant de vous – ne peut être que remarquable. »

Lettre de l'astronome suédois Samuel Klingenstierna
au mathématicien suisse Leonhard Euler résidant à Berlin,
11 février 1745. ∎

1. Académie des sciences de Berlin fondée en 1700 et réformée en 1745 par Maupertuis sur l'ordre du roi Frédéric II.

1. Comment Euler et Klingenstierna procèdent-ils pour échanger leurs connaissances ?

2. Quel est l'intérêt pour l'un et l'autre de se tenir informé de l'avancée des sciences dans le pays voisin ?

3 Une leçon particulière au XVIIIᵉ siècle

Noël Hallé, *L'Éducation du jeune noble*, 1765. Huile sur toile, largeur : 43 cm, hauteur : 34 cm. Collection privée.

1. Attribuez un rôle à chacun des personnages présents dans la scène.

2. D'après les objets représentés, quelles sont les matières enseignées ?

La révolution de la vapeur au XVIIIᵉ siècle

Pourquoi considère-t-on l'invention de la machine à vapeur comme la date de naissance de l'ère industrielle ?

1 La vapeur comme force motrice

● **Une idée ancienne.** Certains savants de l'Antiquité ont conçu des mécanismes qui utilisent la vapeur. Cependant, jusqu'à la Renaissance, ces machines restent imaginaires, car aucun procédé technique ne permet de les fabriquer et surtout de produire la haute pression nécessaire à leur fonctionnement.

● **Des découvertes capitales à l'époque moderne.** Au milieu du XVIIᵉ siècle, en Angleterre, des progrès décisifs sont accomplis dans la connaissance de la dynamique des gaz. Au sein de la *Royal Society*, des savants réunis autour de Robert Boyle démontrent l'existence du vide et réalisent des expériences concernant la pression et la dilatation des gaz. En France, Blaise Pascal met en évidence en 1648 la pression atmosphérique. Ces découvertes permettent les premiers essais de machines à vapeur qui fonctionnent : Denis Papin invente en 1687, la première machine à vapeur à piston capable de soulever un poids.

2 La machine à vapeur

● **La machine de Newcomen.** S'inspirant de la machine à piston, l'ingénieur anglais Thomas Newcomen met au point la première machine utilisable à des fins industrielles : inventée en 1712, elle actionne une pompe capable d'extraire les eaux qui envahissent les galeries des mines. Elle est vendue à tous les pays qui exploitent le charbon.

● **La machine à double effet de Watt.** En 1764, un jeune étudiant écossais, James Watt, imagine les moyens d'améliorer la machine de Newcomen. Watt remarque que l'eau injectée dans le cylindre pour condenser la vapeur diminue le rendement de l'appareil. Il imagine donc, en 1769, un condenseur externe qui recueille la vapeur et le refroidit à part. Au cours des années 1780, Watt ne cesse de perfectionner son invention : un régulateur à boules permet de contrôler la pression, un balancier relié à un volant transmet le mouvement vertical du piston à un arbre moteur produisant un mouvement rotatif. On parle de « machine à double effet », produite en partenariat avec l'industriel Matthew Bolton **doc. 1** .

3 Une invention déterminante pour l'industrie naissante

● **Le potentiel industriel des machines à vapeur.** Peu à peu, les machines de Watt remplacent celles de Newcomen dans les mines **doc. 2** . Le procédé est adapté aux ateliers sidérurgiques pour actionner un marteau ou souffler sur le feu d'une forge. Bientôt, il est généralisé à toute l'industrie, notamment textile, qui se mécanise au XIXᵉ siècle.

● **L'amélioration du confort urbain.** Afin d'alimenter en eau la capitale, les frères Périer qui dirigent la Compagnie des Eaux de Paris adaptent la machine de Watt pour puiser l'eau de la Seine et la distribuer. Deux « pompes à feu » sont construites, l'une sur la colline de Chaillot en 1781 **doc. 3** et l'autre au Gros Caillou sur le quai d'Orsay en 1788.

● **La machine à vapeur comme moyen de transport.** En 1769, le lorrain Joseph Cugnot place une chaudière sur un véhicule destiné à transporter un canon mais l'engin tombe en panne rapidement. En 1783, le marquis de Jouffroy d'Abbans fait naviguer durant un quart d'heure sur la Saône un bateau mû par une machine à vapeur. Mais l'invention la plus prometteuse est celle de l'ingénieur anglais Richard Trevithick : en 1804, il fait parcourir 15 km en quatre heures à une locomotive tractant 70 personnes et 10 tonnes de marchandises.

■ Les progrès de la physique encouragent les essais de nouvelles machines et la fabrication de machines à vapeur ce qui entraîne, dès le XVIIIᵉ siècle, une révolution du travail manuel et des modes de production.

La machine à piston inventé par Denis Papin permet de soulever un poids sous l'effet du vide produit par la condensation : l'eau est chauffée, la vapeur entre dans le cylindre, le piston s'élève, le feu est éteint, la vapeur se condense ce qui crée un vide dans le cylindre, la pression atmosphérique pousse alors le piston qui se rabaisse dans le cylindre avec une force capable de soulever un poids.

Machine « atmosphérique » de Newcomen

(1712)

Utilisant le même principe que celle de Papin, la machine de Newcomen produit de la vapeur d'eau qui pousse un piston dans un cylindre, lequel relié à un balancier actionne une pompe. Un jet d'eau froide vient alors condenser la vapeur puis, le vide étant formé, le piston redescend dans le cylindre et actionne à nouveau la pompe.

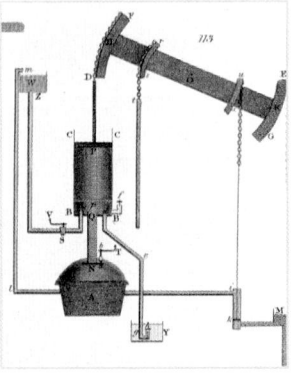

1 La machine à double effet de James Watt (1769)

Les machines de Newcomen dépensaient beaucoup d'énergie et leur cycle de fonctionnement était court : elles devaient être refroidies puis remises en marche. Dans la machine de Watt, le piston monte et descend sous l'effet de la vapeur alternativement distribuée dans le cylindre de chaque côté du piston. Ce type de machine est bien plus régulier et puissant que les machines « atmosphériques » des prédécesseurs de Watt.

1. Quels types de mouvements une machine à vapeur peut-elle produire ?

2. Quelle peut être l'utilisation industrielle de ces mouvements ?

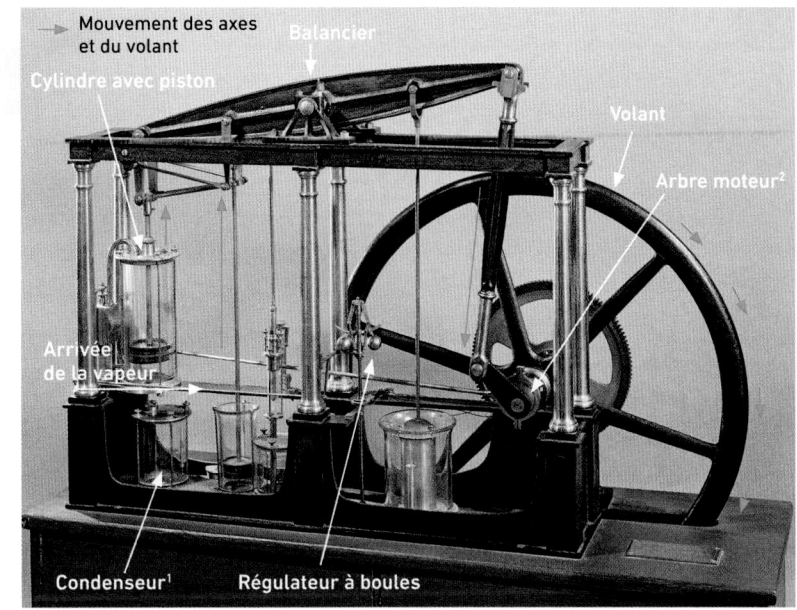

Mouvement des axes et du volant — Balancier — Cylindre avec piston — Volant — Arbre moteur[2] — Arrivée de la vapeur — Condenseur[1] — Régulateur à boules

1. Chambre dans laquelle la vapeur d'eau est ramenée à l'état liquide sous l'effet du froid.

2. Axe mécanique transmettant un mouvement du moteur à diverses pièces du mécanisme (par exemple les roues).

2 L'exploitation des mines de charbon

« De tous les objets de commerce, [ceux] qui intéressent le plus dans ce moment la généralité du Hainaut, ce sont les mines de charbon de terre. Elles y sont exploitées avec la plus grande intelligence et l'activité la plus suivie. L'établissement d'Anzin, près Valenciennes, est celui qui fixe davantage l'attention. [...]

Après s'être assuré du rocher qui couvre le charbon, l'on procède à l'ouverture de la fosse[1] [...] ; l'enlèvement des terres et pierres s'en fait assez promptement jusqu'à la profondeur de 14 toises (environ 27 m), où l'on commence à être gêné par les eaux. Alors le secours des pompes est nécessaire ; elles doivent être assez fortes et bien soutenues dans leur jeu pour rendre le bas de la fosse praticable aux ouvriers. Ces eaux qu'on appelle communément les *niveaux* ne peuvent être facilement épuisées que par des machines à feu[2] : celles mues par des chevaux sont rarement assez puissantes, elles en exigent un grand nombre, leur travail est presque toujours forcé et il en périt considérablement. [...]

Il y a 18 fosses à Anzin. La plus profonde peut avoir 1 000 pieds (325 m). 4 machines à feu fixes servent à épuiser les eaux de toutes les galeries. [...] 2 heures suffisent pour les chauffer, lorsque l'eau est froide ; 1 heure lorsqu'elle est tiède. Tous les 8 jours, on enlève de leurs parois les écailles salines déposées par les eaux extraites des fosses. La vitesse de ces machines est de 12 impulsions par minute, leur travail est de 8 heures par jour. Il faut 2 hommes pour le service ; la dépense en charbon d'une machine dont le cylindre a 40 pouces (108 cm) est de 15 à 16 mannes (environ 3 500 kg) en 8 heures. »

Pajot des Charmes, *Mémoire sur la manière d'exploiter le charbon de terre dans le Hainaut français*, 1784. ∎

1. Puits vertical par lequel on accède aux galeries de la mine.
2. Machines à vapeur (de type Newcomen).

▶ Quels progrès apportent les machines à vapeur dans les mines ?

3 Des machines à vapeur au service des Parisiens

« Nous avons examiné par ordre de l'Académie des Sciences, M. Le Roy, M. l'abbé Bossut, M. Cousin et moi deux mémoires de M. Périer sur les pompes à feu[1.]

Le premier contient la description d'une pompe à feu qu'il vient d'établir à Chaillot pour élever les eaux de la Seine dans plusieurs réservoirs à 110 pieds (36 m) de hauteur au-dessus des basses eaux. Cette pompe à feu est construite d'après les principes de Mrs. Watt et Bolton, deux artistes anglois qui depuis à peu près douze ans se sont occupés avec beaucoup de succès de la perfection de cette machine. Le 2e mémoire contient la description d'une seconde pompe à feu que M. Périer vient encore d'établir à Chaillot, qui élève l'eau dans un réservoir de 15 pieds (environ 5 m) de hauteur, d'où en retombant elle fait tourner plusieurs roues à godets[2] qui sont destinées à mettre en jeu une machine à percer des tuyaux, des soufflets, des marteaux de forge, enfin toutes les parties d'un grand atelier [sidérurgique]. Dans cette seconde machine, en prenant de celle de M. Watt et Bolton quelques-unes des parties qui doivent le plus contribuer à en augmenter l'effet, M. Périer a cherché à en diminuer le prix, à en simplifier l'exécution et à en faciliter en cas d'accident les réparations et l'entretien. »

Rapport de Coulomb à l'Académie des Sciences concernant la pompe à feu de Chaillot, 19 mars 1783. ∎

1. Pompes actionnées par une machine à vapeur.
2. Récipients placés sur une roue qui en recevant l'eau la fait tourner.

1. Comment la machine à vapeur contribue-t-elle à l'alimentation en eau des Parisiens ?

2. Quel autre usage est mentionné dans ce texte ?

Exercices *et* MÉTHODES

❶ S'entraîner à la composition : rédiger

▶ **Sujet : La science aux XVIᵉ et XVIIᵉ siècles : avancées, diffusion et résistances.**

MÉTHODE

1. Analyser les termes du sujet

La science aux XVIᵉ et XVIIᵉ siècles ⟩ avancées, diffusion et résistances

Quelles sont les disciplines concernées ?

Quels progrès constate-t-on dans les différents domaines de la connaissance ?
Comment sont-ils rendus possibles ?
Comment les savants s'informent-ils des travaux des autres scientifiques ?

Comment les travaux des savants sont-ils connus ?
Quels lieux permettent la diffusion des idées nouvelles ?
Quel rôle jouent l'édition et les traductions ?

Quelles instances surveillent la formulation de nouveaux savoirs scientifiques ?
Pourquoi ?

2. Dégager la problématique

EXERCICE 1

À l'aide de l'analyse menée plus haut, proposez une problématique pour répondre au sujet.

3. Bâtir le plan

Le plan est contenu dans le sujet. Complétez-le en vous appuyant sur l'analyse du sujet.

I. Quelles avancées scientifiques connaît l'époque moderne ?
1. ....
2. ....
3. ....

II. Comment les nouveaux savoirs sont-ils diffusés ?
1. ....
2. ....
3. ....

III. À quelles résistances les savants sont-ils confrontés ?
1. ....
2. L'Église contre Galilée
3. ....

4. Rédiger les paragraphes

Une fois le plan complété, il faut commencer la rédaction de la composition directement sur votre copie sans passer par le brouillon.

Chaque paragraphe de la composition développe une idée justifiée par des arguments illustrés par un ou des exemples.

> **Exemple de rédaction du deuxième paragraphe de la 3ᵉ partie**
> L'Église catholique est la garante du dogme chrétien qui veut que la Terre, créée par Dieu, soit au centre du monde. En cherchant à prouver la véracité des thèses coperniciennes, Galilée a déclenché contre lui la colère du Pape. En effet, le livre de Copernic n'avait échappé à la censure que grâce à sa préface où l'on indiquait que son héliocentrisme n'était qu'une « hypothèse de mathématicien ». Le *Dialogue sur les deux systèmes du monde* de Galilée, publié en 1632, rompt le silence sur ces questions imposé depuis 1616 par l'Église. Devant le tribunal de l'Inquisition qui l'a convoqué, Galilée est accusé d'avoir défendu des thèses hérétiques et est contraint d'abjurer l'héliocentrisme copernicien pour éviter la mort.

EXERCICE 2

1. Identifiez dans le paragraphe rédigé ci-dessus l'idée directrice, les arguments qui la prouvent et les exemples qui l'illustrent.

2. Rédigez un des paragraphes de la composition en vous appuyant sur la méthode développée.

❷ Comprendre et analyser un texte

▶ Présentez le document en insistant sur son auteur et son contexte.
Que montre cette lettre du développement d'une communauté savante dans l'Europe
du XVIIᵉ siècle et des difficultés qu'elle peut rencontrer pour diffuser ses travaux ?

Lettre de Descartes au père Mersenne

« Je m'étais proposé de vous envoyer mon [traité du] Monde[1] pour ces étrennes, [...] mais je vous dirai que, m'étant fait enquérir ces jours à Leyde et à Amsterdam si le *Système du Monde* de Galilée n'y était point, à cause qu'il me semblait avoir appris qu'il avait été imprimé en Italie l'année passée, on m'a mandé[2] qu'il était vrai qu'il avait été imprimé, mais que tous les exemplaires en avaient été brûlés à Rome au même temps, et lui condamné à quelque amende : ce qui m'a si fort étonné que je me suis quasi résolu de brûler tous mes papiers ou du moins de ne les laisser voir à personne. Car je ne me suis pu imaginer que lui, qui est Italien et même bien vu du Pape, ainsi que j'entends, ait pu être criminalisé[3] pour autre chose, sinon qu'il aura sans doute voulu établir le mouvement de la Terre ; [...] Mais comme je ne voudrais pour rien du monde qu'il sortît de moi un discours, où il se trouvât le moindre mot qui fût désapprouvé de l'Église, aussi aimé-je mieux le supprimer, que de le faire paraître estropié[4]. »

Lettre de Descartes au père Marin Mersenne,
fin novembre 1633. ∎

1. Le *Traité du monde et de la lumière* qui ne sera publié qu'après la mort de Descartes en 1664.
2. Averti.
3. Poursuivi en justice.
4. Censuré.

Aide

René Descartes (1596-1650)
Mathématicien, physicien et philosophe français, considéré comme l'un des fondateurs de la philosophie moderne. En mathématiques, il est à l'origine de la géométrie analytique ; en physique, il apporte sa contribution à l'optique. À partir de 1628, il s'installe en Hollande.
En 1633, il s'apprête à publier le *Monde* qui décrit les structures physiques qui nous régissent. Il y défend Copernic et Galilée. Son œuvre la plus célèbre, le *Discours de la méthode pour conduire correctement la Raison et chercher la vérité dans les Sciences*, est publié en 1637 en français. Comme la plupart des savants de son époque, il est en contact avec les autres savants de son temps, dont le père Mersenne qui est aussi son ami.

Marin Mersenne (1588-1648)
Religieux et mathématicien français qui édicte les premières lois de l'acoustique. C'est l'une des figures les plus influentes de la révolution scientifique du XVIIᵉ siècle. Grand érudit, il correspond avec tous les savants de son époque : Descartes, Galilée, Constantin et Christiaan Huygens, Fermat, Gassendi, Hobbes. Traducteur et éditeur des *Mécaniques de Galilée* (1634) et des *Nouvelles Pensées de Galilée* (1639), il a aussi fait imprimer à Paris la première édition des *Méditations* de Descartes.

MÉTHODE

1. Présenter le document

Il s'agit ici d'une correspondance, d'un document privé, qui permet donc d'échanger librement des idées sans risquer la censure ou les poursuites.
– Qui sont l'auteur et le destinataire de la lettre ?
– Quel lien unit Descartes à Mersenne ? De quel autre savant est-il question dans la lettre ?
– Quelle place tient la correspondance dans la mise en place d'une « République des Lettres » dans l'Europe du XVIIᵉ siècle ?
– Pourquoi la date de la lettre est-elle particulièrement importante pour en comprendre le contenu et les inquiétudes de Descartes ?

2. Prélever des informations

– De quoi Descartes informe-t-il son ami ? Sur quoi l'interroge-t-il ?
– Que s'apprêtait à faire Descartes ?
– Pourquoi y renonce-t-il ?

– Quelles sont ses craintes ?

3. Répondre à la consigne

EXERCICE

La réponse peut s'organiser ici en deux paragraphes correspondant aux deux éléments de la consigne. Synthétisez les réponses précédentes pour compléter le tableau.

Le développement d'une communauté savante	Les risques qui pèsent sur les savants et les obligent à se montrer prudents

③ Décrire et interpréter un portrait

▶ **Présentez le document et son sujet.**
En quoi illustre-t-il la nouvelle place du savant dans la société du XVIIIᵉ siècle ?

Portrait d'Antoine-Laurent Lavoisier et de sa femme

Aide

Antoine-Laurent Lavoisier (1743-1794)

Chimiste français, considéré comme le père de la chimie moderne. Il découvre le rôle de l'oxygène dans la combustion et dans la respiration des animaux et végétaux ; il énonce la première version de la loi de conservation de la matière ; il participe à la réforme de la nomenclature chimique. Sa femme, Marie-Anne Pierrette, le seconde dans ses travaux, notamment par la traduction d'ouvrages scientifiques anglais et réalise des croquis des instruments de son laboratoire. Lavoisier meurt guillotiné durant la Révolution.

Jacques-Louis David, 1788. Huile sur toile, largeur 195 cm, hauteur 260 cm.
The Metropolitan Museum of Art, New York.

④ Exercice TICE : le procès de Galilée

www.

Le site Ciel et Espace Radio

Sur le site **www.cieletespaceradio.fr**, cliquez sur l'onglet « Histoire », puis sélectionnez la conférence « Galilée en procès ».

Après avoir écouté les podcasts de la conférence, répondez aux consignes suivantes :

1. Retracez le parcours de Galilée depuis sa décision d'éditer son *Dialogue* jusqu'à sa condamnation.

2. Expliquez l'attitude de l'Église et les raisons pour lesquelles elle condamne le savant.

À retenir

UNE NOUVELLE DÉMARCHE SCIENTIFIQUE	DE NOUVEAUX INSTRUMENTS DE DIFFUSION	DE NOUVEAUX SAVOIRS
▶ L'observation Ex. : lunette astronomique de Galilée, dissection. ▶ L'expérimentation Ex. : expérience de la pompe à air de Boyle. ✓ Élaboration de protocoles permettant la répétition d'expériences et ainsi la validation d'une hypothèse scientifique.	▶ Les académies scientifiques. ▶ Les salons. ▶ Édition et traduction d'ouvrages scientifiques. ✓ Le savoir scientifique se diffuse au-delà des cercles traditionnels de savants.	▶ Scientifiques : astronomie, physique, chimie, biologie. ▶ Techniques : invention de la machine à vapeur. ✓ Le savoir scientifique et technique → invention → innovation.

Schéma explicatif

La diffusion des connaissances au XVIIIe siècle

Le nouveau contexte intellectuel :
les hommes des Lumières croient en un progrès sans limites de l'humanité

Des besoins :
- croissance démographique et urbaine
- concurrence économique européenne
- essor des mines et de la production manufacturière
- souci d'aménagement des villes

Des lieux d'échanges et de sociabilité :
- académies des sciences
- salons
- cabinets de curiosité

- traductions
- vulgarisation des découvertes scientifiques et techniques

▶ Faire une fiche de révision

Réalisez votre fiche de révision sur le thème traité en cours :

- Une nouvelle conception de l'univers
- La naissance d'une culture scientifique
- La révolution de la vapeur

Aidez-vous des encadrés présents dans la page.

Mettez en couleur les exemples précis et le nom des savants et des personnages qui illustrent votre thème.

Vous pouvez également réaliser la fiche biographique d'un des savants étudiés.

Thème 5

Révolutions, libertés, nations, à l'aube de l'époque

Le peuple brûle le trône de Louis-Philippe place de la Bastille, le 24 février 1848. Lithographie en couleur, XIXᵉ siècle. Bibliothèque nationale de France, Paris.

contemporaine

Chapitre 10

La montée des idées de liberté avant la Révolution française

Dans la seconde moitié du XVIIIᵉ siècle, de nouveaux modèles politiques fondés sur le respect des libertés individuelles et politiques se développent. En France, la monarchie absolue, contestée par les Lumières au nom de la raison, ne parvient pas à se réformer pour affronter la crise économique et financière de 1788-1789.

La monarchie française défend la liberté en Amérique...

Jean Suau, *Allégorie de la France libérant l'Amérique*, 1784. Huile sur toile, hauteur : 1,3 m, longueur : 1,8 m. Château de Blérancourt.

En guerre contre l'Angleterre, les treize colonies britanniques d'Amérique proclament leur indépendance en 1776. Au nom du traité d'alliance conclu en 1778, la France contribue à la victoire américaine, acquise en 1783.

... mais est incapable de se réformer à l'intérieur

Ouverture des États généraux à Versailles, le 5 mai 1789. Estampe d'Isidore Stanislas Helman et Charles Monnet, 1789. Bibliothèque nationale de France, Paris.

L'incapacité de la monarchie à se réformer sans provoquer l'hostilité des privilégiés contraint Louis XVI à convoquer les États généraux pour le printemps 1789. La cérémonie d'ouverture a lieu le 5 mai 1789 à Versailles, en présence du roi.

Sommaire

> **Pourquoi les régimes anglais
> et américain séduisent-ils au XVIIIᵉ siècle ?**

> **Qui conteste l'absolutisme ?**
> **Quel est l'état de la France en 1789 ?**

Les contestations dans la seconde moitié du XVIIIe siècle en Europe et en Amérique

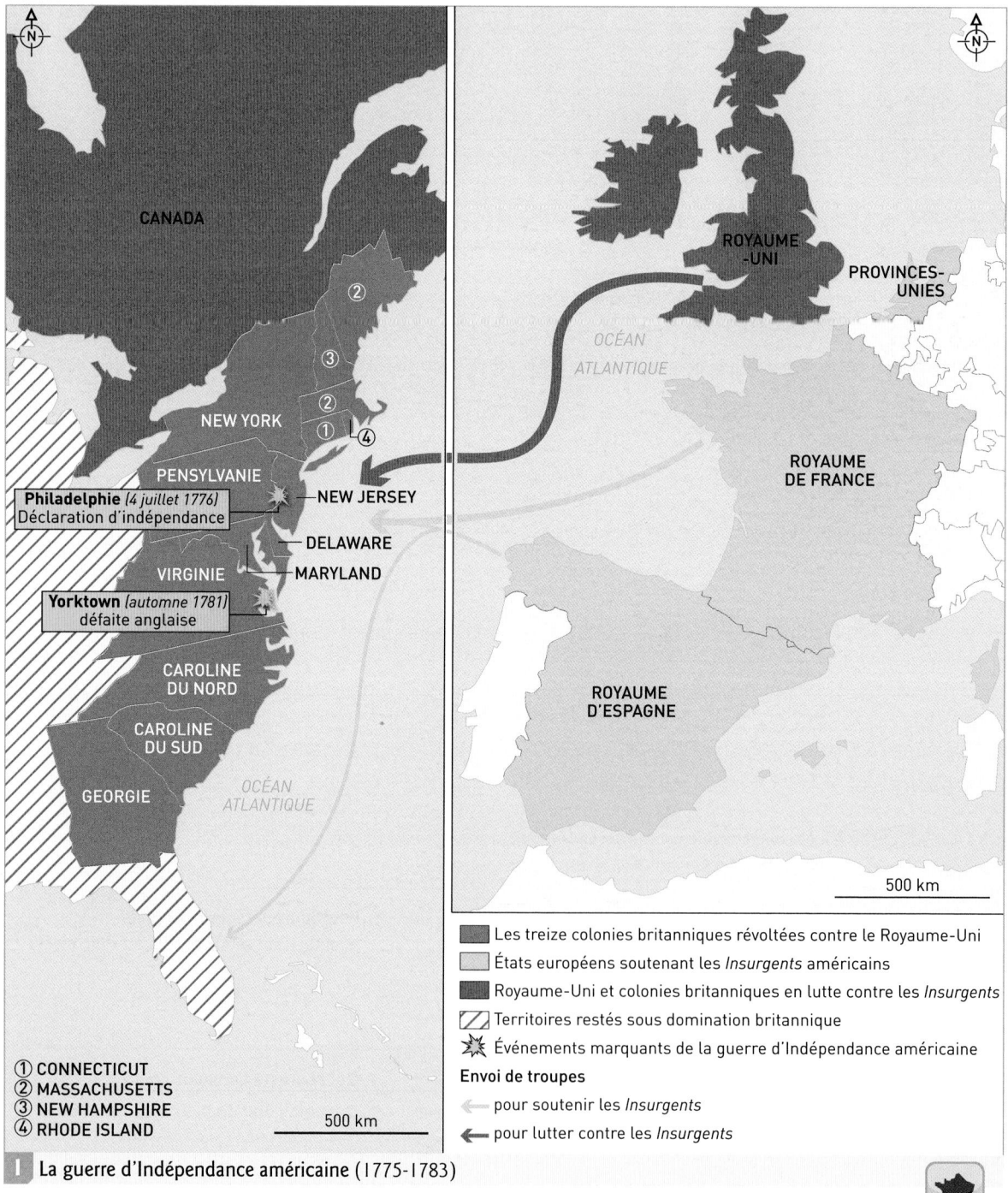

CANADA

② NEW YORK

③

② NEW YORK

① ④

PENSYLVANIE

Philadelphie *(4 juillet 1776)*
Déclaration d'indépendance

NEW JERSEY

DELAWARE

VIRGINIE — MARYLAND

Yorktown *(automne 1781)*
défaite anglaise

CAROLINE DU NORD

CAROLINE DU SUD

GEORGIE

OCÉAN ATLANTIQUE

ROYAUME-UNI

PROVINCES-UNIES

OCÉAN ATLANTIQUE

ROYAUME DE FRANCE

ROYAUME D'ESPAGNE

500 km

⬛ Les treize colonies britanniques révoltées contre le Royaume-Uni

⬜ États européens soutenant les *Insurgents* américains

⬛ Royaume-Uni et colonies britanniques en lutte contre les *Insurgents*

▨ Territoires restés sous domination britannique

💥 Événements marquants de la guerre d'Indépendance américaine

Envoi de troupes

⬅ pour soutenir les *Insurgents*

⬅ pour lutter contre les *Insurgents*

① CONNECTICUT
② MASSACHUSETTS
③ NEW HAMPSHIRE
④ RHODE ISLAND

500 km

1 La guerre d'Indépendance américaine (1775-1783)

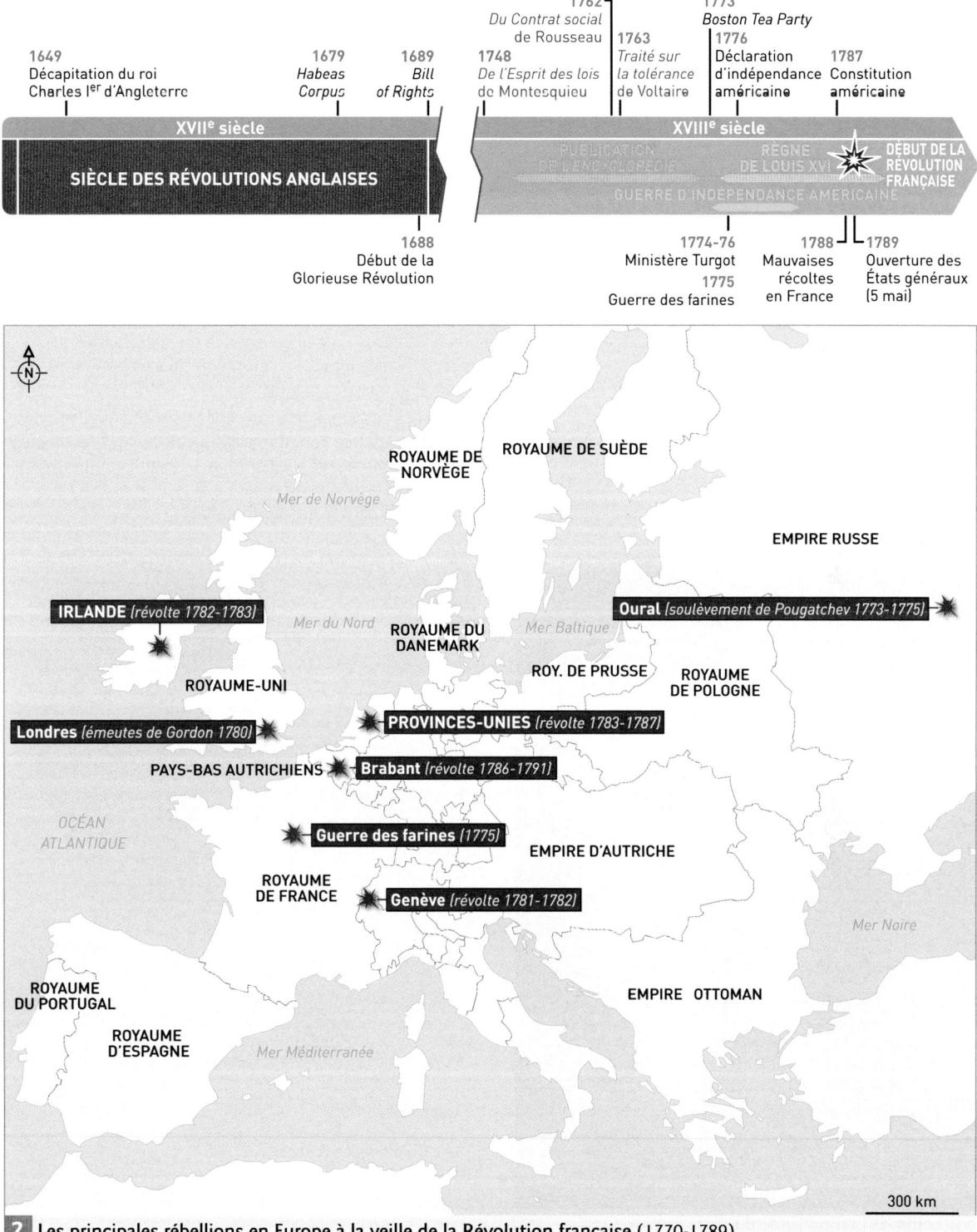

1649
Décapitation du roi
Charles Iᵉʳ d'Angleterre

1679
*Habeas
Corpus*

1689
*Bill
of Rights*

1748
De l'Esprit des lois
de Montesquieu

1762
Du Contrat social
de Rousseau

1763
*Traité sur
la tolérance*
de Voltaire

1773
Boston Tea Party

1776
Déclaration
d'indépendance
américaine

1787
Constitution
américaine

XVIIᵉ siècle

XVIIIᵉ siècle

SIÈCLE DES RÉVOLUTIONS ANGLAISES

PUBLICATION
DE L'ENCYCLOPÉDIE

RÈGNE
DE LOUIS XVI

DÉBUT DE LA
RÉVOLUTION
FRANÇAISE

GUERRE D'INDÉPENDANCE AMÉRICAINE

1688
Début de la
Glorieuse Révolution

1774-76
Ministère Turgot
1775
Guerre des farines

1788
Mauvaises
récoltes
en France

1789
Ouverture des
États généraux
(5 mai)

IRLANDE *(révolte 1782-1783)*

Oural *(soulèvement de Pougatchev 1773-1775)*

Londres *(émeutes de Gordon 1780)*

PROVINCES-UNIES *(révolte 1783-1787)*

Brabant *(révolte 1786-1791)*

Guerre des farines *(1775)*

Genève *(révolte 1781-1782)*

ROYAUME DE SUÈDE
ROYAUME DE NORVÈGE
Mer de Norvège
EMPIRE RUSSE
Mer du Nord
ROYAUME DU DANEMARK
Mer Baltique
ROYAUME-UNI
ROY. DE PRUSSE
ROYAUME DE POLOGNE
PAYS-BAS AUTRICHIENS
OCÉAN ATLANTIQUE
EMPIRE D'AUTRICHE
ROYAUME DE FRANCE
Mer Noire
ROYAUME DU PORTUGAL
EMPIRE OTTOMAN
ROYAUME D'ESPAGNE
Mer Méditerranée

300 km

2 Les principales rébellions en Europe à la veille de la Révolution française (1770-1789)

QUESTIONS

1. Quelles sont les différentes formes d'intervention de l'Europe dans la guerre d'Indépendance américaine (doc. 1) ?

2. Quels sont les termes employés pour désigner les rébellions qui touchent l'Europe dans la seconde moitié du XVIIIᵉ siècle ? Que cela révèle-t-il sur leur nature et leurs causes (doc. 2) ?

3. **Doc. 1 et 2** Quelles formes prennent les mouvements de contestation en Europe et en Amérique dans la seconde moitié du XVIIIᵉ siècle ?

Qu'est-ce que la France d'Ancien Régime ?

L'expression « Ancien Régime » fut forgée après la Révolution française pour qualifier la France d'avant 1789. Elle désigne à la fois un régime politique – la monarchie absolue de droit divin – et une organisation sociale – la société d'ordres.

DÉFINITIONS

▶ **Monarchie absolue**
Régime dans lequel le roi concentre tous les pouvoirs et exerce son autorité théoriquement sans contrôle.

▶ **Droit divin**
Le pouvoir du monarque est considéré comme émanant de Dieu. Le roi de France détient une majesté sacrée qui lui est confirmée lors de la cérémonie du sacre à Reims.

▶ **Société d'ordres (ou états)**
Organisation de la société qui repose sur une division des individus selon leur fonction sociale. Le clergé – ceux qui prient – et la noblesse – à l'origine, ceux qui combattent – disposent de larges privilèges. Le tiers état réunit ceux qui travaillent (98 % de la population).

1 Louis XVI en costume du sacre

Antoine-François Callet (1741-1823), *Louis XVI roi de France et de Navarre revêtu du grand costume royal en 1779*. Huile sur toile, hauteur : 278 cm, largeur : 196 cm. Châteaux de Versailles et de Trianon.

Louis XVI accède au trône en 1774. Il est sacré, comme presque tous ses prédécesseurs, à Reims, le 11 juin 1775. Il est représenté ici en costume du sacre, avec les attributs traditionnels du pouvoir de la monarchie française.

▶ Recherchez la signification des emblèmes du pouvoir royal.

Les frontières en France :
— Le royaume en 1789
▨ Les gouvernements
▨ Les limites de bailliages
-■-■- Limite langues d'oc et d'oil

Sources :
Atlas de l'Histoire de France, dir. Joël Cornette, Belin, 2002 et *Grand atlas de l'histoire de France*, J. Boutier, O. Guyot-Jeannin, G. Pécout, Autrement, 2011 et Les atlas de l'Histoire *Atlas de France*, 2013.

2 Le royaume de France en 1789

1. Décrivez l'organisation territoriale et administrative de la France d'Ancien Régime.

2. Quels problèmes cette organisation entraîne-t-elle dans la direction du royaume ?

3 Une organisation sociale harmonieuse...

Gravure anonyme de 1789.

4 ...ou contestée ?

« A faut espérer qu'eu jeu la finira ben tot. » Estampe anonyme, 1789.
Musée Carnavalet, Paris.

5 Une société en mutation

« Les richesses immenses qui s'étaient introduites dans le royaume ne s'étaient répandues que sur les plébéiens[1], les préjugés de la noblesse l'excluant du commerce et lui interdisant l'exercice de tous les arts mécaniques et libéraux. L'introduction même de ces richesses, en augmentant le numérique, avait contribué à l'appauvrir, ainsi que les propriétaires en général. [...] Paris s'était accrue d'une manière effrayante ; et tandis que les nobles quittaient leurs terres pour venir s'y ruiner, les plébéiens y puisaient des trésors à l'aide de leur industrie. Toutes les petites villes de province étaient devenues plus ou moins commerçantes, presque toutes avaient des manufactures ou quelque objet particulier de commerce. Toutes étaient peuplées de petits bourgeois plus riches et plus industrieux que les nobles [...]. Ils avaient reçu, en général, une éducation qui leur devenait plus nécessaire qu'aux gentilshommes, dont les uns, par leur naissance et par leur richesse, obtenaient les premières places de l'État sans mérite et sans talent, tandis que les autres étaient destinés à languir dans les emplois subalternes de l'armée. Ainsi, à Paris et dans les grandes villes, la bourgeoisie était supérieure en richesses, en talents et en mérite personnel. Elle avait dans les villes de province la même supériorité sur la noblesse des campagnes ; elle sentait cette supériorité, cependant elle était partout humiliée ; elle se voyait exclue, par les règlements militaires, des emplois dans l'armée ; elle l'était, en quelque manière, du haut clergé, par le choix des évêques parmi la haute noblesse [...]. La haute magistrature la rejetait également [...]. »

Marquis de Bouillé (1739-1800), *Mémoires*, 1859. ■

1. Le peuple.

❱ Quelle analyse le marquis de Bouillé fait-il de la société française à la veille de la Révolution ?

◀ ❱ **Doc. 3 et 4** Selon quelle logique s'organise la société d'Ancien Régime ? Décrivez chaque gravure en soulignant leurs points communs et leurs différences.

RELEVER, CLASSER ET CONFRONTER DES INFORMATIONS

À quelles mutations la société d'Ancien Régime est-elle confrontée au XVIIIe siècle ?

Angleterre, États-Unis : deux modèles pour la France ?

L'Angleterre et les États-Unis présentent dans les années 1780 des systèmes politiques différents de celui de la France. Ces deux pays ont connu des expériences révolutionnaires que certaines élites françaises regardent avec admiration.

 Pourquoi l'exemple anglais et l'expérience américaine constituent-ils un modèle pour la France d'Ancien Régime ?

REPÈRES

▶ **30 janvier 1649** : décapitation du roi Charles Ier d'Angleterre.

▶ **1679** : acte d'*Habeas Corpus* protégeant les citoyens anglais contre les arrestations arbitraires.

▶ **1688-1689** : Glorieuse Révolution anglaise : le nouveau monarque, Guillaume III d'Orange, est contraint par le Parlement de signer la Déclaration des droits.

▶ **1776** : Déclaration d'indépendance américaine.

▶ **1778** : traité d'alliance franco-américain.

▶ **1783** : traité de Paris et fin de la guerre d'Indépendance américaine.

▶ **1787** : Constitution américaine.

Ⓐ Deux expériences révolutionnaires différentes

1 La Déclaration des droits anglaise (*Bill of Rights*)

Les représentants des deux chambres (Lords et Communes) lisent, le 13 février 1689, devant Guillaume d'Orange et Marie, le Bill of Rights, qui leur accorde la couronne d'Angleterre.

« 1. Le pouvoir prétendu de suspendre les lois ou leur application par autorité royale, sans le consentement des Parlements, est illégal.

2. Le prétendu pouvoir de dispenser des lois, ou de leur application par autorité royale, comme on a récemment tenté de le faire, est illégal. [...]

4. Il est illégal d'invoquer la prérogative royale pour lever des impôts à l'usage de la Couronne, sans le consentement du Parlement, ou de continuer à le faire sans son accord et selon des modalités différentes de celles qui ont été prescrites.

5. Tous les sujets ont le droit d'adresser des placets au roi, et il est illégal de poursuivre ceux qui usent de ce droit.

6. Il est contraire à la loi de lever ou d'entretenir une armée permanente en temps de paix, à moins que le Parlement ait donné son consentement. [...]

8. L'élection des membres du Parlement doit être libre.

9. La liberté de parole et de débat au Parlement ne saurait être remise en cause par une autre juridiction que celle du Parlement lui-même.

10. On ne devra imposer ni cautions ni amendes excessives. Les châtiments cruels ou inhabituels seront prohibés. [...]

13. Afin de corriger tous les abus et d'amender, renforcer ou préserver les lois, les Parlements seront convoqués régulièrement. »

Déclaration des droits, 1689. ■

1. Recherchez dans quel contexte cette Déclaration a été rédigée.

2. **Doc. 1 et 2** En quoi ce contexte est-il différent de la révolution américaine ?

2 La Déclaration d'indépendance américaine

« Nous tenons pour évidentes pour elles-mêmes les vérités suivantes : tous les hommes sont créés égaux ; ils sont doués par le Créateur de certains droits inaliénables ; parmi ces droits se trouvent la vie, la liberté et la recherche du bonheur. Les gouvernements sont établis parmi les hommes pour garantir ces droits, et leur juste pouvoir émane du consentement des gouvernés. Toutes les fois qu'une forme de gouvernement devient destructive de ce but, le peuple a le droit de la changer ou de l'abolir et d'établir un nouveau gouvernement, en le fondant sur les principes et en l'organisant en la forme qui lui paraîtront les plus propres à lui donner la sûreté et le bonheur. [...] L'histoire du roi actuel de Grande-Bretagne est l'histoire d'une série d'injustices et d'usurpations répétées, qui toutes avaient pour but direct l'établissement d'une tyrannie absolue sur ces États. [...]

En conséquence, nous, les représentants des États-Unis d'Amérique, assemblés en Congrès général, prenant à témoin le Juge suprême de l'univers de la droiture de nos intentions, publions et déclarons solennellement au nom et par l'autorité du bon peuple de ces Colonies, que ces Colonies unies sont et ont le droit d'être des États libres et indépendants ; qu'elles sont dégagées de toute obéissance envers la Couronne de la Grande-Bretagne ; [...] et pleins d'une ferme confiance dans la protection de la divine Providence, nous engageons mutuellement au soutien de cette Déclaration, nos vies, nos fortunes et notre bien le plus sacré, l'honneur. »

La Déclaration unanime des treize États-Unis d'Amérique dite Déclaration d'indépendance, 4 juillet 1776, traduction par Thomas Jefferson. ■

▶ **Doc. 1 et 2** Comparez les deux textes. Quels sont les points communs ? les différences ?

B Les modèles anglais et américain vus de France

3 La France victorieuse à Yorktown au côté des Américains

Louis Charles Auguste Couder, *Siège de Yorktown, en octobre 1781*, 1836. Huile sur toile, hauteur 4,6 m, largeur : 5,4 m. Châteaux de Versailles et de Trianon.

1 George Washington.
2 Le général français Rochambeau.
3 La Fayette.

▶ Comment la France soutient-elle les *Insurgents* dans la guerre d'indépendance américaine ?

4 Les pouvoirs en Angleterre selon Montesquieu

« Lorsque, dans la même personne ou dans le même corps de magistrature, la puissance législative est réunie à la puissance exécutrice, il n'y a point de liberté. [...] Tout serait perdu, si le même homme, ou le même corps des principaux, ou des nobles, ou du peuple, exerçaient ces trois pouvoirs : celui de faire des lois, celui d'exécuter les résolutions publiques, et celui de juger les crimes ou les différends des particuliers. [...] Comme, dans un État libre, tout homme qui est censé avoir une âme libre doit être gouverné par lui-même, il faudrait que le peuple en corps eût la puissance législative. Mais comme cela est impossible dans les grands États, et est sujet à beaucoup d'inconvénients dans les petits, il faut que le peuple fasse par ses représentants tout ce qu'il ne peut faire par lui-même. [...] Le grand avantage des représentants, c'est qu'ils sont capables de discuter les affaires. Le peuple n'y est point du tout propre ; ce qui forme un des grands inconvénients de la démocratie. [...]
Ce n'est point à moi à examiner si les Anglais jouissent actuellement de cette liberté, ou non. Il me suffit de dire qu'elle est établie par leurs lois, et je n'en cherche pas davantage. »

Montesquieu, *De l'Esprit des lois*, deuxième partie, livre XI, chapitre VI : « De la Constitution d'Angleterre », 1748. ■

▶ D'après Montesquieu, quelle est la condition de la liberté politique et comment est-elle réalisée en Angleterre ?

CLASSER ET CONFRONTER DES INFORMATIONS

À l'aide d'un tableau comparez les modèles anglais et américain. Comment nourrissent-ils la critique contre l'absolutisme français ?

5 L'excellence de la culture politique américaine

« [Le Congrès et les dirigeants des États-Unis] n'ont pour eux que le respect de chaque individu pour la loi ; elle est leur unique force. C'est l'obligation où les met la Constitution d'obéir eux-mêmes à la loi, comme le dernier des citoyens, qui fait leur unique sauvegarde, qui maintient en tout et partout l'autorité que le peuple leur a confiée. Ils ne peuvent employer la force physique qu'autant que le peuple veut bien la leur prêter, puisqu'ils n'ont ni armée, ni soldats stipendiés. La diversité d'opinion existe partout où il y a des hommes. Elle n'appartient pas plus à une Constitution qu'à une autre ; mais il est de l'essence du gouvernement républicain de laisser à chacun la libre expression de la pensée en toute matière. [...] Est-il étonnant qu'il y ait des débats à l'occasion des diverses lois qui sont proposées, discutées, adoptées ? Tous ces débats deviennent publics, animent les conversations, y répandent un grand intérêt. [...]
Et voilà les hommes, les lois, le gouvernement qu'on calomnie [en France] ! Ces hommes qui sont destinés à régénérer la dignité de l'homme ! Ces lois qui ne frappent que le crime, qui le punissent partout, et ne se taisent jamais devant le crédit ! Ce gouvernement [...] où le pouvoir est juste, parce qu'il circule dans les mains de tous, et ne s'arrête dans aucune ; [...] où le magistrat a peu à faire, parce que le citoyen est libre, et que l'homme libre respecte toujours la loi et son semblable ! Voilà les prodiges que nous calomnions, nous Européens enchaînés par nos antiques institutions [...]. »

Étienne Clavière et Jean-Pierre Brissot de Warville, *De la France et des États-Unis*, Londres, 1787. ■

▶ Comment la Constitution empêche-t-elle l'abus de pouvoir et permet-elle le débat politique selon les auteurs ?

Houdon, portraitiste des Lumières

▶ Maître du portrait, fasciné par le modèle antique, le sculpteur Houdon est un témoin de son temps dont il représente les célébrités. S'il travailla peu pour la Cour, il mit son art au service de l'aristocratie et de la riche bourgeoisie, témoignant ainsi de l'autonomie progressive de l'artiste vis-à-vis de la commande publique.

▶ Artiste engagé, Houdon est un homme des Lumières dont il partage les idéaux et la sociabilité : il est membre de la même loge maçonnique que Voltaire et Franklin. La franc-maçonnerie, formée d'associations secrètes – les loges –, professe en effet des idées de fraternité et est l'un des lieux de diffusion des idées des Lumières. C'est dans ce contexte qu'Houdon est appelé à réaliser le portrait de Benjamin Franklin. Le succès remporté par cette œuvre lui vaut la commande des portraits de Washington et Jefferson pour lesquels il se rend aux États-Unis.

VOCABULAIRE DES ARTS

Sculpture Représentation d'un objet dans l'espace au moyen de diverses techniques (taille, modelage, fonte) et dans différents matériaux (terre cuite, plâtre, bronze, marbre).
Ronde bosse Ouvrage de sculpture isolé de son entourage dans tous les sens de l'espace. On peut tourner autour, elle se présente à tous les points de vue.
Portrait psychologique Se dit d'une œuvre qui cherche à saisir le caractère intime du modèle et le rendu des expressions. Dans ce but, Houdon creuse l'iris de ses statues afin de rendre la vivacité du regard humain.

L'artiste

Jean Antoine Houdon (1741-1828)

Prix de sculpture en 1761, il séjourne de 1764 à 1768 à Rome où il se passionne pour l'art antique. En 1777, il est élu membre de l'Académie royale de peinture et de sculpture. Se spécialisant dans le portrait (sur les 300 sculptures qu'il a laissées, 200 sont des portraits), il met son art au service de riches particuliers mais aussi de l'élite intellectuelle. Il réalise ainsi des bustes de Diderot, d'Alembert, Voltaire, Rousseau, Buffon ou encore Condorcet. Il excelle dans le portrait psychologique : « C'est la nature dans toute sa noblesse, sa parfaite santé que nous recherchons, ou sinon, nous ne sommes que de chétifs imitateurs ».

I Franklin vu par ses contemporains

« Franklin avait paru à la Cour avec le costume d'un cultivateur américain ; ses cheveux plats sans poudre, son chapeau rond, son habit de drap brun contrastaient avec les habits pailletés, brodés, les coiffures poudrées et embaumantes des courtisans de Versailles. Cette nouveauté charma toutes les têtes vives des femmes françaises. On donna des fêtes élégantes au docteur Franklin, qui réunissait la renommée d'un des plus habiles physiciens aux vertus patriotiques qui lui avaient fait embrasser le noble rôle d'apôtre de la liberté. J'ai assisté à l'une de ces fêtes, où la plus belle parmi trois cents femmes fut désignée pour aller poser sur la blanche chevelure du philosophe américain une couronne de laurier et deux baisers aux joues de ce vieillard. Jusque dans le palais de Versailles, à l'exposition des porcelaines de Sèvres, on vendait sous les yeux du roi, le médaillon de Franklin ayant pour légende : *Eripuit caelo fulmen, sceptrumque tyrannis* [Il a ravi au ciel la foudre et le sceptre aux tyrans]. »

Madame Campan (première femme de chambre de la reine),
Mémoires sur la reine Marie-Antoinette, tome X,
Édité par F. Barrière, 1849. ■

QUESTIONS

Décrire
1. Quels sont les matériaux utilisés par le sculpteur ?
2. Quels éléments de la description de Madame Campan (doc. 1) retrouve-t-on dans le portrait de Franklin par Houdon ?
3. Par quels procédés Houdon cherche-t-il à représenter la vivacité du visage de Franklin ?
4. Comment le sculpteur rend-il compte de l'âge de son modèle ?

Interpréter
5. À quoi Franklin doit-il sa renommée dans les milieux éclairés parisiens ? Expliquez la phrase soulignée (doc. 1).
6. Où a-t-il pu côtoyer Houdon ? Quel idéal les deux hommes partagent-ils ?
7. Quelle impression cherche-t-il à rendre dans ce portrait de Franklin ? Pourquoi peut-on parler d'un portrait psychologique ?
8. Pourquoi peut-on dire de ce portrait qu'il est conforme à la volonté de Houdon de représenter « la nature dans toute sa noblesse » ?

2 Buste de Benjamin Franklin par Houdon

Terre cuite réalisée par l'artiste d'après observation du modèle.

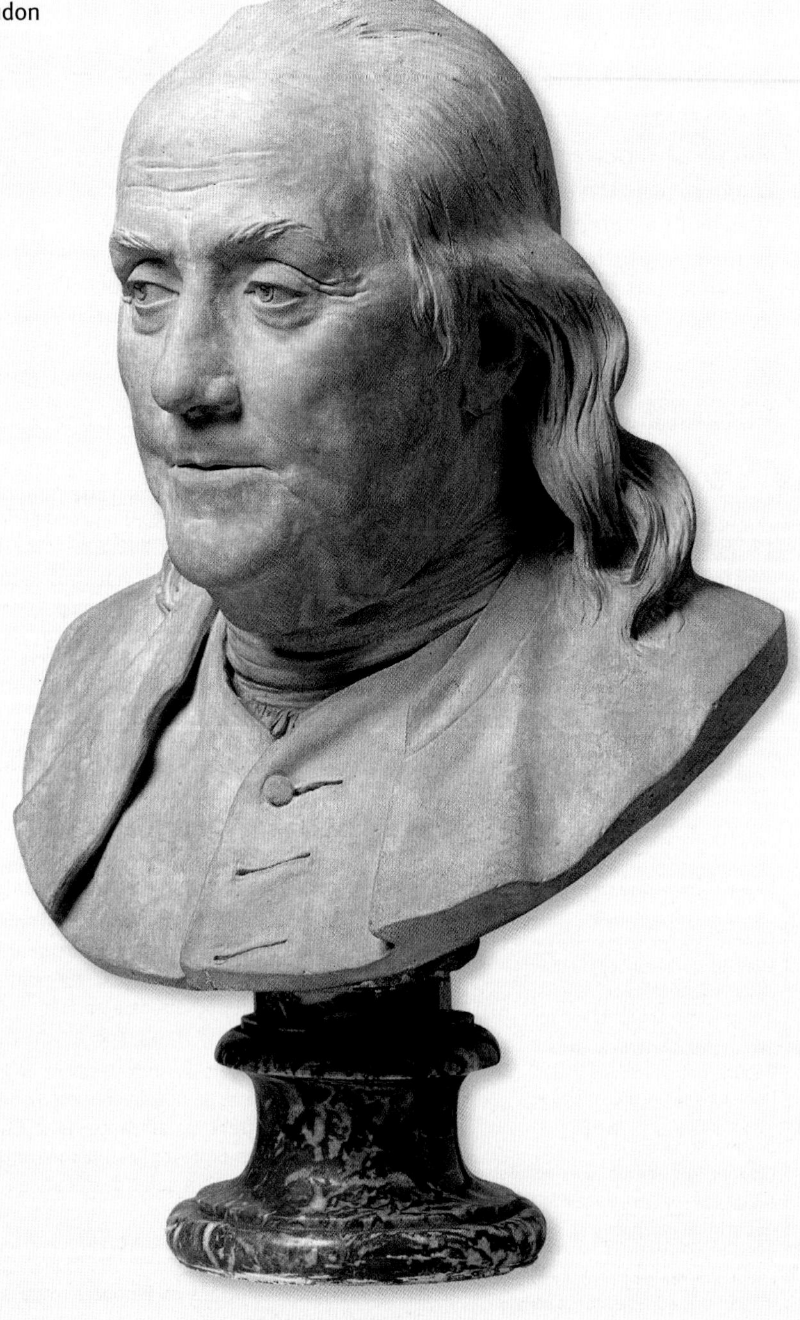

Buste en marbre exécuté d'après la terre cuite et conservé au Metropolitan Museum of Arts de New York.

Fiche d'identité de l'œuvre

Auteur : Jean Antoine Houdon.

Nature : sculpture en terre cuite.

Date : 1778.

Dimensions : hauteur : 0,52 m, longueur : 0,405 m, prof. : 0,274 m.

Lieu de conservation : musée du Louvre, Paris.

À savoir : Benjamin Franklin (1706-1790) est né à Boston dans un milieu modeste. Autodidacte, il s'adonne dans sa jeunesse à de nombreuses activités (imprimeur, éditeur). Expérimentateur curieux de tout, il démontre l'origine de la foudre, invente les lunettes à double foyer, se passionne pour l'aérostat, fonde de nombreuses sociétés savantes. Entré en politique à 42 ans, il est élu membre de l'assemblée de Pennsylvanie. Il est l'un des rédacteurs, avec Thomas Jefferson notamment, du texte de la Déclaration d'indépendance. En 1776, il arrive à Paris comme ambassadeur officieux des États-Unis en France et reçoit un accueil enthousiaste. Il fréquente les salons, rencontre les Encyclopédistes. En 1778, il intègre la loge maçonnique des Neuf Sœurs qui œuvre pour le soutien de la France à la révolution américaine.

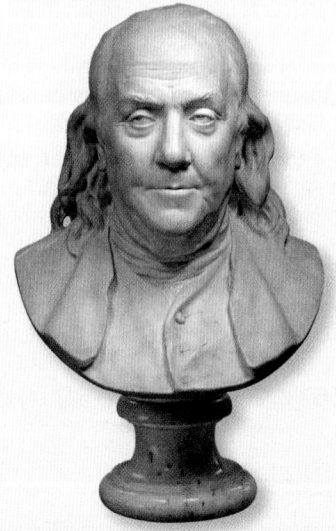

Révoltes, révolutions et libertés avant 1789

Comment les expériences politiques européennes et américaine témoignent-elles de la montée des idées de liberté dans la seconde moitié du XVIIIᵉ siècle ?

GEORGE WASHINGTON

(1732-1799)

Riche propriétaire originaire de Virginie, il est nommé commandant en chef de l'armée pendant la guerre d'indépendance américaine. Héros de l'indépendance, il participe à la rédaction de la Constitution et devient le premier président des États-Unis (1789-1797).

« La liberté est une plante qui croît vite. »

DÉFINITIONS

Libertés individuelles
Les droits fondamentaux d'un individu, qui englobent la liberté civile, la liberté de pensée, d'expression et de circulation.

Monarchie parlementaire
Régime politique dans lequel le roi partage le pouvoir avec un parlement élu, et nomme des ministres qui sont responsables devant les députés.

Séparation des pouvoirs
Répartition des pouvoirs exécutif, législatif et judiciaire entre différentes personnes ou institutions afin d'éviter le risque d'arbitraire et de tyrannie.

République
Régime politique dans lequel le chef de l'État est élu. Au XVIIIᵉ siècle, cela désigne un système politique dans lequel la souveraineté appartient au peuple qui exerce le pouvoir politique directement ou par l'intermédiaire de représentants élus.

Droits naturels
Droits que l'homme détient de par sa nature, c'est-à-dire dès sa naissance, et qui ne peuvent lui être ôtés.

1 La monarchie parlementaire anglaise, un modèle ?

● **La Glorieuse Révolution anglaise.** L'Angleterre a connu au XVIIᵉ siècle une éphémère expérience républicaine, après l'exécution du roi Charles Iᵉʳ en 1649. Restaurée en 1660, la monarchie connaît une nouvelle révolution en 1688-1689 qui renforce les pouvoirs du Parlement face à ceux du roi et soumet ce dernier à la loi. Garantie par l'*Habeas Corpus* de 1679, la défense des libertés individuelles est au fondement de la pensée politique anglaise. Au cours du XVIIIᵉ siècle, le gouvernement devient responsable devant la chambre des Communes **doc. 1**.

● **La monarchie parlementaire anglaise : un modèle pour les élites éclairées en France.** Les philosophes français s'intéressent au système politique anglais qui permet de faire cohabiter monarchie limitée et libertés **doc. 2**. Il est érigé en modèle pour contester la monarchie absolue française. Montesquieu voit dans le régime anglais le modèle de la séparation des pouvoirs, garante de la liberté politique. Pour autant, le système n'est pas exempt de critiques et la politique de George III à l'égard des colonies américaines de l'Angleterre conduit les élites françaises, à partir des années 1775-1780, à s'intéresser à l'expérience américaine.

2 Le combat américain pour l'indépendance

● **La révolution politique américaine.** Les colons britanniques, installés sur le continent américain depuis le XVIIᵉ siècle, s'opposent à l'augmentation des taxes imposée par le roi d'Angleterre et affirment qu'un pouvoir, pour être légitime, doit obtenir le consentement des gouvernés. La querelle dégénère en révolte armée et les *Insurgents* américains, menés par Georges Washington, proclament le 4 juillet 1776 l'indépendance des États-Unis.

● **Une occasion pour la France d'affaiblir l'Angleterre.** La France se rallie aux *Insurgents* en 1778 et envoie un corps expéditionnaire pour les soutenir. De nombreux nobles, comme La Fayette, participent à l'aventure **doc. 3** tandis que Benjamin Franklin ou Thomas Jefferson reçoivent un accueil enthousiaste en France. La défaite de l'Angleterre en 1783 conduit à l'indépendance des États-Unis qui se dotent d'une Constitution républicaine en 1787.

● **Des principes universels au fondement de la république américaine.** L'affirmation de la liberté, de l'égalité et de la souveraineté populaire, l'instauration d'une stricte séparation des pouvoirs montrent la radicalité de la rupture révolutionnaire américaine. En partie issue des idées des philosophes européens, la Déclaration d'indépendance devient une source d'inspiration et un sujet de débats en Europe.

3 Révoltes et révolutions en Europe

● **Révoltes et révolutions en Europe au XVIIIᵉ siècle.** Dans les campagnes, si les problèmes de subsistance sont à l'origine des nombreux soulèvements populaires, ils sont souvent aggravés par des contestations antiseigneuriales. Dans les villes, les répercussions économiques des mauvaises récoltes se font durement ressentir pendant la décennie 1780 – hausse des prix et du chômage. Parallèlement, l'espace urbain se politise. Des émeutiers s'en prennent aux propriétaires et aux autorités municipales.

● **Défendre les libertés politiques pour contester le pouvoir en place.** À Genève, par exemple, c'est au nom de la reconnaissance de ses droits politiques qu'une partie de la population se soulève contre les patriciens qui dirigent la ville et les renverse provisoirement en 1782. De 1781 à 1787, la Hollande connaît une forte agitation politique : les « patriotes » rédigent des déclarations fondées sur les droits naturels et inspirées de la Déclaration américaine.

■ Les modèles anglais et américain, influencés par la philosophie des Lumières, imprègnent les milieux éclairés français et alimentent la critique de l'absolutisme.

1 Le *speaker*, président de la Chambre, dirige les débats.

2 Le Premier ministre du roi, William Pitt, s'adresse aux députés de l'opposition.

3 La majorité *whig* (libéraux).

4 L'opposition *tory* (conservateurs).

5 La masse, symbole de l'autorité du roi, déléguée ici au Parlement.

6 Textes de la *Common Law*, lois auxquelles tous sont soumis, y compris le roi.

7 Galerie pour le public.

1. Décrivez la scène. Pourquoi le roi est-il absent ?

2. Comment le peintre rend-il compte du rôle politique du Parlement en Angleterre ?

I Un débat à la chambre des Communes à Londres

Karl Anton Hickel, 1793. Huile sur toile, largeur 4,5 m, hauteur 3,2 m.
National Portrait Gallery, Londres.

2 Un modèle anglais ?

« Il me semble qu'il est bien prouvé que le gouvernement anglais est le plus parfait de tous ; en vain lui reproche-t-on quelques défauts. Le plus grand est l'abus de la liberté, mais quel heureux inconvénient pour un peuple d'être trop libre, quand surtout toutes les parties de la machine sont tellement combinées que, quoique trop libre dans le fait, aucune ne peut sortir des bornes qui lui sont assignées par le législateur. [...]

Le commerce fleurit partout ici. L'agriculture est dans la plus grande recommandation ; le laboureur n'est pas écrasé, il est même considéré par la classe supérieure ; le simple paysan, plus aisé que le nôtre, est bien vêtu, mange de la viande tous les jours. Tout cela n'est-il pas par l'influence du gouvernement ?

Une chose excellente, c'est que chaque particulier peut aider par ses lumières à la perfection de son gouvernement. Trouve-t-il quelque chose à rectifier, qu'il fasse un mémoire, il le donne à un membre de la Chambre basse, celui-ci propose le sujet. Est-il bon, vraiment utile, il est reçu, et le plus petit peut concourir au bien de son pays.

Le droit des personnes, celui de ne pouvoir être arrêté que pour félonie, est unique en Angleterre. S'il se trouve que vous soyez arrêté injustement, vous pouvez toujours attaquer en justice le magistrat qui a usé de son pouvoir injustement, et l'amende considérable qu'il paiera lui fera craindre de se tromper une autre fois.

La manière dont sont faits les procès, le respect pour la justice qui domine dans ce pays-ci, est une des choses qui m'ont fait le plus de plaisir et qui, toutes neuves pour moi, m'ont le plus frappé. »

François de La Rochefoucauld, *La vie en Angleterre au
XVIIIe siècle ou Mélanges sur l'Angleterre*, 1784. ∎

1. Quels arguments de l'auteur montrent la « perfection » du régime politique anglais ?

2. En quoi est-il éloigné de la monarchie absolue française ?

3 Se battre pour la liberté

Lettre de La Fayette à son épouse, le 7 juin, écrite sur le bateau La Victoire.

« Vous avouerez, mon cœur, que l'occupation et l'existence que je vais avoir sont bien différentes de celles qu'on me gardait dans ce futile voyage. Défenseur de cette liberté que j'idolâtre, libre moi-même plus que personne, en venant comme ami offrir mes services à cette république si intéressante, je n'y porte que ma franchise et ma bonne volonté, nulle ambition, nul intérêt particulier ; en travaillant pour ma gloire, je travaille pour leur bonheur. J'espère qu'en ma faveur vous deviendrez bonne Américaine, c'est un sentiment fait pour les cœurs vertueux. Le bonheur de l'Amérique est intimement lié au bonheur de toute l'humanité ; elle va devenir le respectable et sûr asile de la vertu, de l'honnêteté, de la tolérance, de l'égalité et d'une tranquille liberté. »

Lettre du 19 juin, datée de Charlestown.

« Je vais à présent vous parler du pays, mon cher cœur, et de ses habitants. Ils sont aussi aimables que mon enthousiasme avait pu se le figurer. La simplicité des manières, le désir d'obliger, l'amour de la patrie et de la liberté, une douce égalité règnent parmi tout le monde. [...] Ce qui m'enchante ici c'est que tous les citoyens sont frères. Il n'y a en Amérique ni pauvres, ni même ce qu'on appelle paysans. Tous les citoyens ont un bien honnête, et tous, les mêmes droits que le plus puissant propriétaire du pays. »

Marie Joseph Paul Yves Roch Gilbert Motier, marquis de La Fayette, lettres à sa femme, *in Mémoires, correspondance et manuscrits*, publiés par sa famille, 1837, t. I. ∎

1. Pourquoi La Fayette s'engage-t-il au côté des Américains ?

2. En quoi son enthousiasme est-il idéaliste ?

L'esprit des Lumières

Si la liberté n'est pas une idée neuve au XVIIIe siècle, elle devient l'un des fondements de la pensée des philosophes des Lumières. Pour Montesquieu, Voltaire, Rousseau ou Diderot, la liberté est un droit naturel, et sa défense légitime la remise en cause de l'ordre établi. Ces philosophes s'appuient sur des réseaux pour diffuser leurs idées en France et en Europe.

REPÈRES

▶ 1748 : *De L'Esprit des lois*, Montesquieu.

▶ 1751 : parution du 1er volume de l'*Encyclopédie*.

▶ 1752 : condamnation des deux premiers volumes de l'*Encyclopédie*.

▶ 1762 : *Du Contrat social*, Rousseau.

▶ 1763 : *Traité sur la tolérance*, Voltaire.

? *Quel rôle jouent les Lumières dans la critique de l'Ancien Régime ?*

A Une réflexion sur la liberté

1 Liberté et autorité politique

« Aucun homme n'a reçu de la nature le droit de commander aux autres. La liberté est un présent du ciel, et chaque individu de la même espèce a le droit d'en jouir aussitôt qu'il jouit de la raison. Si la nature a établi quelque autorité, c'est la puissance paternelle ; mais la puissance paternelle a ses bornes ; et dans l'état de nature elle finirait aussitôt que les enfants seraient en état de se conduire. Toute autre autorité vient d'une autre origine que la nature. Qu'on examine bien, et on la fera toujours remonter à l'une de ces deux sources : ou la force et la violence de celui qui s'en est emparée ; ou le consentement de ceux qui s'y sont soumis par un contrat fait ou supposé entre eux et celui-là à qui ils ont déféré l'autorité. [...]

La puissance, qui vient du consentement des peuples, suppose nécessairement des conditions qui en rendent l'usage légitime, utile à la société, avantageux à la république, et la fixent et la restreignent entre des limites : car l'homme ne doit ni ne peut se donner entièrement et sans réserve à un autre homme, parce qu'il a un maître supérieur au-dessus de tout, à qui il appartient tout entier. C'est Dieu, [...] qui ne perd jamais de ses droits et ne les communique point. [...]

Le prince tient de ses sujets mêmes l'autorité qu'il a sur eux, et cette autorité est bornée par les lois de la nature et de l'État. [...] Le prince ne peut donc pas disposer de son pouvoir et de ses sujets sans le consentement de la nation [...]. »

Denis Diderot, article « Autorité politique », *Encyclopédie*, tome I, 1751. ■

1. Comment Diderot conçoit-il la liberté ?
2. Quelles sont les conséquences de cette conception pour l'ordre politique ?

2 Défendre la tolérance : l'affaire Calas

Gravure anglaise de Dodd, 1762.

Accusé d'avoir tué son fils pour empêcher sa conversion au catholicisme, le protestant Calas est condamné au supplice de la roue par le parlement de Toulouse et exécuté le 10 mars 1762. Voltaire obtient la réhabilitation de Calas en 1765, après la publication de son *Traité sur la tolérance* (1763) dans lequel il écrit : « *Si un père de famille innocent est livré aux mains de l'erreur, ou de la passion, ou du fanatisme ; si l'accusé n'a de défense que sa vertu ; si les arbitres de sa vie n'ont à risquer en l'égorgeant que de se tromper ; s'ils peuvent tuer impunément par un arrêt, alors le cri public s'élève, chacun craint pour soi-même, on voit que personne n'est en sûreté de sa vie devant un tribunal érigé pour veiller sur la vie des citoyens, et toutes les voix se réunissent pour demander vengeance.* »

▶ Pourquoi le combat pour la tolérance concerne-t-il aussi la liberté ?

3 Le contrat social

« Ce passage de l'état de nature à l'état civil produit dans l'homme un changement très remarquable, en substituant dans sa conduite la justice à l'instinct, et donnant à ses actions la moralité qui leur manquait auparavant. C'est alors seulement que la voix du devoir succédant à l'impulsion physique et le droit à l'appétit, l'homme qui jusque-là n'avait regardé que lui-même, se voit forcé d'agir sur d'autres principes, et de consulter sa raison avant d'écouter ses penchants. Quoiqu'il se prive dans cet état de plusieurs avantages qu'il tient de la nature, il en regagne de si grands : ses facultés s'exercent et se développent, ses idées s'étendent, ses sentiments s'ennoblissent, son âme toute entière s'élève à tel point que si les abus de cette nouvelle condition ne le dégradaient souvent au-dessous de celle dont il est sorti, il devrait bénir sans cesse l'instant heureux qui l'en arracha pour jamais, et qui, d'un animal stupide et borné, fit un être intelligent et un homme.

Réduisons toute cette balance à des termes faciles à comparer. Ce que l'homme perd par le contrat social, c'est la liberté naturelle et un droit illimité à tout ce qui le tente et qu'il peut atteindre ; ce qu'il gagne, c'est la liberté civile et la propriété de tout ce qu'il possède. Pour ne pas se tromper dans ces compensations, il faut distinguer la liberté naturelle qui n'a pour bornes que les forces de l'individu, de la liberté civile qui est limitée par la volonté générale, et la possession qui n'est que l'effet de la force ou le droit du premier occupant, de la propriété qui ne peut être fondée que sur un titre positif.
On pourrait sur ce qui précède ajouter à l'acquis de l'état civil la liberté morale, qui seule rend l'homme vraiment maître de lui ; car l'impulsion du seul appétit est esclavage, et l'obéissance à la loi qu'on s'est prescrite est liberté. »

Jean-Jacques Rousseau, *Du Contrat social*, 1762. ▪

1. Qu'est-ce que l'état civil selon Rousseau ?
2. Qu'est-ce qui distingue la « liberté naturelle » de la « liberté civile » ?
3. Pourquoi la théorie d'un « pacte social » peut-elle être subversive pour la monarchie absolue ?

B La diffusion des Lumières

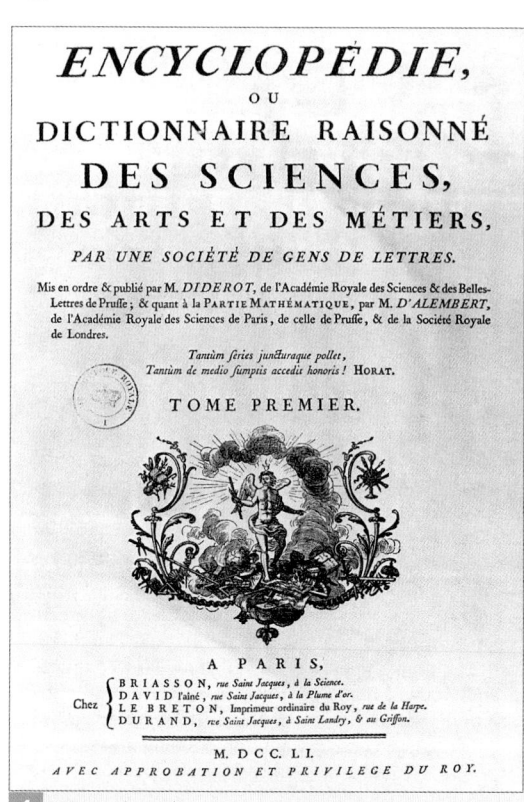

4 L'*Encyclopédie*, une œuvre phare des Lumières

Frontispice du premier volume de l'*Encyclopédie*, 1751.

L'*Encyclopédie* est l'œuvre de nombreux auteurs. Elle est publiée à partir de 1751 et connaît un vif succès éditorial, en dépit des condamnations dont elle est l'objet.

1. Qui sont les directeurs de l'*Encyclopédie* ?
2. Quel est leur objectif ?

5 Un nouvel espace public

Lecture du journal par les politiques de la Petite Provence au jardin des Tuileries, dessin aquarellé, fin du XVIIIᵉ siècle. Bibliothèque nationale de France, Paris.

À Paris, les jardins du Palais Royal sont un lieu de promenade et de rencontres où l'on peut entendre des lectures publiques et s'informer grâce à l'essor de la presse.

1. **Doc. 4 et 5** Quels sont les modes de diffusion des idées des Lumières ?
2. Pourquoi l'émergence d'un « tribunal de l'opinion » est-elle un danger pour la monarchie absolue (doc. 4 et 5) ?

SYNTHÉTISER DES INFORMATIONS

En quoi les Lumières et leur diffusion alimentent-elles la contestation de l'Ancien Régime ?

1789 : la parole aux Français

Face à l'endettement critique du royaume et à l'échec des tentatives de réformes, le roi n'a plus le choix que de convoquer les États généraux qui n'ont pas été réunis depuis 1614. On demande alors aux sujets de faire part de leurs doléances au souverain.

Quelles revendications expriment les Français à la veille de la Révolution ?

▶ 1787-1788 : mauvaises récoltes.

▶ Mai-juillet 1788 : révolte des parlements de province contre la réforme de la justice.

▶ Août 1788 : les États généraux sont convoqués pour 1789.

▶ Novembre 1788 : une assemblée de notables rejette les revendications du tiers état (doublement du tiers et vote par tête).

▶ 27 décembre 1788 : le roi concède le doublement du tiers état.

▶ Mars-mai 1789 : rédaction des cahiers de doléances et élection des députés.

▶ 5 mai 1789 : ouverture des États généraux à Versailles.

1 « La régénération des États généraux »

« Nous sentons, Sire, et plus vivement que nous ne pouvons le témoigner, toute l'étendue du bien que va répandre dans toutes les parties de ce royaume la régénération des États généraux ; nous sentons tous le courage qu'il a fallu à un prince né sur le trône, élevé dans l'attrait du pouvoir absolu, continuellement imbu depuis l'instant de sa naissance des maximes de l'autorité arbitraire, pour former la généreuse résolution de rendre à son peuple l'exercice de tous ses droits ; nous sentons combien de préjugés il a eu à vaincre, combien d'illusions à écarter, combien d'obstacles de tout genre à surmonter autour de lui, au-dedans de lui, pour reconnaître son véritable intérêt souvent opposé à celui de ses ministres et essentiellement uni à celui de son peuple, et pour briser toutes les barrières qui depuis près de deux siècles séparaient nos monarques de leur nation. Nos cœurs répondent, Sire, à ce bienfait si grand, si inespéré par leur respect, leur fidélité, leur soumission et leur amour. Nous désirons que ces doléances que nous vous adressons, soient l'expression de ces sentiments. »

Cahier de doléances des trois ordres du bailliage de Langres. ■

1. Comment les trois ordres du bailliage de Langres considèrent-ils le roi ?
2. Pourquoi opposent-ils « l'autorité arbitraire » à la « régénération des États généraux » ?
3. En quoi le style employé dans ce cahier témoigne-t-il de l'appartenance sociale de ses rédacteurs ?
4. Énumérez les obstacles qui, selon les auteurs, se sont dressés entre le roi et son peuple.

2 Cahier du clergé du bailliage d'Orléans

« Que sa Majesté, à l'exemple de ses prédécesseurs, emploie tout son zèle pour la défendre des attaques multipliées de l'impiété et de la philosophie moderne ; qu'elle réprime par des lois sévères la licence effrénée de la presse qui inonde la capitale et les provinces d'écrits scandaleux de toute espèce [...]. Que la foi catholique, qui depuis Clovis a toujours été la foi du royaume très chrétien, y soit la seule permise et autorisée, sans mélange d'aucun culte public. [...] Que les dîmes et bénéfices soient conservés [...] ». ■

Estampe représentant les trois ordres, fin du XVIIIe siècle.

3 Cahier de doléances de la noblesse d'Amont (région de Vesoul)

« Art. 5 : La conservation des exemptions personnelles et des distinctions dont la noblesse a joui de tous les temps sont des attributs qui la distinguent essentiellement et qui ne pourraient être attaqués et détruits qu'en opérant la confusion des ordres. L'abus qui résulterait d'une telle innovation est trop évident pour qu'il soit nécessaire de la discuter. La noblesse d'Amont demande donc que l'ordre dont elle fait partie soit maintenu dans toutes ses prérogatives personnelles, consentant néanmoins, pour l'amour de la justice et dans l'intention d'augmenter l'horreur pour les grands crimes, que dans tous les cas de délits contre l'ordre public et les lois de la Nation, il n'existe aucune distinction dans le genre de punition des coupables.
Art. 6 : [...] La Noblesse n'entend en aucune manière se dépouiller des droits seigneuriaux honorifiques et utiles tels que justice [...], chasse, pêche, mainmorte, corvée, lods, colombier, cens, redevances, commise, mainmise, droit de retrait, consentement[1], taille[2], dîmes[3], et autres quels qu'ils soient. » ■

1. Ensemble des taxes et droits seigneuriaux qui pèsent sur le paysan.
2. Impôt royal payé par les non-privilégiés.
3. Taxe due à l'Église, représentant un dixième des revenus, payée en argent ou en nature.

4 Cahier de doléances du tiers état de La Chapelle-Craonnaise
(printemps 1789)

« 1) Les paroissiens et communauté de La Chapelle-Craonnaise demandent que les députés aux États généraux y sollicitent le rétablissement des droits imprescriptibles de la nation ; en conséquence que nul impôt ne puisse être établi sans le consentement des États généraux assemblés.

2) Qu'il soit statué que les États généraux auront lieu de cinq ans en cinq ans. [...]

4) Les députés solliciteront l'abolition entière de tous les privilèges des nobles, ecclésiastiques et gens en place.

5) L'abolition de la gabelle, [...] des tailles, capitations, vingtièmes, aides et autres droits[1].

6) Que pour remplacer ces impôts et droits, il soit établi [...] une capitation personnelle, une taxe foncière et une d'exploitation, qui frapperont indistinctement les citoyens des trois ordres.

8) Que la corvée soit totalement abolie.

9) Que soient abolies les justices et polices seigneuriales, les droits de chasse, de pêche, les banalités, les cens, rentes et devoirs seigneuriaux ; [que soit demandé] le droit de tuer, chacun dans son champ, les lapins et autres animaux nuisibles à l'agriculture.

11) Que les charges et offices soient donnés pour récompense du mérite.

12) Que la noblesse ne puisse plus s'acquérir que pour services réels rendus à l'État.

14) Que chaque curé soit doté convenablement des même biens et revenus de façon qu'on puisse abolir les dîmes.

15) Que les emplois civils, militaires, ecclésiastiques, soient possédés de façon que la noblesse n'ait plus de préférence et le tiers état plus d'exclusion.

17) Que lors de l'assemblée des États généraux, les suffrages soient pris par tête plutôt que par ordre. » ∎

1. Ensembles des impôts directs et indirects payés par le tiers état.

1. Doc. 1 à 4 Confrontez les revendications des différents cahiers de doléances en recopiant et complétant le tableau suivant.

	Vie politique	Fiscalité	Organisation de la société
Doc. ...			

2. En quoi les positions défendues dans les doc. 2 et 3 diffèrent-elles des revendications détaillées dans le doc. 4 ?

QU'EST-CE QUE LE TIERS-ÉTAT ?

Le plan de cet Écrit est assez simple. Nous avons trois questions à nous faire.

1°. Qu'est-ce que le Tiers-État ? Tout.

2°. Qu'a-t-il été jusqu'à présent dans l'ordre politique ? Rien.

3°. Que demande-t-il ? À devenir Quelque chose.

On va voir si les réponses sont justes. Nous examinerons ensuite les moyens que l'on a essayés, & ceux que l'on doit prendre, afin que le Tiers-État devienne, en effet, quelque chose. Ainsi nous dirons :

4°. Ce que les Ministres ont tenté, & ce que les Privilégiés eux-mêmes proposent en sa faveur.

5°. Ce qu'on auroit dû faire.

6°. Enfin, ce qui reste à faire au Tiers pour prendre la place qui lui est due.

A 2

5 Un pamphlet au succès retentissant : « Qu'est-ce que le tiers état ? »

Le pamphlet *Qu'est-ce que le tiers état ?*, rédigé par l'abbé Emmanuel Siéyès mais paru anonymement en janvier 1789, connaît un grand succès dans l'opinion publique.

1. Comment Siéyès définit-il le tiers état ?

2. Pourquoi cette définition paraît-elle « révolutionnaire » ?

3. Doc. 1 à 5 Pourquoi les propositions des différents ordres paraissent-elles inconciliables ?

6 Le départ des trois ordres pour les États généraux

Gravure, XVIIIe siècle.

1. Identifiez les différents personnages et leur position.

2. Quelle critique de la division sociale cette image propose-t-elle ?

SYNTHÉTISER DES INFORMATIONS

En quoi les revendications exprimées par les Français dans les cahiers de doléances nous renseignent-elles sur l'état de la France à la veille de la Révolution ?

La France à la veille de la Révolution : un royaume en crise

Quel enchaînement de crises conduit au déclenchement de la Révolution ?

(1754-1793)

Petit-fils de Louis XV, il épouse Marie-Antoinette d'Autriche en 1770. Il monte sur le trône en 1774 et est sacré à Reims l'année suivante. Il meurt guillotiné le 21 janvier 1793.

« On ne gouvernera jamais une nation contre ses habitudes. »

DÉFINITIONS

Absolutisme
Régime politique, mis en place par Louis XIV, où le roi concentre tous les pouvoirs qu'il exerce en théorie sans limites humaines.

Privilèges
Du latin *lex privata* (« loi privée »), ils sont au fondement de la société d'Ancien Régime et désignent les lois particulières à un groupe social. Ils se concentrent essentiellement sur la noblesse et le clergé (les « ordres privilégiés ») qui ont comme principal privilège de ne pas payer l'impôt.

Lumières
Mouvement d'idées, d'inspiration française, qui se répand en Europe au XVIIIᵉ siècle en prônant le libre examen de toute chose grâce aux « lumières » de la raison.

Opinion publique
Terme popularisé par Necker qui désigne la manière dont, dans la seconde moitié du XVIIIᵉ, une partie de la population émet désormais ouvertement un jugement critique sur les affaires publiques.

Despotisme éclairé
Régime politique dans lequel le monarque s'inspire des idées des Lumières pour réformer son fonctionnement, souvent de manière autoritaire.

1 Une monarchie absolue impuissante à se réformer

● **L'absolutisme et ses limites.** Le roi de France est un monarque absolu qui tient son pouvoir de Dieu. En pratique, il doit cependant tenir compte d'un grand nombre de limites qui restreignent son pouvoir : hétérogénéité du royaume, nombreux corps intermédiaires, multitude de coutumes. Ce modèle politique, mis en place au XVIIᵉ siècle, a permis de domestiquer la noblesse mais exige de la part du souverain une forte personnalité.

● **Une réforme impossible.** Sous Louis XVI, les ministres échouent à réformer la monarchie qui doit faire face au déficit croissant de ses finances **doc. 2**. Toute tentative pour rendre plus efficace l'administration royale se heurte à l'opposition de la noblesse qui, au nom de ses privilèges, refuse l'égalité devant l'impôt. En effet, la société d'Ancien Régime reste fondée sur des inégalités au sein de chaque ordre – clergé, noblesse, tiers état.

2 Les Lumières critiquent l'absolutisme

● **L'esprit des Lumières.** Les philosophes des Lumières prônent le libre examen de la société et de la politique de leur temps. Héritiers de l'humanisme, ils défendent les droits naturels ou la tolérance religieuse contre l'arbitraire. Ils remettent ainsi en cause l'absolutisme – mais pas la monarchie – et l'Église catholique au nom des lumières de la raison. La première génération des Lumières françaises (Montesquieu, Voltaire, Rousseau, Diderot) disparaît au tournant des années 1770-1780, mais leurs idées continuent d'exercer une influence considérable en Europe et en Amérique.

● **Une meilleure circulation des idées.** De nombreux réseaux de diffusion contribuent à répandre les idées des Lumières, comme l'*Encyclopédie* de Diderot et d'Alembert, vendue dans toute la France et l'Europe, les salons, tenus par des dames de la haute société, où l'on discute assez librement, les académies de province qui correspondent entre elles ou bien les loges maçonniques **doc. 4**. Les Lumières favorisent ainsi la naissance d'une opinion publique qui se politise progressivement. Malgré l'opposition de l'Église et la censure, elles inspirent des expériences politiques comme le despotisme éclairé en Europe (Russie, Prusse) ou bien les tentatives de réforme de l'État en France.

3 De la crise financière à la crise politique

● **La crise financière.** À la suite de la guerre d'Amérique, la monarchie française est au bord de la faillite alors que les campagnes connaissent de mauvaises récoltes **doc. 1**. Le roi ne peut dès lors augmenter les impôts ni emprunter de nouveau et essaie en vain d'imposer les deux ordres privilégiés. Face au blocage, Louis XVI se résout à une procédure abandonnée depuis un siècle et demi : réunir les représentants des trois ordres du royaume.

● **La réunion des États généraux.** Cette procédure entraîne l'élection, sur le mode indirect, de députés et la rédaction de cahiers de doléances où les Français expriment leurs revendications. Le tiers état demande principalement l'égalité devant l'impôt tandis que la noblesse et le clergé exigent le maintien de leurs privilèges. Mais la figure du roi n'y est pas critiquée. La campagne électorale se déroule dans une atmosphère exaltée (multiplication des pamphlets et des émeutes populaires **doc. 3**). Elle porte surtout sur deux questions : le doublement du nombre de députés du tiers état par rapport à celui des deux autres ordres et le vote des députés par tête et non par ordre ; si le premier point est accordé, la seconde question reste en suspens au moment de l'ouverture des États généraux, le 5 mai 1789.

■ **La convocation des États généraux constitue l'ultime tentative pour réformer une monarchie en crise.**

1 Une monarchie au bord de la banqueroute

Les finances du royaume en 1788 (en millions de livres)	
Revenus	471,6
Dépenses totales	633,1
Dont :	
Marine	51,8
Guerre	107,1
Maison du roi	42
Gages et pensions	47,8
Service de la dette	261,1

1. Pourquoi parle-t-on du « poids de la dette » ?

2. Le reproche fait à la cour d'être trop coûteuse vous semble-t-il justifié ?

3 Le pillage de la fabrique Réveillon (avril 1789)

Gravure de Laurent Guyot, musée Carnavalet, Paris.

La fabrique de papier peint de Réveillon, située dans le faubourg Saint-Antoine à Paris, est la cible d'une émeute populaire en avril 1789 après que le directeur a déclaré que l'ouvrier pouvait vivre avec 20 sous par jour. Elle est emblématique des émeutes urbaines sur fond de hausse des prix alimentaires et de crise sociale que connaît le pays.

▶ Comment l'artiste met-il en scène les émeutiers ? Quel est l'effet produit ?

2 Un projet de réforme radical rejeté par les privilégiés

« Le déficit était de 37 millions à la fin de 1776 ; et depuis cette époque jusqu'à la fin de 1786, il a été emprunté 1 250 millions. Vous savez, Messieurs, combien ces emprunts étaient nécessaires. Ils ont servi à nous créer une marine formidable ; ils ont servi à soutenir glorieusement une guerre qui, d'après son principe et son but, a été appelée avec raison Guerre nationale ; ils ont servi à l'affranchissement des mers ; ils ont servi enfin à procurer une paix solide et durable, qui doit donner le temps de réparer tout le dérangement qu'une dépense aussi énorme a causé dans les finances. [...] Mais [...] il est impossible de laisser l'État dans le danger sans cesse imminent auquel l'expose un déficit tel que celui qui existe. [...] Imposer plus serait accabler les peuples que le roi veut soulager. Anticiper encore, on ne l'a que trop fait [...]. Économiser, il le faut sans doute ; Sa Majesté le veut ; Elle le fait ; Elle le fera de plus en plus. [...] mais l'économie seule, quelque rigoureuse qu'on la suppose, serait insuffisante [...]. Que reste-t-il donc pour combler un vide effrayant, et faire trouver le niveau désiré ? [...] Les abus. Oui, Messieurs, c'est dans les abus même que se trouve un fonds de richesse que l'État a le droit de réclamer, et qui doivent servir à rétablir l'ordre. [...] Les abus qu'il s'agit aujourd'hui d'anéantir pour le salut public, ce sont les plus considérables, les plus protégés, ceux qui ont les racines les plus profondes, et les branches les plus étendues. Tels sont les abus dont l'existence pèse sur la classe productive et laborieuse ; les abus des privilèges pécuniaires ; les exceptions à la loi commune, et tant d'exceptions injustes qui ne peuvent affranchir une partie des contribuables, qu'en aggravant le sort des autres ; [...] les barrières qui rendent les diverses parties du royaume étrangères les unes aux autres ; les droits qui découragent l'industrie [...]. »

Discours de Calonne, Contrôleur général des finances, prononcé devant l'assemblée des notables tenue à Versailles le 22 février 1787. ■

1. Comment Calonne analyse-t-il la politique d'emprunts de la monarchie ?

2. Que propose-t-il pour sortir le pays de la crise financière ?

4 Le salon du baron d'Holbach en 1761

« [La] maison [du baron d'Holbach] rassemblait [...] les plus marquants des hommes de lettres français, Diderot, J.-J. Rousseau, Helvétius, [...], Marmontel, La Condamine [...] etc. Le baron lui-même était un des hommes de son temps les plus instruits, sachant plusieurs des langues de l'Europe, et même un peu des langues anciennes, ayant une excellente et nombreuse bibliothèque, une riche collection des dessins des meilleurs maîtres, d'excellents tableaux [...], un cabinet d'histoire naturelle [...]. À ces avantages, il joignait une grande politesse, une égale simplicité, un commerce facile, et une bonté visible au premier abord. [...] Aussi y voyait-on [...] tous les étrangers de quelque mérite et quelque talent qui venaient à Paris ; à Paris qui était alors [...] le café de l'Europe. Je ne finirais pas si je disais tout ce que j'y ai vu d'étrangers de distinction qui se faisaient honneur d'y être admis, Hume, Wilkes, [...] Beccaria [...], Franklin [...]. Le baron d'Holbach avait régulièrement deux dîners par semaine, le dimanche et le jeudi : là se rassemblaient [...] dix, douze, et jusqu'à quinze et vingt hommes de lettres et gens du monde et étrangers, qui aimaient et cultivaient même les arts de l'esprit. [...] C'est là qu'il fallait entendre la conversation la plus libre, la plus animée et la plus instructive qui fut jamais : quand je dis libre, j'entends en matière de philosophie, de religion, de gouvernement [...]. C'est là que j'ai entendu [...] Diderot, traiter une question de philosophie, d'arts ou de littérature, et, par son abondance, sa faconde, son air inspiré, captiver longtemps l'attention. »

Abbé Morellet, *Mémoire sur le dix-huitième siècle et la Révolution*, 1821. ■

1. Que révèle cette description de l'atmosphère intellectuelle qui règne dans les salons au XVIIIe siècle ?

2. De quoi débat-on ?

Exercices et MÉTHODES

① Rédiger une introduction, une conclusion

▶ Sujet : **La crise de l'Ancien Régime.**

MÉTHODE

1. Analyser les termes du sujet

La crise de l'Ancien Régime

Le mot désigne le moment à partir duquel un système se met à ne plus fonctionner. Il est employé tant dans un grand nombre de domaines. Ici, comme l'Ancien Régime est un système politique et social, le sujet conduit à étudier les différents domaines où le système d'Ancien Régime ne fonctionne plus.

L'expression désigne le régime politique - la monarchie absolue - et l'organisation sociale - la société d'ordres - de la France avant 1789.

Date et lieux : Aucune date ni aucun lieu ne sont indiqués dans le sujet mais, l'expression « Ancien Régime » indique la France (dans ses frontières de l'époque) tandis que le mot « crise » indique la période d'avant 1789.

2. Dégager la problématique

Quelle est la nature de la crise qui affecte la France d'Ancien Régime juste avant la révolution de 1789 ?

3. Bâtir un plan

I. La crise politique de la monarchie absolue
1. Les faiblesses de l'absolutisme
2. L'échec des tentatives de réforme
3. Louis XVI, un roi de plus en plus soumis à la critique

II. La crise de la société d'ordres
1. Un ordre juridique qui ne correspond plus à la structure sociale
2. Les deux premiers ordres remis en cause par les Lumières
3. La réaction des ordres privilégiés

III. Des éléments de crise qui se conjuguent dans les années 1780
1. Des difficultés économiques
2. Des difficultés financières
3. Les États généraux, une solution à la crise ?

4. Rédiger une introduction

Une introduction est un paragraphe organisé.
1) l'entrée en matière (ou accroche) qui doit conduire au sujet ;
2) la définition du sujet et sa problématique ;
3) l'annonce du plan.

> C'est en 1789 que la Révolution française met fin au système politique et social qui organisait la France depuis plusieurs siècles. On ne peut expliquer ce brusque effondrement sans comprendre la crise qui affecte l'Ancien Régime dans la seconde moitié du xviiie siècle.
>
> Cette expression désigne à la fois un régime politique - la monarchie absolue - et une organisation sociale - la société d'ordres. On entend par crise le moment où un système se met à ne plus fonctionner. Il s'agit donc de voir quelle est la nature de la crise qui affecte l'Ancien Régime avant la Révolution. Pour cela, il faut d'abord étudier la crise dans sa dimension politique, avant de voir sa dimension sociale, puis enfin examiner pourquoi cette crise devient particulièrement aiguë dans la décennie 1780.

5. Rédiger une conclusion

Dans la conclusion, il faut répondre à la question posée en introduction en reprenant brièvement les éléments de réponse exposés dans le développement. Une fois cette réponse donnée – de manière claire mais nuancée –, il faut ouvrir sur un autre thème, plus large ou qui succède au phénomène étudié, ici la Révolution française.

Remarque : L'expression « En conclusion » souvent employée au début pour bien indiquer cette partie peut être remplacée par des expressions plus élégantes comme « En définitive » ou « Au terme de cette analyse ».

> En définitive, la crise qui frappe la France dans la seconde moitié du xviiie siècle a plusieurs dimensions. C'est une crise politique car la monarchie ne parvient pas à se réformer. C'est aussi une crise sociale puisque l'organisation en ordres ne correspond plus à l'évolution de la société. Enfin, cette double crise, politique et sociale, devient générale lorsque, dans les années 1780, se déclenche une crise économique et financière qui conduit à la convocation des États généraux.
>
> Cette situation est à l'origine de la Révolution. Mais celle-ci n'était pas pour autant inévitable. Elle fut une issue parmi d'autres possibles à la crise de l'Ancien Régime.

EXERCICE

Identifiez les différentes parties de l'introduction et de la conclusion dans les exemples proposés.

EXERCICE D'APPLICATION

▶ Sujet : **Nouvelles idées, nouveaux modèles politiques au xviiie siècle.**
Après avoir analysé les termes du sujet, dégagé une problématique et bâti un plan, rédigez une introduction et une conclusion.

② Confronter des cahiers de doléances

▶ Après avoir présenté les documents, vous montrerez en quoi ils témoignent de l'opinion des Français à la veille de la Révolution.

1 Cahier de doléances de la noblesse d'Autun (Bourgogne)

« Article 1er. Ladite noblesse charge son député de faire déclarer par les États généraux que la nation regarde comme principes inhérents à la constitution de la monarchie française.

1° Que l'assemblée de ladite nation est essentiellement composée de trois ordres distincts, indépendants les uns des autres, et votant séparément, sans le consentement réuni desquels aucun impôt ne peut être établi. […]

5° Qu'aucun acte d'autorité arbitraire ne peut priver un citoyen de sa liberté, ni par emprisonnement ni par exil. […] Que les États généraux s'occupent de borner les fortunes ecclésiastiques en prévenant l'accumulation des bénéfices sur une même tête […]. Que les revenus des curés soient portés à une somme suffisante. […] La noblesse prescrit à son député de déclarer qu'elle ne connaît qu'un seul ordre de noblesse, jouissant des mêmes droits, qu'en renonçant à toutes exemptions pécuniaires, elle se réserve toutes les prérogatives seigneuriales et honorifiques, soit réelles, soit personnelles essentiellement attachées à son état. »

M.-J. Madival et M.E. Laurent, *Archives parlementaires de 1787 à 1860*, 1879. ▪

2 Cahier de doléances du tiers état du bailliage d'Auxerre (Bourgogne)

« Les députés du tiers état du bailliage d'Auxerre, pleins de confiance dans les vues bienfaisantes du Roi, dans l'amour tendre qu'il porte à ses sujets ; et dont il vient de donner une marque si touchante, en leur déclarant qu'il veut les consulter comme ses conseils ou ses amis. Ont arrêté de présenter très respectueusement à Sa Majesté et aux États généraux assemblés les plaintes, remontrances, avis, propositions et doléances qui suivent :

[…] qu'en toutes assemblées nationales le tiers état aura autant de représentants que les deux autres ordres réunis ; que les voix seront comptées par tête, et non par ordre […]. Que la nation ne pourra être soumise à aucune loi, chargée d'aucun impôt, ni obligée à aucun emprunt qu'elle ne les ait consentis […]. Que la liberté individuelle des citoyens sera inviolable et l'usage des lettres de cachet aboli, sauf, dans le cas où il serait indispensablement nécessaire de s'assurer de quelqu'un, à le remettre dans les vingt-quatre heures à ses juges naturels. […] Que les banalités, corvées, droits de retenue, servitudes personnelles, mainmortes et autres semblables soient abolies sans indemnité. […] Que Sa Majesté sera suppliée de continuer sa royale protection à la religion catholique et de la défendre contre les atteintes que la nouvelle philosophie ne cesse d'y porter. »

Ibid. ▪

MÉTHODE

1. Présenter le document

Présentez la nature des documents, leurs auteurs, leur objet et leur contexte (date et lieu) sans recopier le titre ou la légende.

Il faut notamment souligner que ces deux extraits sont tirés de cahiers de doléances d'une même région, la Bourgogne, mais sont rédigés par des groupes sociaux différents.

2. Relever et classer les informations

Après avoir relevé les arguments des deux textes, il s'agit de les classer en fonction de deux critères :
1) les sujets qu'aborde chacun des deux textes ;
2) leurs points de convergence et leurs oppositions.

3. Rédiger la réponse à la consigne

Il s'agit de voir d'abord les points communs entre les deux textes, puis leurs différences pour enfin s'interroger sur les origines de ces différences.

Plan possible de la réponse

I. Un attachement commun à une monarchie réformée
• Le principe monarchique n'est pas remis en cause
• Une même volonté d'établir le consentement à l'impôt
• L'accord sur la suppression des lettres de cachet

II. Une divergence marquée vis-à-vis de la société d'ordres
• La divergence à l'égard des procédures de vote
• L'opposition aux droits seigneuriaux
• Le clivage fondamental à propos des ordres sociaux

III. Deux visions différentes de l'Ancien Régime
• Le style des deux adresses révèle des conceptions opposées
• Une noblesse d'Autun inspirée par la philosophie des Lumières
• Les conceptions traditionnelles du tiers état d'Auxerre

EXERCICE 1 Relevez dans les deux cahiers les éléments qui illustrent chacun des points des deux premiers paragraphes de la réponse.

EXERCICE 2 Rédigez le premier paragraphe de la réponse en vous appuyant sur votre travail précédent.

Exercices *et* MÉTHODES

❸ Comprendre et analyser un texte

▶ Après avoir présenté les deux articles, vous comparerez les idées des Lumières
sur les plans politique et social au système politique et social de la France d'Ancien Régime.

Article « Liberté » de l'*Encyclopédie*

« **Liberté naturelle** (**droit naturel**). Droit que la nature donne à tous les hommes
de disposer de leurs personnes et de leurs biens, de la manière qu'ils jugent la plus
convenable à leur bonheur, sous la restriction qu'ils le fassent dans les termes de
la loi naturelle, et qu'ils n'en abusent pas au préjudice des autres hommes. [...]
Le premier état que l'homme acquiert par la nature, et qu'on estime le plus précieux de tous les biens qu'il puisse posséder, est l'état de liberté ; il ne peut ni se
changer contre un autre, ni se vendre, ni se perdre ; car naturellement tous les
hommes naissent libres, c'est-à-dire, qu'ils ne sont pas soumis à la puissance d'un
maître, et que personne n'a sur eux un droit de propriété.

Liberté politique (**droit politique**). La liberté politique d'un État est formée par
des lois fondamentales qui y établissent la distribution de la puissance législative,
de la puissance exécutrice des choses qui dépendent du droit des gens, et de la
puissance exécutrice de celles qui dépendent du droit civil, de manière que ces
trois pouvoirs sont liés les uns par les autres.
La liberté politique du citoyen est cette tranquillité d'esprit qui procède de l'opinion que chacun a de sa sûreté ; et pour qu'on ait cette sûreté il faut que le gouvernement soit tel, qu'un citoyen ne puisse pas craindre un citoyen. Des bonnes
lois civiles et politiques assurent cette liberté. »

Encyclopédie ou Dictionnaire raisonné des sciences, des arts et des métiers, 1751. ■

Aide
Vous pouvez vous appuyer
sur la méthode développée
page précédente.

❹ Exercice TICE : des œuvres sous l'Ancien Régime [www.]

Le musée du château de Versailles

Rendez-vous sur le site **www.chateauversailles.fr**

1. Guerre d'indépendance américaine
Cliquez sur « Les collections » puis sur « Thèmes »
et choisissez « La guerre d'indépendance américaine ».
Examinez les différentes œuvres en les classant
en fonction de trois critères :
• Le portrait des acteurs ;
• Les batailles ;
• Le traité de Versailles.

2. Marie-Antoinette
Revenez à la page d'accueil et cliquer sur « **Les
collections** » puis sur « **Les thèmes** » et là choisissez
« **Marie Antoinette** ».
Examinez les œuvres en les classant selon différents
critères :
• « Portrait »
• « Activité »
• « Cadre de vie ».

MÉMO ET RÉVISIONS

À retenir

LA GUERRE D'AMÉRIQUE

Causes : 13 colonies anglaises d'Amérique entrent en conflit avec l'Angleterre pour des raisons fiscales (*Boston Tea Party* en 1773), ce qui les conduit à déclarer leur indépendance en 1776.

Intervention de la France :
– Face à la puissance militaire de l'Angleterre, les *Insurgents* cherchent des appuis en Europe.
– Ils suscitent des sympathies dans la France des Lumières (envoi de Thomas Jefferson et de Benjamin Franklin à Paris).
– La monarchie française voit une occasion de prendre sa revanche sur le rival anglais et envoie un corps expéditionnaire soutenir les *Insurgents* (Rochambeau, La Fayette) qui se révèle décisif.
– Après la victoire anglo-française de Yorktown, l'Angleterre signe un traité de paix à Paris en 1783.

Conséquences :
– C'est une victoire pour la France qui renforce son prestige mais la guerre a creusé le déficit des finances royales.
– Pour la première fois une révolution a conduit à l'établissement durable d'une République avec une déclaration des droits du citoyen.
– Le succès des *Insurgents* a renforcé l'idée de liberté en Europe et particulièrement en France.

LES LUMIÈRES EN FRANCE

Définition : Mouvement d'idées d'inspiration française qui se répand en Europe au XVIIIe siècle en prônant le libre examen de toute chose grâce aux « lumières » de la raison.

Acteurs : Les « philosophes », c'est-à-dire des penseurs qui réfléchissent et écrivent sur les affaires publiques comme Montesquieu, Voltaire, Diderot ou Rousseau.

Idées : Les philosophes, au nom des idées de liberté, de tolérance ou d'égalité, critiquent notamment l'Église, la société d'ordres ou l'absolutisme ; ils s'intéressent aussi aux sciences ou bien à l'économie.

Diffusion : Les idées des Lumières se répandent dans le pays grâce aux salons, aux académies, aux cafés, aux loges maçonniques et à l'*Encyclopédie*.

Influence : Les Lumières contribuent à la naissance d'une opinion publique qui, dans la seconde moitié du XVIIIe siècle, prend l'habitude de porter un jugement critique sur les affaires publiques.

Schéma explicatif

La crise de l'Ancien Régime

CRISE FINANCIÈRE
• Inégalité devant l'impôt
• Déficit de l'État
• Endettement

CRISE SOCIALE
• Contestation de la société d'Ancien Régime par les Lumières
• Refus des deux premiers ordres d'abandonner leurs privilèges

CRISE POLITIQUE
• Échecs des réformes
• Roi faible
• Développement d'une opinion publique critique

+ Guerre américaine qui creuse le déficit
+ Crise économique (1788-1789) qui accroît les tensions sociales

RÉUNION DES ÉTATS GÉNÉRAUX

RÉVOLUTION DE 1789

▶ Faire une fiche de révision

Réalisez deux fiches de révision qui répondent aux questions suivantes :

• **Pourquoi et comment les États généraux sont-ils convoqués en 1789 ?**

• **Que révèlent les cahiers de doléances sur l'état d'esprit des Français en 1789 ?**

Appuyez-vous sur votre cours et les éléments présents dans la page.

Chapitre 11

La Révolution française : l'affirmation d'un nouvel univers politique

*En mettant fin à la monarchie absolue et à l'Ancien Régime,
la Révolution donne naissance à une France nouvelle.
La dynamique révolutionnaire s'étend sur dix ans ; elle est
marquée par des phases d'accélération et de radicalisation,
entrecoupées de moments de stabilisation, qui s'expliquent
autant par le jeu des différents acteurs que par les circonstances.*

La fin de l'absolutisme

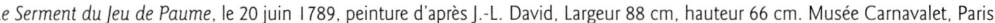

Le Serment du Jeu de Paume, le 20 juin 1789, peinture d'après J.-L. David, Largeur 88 cm, hauteur 66 cm. Musée Carnavalet, Paris.

La fin de la monarchie

Exécution de Louis XVI, 21 janvier 1793, gravure de 1793. Musée Carnavalet, Paris.

Sommaire

La France sous la Révolution (1789-1799)

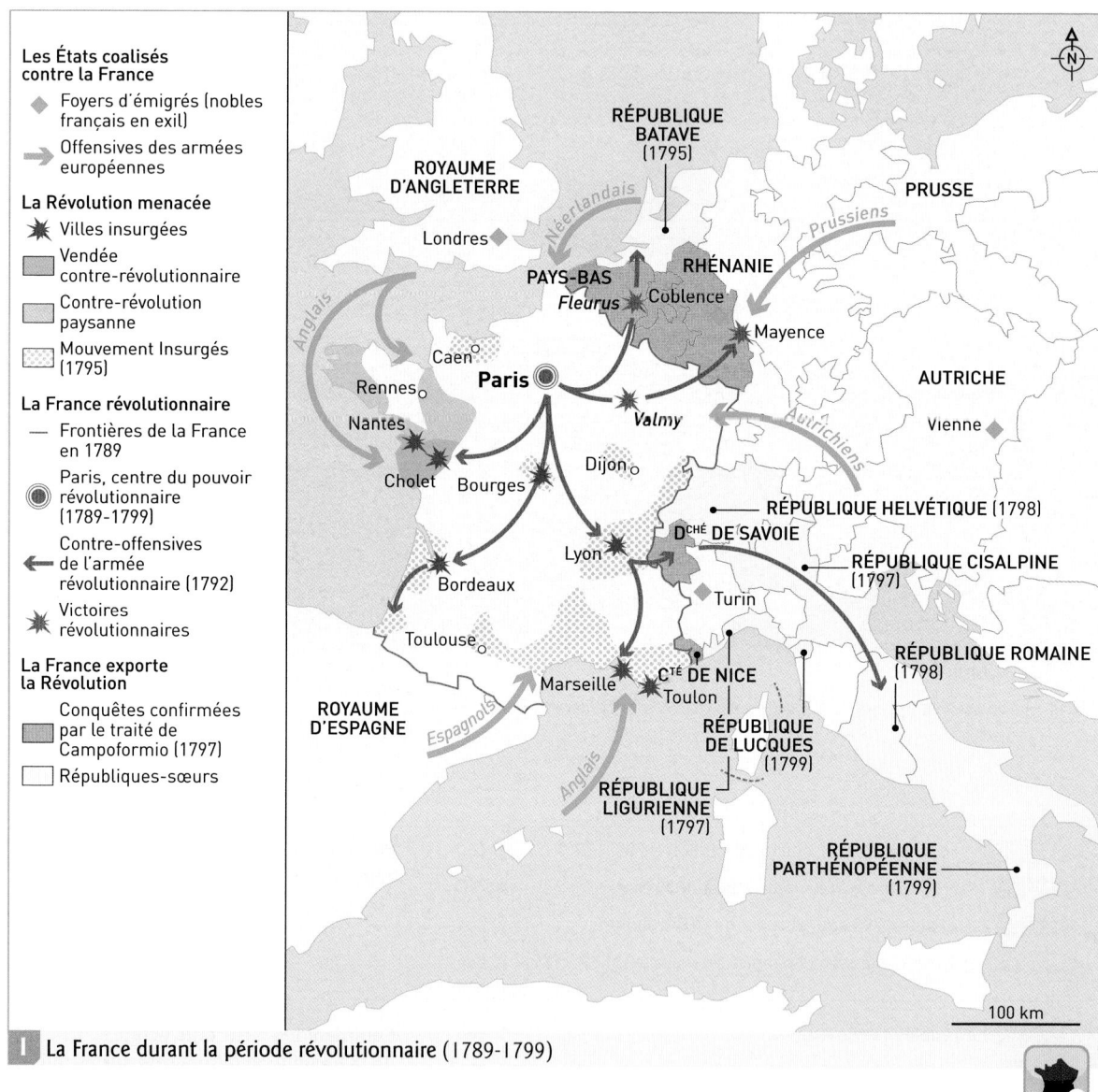

Les États coalisés contre la France

◆ Foyers d'émigrés (nobles français en exil)

→ Offensives des armées européennes

La Révolution menacée

✶ Villes insurgées

Vendée contre-révolutionnaire

Contre-révolution paysanne

Mouvement Insurgés (1795)

La France révolutionnaire

— Frontières de la France en 1789

◉ Paris, centre du pouvoir révolutionnaire (1789-1799)

← Contre-offensives de l'armée révolutionnaire (1792)

✶ Victoires révolutionnaires

La France exporte la Révolution

Conquêtes confirmées par le traité de Campoformio (1797)

Républiques-sœurs

RÉPUBLIQUE BATAVE (1795)

ROYAUME D'ANGLETERRE

Londres ◆

Néerlandais

PRUSSE

Prussiens

PAYS-BAS

Fleurus

RHÉNANIE

Coblence

Mayence

AUTRICHE

Anglais

Caen

Rennes

Paris ◉

Vienne ◆

Valmy

Autrichiens

Nantes

Dijon

Cholet

Bourges

RÉPUBLIQUE HELVÉTIQUE [1798]

Lyon

D^CHÉ DE SAVOIE

RÉPUBLIQUE CISALPINE (1797)

Bordeaux

Turin ◆

Toulouse

RÉPUBLIQUE ROMAINE (1798)

Marseille

C^TÉ DE NICE

Toulon

ROYAUME D'ESPAGNE

Espagnols

RÉPUBLIQUE DE LUCQUES (1799)

Anglais

RÉPUBLIQUE LIGURIENNE (1797)

RÉPUBLIQUE PARTHÉNOPÉENNE (1799)

100 km

1 La France durant la période révolutionnaire (1789-1799)

QUESTIONS

1. À quelles menaces intérieures la France révolutionnaire est-elle confrontée à partir de 1792 (doc. 1) ?
2. Quels sont les dangers à l'extérieur (doc. 1) ?
3. Où se trouve le centre du pouvoir durant la Révolution (doc. 1 et 3) ?
4. Selon quelle logique la France est-elle réorganisée sur le plan administratif en 1790 (doc. 2) ?
5. Quels sont les hauts lieux de la Révolution à Paris (doc. 3) ?
6. Comment la toponymie parisienne traduit-elle la rupture révolutionnaire (doc. 3) ?

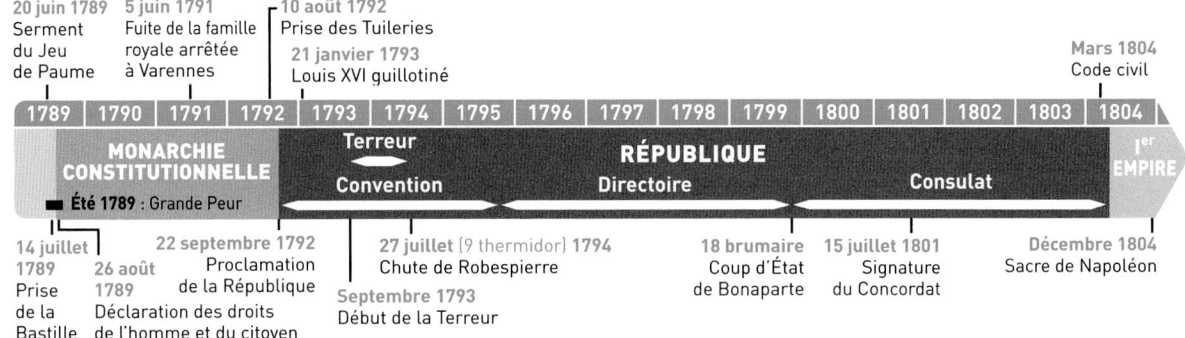

20 juin 1789
Serment du Jeu de Paume

5 juin 1791
Fuite de la famille royale arrêtée à Varennes

10 août 1792
Prise des Tuileries

21 janvier 1793
Louis XVI guillotiné

Mars 1804
Code civil

| 1789 | 1790 | 1791 | 1792 | 1793 | 1794 | 1795 | 1796 | 1797 | 1798 | 1799 | 1800 | 1801 | 1802 | 1803 | 1804 |

MONARCHIE CONSTITUTIONNELLE
■ **Été 1789** : Grande Peur

Terreur
Convention

RÉPUBLIQUE
Directoire

Consulat

1er EMPIRE

14 juillet 1789
Prise de la Bastille

26 août 1789
Déclaration des droits de l'homme et du citoyen

22 septembre 1792
Proclamation de la République

Septembre 1793
Début de la Terreur

27 juillet (9 thermidor) 1794
Chute de Robespierre

18 brumaire
Coup d'État de Bonaparte

15 juillet 1801
Signature du Concordat

Décembre 1804
Sacre de Napoléon

2 Une nouvelle organisation administrative de la France

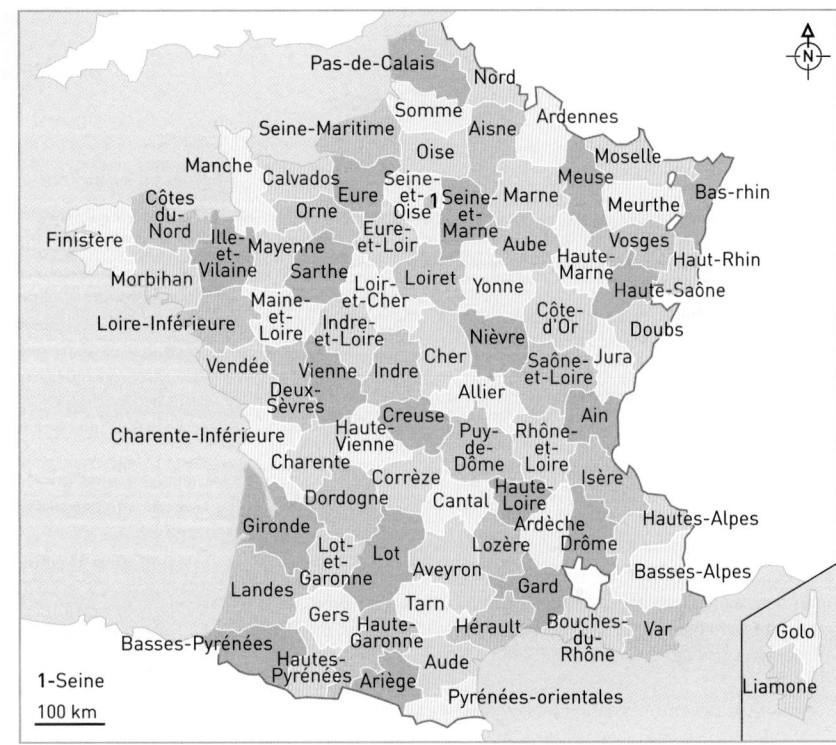

3 Paris sous la Révolution

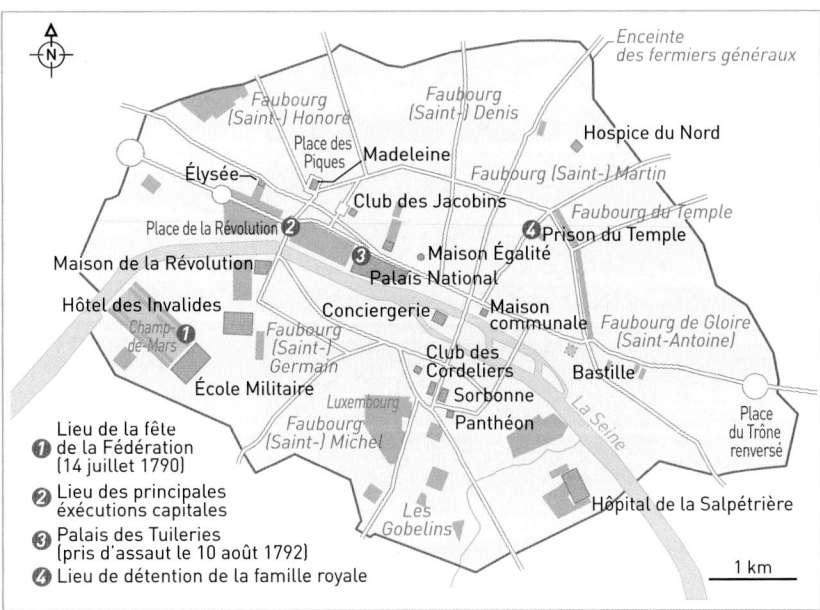

❶ Lieu de la fête de la Fédération (14 juillet 1790)
❷ Lieu des principales exécutions capitales
❸ Palais des Tuileries (pris d'assaut le 10 août 1792)
❹ Lieu de détention de la famille royale

1789 : une première rupture révolutionnaire

La Révolution commence au début de l'été 1789 lorsque les députés du tiers état se proclament « Assemblée nationale ». Ce premier acte révolutionnaire est bientôt suivi par d'autres qui aboutissent à la proclamation de nouveaux principes politiques.

> **?** *Qu'est-ce que la rupture révolutionnaire de 1789 ?*

REPÈRES : L'ÉTÉ 1789

▶ 20 juin : serment du Jeu de paume.

▶ 14 juillet : prise de la Bastille.

▶ Juillet-début août : Grande Peur.

▶ 4 août : abolition des privilèges.

▶ 26 août : Déclaration des droits de l'homme et du citoyen.

1 Le serment du Jeu de paume, 20 juin 1789

Les députés du tiers état constitués en Assemblée nationale ne peuvent entrer dans la salle où se tiennent les États généraux. Ils se réunissent dans la salle du Jeu de paume.

« L'Assemblée nationale, considérant qu'appelée à fixer la Constitution du royaume, opérer la régénération de l'ordre public et maintenir les vrais principes de la monarchie, rien ne peut empêcher qu'Elle ne continue ses délibérations dans quelque lieu qu'elle soit forcée de s'établir, et qu'enfin partout où ses membres seront réunis, là est l'Assemblée nationale ; Arrête que tous les membres de cette Assemblée prêteront, à l'instant, serment solennel de ne jamais se séparer et de se rassembler partout où les circonstances l'exigeront, jusqu'à ce que la Constitution du royaume soit établie et affermie sur des fondements solides, et que ledit serment étant prêté, tous les membres et chacun en particulier confirmeront par leur signature cette résolution inébranlable. » ■

▶ Qui sont les membres de « l'Assemblée nationale » ?

2 La prise de la Bastille, 14 juillet 1789

Claude Cholat, *Siège de la prise de la Bastille représenté au naturel le 14 juillet 1789*, 1791, gouache sur carton. Musée Carnavalet, Paris.

▶ Qui sont les assaillants du 14 juillet 1789 ?

3 La Grande Peur en Dauphiné

« Du jeudi trentième du mois de juillet, année mil sept cent quatre-vingt-neuf, sur les neuf heures du matin, à l'issue d'une messe de cette paroisse […], le peuple assemblé sur la place publique […] par-devant nous, Pierre Mollard, notaire et châtelain de cette communauté […], Mⁱ Bertray, notaire de ce lieu et châtelain de Vaulx […] a dit : […] une alarme générale s'est répandue dans cette contrée, sur le bruit qu'une troupe de brigands venait nous assaillir pour nous enlever nos biens et plus que cela, arracher la vie à nos épouses, à nos enfants et à nous-mêmes. […] les brigands n'ont pas paru […]. Au calme qui devait suivre la disparition du danger a succédé un désordre affreux et, je peux le dire, un brigandage inouï […].

Les [hommes assemblés] ont déclaré s'être armés et attroupés hier matin en très grand nombre, qu'ils se sont transportés dans la maison et étude dudit Mᵉ Bertray, notaire de ce lieu, dans celle de nous châtelain, et dans celle de notre greffier ; qu'ils se sont de force et avec menace fait exhiber tous les titres, papiers et documents qui intéressaient le seigneur de Vaulx et plusieurs autres particuliers […] qu'ils s'en sont emparés, les ont portés sur la place publique de ce lieu, où ils les ont fait brûler. »

Assemblée de la communauté de Saint-Alban, 30 juillet 1789. ■

▶ Qu'est-ce que la Grande Peur ?

4 Décrets adoptés entre le 4 et 11 août 1789

Alors que, depuis la fin juillet, les paysans se soulèvent dans plusieurs régions pour détruire les droits seigneuriaux, l'Assemblée nationale vote une série de décrets.

« Art. 1ᵉʳ. L'Assemblée nationale détruit entièrement le régime féodal. Elle décrète que dans les droits et les devoirs […], ceux qui tiennent à la servitude personnelle et ceux qui les représentent, sont abolis sans indemnité, tous les autres sont déclarés rachetables […].

Art. 5. Les dîmes de toute nature, et les redevances qui en tiennent lieu, sont abolies. […]

Art. 11. Tous les citoyens, sans distinction de naissance, pourront être admis à tous les emplois et dignités ecclésiastiques, civiles et militaires. » ■

▶ En quoi ces décrets abolissent-ils l'Ancien Régime ?

DÉCLARATION DES DROITS DE L'HOMME ET DU CITOYEN,
Décretés par l'Assemblée Nationale dans les séances des 20, 21, 23, 24 et 26 août 1789, acceptés par le Roi.

PRÉAMBULE

Les représentants du peuple français, constitués en Assemblée nationale, considérant que l'ignorance, l'oubli ou le mépris des droits de l'homme sont les seules causes des malheurs publics et de la corruption des gouvernements, ont résolu d'exposer, dans une déclaration solennelle, les droits naturels, inaliénables et sacrés de l'homme, afin que cette déclaration, constamment présente à tous les membres du corps social, leur rappelle sans cesse leurs droits et leurs devoirs : afin que les actes du Pouvoir législatif, et ceux du Pouvoir exécutif, pouvant être à chaque instant comparés avec le but de toute institution politique, en soient plus respectés, afin que les réclamations des citoyens, fondées désormais sur des principes simples et incontestables, tournent toujours au maintien de la Constitution et au bonheur de tous. En conséquence, l'Assemblée nationale reconnaît et déclare, en présence et sous les auspices de l'Être suprême, les droits suivants de l'homme et du citoyen :

Article premier - Les hommes naissent et demeurent libres et égaux en droits. Les distinctions sociales ne peuvent être fondées que sur l'utilité commune.

Art. 2 - Le but de toute association politique est la conservation des droits naturels et imprescriptibles de l'homme. Ces droits sont la liberté, la propriété, la sûreté et la résistance à l'oppression.

Art. 3 - Le principe de toute souveraineté réside essentiellement dans la nation. Nul corps, nul individu ne peut exercer d'autorité qui n'en émane expressément.

Art. 4 - La liberté consiste à pouvoir faire tout ce qui ne nuit pas à autrui : ainsi l'exercice des droits naturels de chaque homme n'a de bornes que celles qui assurent aux autres membres de la société la jouissance de ces mêmes droits. Ces bornes ne peuvent être déterminées que par la loi.

Art. 5 - La loi n'a le droit de défendre que les actions nuisibles à la société. Tout ce qui n'est pas défendu par la loi ne peut être empêché, et nul ne peut être contraint à faire ce qu'elle n'ordonne pas.

Art. 6 - La loi est l'expression de la volonté générale. Tous les citoyens ont droit de concourir personnellement, ou par leurs représentants, à sa formation. Elle doit être la même pour tous, soit qu'elle protège, soit qu'elle punisse. Tous les citoyens, étant égaux à ses yeux, sont également admissibles à toutes dignités, places et emplois publics, selon leurs capacités, et sans autre distinction que celle de leurs vertus et de leurs talents.

Art. 7 - Nul homme ne peut être accusé, arrêté ni détenu que dans les cas déterminés par la loi, et selon les formes qu'elle a prescrites. Ceux qui sollicitent, expédient, exécutent ou font exécuter des ordres arbitraires, doivent être punis ; mais tout citoyen appelé ou saisi en vertu de la loi, doit obéir à l'instant ; il se rend coupable par la résistance.

Art. 8 - La loi ne doit établir que des peines strictement et évidemment nécessaires, et nul ne peut être puni qu'en vertu d'une loi établie et promulguée antérieurement au délit et légalement appliquée.

Art. 9 - Tout homme étant présumé innocent jusqu'à ce qu'il ait été déclaré coupable, s'il est jugé indispensable de l'arrêter, toute rigueur qui ne serait pas nécessaire pour s'assurer de sa personne doit être sévèrement réprimée par la loi.

Art. 10 - Nul ne doit être inquiété pour ses opinions, même religieuses, pourvu que leur manifestation ne trouble pas l'ordre public établi par la loi.

Art. 11 - La libre communication des pensées et des opinions est un des droits les plus précieux de l'homme ; tout citoyen peut donc parler, écrire, imprimer librement, sauf à répondre de l'abus de cette liberté, dans les cas déterminés par la loi.

Art. 12 - La garantie des droits de l'homme et du citoyen nécessite une force publique ; elle est donc instituée pour l'avantage de tous, et non pour l'utilité particulière de ceux auxquels elle est confiée.

Art. 13 - Pour l'entretien de la force publique, et pour les dépenses d'administration, une contribution commune est indispensable ; elle doit être également répartie entre tous les citoyens, en raison de leurs facultés.

Art. 14 - Tous les citoyens ont le droit de constater par eux-mêmes, ou par leurs représentants, la nécessité de la contribution publique, de la consentir librement, d'en suivre l'emploi, et d'en déterminer la quotité, l'assiette, le recouvrement et la durée.

Art. 15 - La société a le droit de demander compte à tout agent public de son administration.

Art. 16 - Toute société dans laquelle la garantie des droits n'est pas assurée, ni la séparation des pouvoirs déterminée, n'a point de Constitution.

Art. 17 - La propriété étant un droit inviolable et sacré, nul ne peut en être privé, si ce n'est lorsque la nécessité publique, légalement constatée, l'exige évidemment, et sous la condition d'une juste et préalable indemnité.

5 Déclaration des droits de l'homme et du citoyen, 26 août 1789

Jean-Jacques François Le Barbier (1738-1826), huile sur bois, vers 1789, hauteur 71 cm, largeur 56 cm (texte reconstitué). Musée Carnavalet, Paris.

1. Que sont les « droits naturels » ? Dressez-en la liste à partir de l'article 2.
2. Comment sont définies la liberté (articles 4, 10, 11) et l'égalité (articles 1, 6, 13) ?
3. Quels sont les devoirs du citoyen ? (articles 4, 13)
4. Quel principe, déjà posé en juin 1789, est réaffirmé dans l'article 3 ?
5. Quel pouvoir détiennent les représentants de la nation ? (article 6)
6. Quel autre principe politique est affirmé dans l'article 16 ?

METTRE EN RÉCIT

Faites le récit de l'effondrement de l'Ancien Régime en 1789.

Le 10 août 1792 : un tournant de la Révolution

REPÈRES

▸ **21 juin 1791** : la famille royale, en fuite, est arrêtée à Varennes.

▸ **3 septembre 1791** : adoption de la Constitution

▸ **20 avril 1792** : la France entre en guerre contre la Prusse et l'Autriche.

▸ **11 juillet 1792** : la patrie est déclarée en danger à la suite d'une série de défaites.

▸ **10 août 1792** : assaut des sans-culottes et des fédérés contre les Tuileries.

Lors de la fête de la Fédération du 14 juillet 1790, Louis XVI prête serment de respecter la future Constitution. La Révolution semble achevée. Pourtant, la monarchie constitutionnelle n'a qu'une brève existence : le 10 août 1792, elle est renversée.

? *Comment expliquer l'échec de la monarchie constitutionnelle et la reprise du processus révolutionnaire ?*

A La monarchie constitutionnelle, un régime menacé

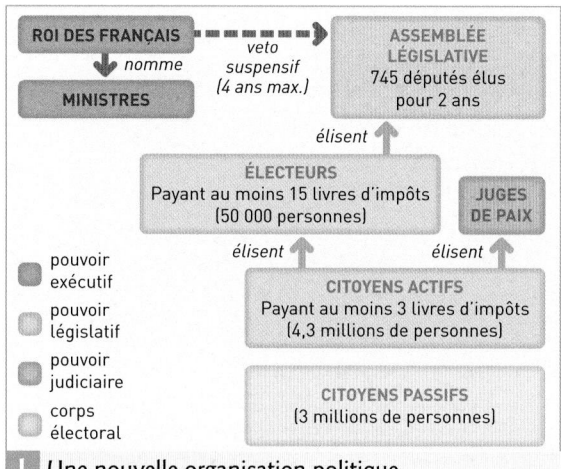

- pouvoir exécutif
- pouvoir législatif
- pouvoir judiciaire
- corps électoral

1 Une nouvelle organisation politique

Constitution du 3 septembre 1791.

1. Les pouvoirs sont-ils séparés ? Pourquoi ?
2. Quel est le mode de suffrage adopté ?

3 Les fédérés rejoignent Paris

Gravure de Berthaut d'après un dessin de Prieur.
Bibliothèque de l'Institut d'histoire de la Révolution, Paris.

▸ Que montre la gravure de l'atmosphère qui règne à Paris à l'été 1792 ?

2 L'appel de Louis XVI à l'empereur d'Autriche

« À présent que l'Assemblée nationale touche à sa fin, que toute espèce de Gouvernement est détruit, que les clubs se sont emparés de toute autorité, [...] et que le reste d'autorité qui reste au Roy est inutile pour tout le bien et pour empêcher le mal, d'après ces considérations le Roy avait résolu de faire un dernier effort pour recouvrer sa liberté et pour se rallier aux Français qui désirent véritablement le bien de leur patrie, mais les ennemis des factieux ont réussi à faire manquer son projet, il se trouve encore arrêté et retenu prisonnier dans Paris. Le Roy a résolu de faire connaître à l'Europe l'état où il se trouve, et en confiant ses peines à l'empereur, son beau-frère, il ne doute pas qu'il prenne toutes les mesures que son cœur généreux lui dicteront pour venir au secours du Roy et du Royaume de France. »

Lettre de Louis XVI à Léopold II, juin 1791. ■

▸ Qu'attend Louis XVI de cette lettre ?

4 La Marseillaise

Les fédérés marseillais rejoignent la capitale à la suite de la déclaration de la « patrie en danger ». Ils popularisent le chant composé par Rouget de Lisle le 25 avril 1792 sous le titre Chant de guerre pour l'armée du Rhin.

« Allons, enfants de la patrie,
Le jour de gloire est arrivé !
Contre nous de la tyrannie
L'étendard sanglant est levé (bis)
Entendez-vous dans les campagnes
Mugir ces féroces soldats ?
Ils viennent jusque dans nos bras
Égorger nos fils et nos compagnes
Refrain
Aux armes citoyens,
Formez vos bataillons !
Marchons ! marchons !
Qu'un sang impur abreuve nos sillons ! [...] »

Rouget de Lisle, avril 1792. ■

1. Quels sentiments s'expriment dans le chant ?
2. Pourquoi esprit révolutionnaire et patriotisme sont-ils liés ?

B La prise des Tuileries et la chute du roi

5 Séance de l'Assemblée du 10 août 1792

Dessin à la plume avec rehauts de gouache de François Gérard (1770-1837) hauteur 67 cm, largeur 92 cm, 1794. Musée du Louvre, Paris.

Après la prise des Tuileries, la famille royale cherche refuge à l'Assemblée. Le 13 août, elle est internée à la prison du Temple.

1. Repérez les différents acteurs de la scène.
2. Comment l'artiste rend-il compte de l'atmosphère de cette journée révolutionnaire ?

6 La journée du 10 août 1792

L'ambassadeur de Gênes relate les événements survenus à Paris le 10 août. La veille, une commune insurrectionnelle s'est constituée à l'Hôtel de Ville.

« Depuis quelques jours se manifestait toujours plus ici, aussi bien dans les motions de quelques-uns des membres de l'Assemblée nationale que dans les pétitions des fédérés et des sections[1] de la Commune de Paris, le désir du parti dominant que le roi fût déchu du trône [...] pendant que venait répandu le bruit d'une insurrection générale. [...] Dans la nuit de jeudi à vendredi [...] les bataillons de la Garde nationale et spécialement les bataillons des faubourgs St-Antoine, St-Marceau et St-Denis s'étaient rassemblés en divers points, dans le dessein de se porter au palais et d'en chasser le roi. Une immense foule de menu peuple les suivit [...] avec des fusils, des piques et des sabres, avec les fédérés marseillais et ceux des autres départements qui se trouvaient là. [...]

Le vendredi matin [...] vers 9 h 45 le peuple mêlé à d'autres détachements de la Garde nationale et aux fédérés se préparait à entrer par force dans le palais. Alors toutes les portes furent ouvertes, les canonniers tournèrent leurs pièces contre le palais et la Garde nationale qui semblait se tenir là pour en défendre l'accès prit subitement le parti du peuple et de l'autre fraction de la Garde. [...] Le nombre de morts oscille entre 2 000 et 2 500. Fort heureusement le Roi, la Reine, le Dauphin et toute la famille royale se rendirent vers 8 heures, avant que ne commençât l'assaut, à l'Assemblée nationale et ils y sont restés sains et saufs pendant toute la journée. [...] L'Assemblée a déclaré le Roi suspendu de ses fonctions. »

Lettre du 11 août 1792. ■

1. Assemblée de quartier.

1. Qui a pris le palais des Tuileries ? Dans quelles conditions ?
2. Quel est l'objectif politique des assaillants ? Est-il atteint ?

DÉCRIRE UN PROCESSUS

Quels événements sont à l'origine de la chute de la monarchie constitutionnelle ?

La dynamique révolutionnaire en marche (1789-1792)

Comment l'Ancien Régime est-il détruit par la Révolution ?

1 1789, l'année fondatrice

● **La fin de l'absolutisme.** Après l'ouverture des États généraux, le bras de fer à propos des modalités du vote tourne à l'avantage des députés du tiers état. Le 20 juin, dans la salle du Jeu de paume à Versailles, ils font le serment de ne pas se séparer avant d'avoir rédigé une Constitution. Le roi cède et prie le clergé et la noblesse de les rejoindre. Le 9 juillet, les députés se proclament Assemblée nationale constituante.

● **L'entrée en scène du peuple.** À Paris, l'effervescence est forte du fait de la crise économique, des rumeurs de complot aristocratique et de la crainte d'une répression par les armées du roi. Le 14 juillet, des centaines de Parisiens investissent la Bastille, symbole de l'arbitraire royal. Trois jours plus tard, Louis XVI, arborant la cocarde bleue et rouge, est acclamé par les Parisiens. La révolution politique est consolidée, l'attachement au roi réaffirmé.

● **La révolution civile.** Fin juillet, l'agitation gagne les campagnes. Les paysans s'attaquent aux châteaux, brûlent les registres où sont consignés les droits seigneuriaux. Cette Grande Peur se propage. Les députés, face à l'ampleur des désordres, votent dans la nuit du 4 août l'abolition des privilèges. La Déclaration des droits de l'homme et du citoyen, votée le 26 août, instaure l'égalité civile – les citoyens sont égaux devant la loi et l'impôt –, les libertés d'opinion, d'expression et de conscience **doc. 1** . La Déclaration consacre la souveraineté nationale et impose la séparation des pouvoirs. Enfin, après la nationalisation des biens de l'Église, la Constitution civile du clergé (juillet 1790) prévoit l'élection des évêques et des curés qui devront aussi prêter serment à la Constitution.

2 Un nouveau paysage politique et social

● **Séparation de pouvoirs et suffrage censitaire.** La Constitution adoptée en septembre 1791 octroie au roi le pouvoir exécutif et la conduite de la politique extérieure. Il dispose aussi d'un droit de veto suspensif. Le pouvoir législatif est confié à une Assemblée élue au suffrage censitaire. La première Assemblée législative prend ses fonctions le 1er octobre 1791.

● **L'apprentissage de la politique.** Témoignant de l'effervescence politique, les journaux se multiplient. Les fêtes révolutionnaires **doc. 2** sont l'occasion de célébrer l'unanimité nationale. À l'Assemblée, où les séances sont publiques, les citoyens peuvent porter des pétitions, souvent élaborées dans des sociétés politiques. Le club des Feuillants, modéré et réservé aux membres ayant acquitté une cotisation, est animé par des hommes comme La Fayette ou Sieyès. Celui des Cordeliers, plus radical et ouvert à tous, a été fondé par Danton.

3 L'échec de la monarchie constitutionnelle

● **Le divorce entre les Français et le roi.** Le 20 juin 1791, Louis XVI fuit Paris avec le soutien des aristocrates émigrés. Il est arrêté à Varennes le 21 **doc. 3** . Cet épisode montre le double jeu du roi, qui n'accepte qu'en apparence la Révolution. Se pose désormais la question de la viabilité de la monarchie constitutionnelle. L'Assemblée refuse de traiter le roi en coupable et de le juger, au risque de faire redémarrer le processus révolutionnaire **doc. 4** .

● **La guerre contre l'Autriche et la Prusse.** Le 20 avril 1792, la France déclare la guerre à une coalition de monarchies européennes hostiles à la Révolution. Louis XVI fait le pari de leur victoire. L'accumulation des défaites militaires approfondit les divisions entre ceux qui veulent effacer la Révolution, l'arrêter sur les bases de 1789 ou la poursuivre.

● **La chute de la monarchie constitutionnelle.** Le 10 août 1792, des milliers d'insurgés envahissent les Tuileries et contraignent l'Assemblée à suspendre le roi. Discrédit de Louis XVI, aspirations démocratiques, nécessité de défendre la patrie, persistance des troubles de subsistance expliquent cette nouvelle accélération révolutionnaire. La rupture avec la monarchie se conclut par l'exécution de Louis XVI en janvier 1793.

■ **La Révolution détruit l'édifice politique et social de l'Ancien Régime. La monarchie constitutionnelle ne résiste toutefois pas aux difficultés intérieures et aux menaces extérieures.**

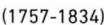

GILBERT DU MOTIER DE LA FAYETTE

(1757-1834)

Héros de la guerre d'Indépendance américaine, député de la noblesse aux États généraux, il appuie la Déclaration des droits de l'homme et du citoyen et soutient la monarchie constitutionnelle.

DÉFINITIONS

Constitution
Texte qui fonde un régime politique (forme du gouvernement, organisation des pouvoirs).

Assemblée nationale
Assemblée réunissant les représentants de la nation.

Égalité civile
Égalité au plan juridique : il n'y a plus de privilèges. La loi s'applique à tous de la même façon.

Souveraineté nationale
Principe politique selon lequel la source du pouvoir se trouve dans la nation.

Droit de veto suspensif
Possibilité pour le roi de s'opposer à une loi pendant une durée limitée (2 législatures, soit 4 ans).

Suffrage censitaire
Système électoral dans lequel seuls votent les citoyens payant un impôt minimum (cens).

Émigrés
Nobles, opposés à la Révolution, qui ont quitté la France.

I Le bilan de l'Assemblée constituante

« On a feint d'ignorer quel bien a fait l'Assemblée nationale ; nous allons vous le rappeler. Les droits de l'homme étaient méconnus, ils ont été rétablis. La nation avait perdu le droit de décréter les lois et les impôts, ce droit lui a été restitué. Des privilèges sans nombre composaient tout notre droit public, ils sont détruits. Les finances demandaient d'immenses réformes, nous y avons travaillé sans relâche. […] L'Assemblée a consommé l'ouvrage de la nouvelle division du royaume qui, seule, pouvait substituer à l'amour-propre des provinces l'amour véritable de la patrie […]. Voilà notre ouvrage, Français, ou plutôt voilà le vôtre car nous ne sommes que vos organes, et c'est vous qui nous avez éclairés, encouragés, soutenus dans nos travaux. Quel honorable héritage vous avez à transmettre à votre postérité ! Élevés au rang de citoyens, admissibles à tous les emplois […] puisque sûrs que tout se fait par vous et pour vous, égaux devant la loi, libres d'agir, de parler, d'écrire, ne devant jamais compte aux hommes, toujours à la volonté commune, quelle belle condition ! »

Proclamation de l'Assemblée constituante,
11 février 1790. ■

▌ Relevez les réformes menées par l'Assemblée constituante.

3 Le retour de Varennes sous escorte (juin 1791)

Retour de la famille royale à Paris, le 25 juin 1791. Eau-forte en couleur, 1791. Bibliothèque nationale de France, Paris.

▌ Dans quelle situation la famille royale se trouve-t-elle après l'échec de la fuite et l'arrestation à Varennes ?

2 La fête de la Fédération (juillet 1790)

École française, huile sur toile. Musée Carnavalet, Paris.

Le 14 juillet 1790, la fête de la Fédération célèbre avec faste l'unanimité de la nation autour du roi et des principes de 1789. La Fayette, commandant de la Garde nationale, y tient une place éminente.

▌ Relevez et expliquez les symboles de l'image.

4 La pétition du Champ de Mars (juillet 1791)

« REPRÉSENTANTS DE LA NATION,
[…] Un grand crime se commet ; Louis XVI fuit ; il abandonne indignement son poste ; l'empire est à deux doigts de l'anarchie. Des citoyens l'arrêtent à Varennes, il est ramené à Paris. Le peuple de cette capitale vous demande instamment de ne rien prononcer sur le sort du coupable sans avoir entendu l'expression du vœu des 83 autres départements. Vous différez ; une foule d'adresses arrivent à l'Assemblée ; toutes les sections de l'empire demandent simultanément que Louis soit jugé. Vous, Messieurs, avez préjugé qu'il était innocent et inviolable, en déclarant, par votre décret d'hier, que la charte constitutionnelle lui sera présentée, alors que la Constitution sera achevée. Législateurs ! ce n'était pas là le vœu du peuple […]. Ces considérations, toutes les vues du bien général, le désir impérieux d'éviter l'anarchie à laquelle nous exposerait le défaut d'harmonie entre les représentants et les représentés, tout nous fait la loi de vous demander, au nom de la France entière, de revenir sur ce décret, de prendre en considération que le délit de Louis XVI est prouvé, que ce roi a abdiqué, de recevoir son abdication et de convoquer un nouveau pouvoir constituant pour procéder d'une manière vraiment nationale au jugement du coupable, et surtout au remplacement et à l'organisation d'un nouveau pouvoir exécutif.

Juillet 1791.
Suivent plus de 6 000 signatures. » ■

1. Quelle est la nature du document ?
2. Que réclament ses signataires ?
3. Doc. 3 et 4 Pourquoi l'épisode de Varennes est-il décisif pour comprendre le divorce entre les Français et la monarchie ?

Le peuple et la Révolution

En instaurant la démocratie, la Révolution a mis au premier plan le peuple, qui s'incarne, à partir de 1792, dans la figure du sans-culotte. Acteur central des journées insurrectionnelles, le peuple devient l'enjeu des luttes politiques qui opposent ceux que les émotions populaires inquiètent à ceux qui s'en réclament pour radicaliser le processus révolutionnaire.

 Quelle place tient le peuple dans le déroulement de la Révolution ?

REPÈRES

▶ 21 mai 1790 : création des 48 sections parisiennes.

▶ 10 août 1792 : prise des Tuileries par les sans-culottes et les fédérés.

▶ 2-6 septembre 1792 : des sans-culottes massacrent 1 200 détenus dans les prisons parisiennes.

▶ 9 mars 1793 : levée de 300 000 hommes pour combattre aux frontières.

▶ 2 juin 1793 : sous la pression populaire, la Convention fait arrêter les chefs girondins.

1 L'apparition de la figure du sans-culotte

« C'est un être qui va toujours à pied, qui n'a point de millions, point de château, point de valets pour le servir, et qui loge tout simplement avec sa femme et ses enfants, au quatrième ou au cinquième étage. Il est utile, il sait labourer, forger, scier, et versera jusqu'à la dernière goutte de son sang pour le salut de la République. Le soir, il se présente à sa section[1], pour appuyer de toutes ses forces les bonnes motions. Au premier bruit de tambour, on le voit partir pour la Vendée, pour l'armée des Alpes ou pour l'armée du Nord. »

Le Père Duchesne, 1793. ■

1. Assemblée de quartier.

1. À quelle catégorie sociale appartient le sans-culotte ?
2. En quoi ce portrait est-il idéalisé ?

3 Le peuple en action

« Les citoyens timides, les hommes qui aiment le repos, les heureux du siècle, les sangsues de l'État et tous les fripons qui vivent des abus publics ne redoutent rien tant que les émeutes populaires : elles tendent à détruire leur bonheur, en amenant un nouvel ordre des choses. [...]
Or le peuple ne se soulève que lorsqu'il est poussé au désespoir par la tyrannie. Que de maux ne souffre-t-il pas avant de se venger ! Et sa vengeance est toujours juste dans son principe, quoiqu'elle ne soit pas toujours éclairée dans ses effets ; au lieu que l'oppression qu'il endure n'a sa source que les passions criminelles de ses tyrans.
Que sont quelques maisons pillées en un seul jour par la populace auprès des concussions [corruptions] que la Nation entière a éprouvées pendant quinze siècles, sous les trois races de nos rois ?
La philosophie a préparé, commencé, favorisé la révolution actuelle ; cela est incontestable : mais les écrits ne suffisent pas ; il faut des actions ; or à quoi devons-nous la liberté, qu'aux émeutes populaires. »

Jean-Pierre Marat, *L'Ami du peuple*, n° 34-35, 10 novembre 1789. ■

▶ Comment Marat justifie-t-il la violence révolutionnaire ?

2 Des lieux de réunion, les clubs

Club patriotique de femmes, gouache de Jean-Baptiste Lesueur. Musée Carnavalet, Paris.

▶ **Doc. 1, 2 et 4** De quelle manière le peuple participe-t-il à la Révolution ?

4 Les fédérés

L'enrôlement des volontaires, gouache de Lesueur. Musée Carnavalet, Paris.

5 Les massacres de septembre 1792

Gravure anonyme, XVIIIe siècle.

Après la prise de Verdun par les Prussiens le 2 septembre 1792, une centaine de sans-culottes se rendent dans les prisons parisiennes pour y débusquer les « traîtres » à la patrie.

1. **Doc. 3 et 5** Quelles sont les manifestations de la violence populaire ?

2. Quelles en sont les victimes ?

6 Adresse à la Convention

« Les riches seuls, depuis quatre ans, ont profité des avantages de la Révolution. Le prix des marchandises augmente d'une manière effrayante du matin au soir.

Prononcez [une loi] contre les agioteurs[1] et les accapareurs. [...] Les denrées nécessaires à tous doivent être livrées au prix auquel tous puissent atteindre ; prononcez donc, encore une fois [...] les sans-culottes avec leurs piques feront exécuter vos décrets.

Jusqu'à présent les gros marchands qui sont par principe les fauteurs du crime et par habitude les complices des rois ont abusé de la liberté du commerce pour opprimer le peuple.

Décrétez que la vente de l'argent-monnaie et les accaparements sont nuisibles à la société. Le peuple qui souffre depuis si longtemps verra que vous vous apitoyez sur son sort. »

Jacques Roux, membre de la section des Gravilliers, 25 juin 1793. ■

1. Spéculateurs

1. Que réclame ce manifeste ? Au nom de quoi ?

2. Quel rôle Jacques Roux assigne-t-il au peuple ?

7 *Un Petit Souper à la Parisienne*

James Gillray (1756-1815), gravure rehaussée d'aquarelle, caricature publiée à Londres le 20 septembre 1792. New College, Oxford.

1. Décrivez la caricature.

2. Comment Gillray traduit-il l'action des sans-culottes ?

DÉFINIR UN ACTEUR HISTORIQUE

> Quel est le rôle du peuple au sein du processus révolutionnaire ?

Les chefs révolutionnaires et la Terreur

Après le 10 août 1792, les difficultés intérieures et extérieures dictent le cours de la Révolution. La menace étrangère, le soulèvement vendéen, la révolte fédéraliste entraînent la mise en place de mesures exceptionnelles : c'est la Terreur. Au centre des luttes politiques, Robespierre finit par occuper un pouvoir de plus en plus personnel.

Qui dirige la politique de Terreur et comment est-elle justifiée ?

DÉFINITIONS

▶ **Girondins**
Groupe politique, composé de députés issus notamment de la Gironde, qui dominent l'Assemblée de 1792 jusqu'à leur arrestation en juin 1793.

▶ **Montagnards**
Groupe politique, qui tient son nom de la place qu'il occupe au sein de l'Assemblée, en haut des gradins. Ils sont favorables à l'alliance avec le peuple.

▶ **Fédéralisme**
Mouvement qui s'oppose, en province, au pouvoir des Montagnards, favorables à la centralisation.

REPÈRES

▶ **22 septembre 1792** : proclamation de la République une et indivisible.

▶ **21 janvier 1793** : mort de Louis XVI.

▶ **Mars 1793** : levée de 300 000 hommes ; soulèvement de la Vendée ; création du Tribunal révolutionnaire.

▶ **Juin 1793** : arrestation des chefs girondins ; Constitution (jamais appliquée).

▶ **Septembre 1793** : loi des suspects ; Terreur à l'ordre du jour.

▶ **Décembre 1793** : 4 525 personnes emprisonnées à Paris.

▶ **27 juillet 1794 (9 Thermidor)** : chute de Robespierre.

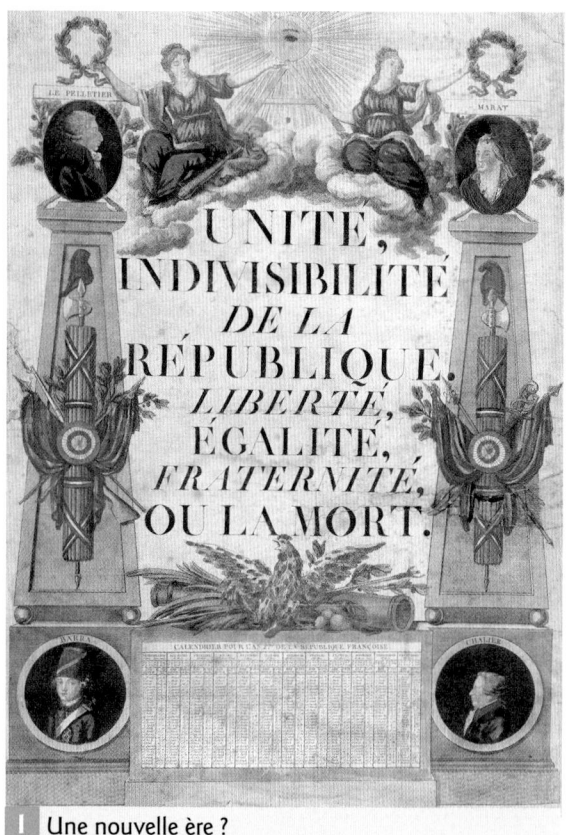

1 Une nouvelle ère ?

Calendrier républicain, gravure, 1794.

1. Expliquez les symboles présents sur l'image.

2. Qui sont les personnages représentés dans les médaillons ?

3. En quoi ce document témoigne-t-il de la volonté des révolutionnaires de rompre avec la période précédente ?

2 Montagnards contre Girondins

« Robespierre nous accuse d'être devenus tout à coup des modérés. [...] Non, je ne le suis pas, dans ce sens que je veuille éteindre l'énergie nationale. Je sais que la liberté est toujours active comme la flamme, qu'elle est inconciliable avec ce calme parfait qui ne convient qu'à des esclaves. [...] Je sais aussi que dans des temps révolutionnaires, il y aurait autant de folie à prétendre calmer à volonté l'effervescence du peuple, qu'à commander aux flots de la mer d'être tranquilles quand ils sont battus par les vents. Mais c'est au législateur à prévenir autant qu'il peut les désastres de la tempête par de sages conseils ; et si, sous prétexte de révolution, il faut, pour être patriote, se déclarer le protecteur du meurtre et du brigandage, je suis *modéré*.
Depuis l'abolition de la royauté, j'ai beaucoup entendu parler de révolution. Je me suis dit : il n'y en a plus que deux possibles ; celle des propriétés ou la loi agraire, et celle qui nous ramènerait au despotisme. J'ai pris la ferme résolution de combattre l'une et l'autre. »

Réponse de Pierre Vergniaud au discours de Robespierre dénonçant les Girondins, 10 avril 1793. ■

1. À quelle accusation de Robespierre ce député girondin répond-il ?

2. Quels sont les deux dangers qui menacent la République selon Vergniaud ?

3 La loi des suspects du 17 septembre 1793

Le Comité de sûreté générale s'appuie sur la loi des suspects pour traquer les « ennemis » de la Révolution.

« Article premier. […] Tous les gens suspects qui se trouvent dans le territoire de la République et qui sont encore en liberté seront mis en état d'arrestation.

Art. 2. Sont réputés suspects :

1° ceux qui soit par leur conduite, soit par leurs relations, soit par leurs propos ou par leurs écrits, se sont montrés partisans de la tyrannie, du fédéralisme, et ennemis de la liberté […] ;

2° ceux à qui il a été refusé des certificats de civisme […] ;

5° ceux des ci-devant nobles, ensemble les maris, les femmes, pères, mères, fils ou filles, frères ou sœurs, et agents d'émigrés, qui n'ont pas constamment manifesté leur attachement à la Révolution […] ;

6° ceux qui ont émigré […] quoiqu'ils soient rentrés en France. » ■

1. Qui sont les suspects visés par la politique de la Terreur ?

2. Cette loi respecte-t-elle les droits de l'homme ?

5 La théorie du gouvernement révolutionnaire selon Robespierre

« La théorie du gouvernement révolutionnaire est aussi neuve que la Révolution qui l'a amené. […] La fonction du gouvernement est de diriger les forces morales et physiques de la nation vers le but de son institution.

Le but du gouvernement constitutionnel est de conserver la République ; celui du gouvernement révolutionnaire est de la fonder.

La Révolution est la guerre de la liberté contre ses ennemis ; la Constitution est le régime de la liberté victorieuse et paisible.

Le gouvernement révolutionnaire a besoin d'une activité extraordinaire, précisément parce qu'il est en guerre. Il est soumis à des règles moins uniformes et moins rigoureuses parce que les circonstances où il se trouve, sont orageuses et mobiles […].

Le gouvernement révolutionnaire doit aux bons citoyens toute la protection nationale ; il ne doit aux ennemis du peuple que la mort.

Ces notions suffisent pour expliquer l'origine et la nature des lois que nous appelons révolutionnaires. Ceux qui les nomment arbitraires ou tyranniques […] cherchent à confondre les contraires ; ils veulent soumettre au même régime la paix et la guerre, la santé et la maladie, ou plutôt ils ne veulent que la résurrection de la tyrannie et la mort de la Patrie. […] Si le gouvernement révolutionnaire doit être plus actif dans sa marche, et plus libre dans ses mouvements, que le gouvernement ordinaire, en est-il moins juste et moins légitime ? Non. Il est appuyé sur la plus saine de toutes les lois, le salut du peuple. […]

Il doit voguer entre deux écueils, la faiblesse et la témérité, le modérantisme et l'excès […]. »

Rapport du 5 nivôse an II sur les principes du gouvernement révolutionnaire, présenté par Robespierre à la Convention le 25 décembre 1793. ■

1. Quelle distinction Robespierre opère-t-il entre gouvernement constitutionnel et gouvernement révolutionnaire ?

2. Comment justifie-t-il le maintien d'un gouvernement révolutionnaire ?

3. Comment répond-il à l'accusation de tyrannie ?

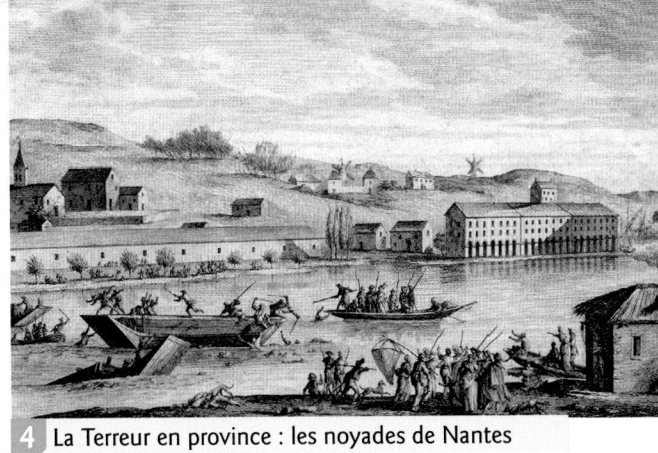

4 La Terreur en province : les noyades de Nantes

Gravure anonyme, XVIIIᵉ siècle.

Entre novembre 1793 et février 1794, Jean Baptiste Carrier est envoyé en mission par le Comité de salut public à Nantes pour mettre un terme à la révolte vendéenne. Plusieurs milliers de prisonniers sont noyés dans la Loire sur son ordre.

1. Qui sont les organisateurs de la Terreur en province ?

2. Quelles formes prend-elle ?

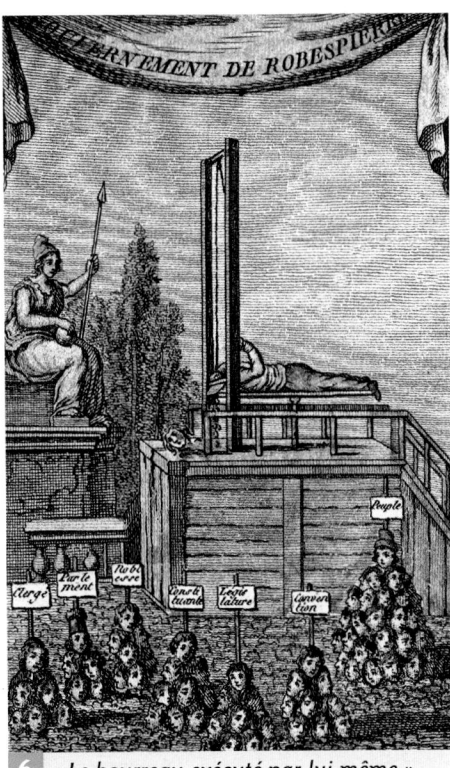

6 « Le bourreau exécuté par lui-même »

Caricature anonyme, vers 1795.

Le 9 Thermidor an II (27 juillet 1794), Robespierre est empêché de s'exprimer à la Convention. Mis en accusation, il est arrêté et guillotiné le lendemain.

1. Décrivez la caricature.

2. Quelle image donne-t-elle de la période de la Terreur ?

EXPLIQUEZ UN PROCESSUS

Quels facteurs expliquent la radicalisation de la Révolution ?

David peint la mort de Marat, martyr de la Révolution

Histoire des arts

▶ Le peintre David devient rapidement un acteur de la Révolution dont il célèbre les grands moments (*Serment du Jeu de paume* p. 258). En 1792, il est élu député à la Convention et se range du côté des Montagnards. Il y côtoie Jean-Paul Marat (1743-1793), journaliste et tribun, fondateur de *L'Ami du peuple*, ardent défenseur de la Révolution et des sans-culottes. Après l'assassinat de ce dernier, le 13 juillet 1793, la Convention commande à David un portrait célébrant le martyre de Marat. C'est également le peintre qui organise les funérailles publiques.

VOCABULAIRE DES ARTS

Dessin
À partir de la Renaissance, la peinture est considérée comme un art par la valorisation du dessin. Par le trait, le peintre saisit un idéal abstrait de beauté, car lignes et contours n'existent pas dans la nature.

Modelé
Façon de rendre les volumes (reliefs et creux) d'un visage ou d'un corps.

Néoclassicisme
Mouvement artistique qui prône le retour aux formes de l'Antiquité classique, caractérisées par la simplicité et l'équilibre. Il vise à traduire, en peinture et en architecture, l'idéale de beauté des modèles gréco-romains par un style sévère censé incarner la vertu et la simplicité des mœurs.

L'artiste

David, Jacques-Louis (1748-1825)

Fortement influencé par les maîtres du XVIIe siècle et l'art de l'Antiquité, David définit une esthétique qui valorise le nu et l'étude de l'anatomie, le dessin aux dépens de la palette privilégiant les couleurs ternes, une composition rigoureuse rejetant le mouvement. Il est considéré comme un maître du « néoclassicisme ». Très actif pendant la Révolution, il est brièvement emprisonné après la chute des Montagnards. Il met ensuite son art au service de Bonaparte (voir *Le Sacre de l'empereur Napoléon* p. 277).

2 Venge Marat !

« Citoyens

Le peuple redemandait son ami ; sa voix désolée se faisait entendre, il provoquait mon art ; il voulait voir les traits de son ami fidèle. David ! Saisis tes pinceaux, s'écria-t-il, venge notre ami, venge Marat ! Que ses ennemis vaincus pâlissent encore en voyant ses traits défigurés. Réduis-les à envier le sort de celui que, n'ayant pu vaincre, ils ont eu la lâcheté de faire assassiner ! J'ai entendu la voix du peuple, j'ai obéi. »

J.-L. David, discours à la Convention, 24 brumaire an II (14 novembre 1793).

1 Marie-Antoinette partant au supplice

Marie-Antoinette conduite à l'échafaud, dessin à l'encre brune de David, octobre 1793. Musée du Louvre, Paris.

3 *Marat assassiné*, 1793.

Fiche d'identité de l'œuvre

Nature : huile sur toile.

Dimensions : largeur 128 cm, hauteur 165 cm.

Auteur : Jacques-Louis David.

Date : 1793.

Lieu de conservation : musées royaux des Beaux-Arts de Belgique, musée d'art ancien, Bruxelles.

À savoir : L'œuvre, commandée dès le lendemain de l'assassinat par le député Guirault, est offerte à la Convention en novembre 1793, et accrochée dans la salle où se réunissent les députés.

QUESTIONS

Décrire

1. Décrivez l'œuvre : composition, contours du corps et des objets, couleurs dominantes.

2. Quelle impression naît du contraste entre le fond et le corps de Marat ?

3. Dans quel contexte le tableau a-t-il été réalisé ? Qu'est-ce qui évoque l'assassinat ? Qu'est-ce qui évoque le rôle de Marat durant la Révolution ?

Interpréter

4. Quels idéaux David veut-il servir en réalisant ce tableau ? Qui prend-il à témoin de son œuvre (doc. 2) ?

5. Dans quel contexte David a-t-il dessiné le portrait de Marie-Antoinette ? Pourquoi ce dessin peut-il apparaître comme un contrepoint du portrait de Marat (doc. 1) ?

6. En quoi l'idéalisation des formes promue par le néoclassicisme sert-elle le projet de David (doc. 3) ?

Fragilités et instabilité de la Iʳᵉ République (1792-1799)

Comment expliquer l'instabilité politique qui règne en France entre 1792 et 1799 ?

1 La Iʳᵉ République : une expérience de démocratie

● **Une République née dans la violence.** Entre les 3 et 6 septembre 1792, des sans-culottes, estimant la justice trop clémente avec les « ennemis de la Révolution », massacrent nobles et ecclésiastiques emprisonnés dans les prisons parisiennes. C'est dans ce contexte que les Français sont appelés à élire au suffrage universel masculin une nouvelle assemblée : la Convention.

● **La République une et indivisible.** Le 20 septembre, la victoire de Valmy contre les monarchies européennes apparaît comme la première victoire d'une armée de soldats-citoyens. Le lendemain, la royauté est abolie puis, le jour suivant, la République « une et indivisible » est proclamée.

● **Les divisions politiques au sein de la Convention.** Les Girondins, républicains modérés, refusent de se laisser déborder par la pression populaire. Ils sont dans un premier temps soutenus par la majorité modérée de l'Assemblée, la Plaine, et dominent la Convention jusqu'en mai 1793. Le 2 juin, les sans-culottes contraignent la Convention à les arrêter, livrant le pouvoir aux Montagnards.

2 Les Montagnards instaurent la Terreur

● **La passion de l'égalité.** Dans la nouvelle Déclaration des droits de l'homme et du citoyen, préambule de la Constitution de l'an I (24 juin 1793), l'égalité précède la liberté. Le droit au travail, à l'assistance et à l'instruction est proclamé. L'abolition de l'esclavage est votée en février 1794.

● **La Terreur à l'ordre du jour.** Les Montagnards doivent faire face à la montée des menaces. À l'extérieur, l'Angleterre entre en guerre au côté de l'Autriche et de la Prusse. À l'intérieur, la levée en masse de 300 000 hommes entraîne le soulèvement de la Vendée tandis qu'éclatent des insurrections « fédéralistes » contre la domination jacobine. L'application de la Constitution (juin 1793) est suspendue jusqu'à la paix. La Terreur est mise à l'ordre du jour afin de sauver les acquis de la Révolution. Le Comité de salut public, contrôlé par Robespierre, concentre les pouvoirs et prend des mesures d'exception **doc. 1**, **doc. 2** et **doc. 4** : loi des suspects, seconde levée en masse, fermeture des églises.

● **La chute de Robespierre.** En juin 1794, alors que la situation intérieure et extérieure s'améliore, est promulguée la loi de prairial, permettant de condamner un suspect sans preuve ni interrogatoire. C'est la Grande Terreur : à Paris, 1 400 personnes sont guillotinées dans les 6 semaines suivantes. Mais le 9 Thermidor (27 juillet 1794), Robespierre et ses partisans sont arrêtés puis exécutés.

3 Les Thermidoriens à la recherche d'un compromis pour stabiliser le pays

● **La Constitution de l'an III.** Les Thermidoriens mettent fin à la Terreur et rédigent une nouvelle Constitution (octobre 1795). Le nouveau régime, le Directoire, est une république. La séparation des pouvoirs, le partage de l'exécutif entre cinq directeurs et du pouvoir législatif entre deux Conseils est censée éviter la dictature. Les députés sont élus au suffrage censitaire afin de permettre le « gouvernement des meilleurs » **doc. 3**.

● **Un régime qui se maintient en rompant avec la légalité.** En 1796 est déjouée la conjuration des Égaux, qui visait la mise en place d'une république égalitaire. Face au succès électoral des royalistes en 1797, les directeurs décident d'annuler les élections, et l'armée, de plus en plus liée au pouvoir politique, investit Paris : c'est le coup d'État de Fructidor. En 1798, l'élection des députés jacobins, héritiers des Montagnards, est annulée.

■ **Les menaces intérieures et extérieures entraînent la radicalisation de la Révolution au sein de laquelle le peuple prend une place centrale. La chute de Robespierre entraîne le retour à un régime conservateur.**

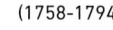

MAXIMILIEN DE ROBESPIERRE

(1758-1794)

Avocat, élu député du tiers état en 1789 puis député à la Convention, il s'impose alors comme chef des Montagnards. Il contrôle le Comité de salut public, impose le gouvernement révolutionnaire et la Terreur. Il élimine les factions rivales au sein de la Montagne. Il est arrêté le 9 Thermidor an II (27 juillet 1794) et exécuté.

« Il n'y a point de citoyens dans la République que des républicains. Il faut étouffer les ennemis intérieurs et extérieurs de la République ou périr avec elle. »

DÉFINITIONS

Jacobins
Groupe de députés républicains, partisans d'un pouvoir fort et centralisé à Paris.

Thermidoriens
Députés de la Convention qui prennent le pouvoir après la chute de Robespierre.

1 Credo révolutionnaire français (1794)

« Je crois à la Nouvelle République française, une et indivisible, à ses lois et aux droits sacrés de l'homme, que le peuple français a reçus de la Montagne sacrée de la Convention qui les a créés. Les droits sacrés de l'homme avaient beaucoup souffert entre les mains des traîtres ; mais ceux-ci sont tombés sous la faux de la guillotine et ont été enterrés. Je crois que par ce moyen, les tyrans armés contre nous se prosterneront avec leurs hordes, pour adorer respectueusement les droits de l'homme donnés par la Convention. Je crois que les sans-culottes, qui sont morts pour la Patrie et pour les droits sacrés de l'homme, sont assis à la droite du Père de tous les êtres, et bénissent leurs frères, qui se vengent sur les hordes des tyrans. Je crois que la sainte Montagne des Français s'est purgée des traîtres, je crois que les législateurs du peuple français ne discontinueront pas de lancer la foudre contre l'Europe jusqu'à ce que soient écrasés les tyrans qui nous font la guerre. Que le peuple européen sortant de sa léthargie coupable, reconnaisse les droits de l'homme, pour lesquels les vrais enfants de la France ont juré de vivre et mourir.

Tremblez, tyrans, tremblez, esclaves, traîtres échappés à nos coups ; la France est couverte de braves qui sauront mourir comme nous. »

Texte anonyme de 1794. ■

❱ D'après ce texte, comment s'opère le transfert de sacralité entre la monarchie et la République ?

3 Les bases sociales du Directoire

« Vous devez garantir enfin la propriété du riche [...]. L'égalité civile, voilà tout ce que l'homme raisonnable peut exiger [...]. L'égalité absolue est une chimère [...].

Nous devons êtres gouvernés par les meilleurs : les meilleurs sont les plus instruits et les plus intéressés au maintien des lois. Or, à bien peu d'exception près, vous ne trouverez de pareils hommes que parmi ceux qui possèdent une propriété, sont attachés au pays qui la contient. L'éducation les a rendus propres à discuter, avec justesse, les avantages et les inconvénients des lois qui fixent le sort de la patrie. [...] Un pays gouverné par les propriétaires est dans l'ordre social, celui ou les non-propriétaires gouvernent est l'état de nature. »

Boissy d'Anglas, *Discours à la Convention*, 23 juin 1795. ■

1. Quelle distinction l'auteur fait-il à propos de l'égalité ?
2. Que dénonce-t-il ?
3. Sur quel groupe social la République doit-elle s'appuyer selon lui ?

2 Le Comité de salut public

Un homme présente son certificat de civisme au Comité de salut public, gravure par J.-B. Huet fils, vers 1794.

1. Repérez les acteurs de la scène et décrivez leur attitude.
2. Qu'est-ce qu'un certificat de civisme ? Que doit-il prouver ?
3. Que dénote cette représentation du Comité de salut public ?

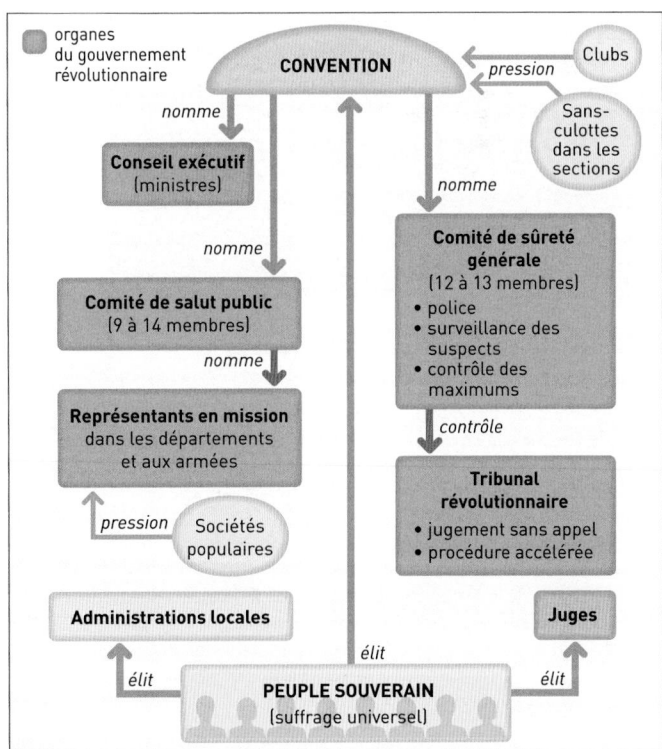

4 Le gouvernement révolutionnaire (1793-1795)

1. Qui détient le pouvoir dans le gouvernement révolutionnaire ?
2. Son fonctionnement est-il démocratique ?

La prise du pouvoir par Napoléon Bonaparte met-elle fin à la Révolution ?

Dossier

Le Directoire est un régime fragile qui vit sous la double menace jacobine et royaliste. Fin 1799, Sieyès, l'un des directeurs, prépare un coup d'État pour achever la Révolution en dotant la France d'une nouvelle Constitution. Il s'appuie sur le général Bonaparte, qui s'est illustré à la tête des armées françaises en Italie.

REPÈRES

- Octobre 1799 : retour de Bonaparte de la campagne d'Égypte.
- 9 novembre 1799 (18 Brumaire) : coup d'État contre les directeurs et les Conseils.
- 28 mars 1801 : instauration du franc germinal.
- 1er mai 1802 : création des lycées.
- 19 mai 1802 : Légion d'honneur.
- Février 1804 : Code civil.

2 Proclamation des consuls de la République

« Les consuls de la République aux Français : une Constitution vous est présentée. Elle fait cesser les incertitudes que le Gouvernement provisoire mettait dans les relations extérieures, dans la situation intérieure et militaire de la République. – Elle place dans les institutions qu'elle établit les premiers magistrats dont le dévouement a paru nécessaire à son activité. – La Constitution est fondée sur les vrais principes du Gouvernement représentatif, sur les droits sacrés de la propriété, de l'égalité, de la liberté. – Les pouvoirs qu'elle institue seront forts et stables, tels qu'ils doivent être pour garantir les droits des citoyens et les intérêts de l'État. – Citoyens, la Révolution est fixée aux principes qui l'ont commencée : elle est finie. »

15 décembre 1799. ◼

1. Comment est justifiée la mise en place d'une nouvelle Constitution ? Sur quels principes s'appuie-t-elle ?
2. Expliquez la phrase soulignée.

I Le coup d'État du 18 Brumaire

F. Bouchot, *Le général Bonaparte au Conseil des Cinq-Cents, à Saint-Cloud, 10 novembre 1799*, 1840. Huile sur toile, largeur 421 cm, hauteur 401 cm. Musée national du château de Versailles

1. Où et quand se situe la scène ?
2. Identifiez les différents personnages. Quels éléments montrent qu'il s'agit d'un coup d'État ?

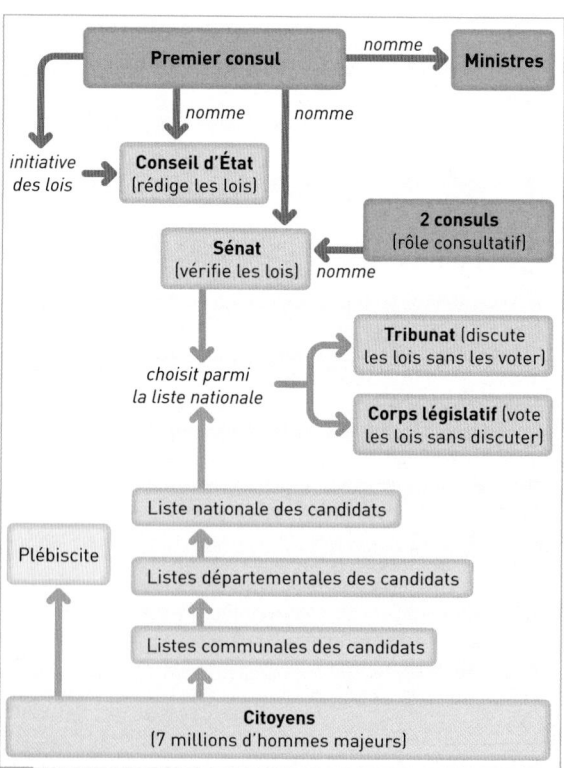

3 Le Consulat (Constitution de l'an VIII, décembre 1799)

1. Qui détient le pouvoir exécutif ? le pouvoir législatif ? Comment sont choisis les membres des quatre assemblées ?
2. Qui vote ? Pour quels types de scrutin ?

4 Le sacre de Napoléon

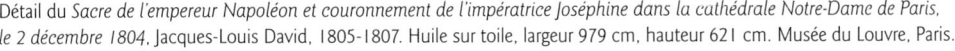

DOC

Détail du *Sacre de l'empereur Napoléon et couronnement de l'impératrice Joséphine dans la cathédrale Notre-Dame de Paris, le 2 décembre 1804*, Jacques-Louis David, 1805-1807. Huile sur toile, largeur 979 cm, hauteur 621 cm. Musée du Louvre, Paris.

▶ À partir d'une analyse du tableau (scène représentée, composition, personnages présents), montrez qu'un nouveau pouvoir monarchique est né en 1804.

5 Le Code civil, 21 mars 1804 (extraits)

« **Livre premier. Des personnes**
Art. 8. Tout Français jouira des droits civils.
Art. 11. L'étranger jouira en France des mêmes droits civils que ceux qui sont ou seront accordés aux Français […].
Art. 146. Il n'y a pas de mariage lorsqu'il n'y a point de consentement.
Art. 212. Les époux se doivent mutuellement fidélité, secours et assistance.
Art. 213. Le mari doit protection à sa femme, la femme obéissance à son mari.
Art. 229. Le mari pourra demander le divorce pour cause d'adultère de la femme.
Art. 230. La femme pourra demander le divorce pour cause d'adultère de son mari, lorsqu'il aura tenu sa concubine dans la maison commune.
Art. 371. L'enfant, à tout âge, doit honneur et respect à ses père et mère.
Art. 372. Il reste sous leur autorité jusqu'à sa majorité ou son émancipation.
Art. 373. Le père exerce seul cette autorité durant le mariage.
Art. 1 421. Le mari administre seul les biens de la communauté. Il peut les vendre, aliéner et hypothéquer sans le concours de la femme.
Livre II. Des biens, et des différentes modifications de la propriété
Art. 544. La propriété est le droit de jouir et disposer des choses de la manière la plus absolue, […].
Art. 545. Nul ne peut être contraint de céder sa propriété, si ce n'est pour cause d'utilité publique, et moyennant une juste et préalable indemnité. » ∎

1. D'après les articles cités, définissez ce qu'est le Code civil.
2. Quels principes de la Déclaration des droits de l'homme et du citoyen de 1789 le Code civil reprend-il ?

6 « *La gloire démocratique* »

Caricature britannique de James Gillray, mai 1800.
Musée de l'Armée, Paris.

▶ Comment le caricaturiste anglais James Gillray représente-t-il le pouvoir acquis par Bonaparte dès 1800 ?

CONFRONTER DES DOCUMENTS

Comment les documents 1, 5 et 6 illustrent-ils les étapes de l'accession au pouvoir de Napoléon Bonaparte ?

L'Église et la Révolution

En 1789, le clergé disparaît en tant qu'ordre. La Déclaration des droits de l'homme et du citoyen institue la liberté de conscience religieuse et rompt avec le principe d'une religion officielle. C'est le prélude à une redéfinition des relations entre l'Église catholique et l'État.

 Comment la Révolution modifie-t-elle la place de l'Église catholique en France ?

REPÈRES

▶ 12 juillet 1790 : Constitution civile du clergé.
▶ Mars 1791 : le pape Pie VI condamne la Constitution civile du clergé.
▶ Mai-août 1792 : décrets contre les prêtres réfractaires.
▶ Mars 1793 : soulèvement des campagnes de l'Ouest.
▶ 15 juillet 1801 : signature du Concordat.

1 La nationalisation des biens du clergé

« L'Assemblée nationale décrète :
1. Que tous les biens ecclésiastiques sont à la disposition de la nation, à la charge de pourvoir d'une manière convenable, aux frais du culte, à l'entretien de ses ministres et au soulagement des pauvres sous la surveillance et d'après les instructions des provinces. »

Décret du 2 novembre 1789. ■

1. Dans quel contexte ce décret est-il voté ?
2. Que prévoit-il ?

2 La Constitution civile du clergé

« Titre I. Des offices ecclésiastiques.
1. – Chaque département formera un seul diocèse et chaque diocèse aura la même étendue et les mêmes limites que le département. […]
Titre II. Nomination aux bénéfices.
1. – À compter du jour de la publication du présent décret, on ne connaîtra qu'une seule manière de pourvoir aux évêchés et aux cures, c'est à savoir la forme des élections.
21. – […] L'élu prêtera le serment solennel de veiller avec soin sur les fidèles du diocèse qui lui est confié, d'être fidèle à la nation, à la loi et au Roi, et de maintenir de tout son pouvoir la Constitution décrétée par l'Assemblée nationale et acceptée par le Roi. […] »

Décret du 12 juillet 1790. ■

▶ Relevez les différentes mesures contenues dans ce texte.

3 La scission au sein du clergé

« Moyen de faire prêter serment aux évêques et curés aristocrates, en présence des municipalités suivant le décret de l'Assemblée nationale. », estampe, XVIIIe siècle. Musée Carnavalet, Paris.

Après la condamnation de la Constitution civile du clergé par le pape Pie VI en mars 1791, le clergé de France se divise entre jureurs, qui prêtent serment à cette Constitution, et réfractaires, qui la refusent.

1. Décrivez l'image. Où se situe la scène ?
2. Quel est l'objectif de cette caricature ?

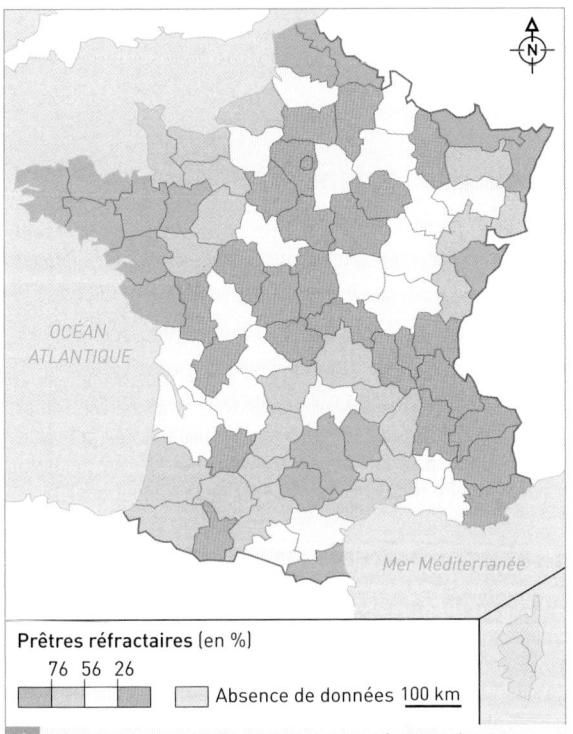

Prêtres réfractaires (en %)

76 56 26

Absence de données   100 km

4 « Jureurs » et « réfractaires » sous la Révolution

1. Dans quelles parties du territoire trouve-t-on une majorité de prêtres réfractaires ?

2. Quels éléments montrent que les Français sont divisés sur la question religieuse ?

6 Le Concordat (1801)

« Le Gouvernement de la République reconnaît que la religion catholique, apostolique et romaine est la religion de la grande majorité des citoyens français. […]

Article 1. La religion catholique, apostolique et romaine sera librement exercée en France. […]

Article 4. Le Premier consul de la République nommera aux archevêchés et évêchés de la circonscription nouvelle. Sa Sainteté conférera l'institution canonique[1] […].

Article 6. Les évêques, avant d'entrer en fonction, prêteront directement, entre les mains du Premier consul, le serment de fidélité […].

Article 14. Le Gouvernement assurera un traitement convenable aux évêques et aux curés […]. »

15 juillet 1801. ■

1. Le pape confirmera les nominations effectuées par le Premier consul.

1. Qui sont les signataires du Concordat ?

2. Quel en est l'objectif ?

3. Pourquoi ce texte constitue-t-il un compromis ?

ORGANISER DES CONNAISSANCES

Construisez un plan chronologique pour montrer l'évolution de la place de l'Église en France entre 1789 et 1801.

5 La Vendée, Dieu et le roi

Insigne des insurgés royalistes représentant le Sacré-Cœur.
Bouton révolutionnaire avec une fleur de lys et la devise « Vivre libre ou mourir ». Musée Thomas Dobrée, Nantes.

▶ Quelle place tient la religion dans la lutte des Vendéens contre la Révolution ?

7 La liberté des cultes

Allégorie du Concordat de 1801, gravure, 1801. Musée Carnavalet, Paris.

Le Premier consul Bonaparte indique le triangle, symbolisant la divinité, vénérée par les représentants de chaque religion : un catholique, un juif, un quaker, un protestant, un bouddhiste, un orthodoxe, un musulman et un hindou.

1. Comment Bonaparte est-il présenté dans ce document ?

2. **Doc. 6 et 7** Au regard du Concordat, cela vous paraît-il justifié ?

La fin de la Révolution (1799-1804)

Comment mettre un terme au processus révolutionnaire tout en préservant les acquis de 1789 ?

1 La prise du pouvoir par le général Bonaparte

● **Le recours à un militaire victorieux.** En 1799, Sieyès, qui est convaincu que la stabilisation du pays ne se fera qu'avec un exécutif fort, est nommé directeur. Voulant imposer une nouvelle Constitution, il fomente un coup d'État. Il s'appuie sur le général Bonaparte, dont le prestige et la popularité se sont accrus depuis les campagnes d'Italie (1796) **doc. 2** et d'Égypte (1799).

● **Le coup d'État du 18 Brumaire (8 novembre 1799).** Les Conseils sont transférés au château de Saint-Cloud sous prétexte d'un complot, et placés sous la garde des soldats de Bonaparte. Le lendemain, les représentants de la nation sont contraints de prononcer la fin du Directoire. Dans la soirée, Bonaparte fait imprimer et afficher une proclamation adressée à tous les Français, dans laquelle il se pose en sauveur de la République.

2 Bonaparte instaure un pouvoir personnel

● **Une nouvelle Constitution.** La Constitution de l'an VIII concentre les pouvoirs entre les mains du Premier consul, Bonaparte. Le Consulat marque un profond changement dans l'organisation des institutions. Le pouvoir législatif est divisé entre quatre assemblées aux attributions définies : rédaction du projet de loi, discussion, vote, vérification. L'initiative des lois revenant au Premier consul, Bonaparte détient l'essentiel du pouvoir législatif ainsi que le pouvoir exécutif. Le suffrage universel sert à légitimer le pouvoir personnel de Bonaparte par le recours au plébiscite. Le principe de souveraineté nationale, posé en 1789, est détourné : ce ne sont plus des députés élus, détenteurs du pouvoir législatif, qui représentent la nation, mais le chef de l'exécutif, Bonaparte.

● **L'établissement de l'Empire.** Bonaparte devient l'empereur Napoléon Ier en mai 1804. La modification de la Constitution est ratifiée par un plébiscite. La dignité impériale est déclarée héréditaire : une nouvelle dynastie est née. Le sacre se déroule le 2 décembre 1804, dans la cathédrale Notre-Dame de Paris, en présence du pape. Une cour impériale se constitue rapidement. Le pouvoir personnel de Bonaparte s'est transformé en un nouveau pouvoir monarchique.

3 Bonaparte et l'héritage révolutionnaire

● **La limitation des libertés publiques.** Le Consulat, et l'Empire à sa suite, sont des régimes autoritaires. Dès janvier 1800, un décret supprime la liberté de la presse. À Paris, le nombre de titres passe de 70 à 13, pour atteindre 9 en 1802 et 4 en 1810. Les préfets, nommés à partir de 1800 à la tête des départements où ils représentent le pouvoir exécutif, sont notamment chargés de surveiller l'opinion. La vie politique, très animée depuis 1789, est complètement étouffée. Ces atteintes aux principes de 1789 ne suscitent guère de réaction des Français qui aspirent à la stabilité après une décennie révolutionnaire troublée.

● **L'héritage social de la Révolution.** L'organisation sociale héritée de 1789 est consolidée par Napoléon. Tout en ayant rétabli l'esclavage dans les colonies en 1802, il reste influencé par l'héritage des Lumières et attaché à l'égalité civile acquise avec la Déclaration des droits de l'homme et du citoyen de 1789. Avec la promulgation en mars 1804 du Code civil, appelé également Code Napoléon, il consacre l'organisation sociale instituée en 1789 en confirmant la suppression des privilèges juridiques, l'égalité devant la loi et le droit de propriété. Il installe les organes d'une administration centralisée, restaure la paix religieuse et développe l'instruction publique **doc. 1**.

● **L'extension des conquêtes puis la défaite.** Grâce à ses victoires militaires, Napoléon étend l'Empire à une grande partie de l'Europe **doc. 3**. Mais sa défaite finale ramène la France à ses frontières de 1792.

■ **Bonaparte prétend restaurer la stabilité politique en imposant un régime autoritaire. Il reprend à son compte et étoffe l'édifice social mis en place par la Révolution.**

DÉFINITIONS

Coup d'État
Usage de la force pour prendre ou garder le pouvoir.

Plébiscite
Vote par lequel les citoyens doivent se prononcer pour ou contre un texte, et qui leur permet de renouveler ou non leur confiance au pouvoir en place.

Code civil
Ensemble de lois qui définissent les droits civils des individus et leurs relations (mariage, divorce, filiation, contrats, droit de propriété).

1 Favoriser une instruction publique

« L'instruction publique a fait quelques pas à Paris et dans un petit nombre de départements ; dans presque tous les autres, elle est languissante et nulle. Si nous ne sortons pas de la route tracée, bientôt il n'y aura de lumières que sur quelques points, et ailleurs ignorance et barbarie.

Un système d'instruction publique plus concentré a fixé les pensées du gouvernement. Des écoles primaires affectées à une ou plusieurs communes […] offriront partout aux enfants des citoyens, ces connaissances élémentaires sans lesquelles l'homme n'est guère qu'un agent aveugle et dépendant de tout ce qui l'environne.

Les instituteurs y auront un traitement fixe, fourni par les communes, et un traitement variable, formé de rétributions convenues avec les parents qui seront en état de les supporter. […]

Dans des écoles secondaires, s'enseigneront les éléments des langues anciennes, de la géographie, de l'histoire et du calcul. Ces écoles se formeront, ou par des entreprises particulières avouées de l'administration publique, ou par le concours des communes.

Elles seront encouragées par des concessions d'édifices publics ; par des places gratuites dans les écoles supérieures, accordées aux élèves qui se seront le plus distingués ; […].

Trente écoles, sous le nom de lycées, seront formées et entretenues aux frais de la République, dans les villes principales qui, par leur situation et les mœurs de leurs habitants, seront plus favorables à l'étude des lettres et des sciences.

Là seront enseignées les langues savantes, la géographie, l'histoire, la logique, la physique, la géométrie, les mathématiques ; dans quelques-unes, les langues modernes dont l'usage sera indiqué par leur situation.

Six mille élèves de la patrie seront distribués dans ces trente établissements, entretenus et instruits aux dépens de la République. Trois mille seront des enfants de militaires ou de fonctionnaires qui auront bien servi l'état. Trois mille autres seront choisis dans les écoles secondaires, d'après des examens et des concours déterminés, et dans un nombre proportionné à la population des départements qui devront les fournir. »

Bonaparte, Premier consul, exposé de la situation de la République au corps législatif, Paris, le 1er frimaire an X (22 novembre 1801). ∎

1. Quelles sont les caractéristiques du système d'instruction mis en place par le Consulat : types d'écoles, élèves concernés, financement ?
2. Quelles sont les disciplines enseignées ?
3. Quel est le but poursuivi ?

2 Bonaparte, la gloire militaire

Antoine-Jean Gros, *Le Général Bonaparte au pont d'Arcole*, 1796, huile sur toile, largeur 94 cm, hauteur 130 cm. Château de Versailles et de Trianon.

Ce tableau est une commande de Bonaparte qui souhaitait être représenté menant l'offensive au pont d'Arcole, lors de la campagne d'Italie.

1. Dans quelle attitude le général Bonaparte est-il représenté ?
2. Quel symbole arbore-t-il ?
3. Quel message Bonaparte veut-il transmettre par cette commande ?

3 Le coût des guerres napoléoniennes

Antoine-Jean Gros, *Napoléon sur le champ de bataille d'Eylau*, 1807, huile sur toile, largeur 784 cm, hauteur 521 cm. Musée du Louvre, Paris.

La victoire française à Eylau contre la Prusse, le 8 février 1807, fit près de 5 000 morts et 25 000 blessés parmi les troupes de Napoléon.

Comment la Révolution a-t-elle transformé la France ?

En mettant à bas les fondements de la société d'Ancien Régime et de la monarchie absolue, la Révolution a donné naissance à une nouvelle organisation politique, administrative et sociale. Pour autant, les principes universels proclamés en 1789 ne s'appliquent pas à tous.

REPÈRES

▶ 1789 : nationalisation des biens du clergé.

▶ 1792 : légalisation du divorce.

▶ 1794 : abolition de l'esclavage.

▶ 1800 : mise en place des préfets ; création de la Banque de France.

▶ 1802 : création des lycées et de la Légion d'honneur ; rétablissement de l'esclavage dans les colonies.

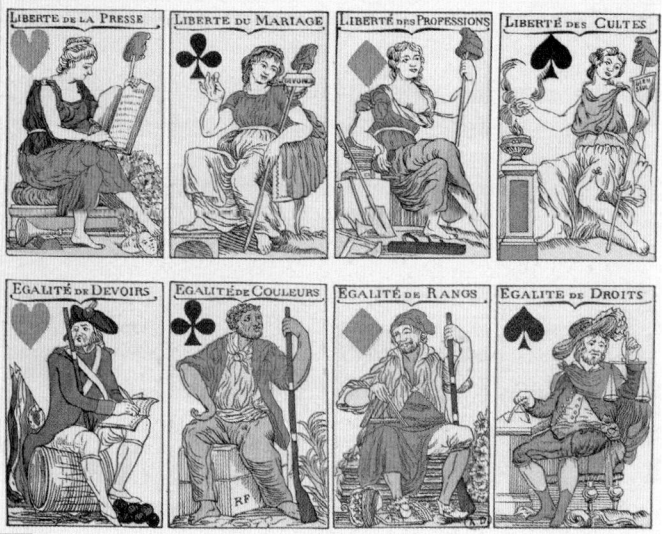

1 De nouveaux droits

Jeu de carte de Jaume et Dugoure, 1792. Collection particulière.

▶ Selon quels principes la société française est-elle réorganisée en 1792 ?

2 Une nation une et indivisible

« La France ne doit point être un assemblage de petites nations, qui se gouverneraient séparément en démocraties ; elle n'est point une collection d'États ; elle est un tout unique, composé de parties intégrantes ; ces parties n'en doivent point avoir séparément une existence complète, parce qu'elles ne sont point des touts simplement unis, mais des parties ne formant qu'un seul tout. Cette différence est grande [...]. Tout est perdu, si nous nous permettons de considérer les municipalités qui s'établissent, ou les districts, ou les provinces, comme autant de républiques unies seulement sous les rapports de force ou de protection commune. Au lieu d'une administration générale [...], nous n'aurons plus, dans l'intérieur du royaume, hérissé de barrières de toutes espèces, qu'un chaos de coutumes, de règlements, de prohibitions particulières à chaque localité. »

Sieyès, *Archives parlementaires*, 1790. ▪

1. Expliquez la phrase soulignée.
2. Qu'est-ce qui en découle d'après Sieyès ?

3 Le préfet

« Cette place vous impose des devoirs étendus [...] : vous êtes appelé à seconder le gouvernement dans le noble dessein de restituer la France à son antique splendeur, d'y ranimer ce qu'elle a produit de grand et de généreux, et d'asseoir enfin ce magnifique édifice sur les bases inébranlables de la liberté et de l'égalité [...]. Vous n'aurez point à administrer au gré des passions ou des caprices d'un gouvernement versatile, incertain de son existence, inquiet sur sa durée. Votre premier soin est de détruire sans retour, dans votre département, l'influence morale des événements qui nous ont trop longtemps dominés. Faites que les passions haineuses cessent, que les ressentiments s'éteignent, que les souvenirs douloureux s'effacent [...]. Dans vos actes publics [...] soyez toujours le premier magis-

trat du département, jamais l'homme de la révolution [...]. Vous recevrez du ministre de la Guerre la direction nécessaire pour toutes les parties d'administration relatives à son département. Je me borne à vous recommander de vous occuper sans délai de la levée de la conscription [...]. À la tête de ces mesures, je place la prompte rentrée des contributions : leur acquittement est aujourd'hui un devoir sacré [...]. Que l'agriculture, que le commerce, que les arts reprennent le rang qui leur convient. Aimez, honorez les agriculteurs [...]. Protégez le commerce, sa liberté ne peut jamais avoir d'autres bornes que l'intérêt de l'État.

Lucien Bonaparte, ministre de l'Intérieur aux préfets, 26 avril 1800. ▪

1. Quelle est la mission du préfet ?
2. Quels sont ses domaines d'action ?
3. Pourquoi peut-on dire que la fonction des préfets est aussi de « terminer » la Révolution ?

4 De nouveaux principes économiques

• **Loi d'Allarde (mars 1791)**
« **Art. 7 :** À compter du 1ᵉʳ avril prochain, il sera libre à toute personne de faire tel négoce ou d'exercer telle profession, art ou métier qu'elle trouvera bon ; mais elle sera tenue de se pourvoir auparavant d'une patente, d'en acquitter le prix suivant les taux ci-après déterminés et de se conformer aux règlements de police qui sont ou pourront être faits. »

• **Loi Le Chapelier (juin 1791)**
« **Art. 1.** L'anéantissement de toutes espèces de corporations de citoyens du même état et profession [...].
Art. 2. Les citoyens d'un même état ou profession, les entrepreneurs, ceux qui ont boutique ouverte, les ouvriers et compagnons d'un art quelconque, ne pourront, [...] se nommer ni président, ni secrétaire, ni syndics, tenir des registres, prendre des arrêtés ou délibérations former des règlements sur leurs prétendus intérêts communs.
Art. 8. Tous les attroupements composés d'artisans, ouvriers, compagnons, journaliers, ou excités par eux contre le libre exercice de l'industrie et du travail, [...] seront tenus pour attroupements séditieux et, comme tels ils seront dissipés par les dépositaires de la force publique et punis selon toute la rigueur des lois. » ▪

1. Selon quels principes la loi réorganise-t-elle le monde du travail ?
2. Quelle interdiction est faite aux travailleurs ?

6 Le divorce

« Chez toutes les nations les femmes ont vécu jusqu'ici dans une dépendance de leurs époux, ou plutôt dans un état vrai d'esclavage, toujours gradué sur le despotisme, dans le système politique du gouvernement. La dureté de cet esclavage décroît en même temps que les peuples deviennent plus policés et que l'instruction s'étend, mais la mesure de son affaiblissement n'égale pas les progrès de la liberté publique. Nous le prouvons bien, nous qui avons à peu près rompu nos chaînes politiques, et qui n'avons rien fait encore pour la liberté des femmes. Établissons-la donc aujourd'hui : instituons le divorce [...]. »

Discours du député Lequino à l'Assemblée législative,
17 février 1792. ▪

▶ Comment Lequino justifie-t-il l'établissement du divorce ?

7 La place de la femme en débat

Lavis de Mettais, 1793. British Museum, Londres.

En novembre 1793, Olympe de Gouges, proche des Girondins et auteur d'un projet de Déclaration des droits de la femme et de la citoyenne, est menée à l'échafaud. Le procureur Pierre Chaumette se félicite de son exécution : « Rappelez-vous, rappelez-vous cette virago, cette femme homme, l'impudente Olympe de Gouges qui, la première, institua des sociétés de femmes, qui abandonna les soins de son ménage, voulut politiquer et commit des crimes. Tous ces êtres immoraux ont été anéantis sous le fer vengeur des lois. », *Courrier Républicain* du 29 brumaire an II (19 novembre 1793).

▶ **Doc. 6 et 7** Montrez les ambiguïtés de la Révolution vis-à-vis de la place des femmes dans la société.

5 À qui profite la vente des biens nationaux ?

« Monsieur Grandet était en 1789 un maître tonnelier fort à son aise, sachant lire, écrire et compter. Lorsque la République française mit en vente [...] les biens du clergé, le tonnelier, alors âgé de 40 ans, venait d'épouser la fille d'un riche marchand de planches. Grandet alla, muni de sa fortune liquide et de la dot, [...], au district, où [...] il eut pour un morceau de pain, légalement, sinon légitimement, les plus beaux vignobles de l'arrondissement, une vieille abbaye et quelques métairies. Les habitants de Saumur étant peu révolutionnaires, le père Grandet passa pour un homme hardi, un républicain, un patriote, pour un esprit qui donnait dans les nouvelles idées, tandis que le tonnelier donnait tout bonnement dans les vignes. Il fut nommé membre de l'administration du district de Saumur [...]. »

Honoré de Balzac, *Eugénie Grandet*, 1833. ▪

1. Quels bénéfices monsieur Grandet tire-t-il de la Révolution ?
2. À quelle catégorie sociale la Révolution a-t-elle le plus profité ?

SYNTHÉTISER DES INFORMATIONS

Après l'étude des documents, rédigez un paragraphe répondant à la question suivante : quel bilan peut-on dresser de la Révolution ?

① S'entraîner à la composition : bâtir un plan chronologique

▶ **Sujet :** Les Français et la monarchie (1789-1793).

MÉTHODE

Analyser les termes du sujet

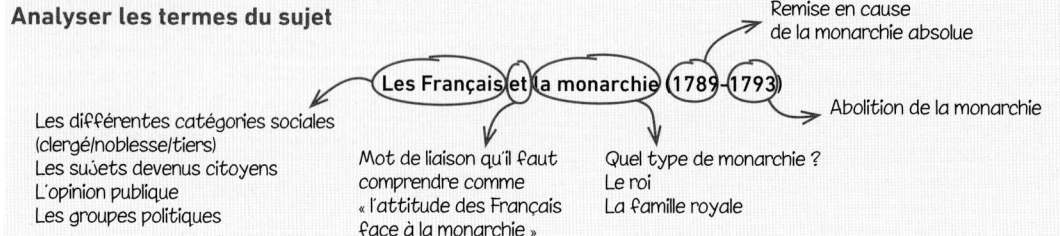

Remise en cause
de la monarchie absolue

Les Français et la monarchie (1789-1793)

Abolition de la monarchie

Les différentes catégories sociales
(clergé/noblesse/tiers)
Les sujets devenus citoyens
L'opinion publique
Les groupes politiques

Mot de liaison qu'il faut
comprendre comme
« l'attitude des Français
face à la monarchie »

Quel type de monarchie ?
Le roi
La famille royale

Aide

Chronologie indicative	
17 juillet 1789 : le roi accepte la cocarde tricolore des mains du maire de Paris, Bailly.	**juillet 1790 :** Constitution civile du clergé.
	20-21 juin 1791 : fuite du roi et arrestation à Varennes.
5-6 octobre 1789 : la famille royale est ramenée à Paris par les Parisiens.	**20 avril 1792 :** déclaration de guerre à l'Autriche.
	10 août 1792 : prise des Tuileries et arrestation de la famille royale.
14 juillet 1790 : fête de la Fédération, communion de la nation autour du roi.	**21 septembre 1792 :** abolition de la monarchie, Ire République.
	21 janvier 1793 : Louis XVI est guillotiné place de la Révolution.

EXERCICE

Ce sujet implique l'adoption d'un plan chronologique. La chronologie indicative est là pour vous aider à repérer les dates charnières qui constitueront les bornes temporelles de chaque partie.

Proposez un plan en trois parties en vous appuyant sur l'analyse du sujet et la chronologie.

② S'entraîner à la composition

▶ **SUJET :** Napoléon Bonaparte, continuateur ou fossoyeur de la Révolution ?

MÉTHODE

Analyse des termes du sujet

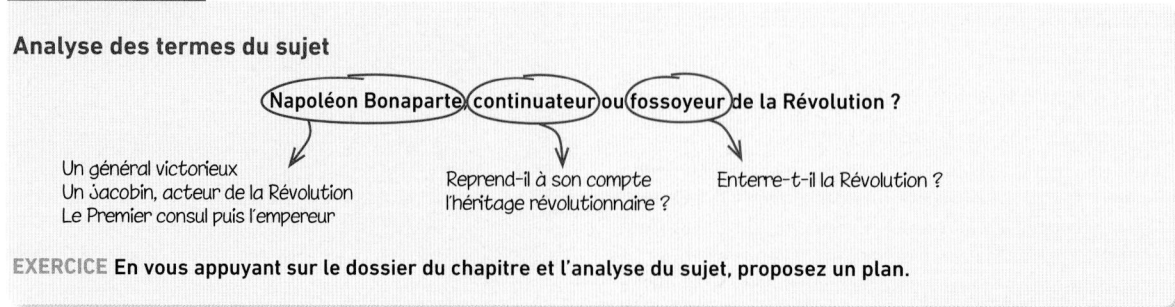

Napoléon Bonaparte continuateur ou fossoyeur de la Révolution ?

Un général victorieux
Un Jacobin, acteur de la Révolution
Le Premier consul puis l'empereur

Reprend-il à son compte
l'héritage révolutionnaire ?

Enterre-t-il la Révolution ?

EXERCICE En vous appuyant sur le dossier du chapitre et l'analyse du sujet, proposez un plan.

EXERCICES D'APPLICATION

Analysez les sujets suivants :

▶ **Sujet 1 :** La participation du peuple à la Révolution.

▶ **Sujet 2 :** Quelle France naît de la Révolution ?

❸ Décrire et confronter des gravures

▶ Présentez les documents en insistant sur leur nature.
En quoi témoignent-ils de la place du sans-culotte au sein du processus révolutionnaire ?
Que montre leur confrontation sur la perception qu'en ont leurs contemporains ?

1 Les sans-culottes

2 « À Paris belle »

Estampe anonyme, 1792. Bibliothèque nationale
de France, Paris.

Caricature anglaise de Mary Stokes, 1794.
Bibliothèque nationale de France, Paris.

❹ Comprendre et analyser un texte

▶ Présentez le document en insistant sur le contexte de sa rédaction.
Que révèle-t-il de la perception que la Grande-Bretagne a de la Révolution.
Quelles en sont les conséquences ?

Déclaration du gouvernement britannique, 29 octobre 1793

« Les intentions qui avaient été proclamées de réformer les abus du gouvernement français, d'établir la liberté individuelle sur des bases solides, [...] toutes ces vues salutaires se sont malheureusement évanouies. À leur place a succédé un système destructeur de l'ordre public, maintenu en place par des expulsions, des confiscations, des emprisonnements, des massacres [...] et, finalement, par l'exécrable assassinat d'un souverain juste et bienfaisant. Les nations voisines ont été exposées aux attaques répétées. [...] Cet état de choses ne peut exister en France sans entraîner toutes les puissances environnantes dans un même danger [...], sans leur donner le droit d'arrêter la progression de ce mal. » ▪

⑤ Comprendre et analyser un discours

▶ **Présentez le document en insistant sur son auteur.**
En quoi témoigne-t-il de ce que fut la période de la Terreur durant la Révolution ?

Robespierre définit la Terreur

« Il n'y a pas de citoyens dans la République que les républicains. Les royalistes, les conspirateurs, ne sont pour elle que des étrangers, ou plutôt des ennemis. [...] Il faut étouffer les ennemis intérieurs et extérieurs de la République ou périr avec elle. [...] Le gouvernement de la Révolution est le despotisme de la Liberté contre la tyrannie. [...]
Indulgence pour les royalistes, s'écrient certaines gens : grâce pour les scélérats ! Non, grâce pour l'innocence, grâce pour les faibles, grâce pour les malheureux, grâce pour l'humanité !
Eh ! pour qui donc s'attendrissent-ils ? Serait-ce pour 200 000 héros, l'élite de la nation, moissonnés par le fer des ennemis de la liberté, ou pour les poignards des assassins royaux ou fédéralistes ? [...] La terreur est moins un principe particulier qu'une conséquence du principe général de la démocratie, appliquée aux plus pressants besoins de la patrie. Le ressort du gouvernement populaire en révolution est à la fois la vertu et la terreur, la vertu sans laquelle la terreur est funeste ; la terreur sans laquelle la vertu est impuissante. »

Discours devant la Convention, 5 février 1794. ■

⑥ Avoir des repères sur la Révolution française

1. À quels événements correspondent les dates suivantes ?

20 juin 1789 • 9 thermidor 1794 • 4 août 1789 • 10 août 1792 • 26 août 1732 • 21 septembre 1792
21 janvier 1793 • 14 juillet 1789 • 18 brumaire 1799

2. Citez des acteurs de la Révolution et précisez leurs rôles :

– des personnages poltiques importants
– les institutions
– les sociétés et les clubs
– des groupes sociaux

⑦ Exercice TICE : l'image du pouvoir

L'histoire par l'image

Rendez-vous sur le site de l'histoire par l'image :
www.histoire-image.org

Cherchez les portraits en costume du sacre de Louis XIV par H. Rigaud et de Napoléon Ier par Ingres.

1. Comparez-les : composition, palette, attributs, attitudes, styles...

2. Pourquoi peut-on parler de retour au pouvoir monarchique en observant le portrait de Napoléon en costume de sacre ?

MÉMO ET RÉVISIONS

À retenir

1789, UNE ANNÉE FONDATRICE	LA RECHERCHE D'UN NOUVEAU RÉGIME POLITIQUE	SORTIR DU PROCESSUS RÉVOLUTIONNAIRE ?
▸ La Révolution politique de juin ▸ La Révolution populaire de juillet et août ▸ La Révolution juridique du 26 août	▸ De 1781 à 1804, la France connaît une **succession de régimes et de Constitutions** : – Monarchie parlementaire – Iʳᵉ République – Consulat – Empire ▸ Les **journées révolutionnaires** jouent un rôle d'accélérateur : – 10 août 1792 – 9 thermidor an II – 18 brumaire an VIII	▸ Chaque période d'accalmie et de stabilisation est perçue comme la fin de la Révolution : – La fête de la Fédération (14 juillet 1790) clôt le cycle de 1789. – La proclamation de la République le 22 septembre 1792 apparaît comme la conclusion du 10 août. – L'établissement du Directoire met fin à la dictature du Comité de salut public. – La proclamation du Consulat vise à « finir » la Révolution.

Schéma explicatif

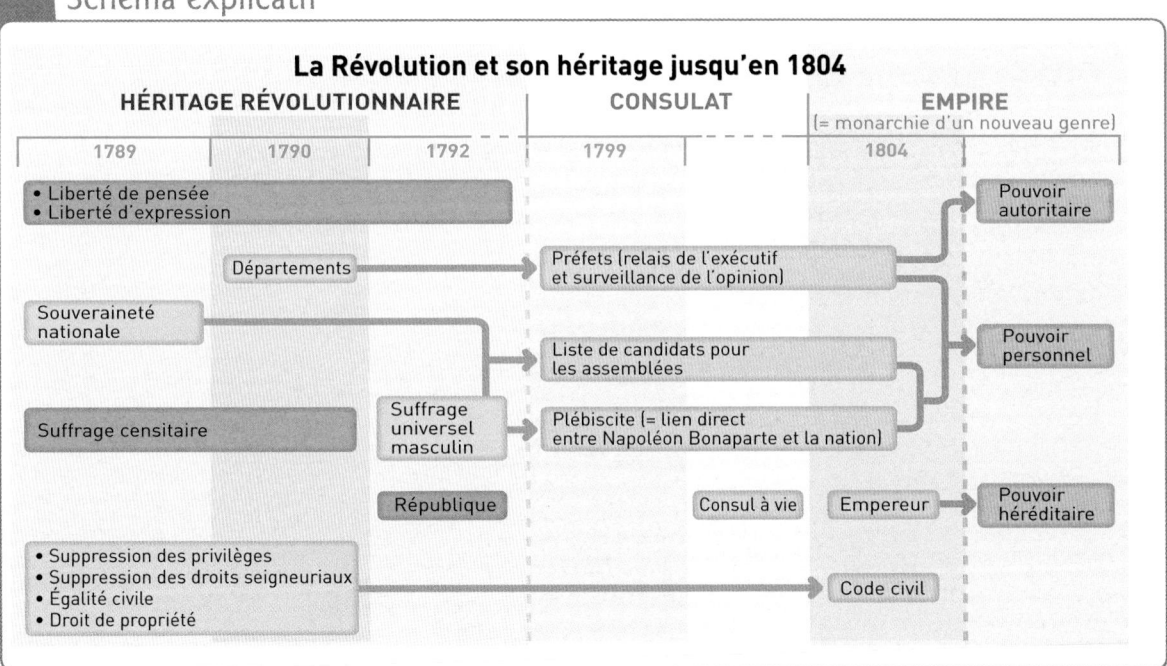

La Révolution et son héritage jusqu'en 1804

▸ Faire une fiche de révision

Réalisez vos fiches de révision en développant les thèmes suivants :

• De l'absolutisme à la monarchie constitutionnelle (1789-1792)

• La Iʳᵉ République (1792-1799)

• Bonaparte et l'héritage révolutionnaire (1799-1804)

Chapitre 12

Libertés et nations en France et en Europe

(première moitié du XIXᵉ siècle)

Après 1815, la plupart des gouvernements européens tentent de restaurer l'ordre antérieur à la Révolution. Cette volonté de Restauration se heurte toutefois au progrès des idées libérales. Ces idées s'expriment autant par la lutte pour l'abolition de la traite et de l'esclavage dans les colonies européennes que par les combats des patriotes en faveur de la liberté des nations.

Des révolutions pour la liberté en Europe en 1830

Gustaf Wappers (1803-1874), *Épisode des journées de septembre 1830 sur la Place de l'Hôtel de Ville de Bruxelles*, 1835, huile sur toile. Musées Royaux des Beaux-Arts de Belgique, Bruxelles.

Un Printemps des Peuples en 1848 ?

Frédéric Sorrieu, *La République universelle, démocratique et sociale – le Triomphe,* 1848, lithographie gouachée. Musée Carnavalet, Paris.

Sommaire

⟩ **Comment les idées libérales
se diffusent-elles en Europe ?**

⟩ **Quels sont les idéaux
des révolutionnaires de 1848 ?**

L'Europe dans la première moitié du XIXe siècle

1 États et nationalités en Europe dans la première moitié du XIXe siècle

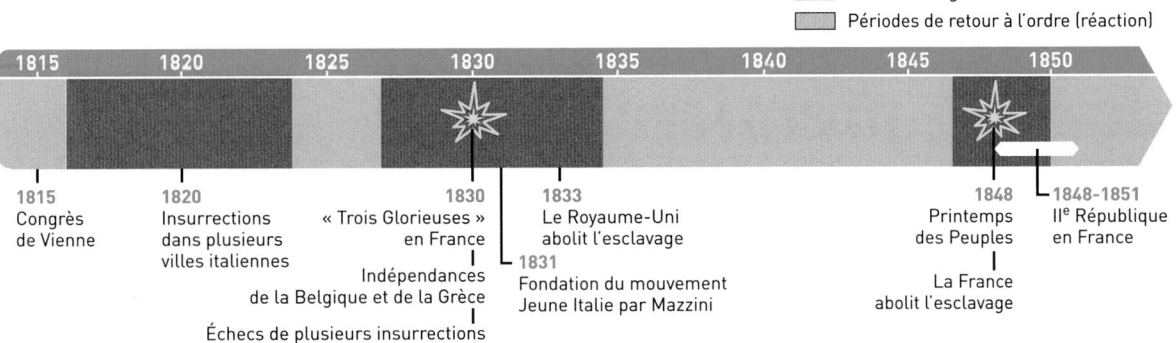

Périodes d'agitation révolutionnaire
Périodes de retour à l'ordre (réaction)
1815
1820
1825
1830
1835
1840
1845
1850
1815 Congrès de Vienne
1820 Insurrections dans plusieurs villes italiennes
1830 « Trois Glorieuses » en France
Indépendances de la Belgique et de la Grèce
Échecs de plusieurs insurrections libérales en Europe
1831 Fondation du mouvement Jeune Italie par Mazzini
1833 Le Royaume-Uni abolit l'esclavage
1848 Printemps des Peuples
La France abolit l'esclavage
1848-1851 IIe République en France

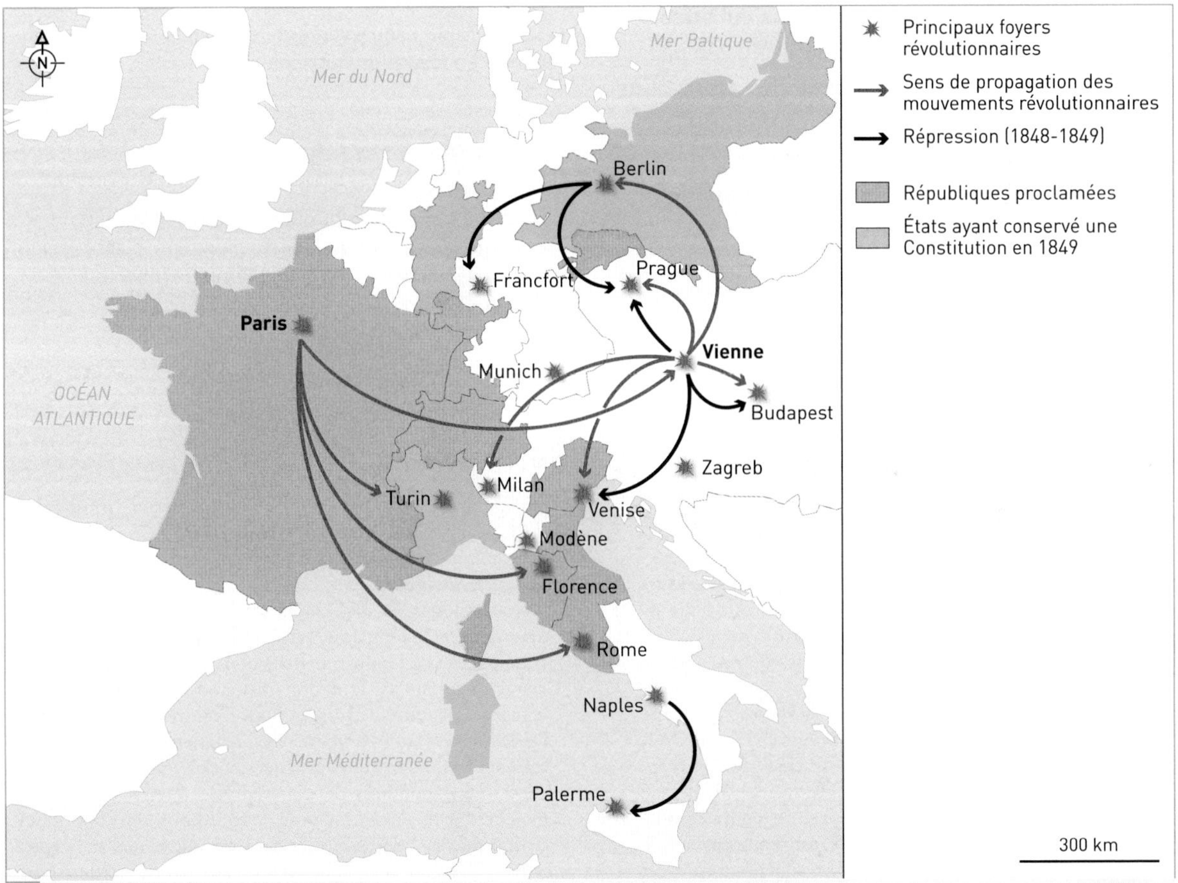

N
Mer Baltique
Mer du Nord
OCÉAN ATLANTIQUE
Mer Méditerranée
Berlin
Francfort
Prague
Paris
Vienne
Munich
Budapest
Zagreb
Milan
Turin
Venise
Modène
Florence
Rome
Naples
Palerme
Principaux foyers révolutionnaires
Sens de propagation des mouvements révolutionnaires
Répression (1848-1849)
Républiques proclamées
États ayant conservé une Constitution en 1849
300 km

2 Les révolutions de 1848 en Europe

QUESTIONS

1. Selon quels principes la carte de l'Europe est-elle réorganisée en 1815 ? Pourquoi peut-on parler de retour à l'ordre monarchique (doc. 1) ?
2. Quels mouvements touchent l'Europe entre 1815 et 1830 ? Quels nouveaux États sont apparus (doc. 1) ?
3. Montrez que le Printemps des Peuples fut une révolution européenne (doc. 2).
4. Où éclate la première révolution ? Comment le mouvement se diffuse-t-il (doc. 2) ?

Qu'est-ce que l'idée de liberté dans la première moitié du XIXe siècle ?

Avec la Révolution française, les idées de liberté connaissent une large diffusion en Europe. Mais, après la chute de Napoléon, le congrès de Vienne (septembre 1814-juin 1815) redessine les frontières européennes sous l'égide de la Sainte Alliance. Celle-ci lie la Prusse, l'Autriche et la Russie par un accord défensif contre le retour des aspirations libérales. Elle prévoit le droit d'intervention dans les affaires d'un État en cas de danger révolutionnaire. Le rétablissement monarchique nie donc le droit des peuples. Pourtant, le combat pour la liberté continue dans de nombreux pays d'Europe.

REPÈRES

▶ Février 1830 : indépendance de la Grèce.

▶ Juillet 1830 : révolution libérale en France.

▶ Octobre 1830 : indépendance de la Belgique.

▶ Septembre 1831 : répression de l'insurrection polonaise par les Russes.

▶ 1833 : le Royaume-Uni abolit l'esclavage.

▶ Mars 1848 : soulèvement de Milan contre l'occupation autrichienne.

DÉFINITIONS

▶ Libéralisme
Doctrine qui promeut la liberté tant sur le plan politique (Constitution, liberté d'opinion, d'expression, égalité juridique, etc.) qu'économique (liberté d'entreprendre).

1 Qu'entendons-nous par le mot « liberté » ?

Benjamin Constant (1767-1830), homme politique et intellectuel français, est élu député en 1818. Durant la Restauration, il devient le chef de file de l'opposition libérale.
« Demandez-vous d'abord, Messieurs, ce que de nos jours un Anglais, un Français, un habitant des États-Unis de l'Amérique, entendent par le mot de liberté ?
C'est pour chacun le droit de n'être soumis qu'aux lois, de ne pouvoir ni être arrêté, ni détenu, ni mis à mort, ni maltraité d'aucune manière, par l'effet de la volonté arbitraire d'un ou de plusieurs individus. C'est pour chacun le droit de dire son opinion, de choisir son industrie et de l'exercer ; de disposer de sa propriété, d'en abuser même ; d'aller, de venir, sans en obtenir la permission, et sans rendre compte de ses motifs ou de ses démarches. C'est, pour chacun, le droit de se réunir à d'autres individus, soit pour conférer sur ses intérêts, soit pour professer le culte que lui et ses associés préfèrent, soit simplement pour remplir ses jours et ses heures d'une manière plus conforme à ses inclinations, à ses fantaisies. Enfin, c'est le droit, pour chacun, d'influer sur l'administration du gouvernement, soit par la nomination de tous ou de certains fonctionnaires, soit par des représentations, des pétitions, des demandes, que l'autorité est plus ou moins obligée de prendre en considération. »

Benjamin Constant, *De la Liberté des anciens comparée à celle des modernes*, 1819. ∎

1. Quels sont les droits que défend le libéralisme ?

2. Quels droits politiques en découlent ?

2 Pétition pour une union douanière (1819)

Au début du XIXe siècle, l'Allemagne est une mosaïque d'États, majoritairement regroupés dans la Confédération germanique, créée en 1815, dont les représentants siègent à la diète de Francfort.
« Nous, soussignés, négociants et fabricants allemands, réunis à la foire de Francfort, accablés par la triste situation du commerce et de l'industrie, nous nous adressons au gouvernement suprême de la nation allemande, pour lui dévoiler les causes de notre détresse et pour implorer son assistance. Dans un pays où la plupart des fabriques sont fermées ou traînent une misérable existence, où les foires et les marchés sont encombrés de marchandises étrangères, où la majeure partie des négociants ne font pour ainsi dire plus d'affaires, est-il nécessaire de prouver que le mal est à son comble ? Trente-huit lignes de douane paralysent le commerce intérieur et produisent à peu près le même effet que si on liait les membres du corps humain pour empêcher le sang de circuler de l'un à l'autre.
Les soussignés osent en conséquence supplier la Diète :
1 – de supprimer les douanes à l'intérieur de l'Allemagne,
2 – d'établir vis-à-vis des nations étrangères un système commun de douane fondé sur le principe de rétorsion, jusqu'à ce que des nations adoptent le principe de la liberté du commerce européen. »

Friedrich List, économiste allemand. ∎

1. De qui émane la pétition ? À qui s'adresse-t-elle ?

2. Que réclame-t-elle ?

3. Au nom de quel principe ?

3 Les Belges revendiquent leur liberté

« Belges ! Nos compatriotes, nos amis, nos frères ! Nos représentants ont décrété l'indépendance de la Belgique, et cette indépendance a été compromise par une trop longue confiance dans la parole des rois.

Avec un chef imposé ou seulement indiqué par l'étranger, notre indépendance ne serait qu'une chimère, et notre révolution que du temps et du sang perdus. Soyons Belges, et terminons la révolution comme nous l'avons commencée, par nous-mêmes. Mais, avant tout, soyons prêts à la guerre. […]

Les Polonais, comprimés entre trois États dont la politique combinée tend à l'asservissement de cette héroïque nation, repoussent les hordes innombrables et aguerries de l'autocrate. Nous, c'est seulement au roi de Hollande, et à un peuple déjà fatigué du joug, que nous avons affaire. Les différents intérêts qui divisent les puissances dont nous sommes entourés sont une sûre garantie de l'indépendance que nous saurons vouloir.

Les soldats de l'Autriche et de la Prusse pourraient concourir à étouffer la liberté à Varsovie ; jamais les grands peuples de France et d'Angleterre ne prêteront leur appui aux prétentions du despote hollandais. »

Manifeste de l'Association nationale belge, 1831. ▪

1. Qu'est-ce que la liberté revendiquée par les Belges ?

2. Pourquoi les patriotes belges se comparent-ils aux Polonais ?

4 Des Milanaises fabriquent des drapeaux aux couleurs de l'Italie

Gerolamo Induno, aquarelle, 1848. Musée du Risorgimento, Milan.

1. Décrivez l'image.

2. Pourquoi est-il dangereux de fabriquer un drapeau aux couleurs de l'Italie à Milan en 1848 ?

3. **Doc. 3 et 4** Qu'a en commun le combat des Belges, des Polonais et des Italiens dans la première moitié du XIXe siècle ?

5 Première convention internationale contre l'esclavage

Benjamin Haydon, *The Anti-Slavery Convention*, 1840. Huile sur toile, longueur 383 cm, hauteur 297 cm. National Portrait Gallery, Londres.

1. Décrivez la scène.

2. Qui sont les membres de l'Anti-Slavery Society ?

3. Quels sont ses moyens d'action ?

SYNTHÉTISER DES INFORMATIONS

Quelles formes prend le combat pour la liberté dans l'Europe du premier XIXe siècle ?

L'abolition de la traite et de l'esclavage dans la première moitié du XIXᵉ siècle

Au début du XIXᵉ siècle, sous l'effet du rôle nouveau joué par l'opinion publique et de la position dominante des Britanniques dans les questions internationales, le Royaume-Uni prend la tête du mouvement abolitionniste. Mais un écart important demeure, tout au long du siècle, entre les lois d'abolition et leur application : la traite n'aura jamais été aussi pratiquée qu'au XIXᵉ siècle.

 Quels sont les acteurs du combat contre la traite et l'esclavage et quel rôle jouent-ils ?

1 Le poids de l'Angleterre dans la lutte contre la traite

« La continuation de la traite est la conséquence funeste de l'imperfection de nos lois. En prohibant la traite sans la réprimer, elles la rendent cent fois plus cruelle. [...] La traite sert d'apologie à cette surveillance arrogante que les Anglais exercent sur nos vaisseaux ; tantôt les accusant de piraterie, tantôt leur supposant des intelligences avec les négociants de leurs colonies, ils les arrêtent, les saisissent, les traînent dans leurs ports pour les juger. N'êtes-vous pas impatients, Messieurs, de soustraire notre pavillon à cette inquisition humiliante ? Faites des lois fortes, faites-les exécuter fortement, et ne souffrez plus que des Français s'exposent, pour un gain criminel, à être jugés par des étrangers [...].
Messieurs, nous ne voulons ni le malheur ni le désordre dans les colonies. Nous déplorons les calamités qui les ont frappées ; mais pour écarter les malheurs, pour prévenir les désordres, pour ne pas voir les calamités se renouveler, faites cesser la traite. Si ce n'est pas par humanité, que ce soit par prudence ; si ce n'est par prudence, que ce soit par dignité. La traite peuple vos colonies d'ennemis qui seront un jour terribles : voyez Saint-Domingue[1]. La traite soumet vos vaisseaux à l'insolence de l'étranger : lisez les registres de l'amirauté anglaise. La traite flétrit aux yeux de l'Europe et ceux qui la font et ceux qui la tolèrent [...] »

Benjamin Constant, discours à la Chambre des députés, 5 avril 1822. ■

1. Ancienne colonie française qui s'est libérée par les armes durant la Révolution, devenant ainsi la première république noire sous le nom d'Haïti.

1. Relevez et classez les différents arguments de Benjamin Constant pour convaincre les députés de supprimer la traite.

2. Quel rôle joue l'Angleterre dans cette lutte. Comment l'expliquer ?

2 L'influence et la stratégie des sociétés abolitionnistes

« Permettez-moi, Monsieur le Duc, d'ajouter quelques lignes sur les résultats actuels de l'expérience qu'a récemment commencée le parlement d'Angleterre par l'acte qui a donné la liberté à 830 000 esclaves anglais, en déclarant "qu'à dater du 1ᵉʳ août 1834 l'esclavage est pour toujours complètement aboli et déclaré illégal dans toutes les colonies, plantations et possessions de l'Empire britannique". Vous savez qu'on avait élevé des doutes sur les effets bienfaisants de cette loi, et qu'on s'était attaché à répandre, en France comme en Angleterre, des bruits sinistres sur les conséquences désastreuses que cette mesure avait eues ou devait avoir bientôt. Mais ces bruits se sont trouvés sans aucune espèce de fondement ; au contraire, on a reçu les rapports les plus satisfaisants sur l'opération de la nouvelle loi, du moins en tout ce qui regarde la conduite des esclaves qui, en général, a été non seulement irréprochable, mais même très méritoire dans les circonstances actuelles. Le public français pourra se convaincre de la vérité de cette assertion par la lecture du dernier numéro de l'*Anti-Slavery Reporter* que vient de publier la Société anglaise pour l'émancipation, et qui [...] suffit pour faire connaître les résultats de l'exécution de la loi jusqu'au commencement de cette année-ci. »

Lettre de Zachary Macaulay au duc Victor de Broglie, Président de la Société pour l'abolition de l'esclavage en France, 10 mars 1835. ■

1. Relevez deux termes ou expressions, dans l'acte d'abolition de l'esclavage du monde britannique, qui révèlent la solennité et la portée de cette décision.

2. Quels sont les arguments employés par les partisans et les adversaires de l'abolition en France et en Angleterre ?

3. Relevez les éléments qui révèlent le fonctionnement et les moyens utilisés par le mouvement abolitionniste.

3 La dénonciation d'une pratique inhumaine

Joseph Mallord Wiliam Turner, *Négrier jetant par-dessus bord les morts et les mourants – un typhon s'approche*, 1840. Huile sur toile, largeur 112,6 cm, hauteur 90,8 cm. Musée des Beaux-Arts, Boston.

Ce tableau évoque une histoire vraie survenue en 1781.

1. Quelle réalité de la traite et de l'esclavage cherche-t-on à évoquer dans ce tableau ?

2. Relevez les effets stylistiques employés par le peintre pour rendre cette réalité.

3. Dans quel contexte Turner peint-il ce tableau ? Qu'est-ce que cela révèle de ses intentions ?

5 La persistance de l'esclavage aux États-Unis

« Quand on pense aux États-Unis d'Amérique, une figure majestueuse se lève dans l'esprit, Washington. Or, dans cette patrie de Washington, voici ce qui a lieu en ce moment : il y a des esclaves dans les États du Sud, ce qui indigne, comme le plus monstrueux des contresens, la conscience logique et pure des États du Nord. Ces esclaves, ces nègres, un homme blanc, un homme libre, John Brown, a voulu les délivrer. John Brown a voulu commencer l'œuvre de salut par la délivrance des esclaves de la Virginie. Puritain, religieux, austère, plein de l'évangile, *Christus nos liberavit*, il a jeté à ces hommes, à ces frères, le cri d'affranchissement. Les esclaves, énervés par la servitude, n'ont pas répondu à l'appel. L'esclavage produit la surdité de l'âme. John Brown, abandonné, a combattu ; avec une poignée d'hommes héroïques, il a lutté ; il a été criblé de balles, ses deux jeunes fils, saints martyrs, sont tombés morts à ses côtés, il a été pris. [...] On ne fait point de ces choses-là impunément en face du monde civilisé. [...] Oui, que l'Amérique le sache et y songe, il y a quelque chose de plus effrayant que Caïn tuant Abel, c'est Washington tuant Spartacus. »

Victor Hugo, Hauteville-House, 2 décembre 1859. ■

1. À quoi renvoie la personnalité de Washington sur les plans historique et symbolique ? Expliquez les références à Caïn et Abel ainsi qu'à Spartacus.

2. En quoi le nom et l'histoire de John Brown renseignent-ils sur l'esclavage aux États-Unis à cette époque ?

DÉCRIRE UNE SITUATION

Pourquoi l'abolition de la traite et de l'esclavage fut-elle un combat long et complexe ?

4 L'abolition immédiate

« Nous demandons, Messieurs, l'abolition immédiate et complète de l'esclavage dans les colonies françaises ;
Parce que la propriété de l'homme sur l'homme est un crime ; [...]
Parce qu'on ne peut détruire les vices de la servitude qu'en abolissant la servitude elle-même ;
Parce que toutes les notions de justice et d'humanité se perdent dans une société à esclaves ;
Parce que l'homme est encore vendu à l'encan, comme du bétail, dans nos colonies ; [...]
Parce que la prolongation de l'esclavage porte atteinte aux véritables intérêts des colonies et à la sécurité de leurs habitants ;
Parce que l'abolition, en réhabilitant le travail agricole, y rattachera toute la population libre ; [...]
Parce que l'affranchissement des nègres français entraînera l'émancipation de toute la race noire ;
Parce qu'en vertu de la solidarité qui lie tous les membres de la nation entre eux, chacun de nous a une part de responsabilité dans les crimes qu'engendre la servitude. »

Victor Schœlcher, Pétition pour l'émancipation immédiate, publiée par la Société française pour l'abolition de l'esclavage, 1847. ■

1. Classez les arguments de Victor Schœlcher en trois catégories.

2. Que révèlent-ils sur la nature du public auquel Schœlcher s'adresse ?

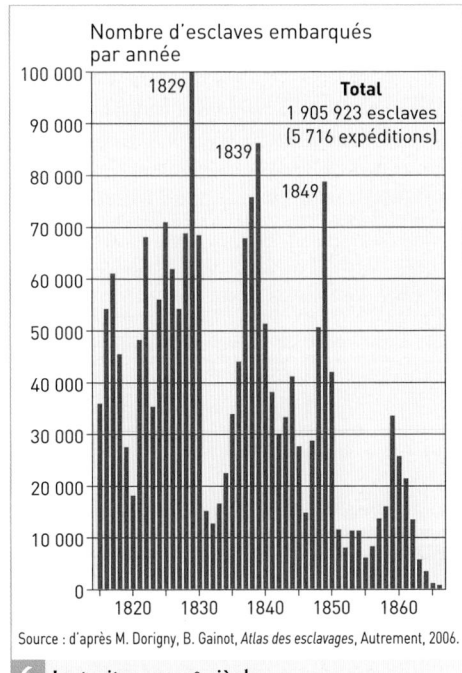

Source : d'après M. Dorigny, B. Gainot, *Atlas des esclavages*, Autrement, 2006.

6 La traite au XIXᵉ siècle

1. Que montre ce document de la pratique de la traite au XIXᵉ siècle ?

2. En quoi révèle-t-il la portée et les limites du mouvement abolitionniste ?

Delacroix peint
La Liberté guidant le peuple

Les 27, 28 et 29 juillet 1830 – restés dans l'histoire sous le nom de « Trois Glorieuses » – Paris se soulève contre le roi Charles X dont les ordonnances visent à limiter les libertés. Après trois jours de combats, qui ont vu 10 000 insurgés dresser des milliers de barricades dans la capitale et qui ont fait plus d'un millier de victimes, le régime s'effondre, Charles X s'exile.

Dans les années 1820, nombre d'artistes romantiques adhèrent aux idées libérales. Comme l'écrit Victor Hugo, « le romantisme, c'est le libéralisme en littérature ». À l'image du peintre Delacroix, qui représente l'ultime journée des combats et la victoire finale du peuple, beaucoup d'artistes célèbrent la révolution de 1830 comme la victoire de la liberté.

1 La révolution de 1830 vue par Victor Hugo

« Frères ! et vous aussi, vous avez vos journées !
Vos victoires, de chêne et de fleurs couronnées,
Vos civiques lauriers, vos morts ensevelis,
Vos triomphes, si beaux à l'aube de la vie,
Vos jeunes étendards, troués à faire envie
À de vieux drapeaux d'Austerlitz !

Soyez fiers ; vous avez fait autant que vos pères.
Les droits d'un peuple entier conquis par tant de guerres
Vous les avez tirés tout vivants du linceul.
Juillet vous a donné, pour sauver vos familles,
Trois de ces beaux soleils qui brûlent les bastilles ;
Vos pères n'en ont eu qu'un seul !
[…] »

Victor Hugo, *Les Chants du crépuscule*, 1836
(dicté après 1830). ■

VOCABULAIRE DES ARTS

Allégorie
Représentation d'une idée abstraite par une image.
Salon
Exposition régulière, à Paris, des tableaux agréés par l'Académie des Beaux-Arts.
Romantisme
Mouvement artistique et littéraire européen qui naît à la fin du XVIIIᵉ siècle. Il fait prévaloir les sentiments sur la raison et réclame la libre expression de la sensibilité.

L'artiste

Eugène Delacroix (1798-1863)

Peintre d'histoire, considéré comme le chef de l'école romantique française. En 1824, il expose *Scènes des massacres de Scio* inspiré de la guerre d'indépendance grecque. Son œuvre la plus célèbre reste *La liberté guidant le peuple*. Son *Journal* est une mine de renseignements sur son travail de peintre et sur ses conceptions artistiques.

2 Compte rendu du Salon de 1831

« L'artiste a voulu peut-être figurer la force brutale du peuple qui se délivre enfin d'un fardeau fatal. Je ne puis m'empêcher d'avouer qu'elle [la Liberté] me rappelle ces dévergondées péripatéticiennes dont les essaims couvrent le soir les boulevards ; que ce petit Cupidon, ramoneur de cheminée, qu'on voit un pistolet à la main à côté de cette Vénus des rues, est souillé probablement d'autre chose encore que de suie ; […] une grande pensée ennoblissait même la lie de ce peuple, cette crapule, et réveillait dans son âme la dignité endormie. »

Heinrich Heine, *De la France*, 1833-1857. ■

QUESTIONS

Décrire

1. Où se situe la scène ?
2. Distinguez les différents plans et les lignes de composition du tableau.
3. Comment le jeu des regards souligne-t-il la construction ?
4. Qui en constitue le centre ?
5. Qui sont les autres personnages représentés ? À quelles catégories sociales appartiennent-ils ?
6. Comment Delacroix rend-il « la force brutale du peuple » évoquée par Heinrich Heine (doc. 2) ?

Interpréter

7. Montrez comment Delacroix fait du personnage féminin à la fois une allégorie de la liberté et une figure réaliste.
8. Quelle image Delacroix veut-il donner du peuple ?
9. Quelles sont les références historiques de Victor Hugo et d'Eugène Delacroix dans leur description des Trois Glorieuses (doc. 1 et 3) ?
10. Quelle impression ressort de la description de Heine (doc. 2) ?
11. Qu'est-ce qui fait de cette peinture une œuvre romantique ?

3 *La Liberté guidant le peuple*, 1831

Fiche d'identité de l'œuvre

Auteur : Eugène Delacroix.

Titre : *La Liberté guidant le peuple.*

Date : 1831.

Matériau : huile sur toile.

Dimensions : largeur : 3,25 m, hauteur : 2,60 m.

Lieu de conservation : musée du Louvre, Paris.

À savoir : Delacroix écrit à son frère à l'automne 1830 :
« J'ai entrepris un sujet moderne, *Une barricade*, et si je n'ai pas
vaincu pour la patrie, au moins peindrai-je pour elle ». Le tableau
fini est présenté au Salon de mai 1831. Acheté par le ministère
de l'Intérieur en 1831, il est rapidement retiré du musée
du Luxembourg et n'est ressorti qu'en 1848.

En 1978, l'État français choisit le tableau, aux côtés de l'effigie
de Delacroix et d'une vue de son atelier, pour figurer sur le billet
de banque de 100 francs.

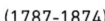
Le progrès des idées libérales dans la première moitié du XIXe siècle

Par quelles voies les idées libérales progressent-elles dans la première moitié du XIXe siècle ?

FRANÇOIS GUIZOT

(1787-1874)

Principal ministre de Louis-Philippe à partir de la révolution de 1830, il défend des idées libérales, notamment en matière de presse, mais, hostile à la démocratie, il s'oppose à l'élargissement du corps électoral. Il est écarté du pouvoir par la révolution de 1848.

« Seul le possédant est véritablement libre et peut représenter les autres. »

DÉFINITIONS

Légitimisme
Théorie, apparue au lendemain de la Révolution française, selon laquelle le seul pouvoir politique appartient à la dynastie ou au souverain en place.

Restauration
Le terme désigne à la fois le retour des Bourbons au pouvoir en France en 1814-1815 et leur volonté de rétablir la monarchie de droit divin tout en s'adaptant à la société née de la Révolution.

Charbonnerie
Société secrète qui mena en France une activité politique hostile à la Restauration, au nom de la défense des valeurs de la Révolution française. Elle hérite sa forme et ses rituels des *carbonari* italiens.

Chartisme
Mouvement issu de la « Charte du peuple », élaborée par des artisans et ouvriers londoniens réclamant le suffrage universel.

1 Légitimisme et libéralisme au début du XIXe siècle

● **Le retour à l'ordre de 1815.** Le congrès de Vienne, qui se réunit au lendemain de la défaite de Napoléon, remodèle la carte de l'Europe. Les monarchies autoritaires – Russie, Autriche et Prusse – forment la Sainte-Alliance fondée sur le légitimisme **doc. 1** et la restauration des valeurs opposées à la Révolution française : les peuples doivent être soumis à un ordre social voulu par Dieu, incarné par le souverain et soutenu par l'aristocratie.

● **La persistance des idées libérales.** Cette volonté se heurte aux idées libérales portées notamment par des élites « éclairées » – intellectuels, étudiants **doc. 3** ou journalistes – qui se réclament des grands principes de 1789 mais aussi du modèle politique britannique **doc. 2**. Ils se regroupent en sociétés secrètes, comme les *carbonari* à Naples ou la Charbonnerie en France, et prônent l'insurrection, mais ils sont durement réprimés **doc. 4**.

● **Romantisme et liberté.** Le romantisme rejoint le mouvement de défense des peuples. Les jeunes artistes et écrivains se lancent dans la politique et défendent la cause polonaise ou grecque, à l'instar de Victor Hugo ou Eugène Delacroix en France, ou du poète britannique George Byron.

2 Succès et échecs des revendications libérales avant 1848

● **Les poussées libérales des années 1830.** Les libéraux, s'appuyant sur les classes populaires, parviennent dans certains cas à faire progresser leurs revendications. La révolution parisienne de 1830 suscite ainsi plusieurs insurrections libérales en Europe. Des régimes libéraux se mettent en place en France, avec l'arrivée au pouvoir de Louis-Philippe d'Orléans, ou en Belgique. En revanche, les mouvements sont durement réprimés en Pologne, en Allemagne et en Italie.

● **La division des libéraux.** Avec l'arrivée au pouvoir, les partisans des idées libérales se divisent entre, d'un côté, les conservateurs, tels François Guizot ou Robert Peel, qui défendent le suffrage censitaire : seuls peuvent voter les hommes instruits et propriétaires ; de l'autre côté, les progressistes réclament l'extension du droit de vote. Cette revendication conduit à des manifestations et des pétitions (mouvement chartiste en Grande-Bretagne), voire à de nouvelles révolutions comme à Paris puis dans plusieurs villes d'Europe en 1848.

3 La lutte contre l'esclavage

● **Le rôle majeur de la Grande Bretagne.** Après le rétablissement de l'esclavage par Napoléon en 1804, l'Angleterre prend la tête de la lutte pour la libération des esclaves. Les sociétés abolitionnistes jouent un grand rôle en cherchant à convaincre l'opinion publique. L'État britannique prend le relais en faisant condamner la traite au congrès de Vienne puis en abolissant l'esclavage dans ses colonies en 1833.

● **Des progrès inégaux.** Puissance dominante, la *Royal Navy* mène une lutte active contre la traite sur les océans. D'autres pays s'engagent dans la voie suivie par les Britanniques, comme la France qui renonce à la traite en 1832 puis abolit l'esclavage en 1848. Mais celui-ci reste en vigueur dans une grande partie du continent américain, au milieu du siècle, tandis que la traite orientale continue d'être pratiquée.

■ **Si les idées libérales ont progressé tout au long de la première moitié du XIXe siècle, leur succès demeure encore incertain au moment où éclatent les révolutions de 1848.**

1 Le légitimisme

« L'homme est intelligent, il est libre, il est sublime, sans doute, mais il n'en est pas moins un *outil de Dieu...* [Ce principe ne trouve] nulle part d'application plus juste que dans la formation des Constitutions politiques, où l'on peut dire, avec une égale vérité, que l'homme fait tout et ne fait rien. [La Constitution de l'Angleterre ainsi] n'a pas été faite a priori. Jamais des hommes d'État ne se sont assemblés et n'ont dit : "Créons trois pouvoirs ; balançons-les de telle manière, etc." ; personne n'y a pensé. Or, puisque ces éléments se sont arrangés en si bel ordre, sans que, parmi cette foule innombrable d'hommes qui ont agi, un seul ait jamais su ce qu'il faisait par rapport au tout, ni prévu ce qui devait arriver, il s'ensuit que ces éléments étaient guidés par une main infaillible, supérieure à l'homme. »

Joseph de Maistre, *Essai sur le principe générateur*, 1809. ■

1. Selon l'auteur, qu'est-ce qui fait les Constitutions politiques ?
2. À quelle conception de la société s'oppose-t-il ?

2 Le modèle libéral anglais

« En Angleterre, [...] on y trouvera dès le XVIIIᵉ siècle le système féodal aboli dans sa substance, des classes qui se pénètrent, une noblesse effacée, une aristocratie ouverte, la richesse devenue puissance, l'égalité devant la loi, l'égalité des charges, la liberté de presse, la publicité des débats ; tous les principes nouveaux que la société du Moyen Âge ignorait. Or, ce sont précisément ces choses nouvelles qui, introduites peu à peu et avec art dans ce vieux corps, l'ont ranimé, sans risquer de le dissoudre, et l'ont rempli d'une fraîche vigueur en lui laissant des formes antiques. »

Alexis de Tocqueville, *L'Ancien Régime et la Révolution*, 1856. ■

1. Quelles sont les valeurs libérales identifiées par Tocqueville ?
2. Qu'entend-il par « société du Moyen Âge » ?
3. Quel progrès politique admire-t-il ? À quel autre modèle ce type d'évolution s'oppose-t-il ?

3 Aspirations libérales et nationales dans la Prusse des années 1830

« Quand à Pâques 1832 je quittai le gymnase [lycée], j'étais, sinon républicain, du moins convaincu que la république était la forme de gouvernement la plus rationnelle. En outre, je me creusais la tête pour découvrir les motifs capables de décider des millions d'hommes à subir leur vie durant la volonté d'*un seul*, alors que, assistant à des conversations d'hommes mûrs, il m'était arrivé souvent de les entendre critiquer tels ou tels souverains, d'un ton acerbe et méprisant. Mais ces aspirations restèrent le plus souvent théoriques et ne furent pas assez fortes pour effacer le sentiment de dévouement absolu à la monarchie prussienne qui m'avait été inculqué dès le berceau.
En arrivant à l'université, j'entrai en relation avec des étudiants appartenant à la *Burschenschaft*[1] qui se donnait pour but d'entretenir chez ses membres l'esprit national. [...] Quand je les connus mieux, je me sentis de la répulsion pour leurs idées politiques extravagantes provenant d'un manque d'éducation et de leur ignorance des conditions d'existence telles qu'elles étaient dans la réalité et qu'elles s'étaient formées au cours des siècles. [...] Je n'en conservais pas moins, dans mon for intérieur, mes aspirations nationales et la conviction que l'avenir, qui s'ouvrait immédiatement devant nous, serait tel qu'il mènerait à l'unification de l'Allemagne. »

Otto von Bismarck, *Pensées et souvenirs*, 1898. ■

1. Société d'étudiants libéraux.

1. Pourquoi le jeune Bismarck voit-il la république comme « la forme de gouvernement la plus rationnelle » ?
2. Est-il pour autant républicain ? Justifiez votre réponse.
3. Selon Bismarck, quel lien y a-t-il entre libéralisme et nationalisme ?
4. Qu'est-ce qui le conduit à rejeter ces idées ?

4 Une arrestation de *carbonari* par des Autrichiens

École italienne, XIXᵉ siècle.

1. D'après l'image, à quelle catégorie sociale appartiennent les *carbonari* ?
2. Que leur vaut leur action politique ?

Giuseppe Mazzini et le mouvement nationaliste italien

En 1815, la péninsule italienne est divisée en huit États. Libéraux et romantiques rêvent d'unité. Ils fondent le mythe de la renaissance d'une nation endormie, le *Risorgimento*. Théoricien politique et homme d'action, Giuseppe Mazzini est l'un des hérauts de ce combat. Pour lui, la « patrie d'un Italien n'est ni Rome, ni Florence ou Milan, mais l'Italie tout entière ».

? *En quoi Giuseppe Mazzini est-il représentatif du combat nationaliste dans la première moitié du XIXᵉ siècle ?*

DÉFINITIONS

▸ **Nation**
Communauté politique fondée sur la volonté générale et dépositaire de la souveraineté.

1 Giuseppe Mazzini, une vie au service de la cause nationale italienne

1805 Naissance à Gênes.
1827 Diplôme de droit et de philosophie, adhésion aux *carbonari*.
1830 Emprisonnement à la suite de son action au sein des *carbonari*.
1831 Exil en Suisse puis en France ; organisation du mouvement Jeune Italie.
1833-1834 Tentative d'insurrection en Savoie.
Avril 1834 Fondation à Berne de Jeune Europe afin de fédérer les nations sur des bases républicaines.
1835 Publication de *Foi et avenir*, en français.
1837 Refuge en Angleterre.
Années 1840 Échecs de plusieurs tentatives insurrectionnelles (Bologne, Imola, Rimini).
Mars 1848 Mazzini à Paris, l'Association nationale italienne remplace Jeune Italie.
Avril 1848 De retour en Italie, Mazzini prend la tête de l'éphémère république romaine.
1849 Nouvel exil à Londres.
1868 Réinstallation en Suisse à Lugano.
1870 Retour dans un royaume d'Italie unifié par le roi de Savoie, Victor Emmanuel II, et nouvelle arrestation après avoir tenté de débarquer en Sicile pour installer une république italienne.
1872 Mort à Pise.

2 L'Italie de 1815 à 1848

1. Quels sont les États dominants dans la péninsule italienne ?
2. Quels mouvements révolutionnaires traversent l'Italie avant 1848 ?
3. **Doc. 1 et 2** Quel rôle y joue Mazzini ?

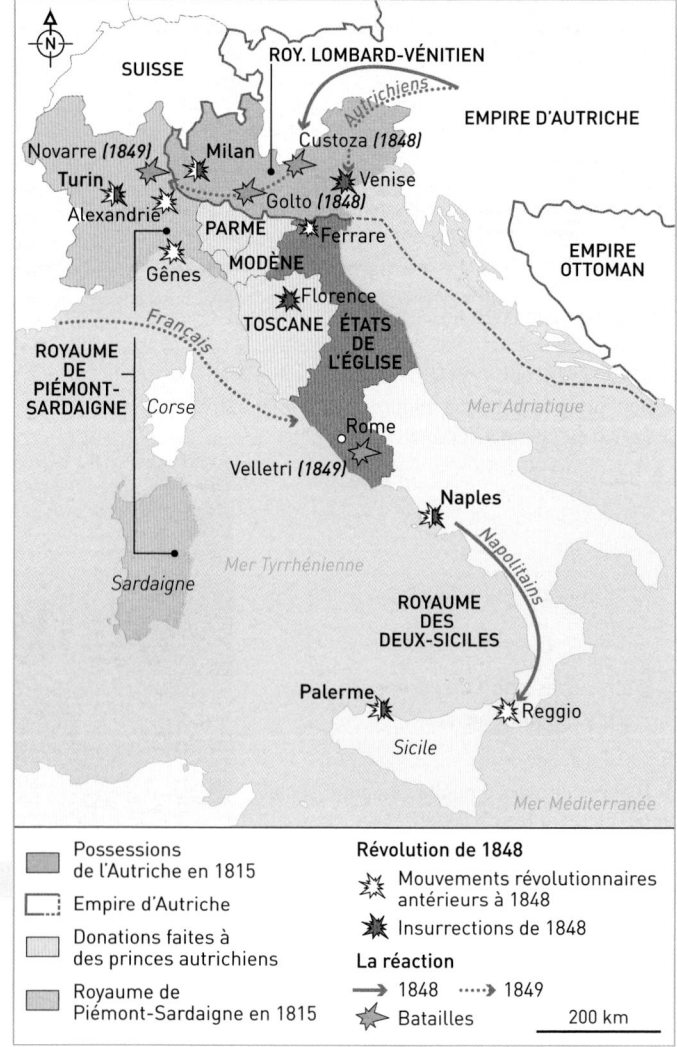

Possessions de l'Autriche en 1815
Empire d'Autriche
Donations faites à des princes autrichiens
Royaume de Piémont-Sardaigne en 1815

Révolution de 1848
Mouvements révolutionnaires antérieurs à 1848
Insurrections de 1848

La réaction
→ 1848   ⋯▸ 1849
Batailles   200 km

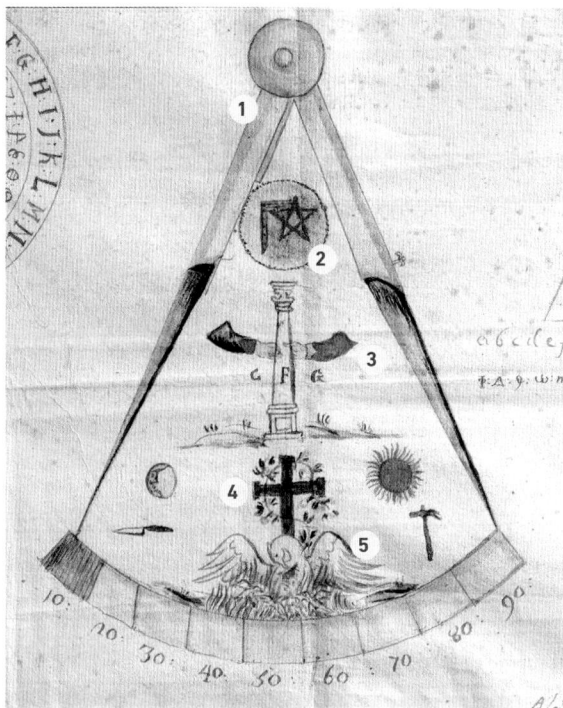

Diplôme de *carbonaro*, 1833. Musée du Risorgimento, Bologne.

   1 Le compas et l'équerre : emblèmes repris de la franc-maçonnerie. Associés au cercle, au soleil, ce sont aussi les symboles de la raison.
   2 L'étoile de David : l'union des *carbonari*.
   3 Les mains tenant le pilier : l'obligation des *carbonari* de défendre leurs idées. **4** La croix : la patience. **5** Le phénix : la renaissance.

1. Quel est le premier engagement politique de Mazzini ?
2. D'après les symboles représentés sur ce diplôme, quels principes lient les *carbonari* ?
3. Pourquoi s'agit-il d'un combat clandestin ?

5 Jeune Europe

Gravure de Mantegazza, XIXᵉ siècle. Musée du Risorgimento, Turin.

À Berne, en 1834, Mazzini initie, avec des Italiens, des Allemands et des Polonais, le mouvement Jeune Europe.

1. Où se trouve Mazzini lors de la création du mouvement Jeune Europe ? Pourquoi ?
2. Qui réunit ce mouvement ? Dans quel but ?
3. En quoi l'effervescence politique que connaît l'Europe dans la première moitié du XIXᵉ siècle sert-elle son combat ?

4 « Créer un Peuple ! »

« Nous sommes un peuple de 21 à 22 millions d'hommes, désignés depuis un temps immémorial sous un même nom — celui de peuple italien — renfermés entre les limites naturelles les plus précises que Dieu ait jamais tracées, la mer et les montagnes les plus hautes d'Europe. Partout la même langue [...]. Ayant les mêmes croyances, les mêmes mœurs, les mêmes habitudes, fiers du plus glorieux passé politique, scientifique, artistique qui soit connu dans l'histoire européenne. [...] Nous n'avons pas de drapeau, pas de nom politique. Nous sommes démembrés en huit États [...]. Huit systèmes différents de monétisation, de poids et mesures, de législation civile, commerciale, pénale, d'organisation administrative et de mesures de police nous séparent, nous rendant autant que possible étrangers les uns aux autres. Et tous ces États, ainsi partagés, sont régis par des gouvernements despotiques, dans l'action desquels le pays n'intervient nullement. Il n'y existe de liberté ni de presse, ni d'association, ni de parole, ni de pétition collective, ni d'introduction de livres étrangers, ni d'éducation, rien. Un de ces États comprenant à peu près le quart de la péninsule appartient à l'Autriche, les autres [...] en subissant aveuglément l'influence. La carte de l'Europe est à refaire. »

Giuseppe Mazzini, « L'Italie, l'Autriche et le Pape »,
Revue indépendante, septembre 1845. ∎

1. Au nom de quels principes Mazzini réclame-t-il l'unité de la péninsule italienne ?
2. Quelle solution préconise-t-il ?

METTRE EN LIEN DES INFORMATIONS

Montrez que le combat de Mazzini pour l'unité italienne prend place dans un contexte européen.

6 Une critique de Mazzini

« Avec vos batailles, votre humanité parquée en troupeaux séparés, avec votre Europe composée d'un ramassis d'individualités jalouses, avec vos lignes de frontières, avec vos patries-castes, avec vos races distinctes [...], avec votre matérialisme mystique fondé sur la chair, sur le sang, sur l'orgueil, avec toutes ces vieilleries, vous vous croyez la grande Église ! »

Pierre Leroux, philosophe socialiste français,
La Grève de Samarez, 1863-1864. ∎

▶ En quoi consiste la critique de Leroux ?

Les révolutions démocratiques et sociales de 1848 : l'exemple français

Les révolutionnaires de février 1848 entendent établir une république démocratique et sociale. Mais les mesures prises en faveur des chômeurs échouent et effraient le reste de la société. La question sociale conduit alors à une guerre civile et au retour d'un pouvoir autoritaire.

? *Comment concilier démocratie et progrès social ?*

REPÈRES

▶ **22-24 février :** la révolution parisienne renverse Louis-Philippe ; proclamation de la République.

▶ **25 février :** le gouvernement provisoire instaure le suffrage universel et le droit au travail.

▶ **27 février :** création d'Ateliers nationaux pour fournir du travail aux chômeurs.

▶ **23 avril 1848 :** élection d'une assemblée de républicains modérés.

▶ **22 au 28 juin :** émeutes ouvrières à Paris dont la répression fait 4 000 victimes.

1 *Le suffrage universel*

Lithographie de Sorrieu, 1850

1. Décrivez l'image (personnages, symboles) et expliquez leur signification.
2. Que montre-t-elle de l'idéal des révolutionnaires de 1848 ?

2 L'arme du suffrage universel

Gravure imprimée, 1848.

« Ça, c'est pour l'ennemi du dehors ; pour le dedans voici comme l'on combat loyalement les adversaires. »

1. Expliquez le sens de cette gravure.
2. **Doc. 1 et 2** Dans quel sens le suffrage universel est-il sensé transformer la société ?

3 Pour une république sociale

« Cette fois, une double mission nous était imposée : l'établissement de la forme républicaine et la fondation d'un ordre social nouveau. Ainsi le 24 février, nous avons conquis la République ; la question politique est résolue. Ce que nous voulons maintenant, c'est la solution de la question sociale, c'est un prompt remède aux souffrances des Travailleurs ; c'est enfin l'application des principes contenus dans notre Déclaration des droits de l'homme. Le premier droit de l'homme, c'est le droit de vivre ! Plus de pauvres sous la République ! »

Manifeste des sociétés ouvrières, février 1848. ▪

◀ 1. Quelle conquête politique a été obtenue dès février 1848 d'après les sociétés ouvrières parisiennes ?

2. Pour quelle conquête sociale se battent dès lors les ouvriers ?

4 L'Assemblée contre les ouvriers

En mai 1850, l'Assemblée vote une loi obligeant à justifier 3 ans de résidence dans la même commune pour pouvoir voter. Trois millions de Français sont ainsi privés du droit de vote.

« Nous avons exclu cette classe d'hommes dont on ne peut saisir le domicile nulle part. Il faut tout faire pour le pauvre excepté cependant de lui donner à décider les grandes questions où s'agitent le sort et l'avenir du pays [...]. Mais ces hommes que nous avons exclus, sont-ce les pauvres ? Non, ce n'est pas le pauvre, c'est le vagabond. Ce sont ces hommes qui forment, non pas le fond, mais la partie dangereuse des grandes populations agglomérées [...]. Les vrais républicains redoutent la multitude, la vile multitude qui a perdu toutes les républiques. »

Adolphe Thiers, discours à l'Assemblée législative, 24 mai 1850. ▪

1. Montrez que ce discours est en contradiction avec les principes proclamés en février 1848.
2. À quoi est associé le pauvre dans le discours de Thiers ?
3. Expliquez la dernière phrase.

5 Il faut dissoudre les Ateliers nationaux

Au moment de leur dissolution, les Ateliers nationaux emploient 120 000 ouvriers.

« Il faut que les Ateliers nationaux disparaissent, je dis le mot, en leur entier, à Paris d'abord, en province aussi [...]. Ils ont produit jusqu'à présent des ouvriers qui cessent d'être honnêtes. [...] On est venu prêcher des doctrines qui ont été funestes. On est venu dire aux travailleurs : "la vieille société vous a traités injustement. Croisez les bras, ne retournez pas dans vos ateliers, ces ateliers deviendront vides, nous les exproprierons pour cause d'utilité publique [...]".

Maintenant, c'est un homme d'affaires qui va vous parler tout simplement [...]. Le sol sous nous est maintenant très mince. Nous avons à nous hâter. Il faut une proclamation adoptée ici par toute l'Assemblée, qui établisse dans des termes clairs, positifs et très formels ce qu'on fera pour la classe ouvrière, et je crois qu'en même temps il faut dissoudre les Ateliers nationaux. »

Michel Goudchaux, ministre des Finances, discours devant l'Assemblée, le 15 juin 1848. ▪

▶ Comment le ministre des Finances justifie-t-il la fermeture des Ateliers nationaux ?

6 Les journées de juin 1848

Horace Vernet, *Combat dans la rue Soufflot à Paris, le 25 juin 1848*, 1848-1849. Huile sur toile. Deutsches Historisches Museum, Berlin.

▶ Comment réagissent les ouvriers à la fermeture des Ateliers nationaux ? Que montre cette scène de la violence des affrontements ?

CONFRONTER DES DOCUMENTS

Montrez les contradictions de la IIe République.

1848 : des révolutions nationales et démocratiques

Comment expliquer l'échec des révolutions de 1848 ?

1 Le renouveau de l'idée de nation en Europe

● **Définir la nation.** La Révolution française a imposé en Europe l'idée de nation définie comme une communauté politique fondée sur la volonté générale et dépositaire de la souveraineté. En Allemagne, les patriotes, tel Fichte, définissent la nation allemande par son ancienneté, sa civilisation originale et sa langue, tout en se réclamant des idéaux de 1789 **doc. 1**. Intellectuels et artistes italiens, tel l'avocat Giuseppe Mazzini ou le musicien Giuseppe Verdi, en appellent au *Risorgimento* de la nation italienne au nom d'une histoire, d'une géographie et d'une culture qu'il s'agit de faire renaître.

● **Le réveil national après la chute de Napoléon.** Après 1815, des mouvements nationaux secouent l'Europe : Polonais en lutte pour leur indépendance contre la Prusse, l'Autriche et la Russie ; Tchèques et Hongrois réclamant une reconnaissance au sein de l'empire d'Autriche. Les *carbonari*, actifs dès les années 1820, réclament l'unité de l'Italie et une république démocratique.

● **Deux nouveaux États.** Malgré une répression violente, les luttes nationales ont abouti en 1830 à la création de la Grèce, à la suite d'une guerre contre l'Empire ottoman, et de la Belgique, qui se détache des Pays-Bas.

2 Le Printemps des Peuples

● **1848, une nouvelle vague révolutionnaire.** Dès janvier 1848, des troubles éclatent à Milan, Palerme, Naples où est votée une Constitution. En février, Paris s'insurge et la IIe République est proclamée. Dans son sillage, de nombreuses révolutions forcent les régimes autoritaires à accepter des Constitutions, à Vienne et à Berlin notamment **doc. 2** et **doc. 3**. Le roi du Piémont profite de la révolution milanaise pour prendre la direction du mouvement unitaire. En Allemagne, les libéraux fondent le Parlement de Francfort, élu au suffrage universel.

● **Un front révolutionnaire divisé.** En Italie où le roi libéral du Piémont a échoué à réaliser l'unité face aux Autrichiens, des républiques naissent à Venise, à Rome. En Allemagne, le refus du roi de Prusse de conduire la révolution libérale conduit à une radicalisation démocratique en Saxe, au Palatinat et en Bade.

● **La répression.** À partir de la fin de l'été 1848, les gouvernements réagissent en Allemagne, en Italie, dans l'empire d'Autriche **doc. 4**. L'armée prussienne dissout le Parlement de Francfort en juillet 1849. Décidés à freiner les aspirations démocratiques, les souverains n'abandonnent pas pour autant les projets nationaux. Mais, désormais, les unités nationales (italienne et allemande) se font au détriment des libertés politiques.

3 1848 en France : les espoirs d'une république démocratique et sociale

● **Une république démocratique.** À Paris, la révolution de Février a donné naissance à la République. Le Gouvernement provisoire impose des réformes libérales et démocratiques : libertés de presse et de réunion, abolition de l'esclavage, suffrage universel masculin.

● **La question sociale.** Le monde ouvrier attend beaucoup de l'instauration d'une république sociale. Il obtient en partie satisfaction : le 25 février, le Gouvernement provisoire proclame le droit au travail ; le 26, il crée des Ateliers nationaux.

● **L'échec de la république sociale.** Les élections à la Constituante (23 avril 1848) voient la victoire des républicains modérés. Le 21 mai, l'Assemblée dissout les Ateliers nationaux, considérés comme des foyers d'agitation. Cette décision provoque l'insurrection des quartiers populaires. Au terme de trois jours de combats (23 au 25 juin), l'insurrection est écrasée dans le sang. L'unité des mouvements républicain et socialiste est brisée. La probabilité d'une révolution sociale, crainte par les classes dirigeantes, s'affaiblit.

■ **La répression du Printemps des Peuples voit échouer les idéaux de 1848 mais ne met pas un terme à l'expression du sentiment national.**

DÉFINITIONS

Patriote
Celui qui combat pour l'indépendance et la liberté de la patrie.

Risorgimento
Nom donné en Italie au processus d'unification politique et culturelle de la péninsule, pensé comme une « renaissance ».

1 Qu'est-ce qu'être Allemand ?

« Pour les ancêtres germains, la liberté consistait à rester Allemands, conduire leurs affaires en toute indépendance, conformément à leur esprit originel, progresser dans leur propre culture d'après ces mêmes principes et transmettre cette autonomie à leur postérité ; quant à l'esclavage, c'était pour eux l'acceptation de toutes les belles choses que les Romains leur offraient, acceptation signifiait esclavage parce qu'ils auraient cessé d'être tout à fait Allemands, pour devenir à moitié Romains. Il allait donc de soi, pensaient-ils, qu'il valait mieux mourir que d'en être réduits là, et qu'un vrai Allemand ne peut vivre que pour rester allemand et transmettre à ses descendants le même désir. [...]

C'est à eux, à leur langue et à leur manière de penser que nous sommes redevables, nous, les plus directs héritiers de leur sol, d'être encore des Allemands [...]. C'est à eux que nous sommes redevables de tout notre passé national et, s'il n'en est pas fini de nous, tant qu'il restera dans nos veines une dernière goutte de leur sang, c'est à eux que nous devrons tout ce que nous serons à l'avenir. »

Fichte, Discours à la nation allemande,
1807-1808, 8e discours. ■

1. Depuis quand la nation allemande existe-t-elle selon Fichte ?

2. Quelles sont selon lui les composantes de l'attachement à la nation ?

3 Les revendications libérales à Prague en 1848

« Dès le commencement de mars, le seul contre-coup des événements de Paris avait amené à Prague une agitation extraordinaire. Dans les cafés et dans les auberges, il fallait chaque soir lire les journaux à haute voix. [...]

Le 11 mars, à la veille de la révolution de Vienne, il y eut aux Bains de Venceslas une assemblée publique. [...] La salle pleine, un certain Faster, un cafetier, donna lecture en tchèque des différents articles qu'il proposait de comprendre dans la pétition.

Égalité des deux races à l'école, devant la justice et devant l'autorité ; fusion de la Bohême, de la Moravie et de la Silésie ; élargissement des bases de la représentation nationale ; oralité et publi-cité des débats judiciaires ; liberté de la presse absolue ; une chancellerie responsable siégeant à Prague ; l'armement du peuple ; suppression des droits féodaux, des corvées, des justices privilé-giées [...] : tel était dans l'ensemble le programme formulé par le citoyen Faster. L'auditoire applau-dissait à tout rompre, Allemands et Tchèques confondus dans un même enthousiasme. »

E. de Langsdorff, « La Praguerie de 1848 »,
Revue des Deux Mondes, juillet 1848. ■

1. Quelle est l'origine sociale des insurgés ?

2. Quelles sont leurs revendications ?

2 La révolution libérale et nationale à Vienne

Barricade dans les rues de Vienne le 26 mai 1848, gravure anonyme, 1848.

▶ Quelle forme prend l'affirmation des nationalités dans l'empire d'Autriche ?

4 Des mouvements réprimés dans le sang

Lithographie, 1849.

Les Furies reprochent au roi Frédéric Guillaume IV de Prusse et à l'empereur Ferdinand Ier d'Autriche la férocité de la répression des révolutions de 1848.

▶ Expliquez le sens de cette caricature.

Exercices *et* MÉTHODES

❶ S'entraîner à la composition

▸ Sujet 1 : **Succès et échecs des idées libérales dans l'Europe du premier XIXᵉ siècle.**

MÉTHODE

Analyse des termes du sujet

Répression des mouvements et des hommes

Le mouvement concerne de nombreux pays d'Europe (France, États allemands, péninsule Italienne, Grèce, etc).

Succès et **échecs** des **idées libérales** dans l'Europe du premier XIXᵉ siècle

Avancée, diffusion des idées de liberté
Révolutions grecque et belge

Idéaux de 1789 : défense des libertés individuelles / du droit des peuples / des nationalités
Les moyens d'action : presse, mouvements clandestins
Les hommes : politiques, artistes, écrivains, patriotes

De 1815, chute de Napoléon
À 1848, les révolutions démocratiques et sociales

▸ Sujet 2 : **1848 en Europe et dans le monde.**

MÉTHODE

Analyse des termes du sujet

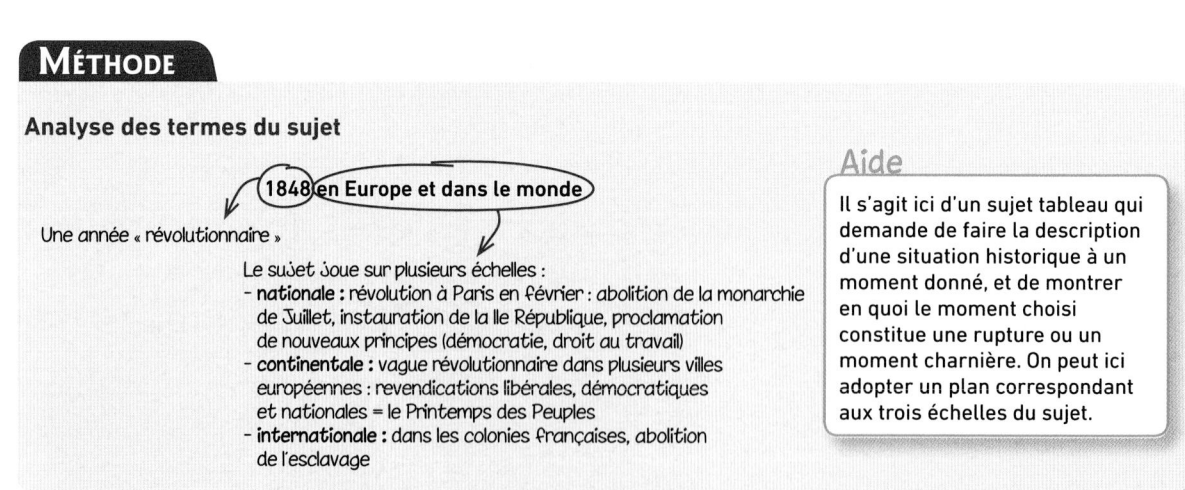

1848 en Europe et dans le monde

Une année « révolutionnaire »

Le sujet joue sur plusieurs échelles :
- **nationale :** révolution à Paris en février : abolition de la monarchie de Juillet, instauration de la IIe République, proclamation de nouveaux principes (démocratie, droit au travail)
- **continentale :** vague révolutionnaire dans plusieurs villes européennes : revendications libérales, démocratiques et nationales = le Printemps des Peuples
- **internationale :** dans les colonies françaises, abolition de l'esclavage

Aide

Il s'agit ici d'un sujet tableau qui demande de faire la description d'une situation historique à un moment donné, et de montrer en quoi le moment choisi constitue une rupture ou un moment charnière. On peut ici adopter un plan correspondant aux trois échelles du sujet.

EXERCICES D'APPLICATION

En vous appuyant sur les méthodes ci-dessus, analysez les sujets suivants :

▸ Sujet 3 : **L'esprit de 1848.**

▸ Sujet 4 : **La France et l'Europe abolissent l'esclavage.**

② Décrire et analyser un tableau

▶ Présentez le document en insistant sur le contexte de sa réalisation.
Que montre cette œuvre des idéaux que la IIe République a défendus dans les colonies françaises ?

L'Abolition de l'esclavage dans les colonies françaises, 23 avril 1848

Aide

Ce tableau est une commande officielle du ministère de l'Intérieur de la IIe République.

Peinture de F. Auguste Biard (1799-1882), 1848. Huile sur toile, largeur 3,92 m, hauteur 2,60 m. Musée du château de Versailles.

③ Décrire et analyser une lithographie

▶ Présentez le document en insistant sur le contexte de sa réalisation.
Que révèle-t-il des idéaux à l'œuvre lors des révolutions de 1848 en Europe ?

La République démocratique universelle et sociale

Aide

Frédéric Sorrieu est un graveur français, gagné aux idées républicaines. Il réalise quatre lithographies exaltant les idées de 1848.

Lithographie de Frédéric Sorrieu, 1848. Musée Carnavalet, Paris

Exercices *et* Méthodes

❹ Confronter deux textes

▶ **Présentez les documents. En quoi témoignent-ils de la lutte pour l'abolition de l'esclavage dans les colonies ?**

Les Anglais à la pointe du combat contre l'esclavage

« Il convient d'examiner les principes sur lesquels repose notre Constitution[1], dans son sens général et dans son esprit. [...] Et quelles sont les bases de sa grandeur ? Le fondement de tous nos droits réside fondamentalement dans les droits à la liberté individuelle et à la propriété privée : c'est de ces principes que naît l'ordre social de notre pays qui hait l'oppression [...], qui n'admet qu'une même loi pour le riche comme pour le pauvre, et qui n'autorise aucune exclusion car son but est le bonheur de toute la communauté. [...] L'esprit de la Constitution est inconciliable avec l'esclavage. [...] Les hommes et les coutumes changent, on le sait, selon les régions et les circonstances ; mais la Constitution de la Grande-Bretagne, comme la religion [...] ne supporte aucune altération. Transplantez-la sous n'importe quelle latitude, introduisez la même parmi les sauvages, elle peut varier dans sa forme pour être plus efficace, mais son esprit ne change jamais. »

Joseph Beldam, *Réflexions sur l'esclavage*, texte adressé à la Chambre de Lords, 1830. ■

1. La Grande-Bretagne n'a pas de Constitution écrite, mais un ensemble de lois fondamentales qui constitue la Common Law.

La résistance des colons

« M. Dufougeray : Nous devons nous attendre aux motions les plus désastreuses, toujours sous le masque de la philanthropie[1] ; ils viendront dire que le travail libre est possible aux colonies et donneront pour exemple le résultat du système qui se pratique chez nos voisins [...]. Quel est [le résultat] que la France obtiendrait, si elle se décidait à suivre l'exemple [anglais] ? Vous le devinez facilement : abandon de culture, incendie, massacre et pillage, voilà ce que nous aurions en perspective.

M. Pécoul : Alors ils reconnaîtraient que toute réforme intempestive et irréfléchie de la société coloniale serait également funeste à la race africaine, qu'elle replongerait dans la barbarie, et à la race française, qu'elle livrerait à la spoliation[2] et au massacre [...].

Si toutefois une juste et véritable indemnité nous était offerte avec des garanties certaines pour le maintien de la propriété, du travail et de l'ordre, je ne crois pas qu'il se trouvât, parmi les habitants de cette colonie, un seul homme qui cherchât à repousser ou entraver l'émancipation. Mais nous sommes d'accord sur l'évidence de ce point : que ces garanties ne sauraient actuellement se fournir, parce que nos nègres sont fort loin d'être préparés à ce changement de conditions. »

Débats au Conseil colonial de la Martinique, 15 novembre 1839. ■

1. Volonté d'améliorer le sort des hommes.
2. Vol.

❺ Exercice TICE : biographies de républicains

www.

Le site de l'Assemblée nationale

Sur le site de l'Assemblée nationale (**www.assemblee-nationale.fr**), allez dans la rubrique « Histoire et patrimoine » puis cliquez sur « La République et le suffrage universel ». Sélectionnez ensuite le menu « Portrait ».

Élaborez une fiche biographique des principaux républicains de la IIe République.

MÉMO ET RÉVISIONS

À retenir

L'IDÉE DE LIBERTÉ

▶ **Source** : La philosophie des Lumières, la Révolution et la Déclaration de 1789.

▶ **Définition** : L'homme est libre de par sa nature : la **liberté naturelle** induit toutes les libertés individuelles (de se déplacer, de penser, de s'exprimer, d'entreprendre, etc.) ; elle implique aussi le **droit politique** de choisir son gouvernant (contrat).

▶ **Résistance** : Le légitimisme.

L'IDÉE DE NATION

▶ **Source** : La Révolution et la Déclaration de 1789, art. 3 : « le principe de toute souveraineté réside dans la nation ».

▶ **Définition** : **La nation est la source des différents pouvoirs** ; de là découle l'idée du droit des peuples à disposer d'eux-mêmes et à se libérer du joug de la tyrannie.

▶ **Résistance** : La Sainte Alliance et le congrès de Vienne réfutent le droit des peuples.

LA QUESTION SOCIALE

▶ **Source** : La philosophie des Lumières, la Révolution et la Déclaration de 1793.

▶ **Définition** : **L'égalité est un droit naturel** dont découlent la démocratie et d'autres droits : droit au travail, à l'assistance, à l'instruction.

▶ **Résistance** : Les conservateurs au pouvoir et les possédants, inquiets du surgissement de la question sociale.

Schéma explicatif

Libéralisme et nationalisme

LIBÉRALISME

LES PRINCIPES

- Les libertés de l'individu :
  - Pensée
  - Expression
  - Circulation

- Le pouvoir émane des représentants des citoyens libres

- Lutte contre la traite et l'esclavage

- Une Constitution qui garantit contre un pouvoir monarchique absolu et arbitraire

- Une assemblée élue

- L'ensemble des citoyens forment une nation

Par qui ?

ENJEUX ET DÉBATS

- Seuls les instruits et fortunés peuvent voter = suffrage censitaire

- Tous les citoyens ont le droit de voter = suffrage universel masculin **DÉMOCRATIE**

- Sur quels critères définir la **NATION** ? L'histoire, la culture, la langue...

- Chaque **NATION** a droit à son autonomie ou son indépendance

▶ Faire une fiche de révision

Réalisez vos fiches de révision en développant les idées suivantes :

- La diffusion des idées libérales en Europe
- Le Printemps des Peuples
- Les révolutions en Europe dans la première moitié du XIXᵉ siècle.

Biographies

ALEMBERT Jean Le Rond d' (1717-1783)

Philosophe et mathématicien. Il codirige l'*Encyclopédie* avec Diderot.

ARISTOPHANE

(v. 445 - v. 385 av. J.-C.)

Voir p. 56.

ARISTOTE

(384-322 av. J.-C.)

Philosophe originaire de Macédoine, il s'installe à Athènes de 367 à 347 av. J.-C. où il devient un disciple de Platon. Il enseigne ensuite à Assos en Troade, puis à Mythilène dans l'île de Lesbos, avant de devenir le précepteur d'Alexandre (futur Alexandre le Grand), fils de Philippe II de Macédoine. Son œuvre, variée, est estimée à 400 ouvrages, dont le cinquième seulement est parvenu jusqu'à nous. Dans les huit livres de sa *Politique*, il prend comme base la cité-État et classe les différentes Constitutions suivant leurs avantages et leurs inconvénients.

AUGUSTE

(63 av. J.-C. - 14 apr. J.-C.)

Voir p. 76.

BENOÎT DE NURSIE

(v. 480-547)

D'abord ermite, ce noble italien fonde le monastère du Mont Cassin au sud de Rome et rédige vers 540 une règle de vie pour sa communauté, qui s'impose au Moyen Âge dans la majorité des monastères : la règle bénédictine. Il est donc considéré comme étant à l'origine du monachisme en Occident. Il est fait saint au VIIe siècle.

BONAPARTE Napoléon

(1769-1821)

Voir p. 280.

BOYLE Robert

(1627-1691)

Physicien et chimiste irlandais, membre fondateur de la *Royal Society*, il mène toute une série d'expériences sur l'élasticité des gaz et la calcination des métaux. Il est considéré comme l'un des pères de la physique expérimentale avec Newton et est à l'origine de la loi dite de Boyle-Mariotte.

BRUNELLESCHI Filippo

(1377-1446)

Architecte florentin, il est le premier à s'être inspiré de la tradition antique. Il théorise la perspective mathématique. En 1418, il gagne le concours lancé pour la construction de la coupole de la cathédrale Santa Maria del Fiore, qui lui apporte la gloire et lui vaut de nombreuses commandes.

BYRON George Gordon

(1788-1824)

Aristocrate britannique menant une vie scandaleuse, écrivain considéré comme le plus grand poète de son époque, il s'engage à partir de 1823 dans la cause de l'indépendance grecque. Désireux de combattre lui-même, il meurt en 1824 d'une fièvre des marais, à la veille de la bataille de Missolonghi contre les Turcs. Sa mort en fait un martyr de la liberté.

CALVIN Jean

(1509-1564)

Voir p. 206.

CARACALLA

(188-217 apr. J.-C.)

Voir p. 80.

CÉSAR

(100-44 av. J.-C.)

Homme politique et général romain de la fin de la République qui jette les bases de l'Empire. Grand général, il parvient à conquérir la Gaule puis, déclenchant une guerre civile, il bat toutes les armées républicaines qui s'opposent à lui et met en place une dictature personnelle avant d'être assassiné. Il laisse un récit de ses campagnes militaires considéré comme un chef-d'œuvre de la littérature latine.

CHARLES V dit Charles Quint

(1500-1558)

Roi d'Espagne et empereur du Saint Empire, il règne sur un empire « où le soleil ne se couche jamais », de la Méditerranée aux confins de l'Europe centrale et sur les colonies américaines. Cependant, il abdique en 1556, épuisé par les guerres et sans avoir résolu la question protestante.

CHÂTELET Émilie du

(1706-1749)

Aristocrate française, elle aide Voltaire dans la rédaction de ses *Éléments de la philosophie de Newton* (1738) et, à partir de 1744, se consacre elle-même à la traduction française des *Principia* de Newton, assistée du mathématicien Clairaut.

CLAUDE

(10 av. J.-C. - 54 apr. J.-C.)

Proclamé empereur après l'assassinat de Caligula (membre de la famille impériale, il avait jusqu'alors été écarté à cause de troubles physiques), il accomplit une œuvre importante en matière extérieure (il lance la conquête de la Bretagne) et intérieure (organisation de l'administration impériale) avant d'être assassiné par sa quatrième épouse.

CLISTHÈNE

(v. 570 - v. 507 av. J.-C.)

Voir p. 50.

COLOMB Christophe
(1451 - 1506)

Navigateur d'origine génoise au service de l'Espagne. En traversant l'Atlantique pour trouver une nouvelle route vers les Indes par l'ouest, il aborde en Amérique où il effectuera trois autres voyages sans savoir qu'il a découvert un nouveau continent.

CONSTANT Benjamin
(1767 - 1830)

Député de 1818 à 1830, il est l'un des principaux orateurs des libéraux. Il oppose la démocratie antique (celle du modèle athénien), qui conduit tous les citoyens à participer à la vie politique, et la démocratie moderne, où la plus grande partie du peuple délègue ses droits et ses devoirs à une minorité de représentants choisis pour leur qualité. Cette théorie du « gouvernement représentatif » accompagne le développement du régime parlementaire en France.

COPERNIC Nicolas
(1473 - 1543)

Voir p. 222.

CORTÈS Hernán
(1485 - 1547)

Conquistador vainqueur des Aztèques, il devient, après sa conquête, vice-roi du Mexique au nom de Charles Quint. Mais, accusé de vouloir constituer un royaume personnel, il tombe en disgrâce.

DANTON Georges
(1759 - 1794)

Avocat et grand orateur de la Révolution. Fondateur du club des Cordeliers, il appartient au courant démocrate et, après le 10 août 1792, siège avec les députés de la Montagne. Il soutient la Terreur dans un premier temps, puis voulant y mettre un terme, il est arrêté et exécuté en avril 1794.

DAVID Jacques-Louis
(1774 - 1825)

Voir p. 272.

DELACROIX Eugène
(1798 - 1863)

Voir p. 296.

DÉMOSTHÈNE
(384 - 322 av. J.-C.)

Orateur et homme politique athénien, auteur de très nombreux discours, il tente de prévenir les Athéniens des menaces que fait peser Philippe de Macédoine sur la cité. Après la défaite de Chéronée (338 av. J.-C.), il se donne la mort juste avant son arrestation.

DIDEROT Denis
(1713 - 1784)

Écrivain et philosophe des Lumières. Il est le principal directeur de l'Encyclopédie dont il rédige de nombreux articles et dont la parution l'occupe durant 20 ans.

ÉRASME Didier
(1469 - 1536)

Voir p. 198.

FICHTE Johann Gottlieb
(1762 - 1814)

Voir p. 304.

FICIN Marsile
(1433 - 1499)

Fils d'un médecin renommé, il suit son père à Florence. Ses études lui font découvrir la philosophie. Protégé par les Médicis, il se consacre à la traduction et fonde l'Académie platonicienne.

FRANÇOIS Ier
(1494 - 1547)

Roi de France (1515-1547), gagné à l'Humanisme, il attire à sa cour les poètes, les architectes et les peintres français et surtout italiens, dont Léonard de Vinci à Amboise. Il encourage les Belles Lettres par son mécénat puis en fondant le Collège de France et l'Imprimerie nationale. Il impose également le français dans l'administration. Sous son règne, l'architecture de la Renaissance française s'épanouit. S'il pose les fondements de l'État monarchique absolu français, il échoue en revanche à l'extérieur dans sa conquête de l'Italie, face à son rival Charles Quint.

FRANÇOIS D'ASSISE
(v. 1182 - 1226)

Voir p. 106.

GALILÉE (Galileo Galilei)
(1564 - 1642)

Né à Pise, fils d'un musicien, Galilée devient un grand savant et mathématicien, partisan de l'héliocentrisme de Copernic. Il est le premier à établir la loi de la chute des corps et donne une première formulation du principe de relativité. Sa défense de l'héliocentrisme copernicien lui vaut un procès fameux pour hérésie en 1633.

GAMA Vasco de
(1469 - 1524)

Navigateur portugais, il est le premier Européen à arriver aux Indes par voie maritime en contournant le cap de Bonne-Espérance (1498) pour le compte du roi Manuel Ier du Portugal.

GRÉGOIRE VII
(v. 1020 - 1085)

Voir p. 100.

GUTENBERG Johannes Gensfleisch dit
(1397-1468)

Entrepreneur dans le polissage des miroirs, il met au point un procédé d'imprimerie à Mayence, en Allemagne.

GUZMÀN Dominique de
(1170-1221)

Religieux, il fonde l'ordre des frères prêcheurs, appelés aussi dominicains, dans un but d'évangélisation et de lutte contre l'hérésie cathare.

GUIZOT François
(1787-1874)

Voir p. 298.

HOUDON Jean-Antoine
(1741-1828)

Voir p. 244.

INNOCENT III
(1160-1216)

Giovanni Lotario di Seni, devenu pape sous le nom d'Innocent III (1198-1216). Il est considéré comme un grand réformateur. Il cherche à soumettre les souverains temporels à l'autorité pontificale. En 1210, il autorise la fondation des frères mineurs par François d'Assise. Il initie le concile de Latran IV (1215), qui confirme la suprématie de la papauté et poursuit la réforme de l'Église initiée 150 ans plus tôt.

JEFFERSON Thomas
(1743-1826)

Principal auteur de la Déclaration d'indépendance des États-Unis. En 1783, il est envoyé en France pour négocier des traités de commerce et y reste en qualité d'ambassadeur des États-Unis. Il est Président des États-Unis de 1801 à 1809.

JENNER Edward
(1749-1823)

Médecin et naturaliste anglais. Ayant découvert que la vaccine des vaches (cow-pox) protège de la variole, il inocule du pus prélevé sur une pustule de cow-pox de la main d'une paysanne contaminée à un garçon de huit ans, mettant ainsi au point le premier vaccin contre la variole.

LA FAYETTE Gilbert du Mottier de
(1757-1834)

Voir p. 266.

LAS CASAS Bartolomé de
(1474-1566)

Voir p. 184.

LOUIS XVI
(1754-1793)

Voir p. 252.

LOUIS-PHILIPPE
(1773-1850)

Après la révolution de 1830, il devient roi des Français. Il modifie la Charte de 1814 instaurant une monarchie parlementaire. À partir de 1840, son principal ministre, Guizot, mène une politique favorable à la bourgeoisie d'affaires. Dépassé par les événements de février 1848, il abdique en faveur de son petit-fils, le comte de Paris, et s'enfuit en Angleterre.

MAGELLAN Fernand de
(v. 1480-1521)

Navigateur portugais, il est à l'origine de la première circumnavigation de la Terre pour le compte de l'Espagne.

MALTHUS Thomas R.
(1766-1834)

Pasteur anglican et économiste, il énonce, dans son *Essai sur le principe de population* (1798), le principe selon lequel, en régime naturel, le nombre des êtres humains tend à progresser de façon plus rapide que la quantité de nourriture. Il en conclut à l'inévitabilité de catastrophes démographiques, à moins d'empêcher la population de croître. Les politiques de restriction démographique inspirées de Malthus sont appelées « malthusiennes ».

MARAT Jean-Paul
(1743-1793)

Médecin, journaliste et député montagnard, il fonde, en 1789, *L'Ami du peuple*, dont il est l'unique rédacteur. Le titre se distingue par la violence du propos. Ardent défenseur d'une égalité qui doit être aussi sociale, il est élu député à la Convention et siège avec les Montagnards. Le 13 juillet 1793, il est poignardé par Charlotte Corday, une jeune femme liée aux Girondins. La mort de Marat suscite une vive émotion parmi les sans-culottes ; la Convention décide d'organiser un deuil public.

MARIE-ANTOINETTE
(1755-1793)

Née à Vienne, elle est le quinzième enfant de l'empereur François Ier et de l'impératrice Marie-Thérèse d'Autriche. Elle devient reine de France après son mariage avec Louis XVI dont elle a quatre enfants ; mais une seule parviendra à l'âge adulte. Décrétée d'arrestation en même temps que Louis XVI le 10 août 1792, elle meurt sur l'échafaud le 16 octobre 1793.

MAZZINI Giuseppe
(1805-1872)

Nationaliste italien, membre de la société secrète des *Carbonari*, il a été le principal acteur du nationalisme italien jusqu'en 1848.

MÉDICIS Laurent Ier, dit le Magnifique
(1449-1492)

La famille Médicis est une des plus célèbres familles dans la bourgeoisie de Florence. Laurent exerce l'autorité sur la ville de 1469 à 1492. Grand mécène, il s'intéresse aux lettres et à la peinture. Il laisse également des poésies.

MEHMED II
(1432-1481)

Voir p. 170.

MICHEL-ANGE
(1475-1564)

Voir p. 202.

MONTESQUIEU Charles-Louis de (1689-1755)

Philosophe des Lumières, noble, magistrat, homme de lettres et penseur politique. Dans *De l'esprit des lois* (1748), il pose le principe de la séparation des pouvoirs pour garantir la liberté de l'individu contre l'arbitraire.

NEWTON Isaac
(1642-1727)

Voir p. 226.

PÉRICLÈS
(495-429 av. J.-C.)

Athénien descendant d'une grande famille, il rallie de nombreux citoyens par son éloquence à l'assemblée. Il est l'auteur de grandes réformes consolidant la démocratie, tel le *misthos*. Il élimine l'opposition oligarchique en utilisant l'ostracisme et durcit l'accès à la citoyenneté. Il œuvre au rayonnement d'Athènes en obligeant ses alliés de la ligue de Délos à verser à la cité leur tribut et en lançant une politique de travaux d'embellissement de la ville dont le symbole est la construction du Parthénon. Il meurt de la peste peu après le déclenchement de la guerre du Péloponnèse.

PÉTRARQUE François
(1463-1494)

Poète et érudit, amateur de manuscrits anciens qu'il achète ou fait copier, il est considéré comme le premier humaniste italien.

PHILIPPE II DE MACÉDOINE
(382-336 av. J.-C.)

Fondateur d'un État macédonien puissant, il lance une politique d'expansion territoriale qui menace les cités grecques. En 338 av. J.-C., à Chéronée, les Grecs coalisés sont écrasés par l'armée macédonienne commandée par le fils de Philippe, futur Alexandre le Grand.

PIC DE LA MIRANDOLE Jean
(1463-1494)

Humaniste italien, il cherche à restaurer les philosophes anciens dont Platon et Aristote. Son texte le plus célèbre est le *Discours sur la dignité de l'homme* (1485).

PIERO DELLA FRANCESCA
(v. 1416-1492)

Voir p. 200.

PIZARRE Francisco
(1475-1541)

Conquistador qui conquiert l'empire des Incas. Il fait mettre à mort le roi inca Atahualpa en 1533.

RABELAIS François
(1494-1553)

Médecin et humaniste français. Ses ouvrages satiriques utilisent des personnages populaires, les géants Pantagruel et Gargantua, pour dénoncer les vices de l'humanité comme la guerre et le fanatisme religieux.

ROBESPIERRE Maximilien de
(1758-1794)

Voir p. 274.

ROUSSEAU Jean-Jacques
(1712-1778)

Écrivain et philosophe des Lumières, il pose le principe de la volonté générale émanant du peuple dans *Du Contrat social* (1762). Il insiste sur le lien entre liberté et égalité. Sa pensée inspire une partie des révolutionnaires de 1789 et 1793. Ses cendres sont transférées au Panthéon en 1794.

SÉNÈQUE
(4 av. J.-C. - 65 apr. J.-C.)

Brillant homme de lettres romain, il fréquente la cour impériale mais est exilé en Corse par Caligula. Il est rappelé par Claude puis devient le professeur de Néron dont il est le conseiller avant de tomber en disgrâce puis d'être contraint au suicide par son ancien élève. Il écrit de nombreuses tragédies et plusieurs ouvrages de philosophie stoïcienne.

SCHŒLCHER Victor
(1804-1893)

Journaliste, il a dénoncé l'esclavage dans les colonies françaises dès 1830. Sous-secrétaire d'État aux colonies dans le gouvernement provisoire de la IIe République, il impose l'abolition de l'esclavage.

SIEYÈS Emmanuel Joseph
(1748-1836)

Révolutionnaire français qui joue un rôle tout au long de la décennie révolutionnaire. Il devient célèbre en 1788 en écrivant *Qu'est-ce que le tiers-état ?* Élu député aux États généraux, il participe à leur transformation en Assemblée nationale et devient membre du club des Jacobins puis des Feuillants. En retrait pendant la Terreur, il retrouve un rôle important sous le Directoire et prépare le coup d'État qui permet à Bonaparte de prendre le pouvoir.

SOLIMAN LE MAGNIFIQUE
(1494-1566)

Sultan de l'Empire d'ottoman de 1520 à 1566, il est aussi surnommé le Législateur. Il développe une administration impériale dans un État qui atteint son apogée territoriale.

SOLON
(640-558 av. J.-C.)

Athénien issu d'une famille noble appauvrie, il joue un rôle décisif dans l'installation de la démocratie à Athènes en abolissant l'esclavage pour dettes et en imposant l'isonomie.

SUGER
(v. 1081-1151)

Voir p. 118.

TACITE
(53-120 apr. J.-C.)

Sénateur et historien romain, il fait une belle carrière dans l'administration impériale tout en écrivant des livres de rhétorique ou d'histoire. Très grand écrivain, ses ouvrages constituent une critique du règne des empereurs même s'il reconnaît qu'il n'y a pas d'autres solutions que le régime impérial.

TOCQUEVILLE Alexis de
(1805-1859)

Issu de la noblesse, il est l'un des fondateurs de la pensée politique libérale française. Il effectue un voyage aux États-Unis (1831-1832) dont il rapporte son ouvrage *De la démocratie en Amérique* (1835). Il se lance ensuite dans une carrière politique. Il quitte la vie politique en 1851 et publie *L'Ancien Régime et la Révolution* (1856).

TRAJAN
(53-117)

Choisi par l'empereur Nerva, il lui succède en 98. Initiant une politique de conquête, il amène l'Empire romain à son extension maximale. Grand bâtisseur, il favorise le développement des villes dans lesquelles il voit un moyen de créer des centres de romanité. En 100 après J.-C., il fonde en Numidie (Algérie actuelle) une colonie qui prend le nom de *colonia Marciana Traiana Thamugadi*, Timgad.

URBAIN II
(1042-1099)

Eudes de Châtillon devenu pape sous le nom d'Urbain II. Durant son pontificat (1088-1099), il lance la première croisade lors de l'appel de Clermont.

VINCI Léonard de
(1452-1519)

À la fois artiste, savant et écrivain, homme d'esprit universel, il fascine ses contemporains et travaille pour les grands princes de son époque. Il finit ses jours en France, appelé par François Ier.

VOLTAIRE François-Marie Arouet dit
(1694-1778)

Écrivain et philosophe des Lumières, il combat toutes les formes d'intolérance, surtout le fanatisme religieux. C'est un grand admirateur du modèle politique anglais qu'il décrit dans les *Lettres philosophiques* (1734). Amant d'Émilie du Châtelet, il se passionne avec elle pour les sciences. Il est également l'auteur de contes philosophiques (*Candide, Zadig*). Ses cendres sont transférées au Panthéon en 1791.

WASHINGTON George
(1732-1799)

Voir p. 246.

ZHENG He
(1371-1434)

Voir p. 174.

ZWINGLI Ulrich
(1484-1531)

Humaniste et ecclésiastique zurichois, il réforme sa ville et influence le protestantisme européen non luthérien.

Lexique

En rose : vocabulaire des arts

Abside Voir p. 168.

Absolutisme Voir p. 252.

Académie des sciences Voir p. 226.

Académie Réunion d'hommes de lettres, née au XVIIe siècle, pour encourager et diriger le travail intellectuel et artistique, en organisant des concours et en décernant des prix.

Adoubement Voir p. 130.

Albigeois Voir p. 102.

Allégorie Voir p. 296.

Amphithéâtre Voir p. 72.

Amphore Voir p. 48.

Anciens Voir p. 194.

Araire Voir p. 118.

Arc brisé Voir p. 144.

Arcade Voir p. 72.

Archonte Voir p. 46.

Arènes Voir p. 72.

Assemblée nationale Voir p. 266.

Assolement Voir p. 118.

Asty Voir p. 42.

Atrium Pièce centrale de forme carrée d'une *domus* romaine, entourée d'un portique et munie en son centre d'un bassin à ciel ouvert.

Banalités Sous l'Ancien Régime, ensemble des taxes et droits seigneuriaux qui pèsent sur le paysan.

Basilique Voir p. 168.

Bastides Nom donné aux villes nouvelles fondées dans le Sud-Ouest par les pouvoirs seigneuriaux ou royaux.

Beffroi Voir p. 144.

Bénéfice Voir p. 130.

Bouddhisme Voir p. 174.

Boulê Voir p. 46.

Bourgs Voir p. 146.

Cabinet de curiosités Voir p. 226.

Calife Dans la tradition musulmane, celui qui dirige l'ensemble de la communauté des musulmans (*l'umma*) : son pouvoir politique a aussi une dimension religieuse car il doit veiller à appliquer une justice conforme au Coran, la charia.

Calligraphie Voir p. 168.

Caricature Voir p. 28.

Cathares Voir p. 102.

Cens Loyer de la terre (la censive) fixé par contrat écrit ou oral. Mais le seigneur lève aussi des droits de mutation (les lods et ventes).

Céramiques à figures noires et rouges Voir p. 48.

Champart Loyer de la terre payé par le paysan au seigneur, sous la forme d'une partie des récoltes, proportionnelle et donc variable.

Chanoine Clerc qui assiste l'évêque pour les messes ou l'enseignement. Le chanoine est un prêtre mais il vit en communauté, obéissant à la règle de saint Augustin. Les chanoines forment donc un ordre à la fois séculier et régulier.

Charbonnerie Voir p. 298.

Charrue Voir p. 118.

Charte de franchise Voir p. 146.

Chartisme Voir p. 298.

Chef-lieu de cité Ville qui constitue le centre politique du territoire d'une cité.

Chevalier Voir p. 126.

Chora Voir p. 42.

Chrétiens orthodoxes Voir p. 170.

Christianisme Voir p. 92.

Circumnavigation Voir p. 174.

Cirque Voir p. 72.

Cité (grecque) Voir p. 50.

Cité (romaine) Voir p. 76.

Citoyen Voir p. 42.

Clubs Des sociétés qui sont des lieux de débats politiques. Sous la Révolution, le plus célèbre est celui des Jacobins, installé dans un ancien couvent de Jacobins, d'où son nom. Il réunissait des républicains démocrates.

Code civil Voir p. 280.

Collège Voir p. 226.

Comité de salut public Principal comité désigné par la Convention à partir de 1793 pour exercer le gouvernement à la place des ministres.

Communauté civique Voir p. 50.

Communautés villageoises (ou rurales ou paysannes) Voir p. 120.

Commune Voir p. 146.

Composition Voir p. 200.

Concile Voir p. 106.

Condenseur Chambre dans laquelle la vapeur d'eau est ramenée à l'état liquide sous l'effet du froid.

Confrérie Voir p. 152.

Confucianisme Voir p. 174.

Conquistadores Voir p. 184.

Conservateur Au plan politique, partisan du maintien de l'ordre social et politique.

Constitution Voir p. 266.

Consul Voir p. 142.

Contado Voir p. 142.

Contre-Réforme Voir p. 206.

Contre-révolution Le rejet du processus révolutionnaire et des principes sur lesquels il s'appuie. Elle réunit aussi bien les réfractaires, les aristocrates émigrés que les paysans hostiles à la levée en masse.

Corporation Voir p. 152.

Corvée Voir p. 116.

Coup d'État Voir p. 280.

Coupole Voir p. 168.

Coutume Voir p. 118.

Croisade Voir p. 100.

Culte impérial Culte rendu aux empereurs morts et divinisés qui permettait aux populations des provinces de manifester leur attachement à l'Empire romain.

Cultes civiques Voir p. 80.

Défrichements Voir p. 118.

Démagogue Voir p. 56.

Dème Voir p. 44.

Démocratie Voir p. 50.

Démographie Voir p. 20.

Despotisme éclairé Voir p. 252.

Dessin Voir p. 272.

Devchirme Expédition pratiquée par l'Empire ottoman dans des régions peuplées de chrétiens, qui consiste à enlever les jeunes garçons à leur famille. Ils sont éduqués ensuite dans une famille musulmane, convertis, puis entraînés et instruits pour servir dans l'armée ou l'administration du sultan comme janissaires.

Diaspora Voir p. 30.

Dîme Taxe versée à l'Église, représentant à l'origine un dixième des produits de la terre, pour l'entretien du clergé, des lieux de culte et pour l'assistance aux pauvres.

Diocèse Regroupement de paroisses, placé sous l'autorité religieuse d'un évêque.

Divinité poliade Voir p. 42.

Domus Demeure urbaine de l'aristocratie romaine.

Double effet Invention de James Watt permettant de perfectionner la machine à vapeur. Le piston monte et descend sous l'effet de la vapeur alternativement distribuée dans le cylindre de chaque côté du piston.

Droit de veto suspensif Voir p. 266.

Droit divin Voir p. 240.

Droits naturels Voir p. 246.

Ecclésia Voir p. 46.

Égalité civile Voir p. 266.

Église / église Voir p. 92.

Église romaine Après le schisme de 1054, ce terme désigne l'Église d'Occident qui reconnaît l'autorité suprême du pape.

Émigration Voir p. 30.

Émigrés Voir p. 266.

Esclavage Voir p. 294.

Esclave Voir p. 50.

Espace interconnecté Voir p. 164.

Esquisse Voir p. 218.

Estampe Voir p. 218.

États généraux Réunion des représentants des trois ordres, convoquée par le roi pour le conseiller. Leurs décisions y font l'objet d'un vote où, traditionnellement, chaque ordre dispose d'une voix. Sous la monarchie française, les États généraux n'ont été

que rarement réunis, et surtout dans les périodes de fragilité du pouvoir royal.

États Voir p. 240.

Évêque Membre du clergé de l'Église chrétienne qui a la direction de plusieurs paroisses. Il dirige les communautés chrétiennes et les prêtres de son diocèse.

Évergétisme Voir p. 74.

Fédéralisme Voir p. 270.

Féodalité Voir p. 130.

Fidélité Voir p. 130.

Fief Voir p. 130.

Forum Place monumentale d'une cité romaine qui en constitue le centre politique et religieux. Il réunit les principaux bâtiments publics.

Franchise rurale Voir p. 122.

Franc-maçonnerie Associations, en partie secrètes, dont les membres professent des principes de fraternité et se reconnaissent entre eux à des signes et des emblèmes. Elles sont organisées en groupes appelés loges. Elles apparaissent en France au XVIIIᵉ siècle et sont le lieu de diffusion des idées nouvelles.

Gabelle Impôt royal sur la vente du sel monopolisé au profit de l'État. Particulièrement impopulaire, elle est supprimée en 1790.

Géocentrisme Voir p. 222.

Girondins Voir p. 270.

Gothique Voir p. 104.

Gouverneur Magistrat envoyé par Rome dans une province pour diriger les affaires militaires, judiciaires et fiscales durant un à trois ans.

Gravure Voir p. 218.

Halle Voir p. 144.

Héliée Voir p. 46.

Héliocentrisme Voir p. 222.

Hérésie Voir p. 106.

Hommage Voir p. 130.

Honestiores Voir p. 80.

Humanisme Voir p. 198.

Humiliores Voir p. 80.

Immigration Voir p. 30.

Impérialisme Voir p. 56.

Indulgence Voir p. 206.

Inquisition Tribunal de l'Église chargé de juger les hérétiques après interrogatoire (*inquisitio* en latin), voire torture.

Insurgents (« insurgés ») Nom donné aux colons britanniques qui se révoltèrent contre la politique du Royaume-Uni dans les treize colonies d'Amérique du Nord au cours de la révolution américaine.

Islam Voir p. 170.

Isonomie Voir p. 50.

Jacobins Voir p. 274.

Laïc Voir p. 100.

Légitimisme Voir p. 298.

Lexicographe Voir p. 196.

Libéralisme Voir p. 292.

Libertés individuelles Voir p. 246.

Limes Frontière extérieure de l'Empire romain qui n'est pas forcément fortifiée.

Lithographie Voir p. 28.

Livre Voir p. 198.

Lumières Voir p. 252.

Magistrat Voir p. 50.

Mandarin Fonctionnaire de l'Empire chinois qui a été sélectionné par concours après une formation intellectuelle poussée.

Manuscrit Voir p. 128.

Manuscrit / livre Voir p. 198.

Mécène Voir p. 202.

Métèque Voir p. 42.

Méthode expérimentale Voir p. 216.

Métier Voir p. 152.

Minaret Voir p. 168.

Miniature Voir p. 128.

Mirhâb Voir p. 168.

Modelé Voir p. 272.

Monachisme Voir p. 96.

Monarchie absolue Voir p. 240.

Monarchie parlementaire Voir p. 246.

Mondialisation migratoire Voir p. 30.

Mondialisation Voir p. 164.

Montagnards Voir p. 270.

Mosquée Voir p. 168.

Motte castrale Voir p. 124.

Mouvement cistercien Voir p. 96.

Mouvement communal Voir p. 146.

Municipe Voir p. 177.

Nation Voir p. 300.

Néoclassicisme Voir p. 272.

Notable (romain) Voir p. 74.

Oligarchie Voir p. 56.

Opinion publique Voir p. 252.

Ordre mendiant Voir p. 106.

Ostracisme Voir p. 52.

Ottoman Voir p. 170.

Paroisse Voir p. 92.

Patriciat urbain Voir p. 152.

Patriote Voir p. 304.

Pays neufs Voir p. 30.

Peregrinatio academica Voir p. 198.

Pérégrins Voir p. 80.

Perspective géométrique Voir p. 200.

Peuple Voir p. 152.

Plaid (Du latin *placitum*) À l'époque féodale, il s'agit du devoir du vassal d'aider son seigneur à rendre la justice.

Plébiscite Voir p. 280.

Pompe à air Instrument scientifique servant à produire artificiellement le vide afin de réaliser diverses expériences de chimie, de physique et de biologie.

Portrait psychologique Voir p. 244.

Prédestination Voir p. 206.

Privilèges Voir p. 252.

Progressiste Au plan politique, partisan d'une réforme de la société dans le sens d'un progrès social.

Protestants Voir p. 206.

Protocole Voir p. 216.

Province Voir p. 74.

Reconquista Voir p. 100.

Réforme catholique Voir p. 206.

« Réforme grégorienne » Voir p. 100.

Réforme Voir p. 206.

Registre Voir p. 94.

Renaissance Voir p. 202.

« République des Lettres » Voir p. 198.

République Voir p. 246

Restauration Voir p. 298.

Retable Voir p. 200.

Révolution industrielle Le décollage de la production industrielle fondée sur l'usage de la machine à vapeur, que connaît l'Angleterre dès le XVIIIe siècle et qui s'étend à l'Europe au XIXe siècle.

Risorgimento Voir p. 304.

Roman Voir p. 94.

Romantisme Voir p. 296.

Ronde bosse Voir p. 244.

Rosace Voir p. 104.

Rose Voir p. 104.

Royal Society Académie des Sciences anglaise fondée en 1661.

Sacrement Voir p. 92.

Salon (XVIIIe siècle) Voir p. 226.

Salon (XIXe siècle) Voir p. 296.

Sanctuaire Voir p. 104.

Sculpture Voir p. 244.

Seigneurie banale (ou châtelaine) Voir p. 116.

Seigneurie foncière (ou rurale) Voir p. 116.

Sénat romain Assemblée de l'aristocratie romaine réunissant les anciens magistrats. Il gouverne en accord avec l'empereur.

Séparation des pouvoirs Voir p. 246.

Serf Paysan attaché au seigneur, considéré comme mineur juridique. Une fois par an, le serf apporte au seigneur deux à quatre deniers qu'il place sur sa tête (chef) courbée, en signe de soumission (chevage). La mainmorte est le droit perçu par le seigneur sur les biens du serf au décès de ce dernier. Le formariage est la taxe levée lors du mariage d'un serf hors de la seigneurie.

Sociabilité Voir p. 122.

Société d'ordres Voir p. 240.

Soldat auxiliaire Voir p. 74.

Souveraineté nationale Voir p. 266.

Stamnos Voir p. 48.

Stratège Voir p. 46.

Suffrage censitaire Voir p. 266.

Sultan Nom du souverain dans de nombreux États musulmans et notamment dans l'Empire ottoman.

Taoïsme Voir p. 174.

Taux d'accroissement naturel Voir p. 18.

Taux de mortalité Voir p. 18.

Taux de natalité Voir p. 18.

Terroir Voir p. 120.

Théologie Voir p. 106.

Théorie malthusienne Voir p. 20.

Thermes Dans la société romaine, bains publics destinés au délassement et à l'entretien du corps et de l'esprit.

Thermidoriens Voir p. 274.

Toge Vêtement caractéristique du citoyen romain.

Traite Voir p. 294.

Transition démographique Voir p. 20.

Vassalité Le lien qui unit un vassal à son suzerain. Lors de la cérémonie de l'hommage, le vassal jure fidélité et soutien à un seigneur qui lui octroie un fief.

Table des illustrations

ÉDITION : Sébastien Deleau
PRINCIPE DE MAQUETTE : Aude Cotelli, Sophie Duclos
MISE EN PAGE : Isabelle Vacher
CARTOGRAPHIE : Légendes cartographie
INFOGRAPHIES : Hugues Piolet
ICONOGRAPHIE : Nicole Laguigné / Hatier Illustration

Achevé d'imprimer par Loire Offset Titoulet à Saint-Etienne - France
Dépôt légal : 96197-7/01 - avril 2014